UNION GÉNÉRALE D'ÉDITIONS
8, rue Garancière - PARIS VIᵉ

PUBLICATIONS DU CENTRE CULTUREL DE
CERISY-LA-SALLE (50210)

10/18

Les Chemins actuels de la Critique : G. Antoine, S. Doubrovsky, G. Genette, R. Girard, R. Jean, P. de Man, G. Poulet, J. Ricardou, J.P. Richard, J. Rousset, B. de Schloezer, etc.

Révolutions Informatiques : P. Audoin, J. Barraud, P. Demarne, G. Dréan, J.J. Duby, R. Faure, F. Le Lionnais, J.C. Pagès, M. Philippot, L. Pouzin, J. Riguet, etc.

Art et Science : de la Créativité : J. Bertrand, A. Flocon, M. Fustier, J. Jacques, A. Kaufmann, R. Leclercq, C. Mathieu-Batsch, C. Ollier, J. Ricardou, J.C. Risset, C. This.

Nouveau Roman : hier, aujourd'hui - I) Problèmes généraux : J. Alter, R. Barilli, P. Caminade, A. Gardies, L.H. Hoek, R. Jean, J. Leenhardt, S. Lotringer, M. Mansuy, J. Ricardou, F. Van Rossum-Guyon, D. Saint-Jacques.

Nouveau Roman : hier, aujourd'hui - II) Pratiques : M. Butor, C. Ollier, R. Pinget, J. Ricardou, A. Robbe-Grillet, N. Sarraute, C. Simon, T. Bishop, F. Meyer, B. Morrissette, H. Prigogine, G. Raillard, L.S. Roudiez, M. Tison-Braun.

Artaud : X. Gauthier, P. Guyotat, J. Henric, J. Kristeva, G. Kutukdjian, M. Pleynet, G. Scarpetta, P. Sollers.

Bataille : R. Barthes, J.L. Baudry, D. Hollier, J.L. Houdebine, J. Kristeva, M. Pleynet, P. Sollers, F. Wahl.

Nietzsche aujourd'hui? - I) Intensités : S. Agacinski, P. Boudot, R. Calasso, E. Clemens, G. Deleuze, J. Derrida, L. Flam, M. de Gandillac, R. Gasché, D. Grylic, P. Klossowski, J.F. Lyotard, J.L. Nancy, B. Pautrat, J.M. Rey, J.N. Vuarnet.

Nietzsche aujourd'hui? - II) Passion : F. Assaad-Mikhaïl, E. Biser, E. Blondel, E. Clemens, J. Delhomme, C. Descamps, E. Fink, E. Gaede, S. Kofman, A. Kremer-Marietti, P. Lacoue-Labarthe, K. Lowith, J. Maurel, N. Palma, R. Roos, P. Valadier, H. Wismann.

Soljénitsyne : M. Aucouturier, O. Clément, M. Evdokimov, G. Nivat, P. Rawicz, M. Slonim, R. Tarr.

Bachelard : H. Barreau, A. Clancier, J. Follain, G. Germain, H. Gouhier, M. Guiomar, J. Lescure, R. Poirier, M. Serres, etc.

Butor : F. Aubral, J.Y. Bosseur, D. Bougnoux, M. Butor, X. Delcourt, B. Didier, R. Kœring, J. Leenhardt, J.F. Lyotard, L. Perrone-Moisès, P. Quéréel, G. Raillard, F. van Rossum-Guyon, L.S. Roudiez, F. Saint-Aubyn, M. Spencer, M. Vachey, J. Waelti-Walters.

Claude Simon : P. Caminade, L. Dällenbach, A. Duncan, K. Holter, R. Jean, J. Leenhardt, S. Lotringer, A. Pugh, G. Raillard, J.C. Raillon, J. Ricardou, F. van Rossum-Guyon, G. Roubichou, L.S. Roudiez, D. Saint-Jacques, C. Simon, J. Stevens, S. Sykes, I. Tschinka, J.P. Vidal.

Changement de forme : révolution, langage - I) Change de forme : biologies et prosodies : P. Courrege, A. Danchin, J.P. Guéron, M. Halle, S.J. Keyser, P. Lusson, J. Paris, L. Robel, M. Ronat, J. Roubaud, P. Roubaud, P. Zumthor.

Changement de forme : révolution, langage - II) Change matériel : folie, histoire, récit : M. Armelino, P. Boyer, Y. Buin, D. Dobbels, J.P. Faye, J.C. Montel, T. Moreau-Hicks, J. Peignot, J.C. Polack, B. Remy, P.L. Rossi, D. Sabourin, J.M. Tisserant.

Paulhan : M. Augé, D. Aury, M. Beaujour, Y. Belaval, J. Bersani, M. Charles, R. Etiemble, T. Ferenczi, F. Grover, G. Olgiati, P. Oster, G. Raillard, R. de Solier, J.Y. Tadié, S. Yeschua, J.C. Zylberstein.

PLON

La sexualité : P.M. Aron, R. Chauvin, R. Courrier, J. Decourt, M. Eck, M. Klein, E. Wolff, etc.

La Paralittérature : M. Allain, N. Arnaud, F. Caradec, J. Carelman, J. Follain, F. Lacassin, Massin, M. Roche, E. Sullerot, J. Tortel, etc.

L'enseignement de la littérature : R. Barthes, M. Deguy, S. Doubrovsky, G. Genette, A.J. Greimas, B. Pingaud, M. Riffaterre, T. Todorov, P. Zumthor, etc.

Le Grand siècle russe : D. Arban, A. Besançon, J. Blot, T. Chestov, G. Nivat, B. de Schloezer, W. Weidlé, etc.

Georges Bernanos : J. Bastaire, J.L. Bernanos, M. Dard, M. Estève, B. Guyon, M. Milner, D. Pézéril, etc.

P.U.F.

Paul Desjardins et les décades de Pontigny (Centenaire) : P. Bertaux, A. Canivez, A. Fabre-Luce, P. Hamp, G. Lefranc, G. Marcel, A. Maurois, R. Nordling, R. Poirier, E. Poulat, J. Schlumberger, H. Tuzet, etc.

A LA BACONNIERE, NEUCHATEL

Entretiens autour de Gabriel Marcel.

CENTRE CULTUREL
INTERNATIONAL
DE CERISY-LA-SALLE

ROBBE-GRILLET : ANALYSE, THÉORIE

2. Cinéma/Roman

DIRECTION

Jean RICARDOU

COMMUNICATIONS

Tom BISHOP, Dominique CHATEAU, Raymond ELAHO,
Pierre FEDIDA, Lise FRENKEL, André GARDIES,
François JOST, Jacques LEENHARDT,
Claudette ORIOL-BOYER, Françoise ROUET-NAUDIN,
Dumitru TSEPENEAG, Olivier VEILLON.

INTERVENTIONS

A. ARNAUDIES, R. BARILLI, J.-M. BENOIST,
J.-C. CAMBIER, L. DALLENBACH, J. ELLIOTT,
L. ESBOA, M. de GANDILLAC, G. GODIN, F. GROVER,
M. HENAFF, H. HERVIEU, P. JACOPIN,
G. KRYSSING-BERG, J.-J. LE DEUF, D. MATHAIOU,
B. PEETERS, J. PLOTTEL, B. PREMER-KAYSER,
A. PUGH, J.-C. RAILLON, E. REICHMAN,
J. RICARDOU, M. RYBALKA, M. SPENCER,
J. STEINER, M. VALLORA,
M. VASSEUR, P.-M. WETHERILL.

Avec la participation d'Alain ROBBE-GRILLET

INÉDIT

AVERTISSEMENT

I

Du 28 juin au 8 juillet 1975 s'est tenu au Centre Culturel International de Cerisy-la-Salle, un colloque intitulé : *Robbe-Grillet : analyse, théorie*, sous la direction de Jean Ricardou et en présence d'Alain Robbe-Grillet. L'ensemble des communications et une large part des discussions ont été rassemblés en deux volumes. Les schémas ont été dessinés par Jacques Assimon, que nous remercions ici.

II

A titre indicatif, voici les titres des exposés du premier volume : *Terrorisme, théorie* (J. Ricardou), *Avatars du mythe chez Robbe-Grillet et chez Butor* (M. Spencer), *Faux portraits de personne* (L. Dällenbach), *L'ordre musical chez Alain Robbe-Grillet. Le discours sonore dans ses films* (M. Fano), *Le texte en fuite* (S. Lotringer), *Le souverain s'avarie* (J.-P. Vidal), *« Je fais mon rapport, un point c'est tout »* (J.-C. Raillon), *Neutralisation et différence* (R. Barilli).

III

Pour tous renseignements sur les colloques de Cerisy, et participation éventuelle, écrire au C.C.I.C., 27, rue de Boulainvilliers, 75016 Paris.

© Union Générale d'Éditions, 1976.
ISBN 2-264-00086-4

IX. PROJET POUR UNE CRITIQUE

Projet pour *une* révolution; non pas *la* révolution, celle dont on fait toujours comme si on savait ce qu'elle est, mais une révolution, « parcours sur une courbe fermée, repassant successivement par les mêmes points », comme dit le dictionnaire Larousse. Idée d'un petit tour dans New York, d'un cheminement à travers des discours et des mythologies, idée d'une mise à l'épreuve, ironique ou inquiète, des rhétoriques de tout poil qui peuplent notre univers culturel. Discours et parcours, paroles sans sujet et mouvements sans ancrage, telle semble être la figure que nous propose *Projet pour une révolution à New York*.

Le discours, c'est ce flux qui déferle au début du texte comme une vague, c'est-à-dire ayant sa détermination ailleurs qu'en lui-même :

« *Les mots, les gestes se succèdent à présent d'une manière souple, continue, s'enchaînant sans à-coup les uns aux autres, comme les éléments nécessaires d'une machinerie bien huilée.* » (p. 7).

Le discours est toujours *avant* et *à côté* de ceux qui l'actualisent, ceux-ci n'interviennent jamais que dans la répétition du « comme il a déjà été dit » qui clôt le texte de *Projet* (p. 214). Il y a donc toujours déjà du discours et, à la limite, il n'y a que ça; je veux dire, le texte fait comme s'il n'y avait pas d'autre réalité que

7

cette discursivité même. Ça parle par l'organe des différentes figures qui peuplent le texte; la muliplicité de leurs doubles et de leurs masques ne fait que renforcer l'unicité du discours, tel qu'en lui-même le déroulement textuel le laisse inchangé.

Le propre du discours c'est de n'être ni assignable à un sujet individuel, ni fini en ses avatars; aussi au long du texte reste-t-il toujours ouvert sur une modulation nouvelle qui en renforcera l'efficacité par la reprise. Le dernier mot semble toujours déjà avoir été dit, semble déjà gravé sur quelqu'une de ces bandes magnétiques qui en ressassent le déroulement. Aussi tout ce qui apparaît au plan de ce discours offre-t-il le poli et le soyeux d'une surface continue, nette, la mécanique en est rodée et huilée, les mots s'enchaînent avec aisance.

Ce que j'appelle ici *discours* manifeste donc l'importance de ce champ de la dispersion du sujet sur lequel Foucault a articulé ce concept dans l'*Archéologie du savoir* :

« *Les diverses modalités d'énonciation, au lieu de renvoyer à la syntyhèse ou à la fonction unifiante d'un sujet, manifestent sa dispersion. Aux divers statuts, aux divers emplacements, aux diverses positions qu'il peut occuper ou recevoir quand il tient un discours. A la discontinuité des plans d'où il parle (...) [le discours] est un espace d'extériorité où se déploie un réseau d'emplacements distincts.* » (p. 74).

Si *Projet* est *du* discours, c'est-à-dire s'il appartient lui-même comme texte à ce qu'on pourra déterminer un jour comme couche discursive, et dont on pourra alors faire véritablement l'analyse, la spécificité de ce discours est justement à chercher dans le fait qu'il se constitue lui-même comme articulation ou, mieux, stratification de couches de discursivité. *Projet,* comme nombre d'œuvres de Robbe-Grillet, se présente comme un lieu d'interdiscursivité, un point de rencontre. Le projet d'une critique de *Projet* est donc à mener à partir d'un repérage des couches qui s'y manifestent.

Je voudrais commencer cette tentative sommaire de repérage par une des couches les moins spectaculairement développées, une strate discursive qui fonctionne apparemment comme négativité à l'intérieur de l'ensemble et que l'on pourrait appeler le *discours substantialiste*. Cette seule dénomination fait bien sentir à quel point la couche qu'elle désigne ne peut qu'être marginale chez Robbe-Grillet. Il n'en est que plus nécessaire de ne pas l'oublier, car elle remplit une fonction essentielle dans l'organisation du texte. Le discours substantialiste comme entité regroupe tout ce qui s'énonce dans l'ordre du marqué, de ce qui arrête et accroche : le fragmentaire, l'usé, le rugueux, tout ce qui porte en soi les traces de l'activité ou de la vie. L'argent qu'on gagne ou qu'on vole, celui qui est tout froissé, avec de menues déchirures, celui qui est un peu gras à cause de la crasse, celui qui a de l'odeur, comme les cigares de La Havane, les parfums français, les chevaux de course, les vieux briquets à essence et les slips avant qu'on les lave (p. 158). Ce sont les journaux déchirés, les emballages de bonbons maculés de traces humides plus ou moins innommables (p. 29). Le discours qui s'élabore autour de ces objets est chargé de substantialité; l'objet lui-même y perd toute autonomie à force d'être porteur des signes de l'humanité. L'objet parle, dialogue avec l'homme, investi des qualités en lesquelles celui-ci se plaît à se reconnaître.

On se souvient comment, à propos de *L'Etranger* de Camus, Robbe-Grillet avait fait, dans *Pour un Nouveau Roman*, la critique de ce discours substantialiste, produit de l'humanisme, fruit d'une tradition qui continue à être mourante, c'est-à-dire à vivre. S'il apparaît dans *Projet*, ce discours n'y joue en revanche qu'un rôle restreint. Son existence permet l'élaboration d'une opposition avec une deuxième strate discursive. Le jeu des strates entre elles, dont je ne ferai que repérer trois, semble figuré de la manière la plus explicite à travers un des thèmes récurrents les plus importants : la description de l'affiche des produits Johnson.

Le texte dit : « Hier c'était un drame... Aujourd'hui,

une pincée de lessive diastasique Johnson et la moquette est comme neuve », et une main a rajouté : « Et demain, la révolution » (p. 159). Trois temporalités sont proposées : hier, aujourd'hui, demain. La première, celle d'hier, c'est le *drame*. Forme de la théâtralité ancienne, le drame, ou la tragédie, est ce lieu de l'affrontement des valeurs contradictoires, honneur, amour, devoir, etc. Hier, c'était un drame. Le conflit des valeurs, éventuellement incarné dans le corps ensanglanté de la jolie jeune fille de l'affiche, hier c'était un drame. La forme du discours substantialiste, c'est-à-dire humaniste, c'était le drame. Univers de la tache et de la souillure, monde où tout ce conçoit marqué par l'activité et la vie. Le drame c'est la saleté et la crasse, dans laquelle on n'est jamais bien sûr de n'avoir pas laissé quelque chose de soi, dans laquelle par conséquent on n'est jamais bien sûr de ne pas se retrouver. Et aujourd'hui, aujourd'hui la lessive, aujourd'hui le propre, le clinquant, la netteté aseptisée des couleurs vives et riantes, aujourd'hui les visages roses et souriants, aujourd'hui Johnson, la marchandise, comme les glaces aux vingt-cinq parfums d'Howard Johnson dans *Mobile*. Le monde d'aujourd'hui c'est le monde de l'affiche, il tranche sur les indécisions ombreuses d'hier :

« *Le long couloir d'un bout à l'autre est vide et silencieux, très sale comme tous ceux de cette ligne de métro, jonché de papiers divers, depuis les journaux déchirés jusqu'aux emballages de bonbons, et maculé de traces humides plus ou moins innommables. L'affiche toute neuve qui s'étend à perte de vue, en arrière comme en avant, tranche aussi par sa netteté sur le reste des murs...* » (p. 29).

Avec l'affiche, nous entrons dans un autre monde, désubstantialisé celui-là, une nouvelle strate discursive s'ébauche autour d'une théâtralité actuelle, d'aujourd'hui, dont le pivot est la marchandise.

Il n'est plus question de voir l'homme et sa trace sur chaque objet, ceux-ci au contraire resplendissent de tous leurs feux en dehors du contact, coupés et abstraits, marchandise au sens que ce mot a chez Marx.

L'affiche, et son corrélat la marchandise, apparaît d'abord dans le texte liée à son lieu spécifique : la galerie marchande. Si, d'une certaine manière, la théâtralité ancienne est liée à l'univers de la maison du narrateur, la nouvelle théâtralité a élu domicile au cœur du passage et de l'échange, des hommes et des biens, dans cette galerie marchande du métropolitain.

On voit ainsi s'esquisser une opposition, dont les pôles seraient *substantialité*/« ethos » et *abstraction*/« mythos ». On peut dire que l'antithèse constituée par le maniement conjoint de ces deux concepts est, sinon triviale, du moins fréquente; elle alimente toute une littérature, et toute une critique aussi, fondée sur l'opposition entre la substantialité des valeurs du poème, son caractère généralement « humain », et l'abstraction des réalisations du technicien, inhumaines. Un film comme *Alphaville* de Godard, par exemple, ne maîtrisant pas le caractère doublement mythologique de cette opposition, finit par conforter des positions idéologiques avec lesquelles pourtant il ne voudrait pas être compromis.

Projet cependant ne s'arrête pas à cette opposition à deux termes, et, sans qu'il faille se méprendre sur l'avenir ainsi dessiné, jette un troisième terme : « demain, la révolution ». Théâtralité de l'avenir, la révolution détruira. Mais pas exactement dans le sens où la marchandise remplace les valeurs qui la précèdent. La révolution dont il est question ici agit de manière cathartique et détruit un peu, pour sauvegarder beaucoup (p. 153). Elle détruira un peu de marchandise, des buildings et quelques femmes — « surtout des femmes, toujours en nombre excédentaire » — beaux objets traditionnellement pensés dans le registre de la marchandise. Grâce à quoi chacun sera libéré des contraintes dont il souffre.

On notera cependant que la théâtralité de l'avenir n'est pas radicalement autre que celle de l'aujourd'hui. Elle n'en est que le détournement, comme l'affiche Johnson est surchargée, non pas remplacée. Les liens qui soudent aujourd'hui et demain, discours marchand et discours révolutionnaire semblent donc particulièrement étroits.

De toute façon, par rapport au texte, ce n'est que par commodité, et donc provisoirement, que l'on peut distinguer des temps différents (hier, aujourd'hui, demain). En réalité, le mouvement de production textuelle est contemporain, jouant simplement sur la différence des discours qu'il traverse. Ainsi le passage par les narrateurs différents que l'on rencontre à l'intérieur de *Projet* de la théâtralité I à la théâtralité III, de celle du drame inscrit dans le roman lu par les personnages, à celle de la révolution actualisée dans une ville donnée pour réelle, et le mouvement d'exploration des souvenirs et des possibles que détermine le glissement d'une idéalité livresque à un concret spatio-temporel, se heurtent-ils — comme toujours chez Robbe-Grillet — non pas à ce qu'on pourrait appeler un principe de réalité, qui opèrerait une sélection entre les possibles pour ne garder finalement que le vrai, mais à l'impasse à laquelle se heurte le procédé lui-même de jeu entre des discursivités : l'incommensurabilité du possible au temps d'exploration d'un narrateur :

« *Il me restait encore dans le même ordre d'idées à décrire le quatrième acte du supplice de Joan, la jolie putain laiteuse. Mais le temps presse. Il va bientôt faire jour. (...) Il aurait surtout fallu rechercher ce qu'est devenu (...) mais il est trop tard.* » (p. 208-209).

Il aurait fallu, *mais*... La restriction imposée à tout narrateur, la nécessité du choix et de la partialité referme nécessairement l'ouverture vers hier et demain aux dimensions d'aujourd'hui, qui se constitue par conséquent comme structure axiale du texte. La diachronie évoquée par les trois temporalités hier-aujourd'hui-demain se replie sur l'hégémonie actuelle, celle de la discursivité de l'affiche et de la marchandise. Celle-ci, sous le nom de Johnson ou sous l'espèce de l'image de l'affiche, joue le rôle de pivot pour l'articulation des couches discursives, comme pour l'organisation des espaces que reproduit la tripartition des temporalités.

Ces lieux, je les décrirai sommairement, c'est-à-dire sans pouvoir tenir compte de tous les avatars dont ils sont susceptibles; appelons-les la maison du narrateur, la galerie marchande et l'antre du Dr Morgan.

Vous vous souvenez que ce qui caractérise la maison du narrateur — comme ainsi que son double, d'ailleurs, le terrain vague — comme lieu, c'est son aspect vétuste, le fait qu'elle est destinée à disparaître, objet anachronique dans une ville déjà entièrement recentrée sur sa nouvelle nervure : la galerie marchande souterraine (p. 207). Sur le point de disparaître, c'est-à-dire définie par son « être-pour-la-mort », concept de la théâtralité d'hier celle de Sartre par exemple, la maison du narrateur devient le lieu privilégié où s'activent tous les phantasmes de destruction, de mort, de cruauté, d'érotisme, etc. Elle peut être leur lieu, car elle a partie liée avec les systèmes anciens de valeur, et que c'est la confrontation des systèmes qui engendre ces phantasmes. Par le hublot de sa porte se développe le voyeurisme, elle est le temple de la séquestration, le théâtre des tortures. Par opposition, on comprend que la galerie marchande ne saurait donner naissance à ces mêmes phantasmes : pour elle, le drame (le sang, la mort, etc.), c'est du passé, un passé rendu caduc par le développement d'autres lieux, d'autres mythes et d'autres gens, en une contemporanéité nouvelle : celle de la marchandise.

La maison du narrateur et, avec elle, commun avec la temporalité de l' « avant », toute une couche textuelle, se trouve donc sinon un lieu symbolique appartenant au passé, du moins en liaison étroite avec lui. Les allusions intertextuelles très fréquentes qui ponctuent les textes de chacune des couches marquent bien, dans chaque cas, la spécificité des couches discursives auxquelles elles sont associées. Ainsi ne s'étonnera-t-on pas de voir ici, à propos de la maison, apparaître une figure du passé, de la littérature du passé, celle du vieux roi Boris, qui n'est peut-être que le Boris des *Bâtisseurs d'empire* (p. 120 et p. 209).

La maison du narrateur, personnage vieux et semblable aux vieux qu'on voit déambuler hors de leur place dans la galerie marchande, cette maison, cette déjà presque ruine est un lieu idéal pour la production et la circulation phantasmatique. Eros et Thanatos [1] y travaillent de conserve, dans les livres, dans les êtres, dans les espaces que la maison contient. Circulation textuelle, de mythologie à mythologie, presque sans rupture.

Dans la galerie marchande, en revanche, ce ne sont plus des textes et des phantasmes qui circulent, mais la monnaie. Par définition, une galerie marchande est le lieu de l'échange, où tout s'achète et se vend. Aussi la machine à sous n'est-elle que la forme superlative de la circulation monétaire, avalant et vomissant les pièces de numéraire. Mais dans cette micro-société échangiste souterraine coexistent des êtres relevant, apparemment, de deux univers différents. Ils nous sont présentés comme *vieux* et *jeunes.* Les premiers appartiennent à un monde analogue à celui du narrateur :

« *Parmi eux, au contraire, semblables à des gardiens fatigués d'un musée de cire, se traînent çà et là de rares adultes, d'âge indéterminable, discrets et plats comme s'ils cherchaient à ne pas être vus; et, en fait, on met un certain temps à remarquer leur présence. Ceux-là portent sur leur figure grise, sur leurs traits tirés, dans leur démarche incertaine, les marques bien visibles de l'heure nocturne, déjà très avancée. La clarté blafarde des tubes de néon achève de leur donner des airs de malades ou de drogués; blancs et nègres y sont presque devenus de la même teinte métallique. Le grand miroir verdâtre d'une devanture me renvoie de moi-même une image tout à fait comparable.* » (pp. 31-32.)

Ils sont marqués par l'usure, la fatigue, par la vie, comme les vieux slips et les billets crasseux. Pour le reste, cet univers est peuplé de ce que le texte appelle des *jeunes,* des adolescents essentiellement caractérisés par leur comportement et leur allure factices (lenteur affectée, comme pour Laura — p. 32). Ceux-ci sont les vrais habitants du souterrain, ceux qui en ont intériorisé les *habitus.* Roses, frais et irréels, ces adolescents vivent pleinement le jeu de la marchandise, *consommation* et *consomption*, perdent pour quelques cents des centaines de milliers de dollars imaginaires, brûlent des villas peintes en sous-verre, des automobiles de luxe, etc., etc.

Ceux-ci sont la génération que produit et forme la société de la galerie marchande. Aussi y voit-on se développer une intense circulation pédagogique, un travail de formation idéologique : films d'horreur, cible à fléchettes représentant une jeune fille nue, « objets culturels » où le vécu est repris sous forme de marchandise du genre « chutes du Niagara avec gerbes d'écume en nylon », etc. (p. 33).

Si le phantasme, comme on l'a vu, se développe dans la maison du narrateur à partir des contradictions entre l'avant et l'après, le vrai et le fictif, le dedans et le dehors, ce qui se passe dans la galerie marchande a résolument rompu tout lien avec ce type de contradiction et rien ne se produit que comme effet de la structure du sous-terrain et de la circulation abstraite de la marchandise. Il n'y a donc plus phantasme, ni drame, mais symbiose avec la machine, comportement lisse et mécanique, obéissance aux lois de celle-ci; la contradiction est effacée, lavée, éliminée. Hier c'était un drame...

Dans ce lieu, contrairement au précédent, tout semble clairement articulé, fléché. Il n'y a pas ces *reprises* toujours plus ou moins décalées, inadéquates, il y a simplement *répétition* à l'infini de l'image de l'évidence, l'affiche. C'est comme si la fausseté générale assurait par sa loi l'homogénéité des faits, la cohérence du monde. Au dehors tout est gris, pluvieux, sale, au dehors tout est marqué.

Hors de la marchandise pure et de son abstraction, tout objet est indice, il renvoie à une existence qu'une quête des glissements herméneutiques dépisterait. Ce sont les *Correspondances* baudelairiennes. Au contraire, dans le couloir de correspondance tapissé d'affiches de *Projet pour une révolution à New York,* c'est la pure et abstraite échangeabilité de la marchandise qui s'étale, l'équivalence monnaie-sexe-jeu (de l'acteur), c'est-à-dire la sémiotisation, la réduction à leur équivalent-signe du travail, du plaisir et du geste. Les êtres du sous-terrain sont donc purement factices, totalement fétiches... (p. 31). La marchandise est nette comme un rôle (p. 30), son monde lisse comme une photographie, tandis que l'univers poussiéreux du travail ménage toujours des marges d'incertitude, une indécidabilité constitutive.

La mythologie sado-voyeuriste qui tourne autour de la maison et de quelques autres lieux tels que le terrain vague, n'est pas substantialiste. Elle n'est elle-même, comme la révolution dont les « projets » sont évoqués, qu'un envers de la marchandise. Ici encore ce sont les affiches qui servent de point de départ, comme la devanture du magasin de la galerie marchande. Le rapport que cette mythologie entretient avec les anciens systèmes de valeur est de pure utilité (couronne de fleurs d'oranger, chaîne, autel de l'église — p. 211; texte biblique — p. 166); ces rappels ne renvoient pas à des valeurs mais constituent des signes que la discursivité de la marchandise inclut dans sa stratégie.

L'indécidabilité se répercute au plan de la structure générale du texte. La coupure, la reprise, marquent l'incomplète subordination du narrateur au système sémiotisé du sous-terrain.

Mais une troisième couche au moins doit encore être distinguée. Au cœur du sous-terrain, dans le sein même du temple de la marchandise, apparaît un objet expressément contradictoire : une devanture sans marchandise à l'étalage, une vitrine « qui n'expose rien » (p. 33). Ce troisième lieu se développe donc dans le second, à partir de celui-ci. Si la galerie marchande inscrit tout *être* et toute *action* dans le champ des codages rhétoriques, la révolution dont il s'agit ici ne peut apparaître que comme un sur-codage, la prise au sérieux de la métaphoricité. Les révolutionnaires sont l'envers du miroir de la marchandise, ils sont le revers de cette pièce, la menue monnaie du grand capital. Au cœur de l'univers marchand se développe une activité destructive, quelque chose comme la réalisation des actions commises, au plan imaginaire seulement, par les adolescents cramponnés aux machines du sous-terrain, une mise en acte de l'imaginaire. Ils sont, en quelque sorte, le peu de réalité requis pour la crédibilité de l'imaginaire de la

16

galerie marchande. La réalité de leurs viols, de leurs incendies et de leurs assassinats, pour autant que quelque part elle soit, prêtera en quelque manière « être » aux images peintes sur les vitres des billards électriques. Acte métaphorique, c'est-à-dire solution imaginaire, cathartique, proposée dans le cadre étroit de la circulation de la monnaie, solution imaginaire parce qu'appliquée au non-lieu de la contradiction, au lieu où elle n'est pas, mais là seulement où, pour le besoin du maintien de ladite circulation, elle peut être représentée. C'est la référentialité du phantasme qui est ici gauchie, comme dans tout procès de déplacement. Aussi les révolutionnaires de *Projet* s'exercent-ils au jeu des masques qui leur sont offerts dans la galerie marchande; faux visages, fausses mains, fausses barbes, fausses identités qui doivent permettre, contre quelque monnaie, de se retrouver bien dans sa peau en en achetant une autre, de faire la révolution non pas en changeant la vie mais en changeant d'habit, histoire de se sentir plus à l'unisson du discours publicitaire. Jeux de masques, jeux métaphoriques que ceux de cette révolution, qui garantissent d'ailleurs que demain, grâce à cette révolution-là, ne sera que l'expansion d'aujourd'hui.

Il est symptomatique que le jeu de l'intertextualité amène ici, au lieu du Schmürz des *Bâtisseurs d'Empire*, la figure de R. Roussel et de ses machines délirantes. Une nouvelle référence textuelle vient donc se substituer à celle qui travaillait la couche textuelle que j'ai appelée « substantialiste » :

« *Le raisonnement qui assimile le viol à la couleur rouge, dans le cas où la victime a déjà perdu sa virginité, est de caractère purement subjectif bien qu'il fasse appel à des travaux récents sur les impressions rétiniennes, ainsi qu'à des recherches concernant les rituels religieux de l'Afrique centrale, au début du siècle, et le sort qu'on y réservait aux jeunes prisonnières appartenant à des races considérées comme ennemies, au cours de cérémonies publiques rappelant les représentations théâtrales de l'antiquité, avec leur machinerie, leurs costumes éclatants, leurs masques peints, leur jeu poussé au paroxysme,*

*et ce même mélange de froideur, de précision, de délire,
dans la mise en scène d'une mythologie aussi meurtrière
que cathartique. »* (pp. 38-39.)

Husserl et Roussel, pourrait-on dire en rappelant
l'exposé de Barilli, Ethos et Mythos ainsi que cela a été
développé ce matin, s'opposent ici d'une strate à l'autre.

*
* *

Bien entendu, de même que les trois temps articulés
autour d'hier-aujourd'hui-demain brassent du différent
dans l'indistinction du même, d'un toujours qui résulte
de la structure globale du livre, de même les trois lieux
auxquels je me suis référé — maison, galerie marchande,
antre du Dr Morgan — n'épuisent-ils nullement les per-
mutations et les surimpositions d'un *partout* textuellement travaillé. Mais le passage à l'indifférenciation n'est,
ici encore, qu'une limite pour la narration. Celle-ci se
développe à partir de ce que j'ai appelé des couches
textuelles, dont je n'ai ici repéré que quelques-unes. Ce
qui caractérise ces couches, ou strates, c'est d'être déjà
d'ordre textuel, d'où l'importance de l'intertextualité (le
roman policier qui est le double de l'intrigue), l'intrigue
elle-même n'ayant pas un statut de réalité assignable,
texte donc aussi en quelque mesure, texte sans auteur,
action sans sujet, discours.

Selon une richesse technique souvent étudiée, un parcours textuel est proposé à travers ces strates discursives. Les modes d'articulation de ces fragments peuvent
être catalogués, peut-être y trouverait-on une logique.
Dans *Projet,* ils se réduisent souvent à la juxtaposition.
Ainsi la logique des transitions n'est-elle pas dans l'articulation de deux essentialités, mais dans la construction
globale du livre. Les substances articulées ne déterminent
pas, dans chaque cas, la signification du lien, seul le livre
comme ensemble construit recèle une logique. De ce
point de vue, il est intéressant de confronter *Projet* à *La
Jalousie.*

J'ai montré, dans *Lecture politique du roman,* que *La
Jalousie* était construite à partir de fragments de dis-

cours littéraire et para-littéraire identifiables. De ce point de vue, *Projet* et *La Jalousie* apparaissent très proches, et je serais d'accord avec Robbe-Grillet pour y voir un livre d'après la coupure, s'il y a coupure. On peut d'ailleurs repérer un nombre considérable de clins d'œil, de répétitions, de reprises d'expressions de l'un à l'autre de ces livres. Il y a une intertextualité foisonnante...

Je vois en revanche une différence importante entre eux — et, sous ce deuxième aspect, je serais de l'avis de Barilli — dans le fait que dans *La Jalousie* tous les discours sont *portés* par des personnages qui, pour n'être pas « balzaciens », ont une présence textuelle suffisante pour que le mode de transition d'un fragment à l'autre se fasse selon une logique narrative et/ou psychologique; certains ont même pu proposer des lectures qui se laissent prendre au jeu de ces discours et y ont vu l'expression de la substance de leurs énonciateurs. Certes ces « personnages » ne sont pas les sujets producteurs de leurs discours, ils n'en sont que les supports. Mais la narration s'appuie sur leurs qualités de sujets humains pour étayer son organisation. Dans *Projet*, l'organisation est tentée *en dehors* de tels soutiens et de l'ambiguïté qu'ils maintiennent au regard d'une théorie littéraire a-subjectiviste.

Une théâtralité qui se veut sans personnages, colle des fragments discursifs les uns aux autres, coagule des strates idéologiques sans qu'on puisse les assigner à un « personnage » quelconque, les noms qui parsèment le texte ne permettant nullement un repérage satisfaisant de l'énonciation, c'est le cas de *Projet*. Ici le procès de sémiotisation est achevé, seuls demeurant des plages de discours sans sujet, à l'intérieur du livre du moins. Du point de vue de la composition de celui-ci, ce choix pose des problèmes de forme car, si une logique des actions ne soutient pas le procès de lecture, il faut alors que ce procès soit construit et orienté, soit par recours à des jeux sur les mots, les sèmes, les topoï, etc., soit par montage, c'est-à-dire sans recours à la substance du contenu, d'où l'insistance sur les termes « coupure » et « reprise » qui ont en outre l'avantage de situer clairement les fragments textuels dans la pure facticité des discours, stéréotypés et sempiternels.

De *La Jalousie* à *Projet* on repère donc un mouvement de désubstantialisation dont la structure de *Projet,* les trois lieux auxquels j'ai fait allusion, donnent comme une image en abîme.

L'absence d'une connexion entre les couches discursives et des sujets, individuels ou collectifs, est bien entendu liée à ce que nous avons déjà vu, le glissement du phantasme à la pure répétition. Ainsi la révolution dont il s'agit, loin de changer quoi que ce soit, s'inscrit-elle, comme je le notais au début, dans le cadre d'une reproduction de la phantasmatique de la marchandise, répétition qui réduit le « demain » de la révolution à n'être qu'une *cheville rhétorique,* puisqu'aussi bien la répétition exclut la temporalité. Nous retrouvons alors, au terme de la lecture, ce qui fait la spécificité de l'organisation du texte, savoir la spatialisation de la révolution par réduction de celle-ci au discours de/sur la révolution, discours lui-même conçu comme ayant une substantialité autonome, c'est-à-dire se développant pour lui, en dehors des conditions de sa production. Mesurée à l'aune du discours révolutionnaire — et on pourrait en dire autant d'une strate moins importante qui concerne le discours psychanalytique —, la révolution ne saurait être que spatialisée dans l'épaisseur du livre par un parcours qui en traverse les épiphanies discursives. « Révolution » est alors rendu à sa signification géométrique : volume engendré par la mise en mouvement de surfaces de discours. Ce volume, c'est *Projet pour une révolution à New York.*

J. L.

NOTE

1. L'onomastique intertextuelle qui joue souvent un si grand rôle chez Robbe-Grillet, nous renvoie ici à N.O. Brown, auteur d'*Eros et Thanatos.*

DISCUSSION

Jean-Claude RAILLON : Tu as cité deux expressions qui m'ont paru assez contradictoires, du moins imprécises, et je voudrais que tu te prononces sur elles. Tu as parlé de parole sans sujet, ce qui me paraît très important au point de vue théorique, puis tu as parlé de dispersion du sujet, et tu as fait référence à Foucault. Je crois que si tu ne précises pas la notion du sujet, il peut y avoir malentendu.

Jacques LEENHARDT : J'ai l'impression d'avoir quasiment répondu en disant : parole sans sujet à l'intérieur du texte. Si je considère le texte comme discours, au sens de ce concept repris de Foucault, il n'y a pas, à ce discours, de sujet individuel nommé, précis. Par conséquent, à l'intérieur du texte, il y a du discours sans sujet, les figures qui apparaissent, les personnages qui parlent n'en étant pas ce qu'on pourrait appeler les *sujets*. Je dis, en revanche, que ces discours pourraient être situés par rapport à ce qui englobe et rend possible le texte, tout discours ayant *historiquement* un sujet, non pas un sujet individuel, mais un sujet produit historiquement. Si l'analyse était menée au point de pouvoir effectuer cette mise en rapport, elle pourrait déterminer quels sont les sujets, disons « historiques », de ces discours.

Jean-Claude RAILLON : Autre chose : tu as employé le mot de désubstantialisation. Je crains que parler d'un discours substantialiste, ce soit attribuer au discours une nature. Ne crois-tu pas qu'il y a là une erreur et qu'il faudrait empêcher que l'on croie à la nature du discours? Tu lui attribues une qualité, alors qu'il a un fonctionnement sans qualité.

Jacques LEENHARDT : Oui, mais alors le problème est de savoir ce qui est mis en fonctionnement. Dans les différentes strates que j'ai décrites sommairement, sont mis en fonctionnement des types de textes fort différents. Mon propos s'appuie sur ces différences. Là, je me référerai à *Pour un Nouveau Roman : Nature, Humanisme, Tragédie* ou à d'autres articles où est analysé le processus de destruction de l'autonomie de l'objet par surcharge de « qualités » humaines. Un tel fonctionnement me paraît devoir être distingué de ce qui se passe dans d'autres couches où cette symbiose n'apparaît pas : fonctionnement grammatical, syntaxique, etc.

Jean-Claude RAILLON : Maintenant, ma réticence est beaucoup plus vive sur ceci : tu as procédé avec la même méthode que dans ton analyse de *La Jalousie*. Tu me parais être programmé par un projet de type exégétique, et la construction de ton exposé est assez révélatrice à cet égard. Tu as décidé qu'il y avait, dans la fiction, trois lieux. Je crains qu'il y ait non trois lieux, mais une dispersion beaucoup plus grande de lieux fictifs, et que ces trois lieux que tu as distingués soient un a priori de ta part. Dès lors, tu tombes dans le piège de l'exégèse parce que tu pars d'a priori, et puis tu analyses la forme. Le jeu formel ne devient ainsi pour toi qu'une sorte de substitut expressif du signifié : tu poses un signifié initial et, à partir de là, tu en arrives à conclure sur l'à quoi bon de ce petit jeu textuel qui effectivement ne fera pas la révolution...

Jacques LEENHARDT : Je n'ai rien laissé entendre de tel.

Jean-Claude RAILLON : Il m'a paru, malgré tout, que tu taxais l'activité textuelle de traits péjoratifs et que ton texte pouvait laisser croire que tu justifiais l'activité textuelle comme une activité négative et de type fantasmatique parce qu'elle ne peut pas penser la vraie révolution qui, effectivement, se fera autrement.

Jacques LEENHARDT : Je voudrais être précis sur ce point : je n'ai jamais parlé de la vraie révolution, sauf une fois, où j'ai précisé : « celle dont on fait toujours comme si on savait ce qu'elle est ». Il m'importait, simplement de préciser que, dans le texte, il n'y avait pas de référence à cette révolution ni à tous les problèmes que cela poserait de savoir de quoi il s'agit quand on parle de la révolution. Par conséquent, j'ai consciencieusement et strictement exclu de mon exposé toute référence à la révolutionnarité du texte de Robbe-Grillet dont je ne me soucie absolument pas ici, ni de la révolutionnarité en dehors du texte dont je ne me soucie pas davantage. Le jeu révolutionnaire proposé dans le texte obéit à un certain nombre d'éléments de nature différente : j'ai essayé de les déterminer par l'avant, l'après et le pendant, en marquant que, à l'intérieur du texte, il me semblait qu'il y avait une prédominance du maintenant, ce qui expliquait en particulier, et je vais ainsi revenir à la première partie de ta question, un certain nombre de caractères de la structure du livre. Tu me dis, et cela est vrai, que je ne travaille pas plus, à propos de *Projet,* qu'à propos de *La Jalousie,* en dehors de ce qui se dit dans le texte, que tu appelles les signifiés et que, par conséquent, je risque toujours de retomber dans l'exégèse. C'est une difficulté que je perçois fort bien et que je sais ne pas vouloir éviter. Il se trouve que les mots disent toujours quelque chose et qu'on ne joue pas avec les mots sans jouer avec ce qu'ils entraînent avec eux. Par conséquent il n'y a pas plus de raison, pour *Projet* que pour *La Jalousie,* de faire comme si l'on ne se trouvait pas en face d'un univers qui, comme tel, nous donne à réfléchir. On ne peut pas faire autrement, car c'est dans notre vie quotidienne que les mots signifient. Dans les textes ils signifient et ils fonctionnent. Dans notre vie quotidienne, ils signifient et ils fonctionnent aussi. Je ne vois pas de raison pour shunter complètement le problème de la signification des éléments qui nous sont présentés. Je plaide donc coupable, coupable d'essayer de maintenir un contact entre le problème de la structure et celui du matériau sémantique.

Dumitri Tsepeneag : A ce propos, il y a votre formule : la révolution serait la prise au sérieux de la métaphoricité...

Jacques LEENHARDT : Dans le texte, la révolution consiste en trois actes métaphoriques c'est ce que j'appelle la prise au sérieux de la métaphoricité. Cela me paraît intérieur au texte, et non un jugement que j'émets sur quoi que ce soit d'autre.

Alain ROBBE-GRILLET : Je voulais poser une question, en rapport avec ce que disait Raillon, sur le choix des lieux. Leenhardt répond qu'en effet il a pris les signifiés. Or, ce qui nous gêne, c'est non qu'il ait pris les signifiés, mais qu'il en ait pris quelques-uns. Je voudrais que vous précisiez si vous prétendez que ces trois lieux choisis jouent un rôle exceptionnel dans le livre par leur éten-due, ou leur poids, ou bien si vous admettez que vous les avez choisis en fonction de votre propos. Ce qui est un peu ce que disait Raillon.

Jacques LEENHARDT : Je répondrai en deux temps. D'abord, je ne prétends pas avoir fait l'inventaire des lieux. Il y en a d'autres, un en particulier important dont je n'ai pas parlé : le terrain vague...

Alain ROBBE-GRILLET : Si, vous en avez parlé, vous l'avez assimilié à la maison du narrateur. La façon dont on rentre dans le terrain vague par une image de la porte du narrateur vous y autorisait effectivement...

Jacques LEENHARDT : Les lieux dont j'ai parlé me semblent relativement importants. Je les ai choisis pour leur importance : il n'est pas difficile de montrer que la majorité du texte s'articule autour de ce qui se développe à partir de ces trois lieux...

Alain ROBBE-GRILLET : Si, ce serait difficile...

Jacques LEENHARDT : Non, parce qu'il faut s'entendre sur la notion de lieu. Quand je dis, par exemple, l'antre du Dr Morgan, il y a toute une partie du texte qui ne se passe pas strictement dans ce lieu, mais qui lui appartient pourtant.

Alain ROBBE-GRILLET : Oui, je comprends bien...

Jacques LEENHARDT : Quantitativement, je n'ai pas fait le compte. Mais...

Alain ROBBE-GRILLET : On devrait même parler, bête-ment, en nombre de pages se rapportant à l'un ou l'autre de ces lieux. Et il me semble que d'autres lieux seraient probablement plus importants : par exemple le wagon de métro roulant, etc. D'autre part, ce qui est plus gênant encore, c'est que vous employez les notions de niveaux, de strates, pour parler de ces trois lieux dans leurs rapports les uns avec les autres. Cela choque d'autant plus que, très soigneusement, dans *Projet pour une révolution à New York*, tous les espaces communiquent les uns avec les autres par des procédés que l'on a pu rapprocher de la topologie de Klein. Ce sont des lieux qui se retournent à chaque instant sur eux-mêmes, qui se dévaginent, dont l'intérieur passe à l'extérieur. Je ferais remarquer à ce propos que, même si je prends ces trois lieux seulement, même si je les stratifie comme vous l'avez fait, néanmoins il y a des passages et des intermédiaires qui me semblent d'une extrême importance. Le lieu lavé, qui serait la galerie marchande, apparaît par exemple dans ce domaine sale qu'est le métro. La galerie marchande appartient à l'univers du métro et, dans la galerie marchande, contrairement à ce que vous avez dit, réapparaissent des objets sexuels malpropres, pour reprendre votre terminologie. De même, l'antre du Dr Morgan est également comme un appendice ou une dévagination locale de l'univers du métro. Et le discours que tiennent les révolutionnaires, dans l'antre en question, retrouve curieusement les obsessions sexuelles du narrateur, qui devraient en principe appartenir à la maison ou au terrain vague. Par conséquent, cet univers-là, s'ils existent bien, d'une part sont plus nombreux, d'autre part entretiennent des relations infiniment moins simples que celles que vous avez nommées. Beaucoup plus que le rattachement d'une façon précise (comme cela peut être fait malgré tout sur certains points, par exemple pour l'affiche : et vous l'avez fait avec beaucoup de netteté) de tel ou tel espace, ou tel ou tel élément du récit, à un mode de production, ce qui est important, pour moi, c'est la circulation entre ces éléments. Et c'est à ce moment-là que la remarque de Raillon prend tout son sens : une fois qu'on a fait ce travail qui retrouve en somme une formulation économique déjà connue, il reste justement le texte. Et la façon dont le texte produit, à chaque instant, d'autres sens possibles à partir de cet état de base, constitue la seule chose intéressante pour moi. Autrement dit, le travail que vous avez fait serait comme un point de départ, hors duquel seulement commencerait à se proposer un texte qui lui, seulement, pourrait avoir un rapport avec la révolution.

Jacques LEENHARDT : Quelle révolution? La vraie?

Alain ROBBE-GRILLET : Non, celle que nous portons dans notre tête et dont nous ne savons rien.

Jean-Claude RAILLON : Dans la mesure où tu pars d'un signifié, ici pensé dans des catégories marxistes que Goldmann a employées, tu démontres que ce signifié, que ce sens, permet une appréhension du travail textuel et, automatiquement, un travail textuel va venir confirmer ton point de départ : c'est-à-dire que tu risques de répéter très longtemps la même analyse circulaire.

Jacques LEENHARDT : L'usage que j'ai fait du mot marchandise n'a rien à voir avec le développement de Goldmann sur le Nouveau Roman : il s'agit simplement de la place centrale de l'affiche dans le roman. Il ne s'agit pas de la thèse marxiste, bien que j'aie précisé que le mot marchandise était pris dans son acception marxiste. L'affiche est au cœur du livre, et ce qu'elle nous propose, c'est, à la fois la possibilité d'un fonctionnement textuel et l'affiche publicitaire telle que nous la connaissons. Nous avons d'une part des fonctionnements textuels, d'autre part le fonctionnement de la lecture qui, lui, met en jeu toute une connaissance, la nôtre, dont nous ne pouvons pas faire l'économie dans notre appréhension du texte...

Jean-Claude RAILLON : Tu le dis bien : l'affiche donne la possibilité d'un fonctionnement textuel : tu ne pourras jamais penser le fonctionnement textuel que dans les catégories de l'analyse de l'affiche. Le fonctionnement textuel va toujours venir confirmer ton point de départ : c'est là où je vois le risque de circularité de ta critique.

Jacques LEENHARDT : L'affiche est un point de départ, aussi bien pour le fonctionnement textuel que pour l'analyse. Il n'y a pas de circularité parce que les éléments sont divers : on a une multiplicité de ce que j'ai appelé des strates discursives. Ces strates discursives entrent dans des rapports plus ou moins conflictuels à l'intérieur du texte. Sur ce point, je voudrais répondre à Robbe-Grillet : bien entendu, je suis d'accord que ces strates jouent les unes avec les autres et que les jeux de lieux...

Alain ROBBE-GRILLET : Alors, ce ne sont plus des strates...

Jacques LEENHARDT : Alors je vais, moi aussi, faire un petit dessin. Les strates sont la base que le texte traverse.

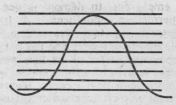

Il n'est conforme à aucune de ces strates : il les utilise comme des discours constituées ailleurs. Il y a, quelque part, peut-être des sujets qu'on pourrait déterminer pour chacune de ces strates, mais le texte lui-même les traverse, les utilise, les prend, les colle. Ainsi, à l'intérieur de *La Jalousie,* il y a des strates qui renvoient à la psychologie du personnage, au roman colonial. Le texte se construit par articulation de fragments appartenant à des strates.

Alain ROBBE-GRILLET : Raillon a tout de même raison de séparer l'affiche du reste de votre propos. Sur l'affiche, en effet, les strates étaient tracées par moi-même : hier, aujourd'hui, demain. Et votre propos sur l'affiche était convaincant. Mais, à partir du moment où vous dites : choisissons maintenant arbitrairement trois lieux dans ce roman qui vont figurer ces strates-là, comme si le roman était stratifié de la même façon, alors là nous éprouvons un malaise...

Jacques LEENHARDT : Mais je n'ai jamais dit que le roman était stratifié de cette manière-là ; j'ai bien montré que l'ensemble des strates se résumait dans l'affiche et que l'affiche était effectivement la figure en abyme de l'ensemble du roman, en tant que ce roman articule des strates différentes...

Alain ROBBE-GRILLET : Non, vous ne l'avez pas montré : comme dit Raillon, là, votre discours s'est mordu la queue. A partir des trois niveaux de l'affiche, vous avez choisi parmi un grand nombre trois lieux que vous avez attribués à ces trois niveaux, et vous avez montré que l'affiche était donc le point central du livre!

Jean RICARDOU : C'est-à-dire, Leenhardt, que tu risques de construire à partir de l'affiche un texte sur mesure. C'est ce que j'appellerais une mise en périphérie fantasmatique.

Jacques LEENHARDT : On arrive là à un autre problème, à savoir que le parcours que j'ai fait est évidemment *un* parcours de *projet*. Il est bien possible qu'on en fasse d'autres : le livre lui-même, en tant qu'ensemble, permet une multiplicité de parcours. L'avantage de la méthode des strates, c'est non seulement de permettre des parcours, mais de savoir dans quelle matière, dans quelle contrée, ces parcours se font. C'est pourquoi, de manière provisoire, j'ai bien insisté sur le fait qu'il y a intérêt à pouvoir désigner des lieux, des strates, qui ne sont pas le texte, mais qui sont des manières de préciser les éléments à partir desquels le texte est construit en tant quel tel. Je ne suis pas d'accord avec l'objection de Robbe-Grillet.

Lucien DALLENBACH : Qu'est-ce qui fait une strate? Il semble qu'il y a difficulté : ou bien, ces strates, tu les détermines en quelque sorte à priori, ou bien, comme tu semblais le dire dans ta réponse, c'est le texte lui-même qui les constitue. Mais alors, que devient, par exemple, la comparaison entre deux textes? Quand tu compares *La Jalousie* et *Projet,* il me semble qu'il y a difficulté...

Jacques LEENHARDT : Attention : la comparaison entre *La Jalousie* et *Projet* concernait un point précis : celui de l'articulation des fragments. Dans *La Jalousie,* le problème de l'articulation, à la limite, ne se pose pas, puisque les personnages, tout en n'étant pas véritablement les sujets de ces discours, ont une présence suffisante pour qu'une continuité dans le texte soit produite. Dans

Projet, en revanche, nous avons coupure, juxtaposition, puisqu'il y a élimination radicale de l'idée même que les personnages pourraient être les sujets de leurs discours.

Lucien DALLENBACH : Est-ce qu'avec ces prémisses-là une comparaison est possible?

Jacques LEENHARDT : Je n'ai pas songé à développer ce point, mais enfin dans *Lecture politique du roman* [2], j'ai essayé de montrer qu'il y avait un certain nombre de strates que l'on pouvait appeler « roman colonial de la première période », « roman colonial de la deuxième période », « roman colonial de la troisième période », *topos* du ménage à trois etc., etc. : on pourrait les multiplier. Ce que j'appelle des strates ce sont des discours constitués historiquement, socialement, qui circulent dans la littérature, dans les mythologies, etc. Ces discours, le texte romanesque ne les reprend pas à son compte, en se mettant simplement dedans, mais il les traverse, il les utilise comme matière. Et je dis que dans *Projet,* de manière plus radicale que dans *La Jalousie,* ces strates s'articulent entre elles, avec une sorte de prééminence pour une strate centrée autour de la figure de l'affiche. Même si sur ce point précis de l'affiche, mon analyse est discutable, la méthode elle-même n'est pas en cause. L'existence objective du texte est donc le fruit de ce parcours, de ces reprises, que j'ai dessinés en trait continu, ce qui n'exclut pas des schémas tout en ruptures.

Alain ROBBE-GRILLET : Et comment résoudrez-vous le problème du passage d'une couche à une autre sans rencontrer les couches intermédiaires? Parce que, si cet univers était vraiment statifié de cette façon-là, on ne pourrait jamais passer de la couche un à la couche trois sans traverser la couche deux...

Jacques LEENHARDT : Mais je ne dis pas du tout que cette stratification a la consistance d'un univers, Robbe-Grillet. Ce sont des couches que j'essaye de repérer dans le texte.

Alain ROBBE-GRILLET : Alors, on ne circule pas de cette manière, on saute de l'une à l'autre...

Jacques LEENHARDT : Mais oui, on peut sauter, mais

il peut se faire ainsi que deux passages soient en séquence...

Alain ROBBE-GRILLET : Voilà donc la notion de strate bien abîmée. (*Rires.*) Je ne vois pas ce qu'on gagne à utiliser un dessin si c'est ensuite pour parler de tout autre chose...

Jacques LEENHARDT : Vous prenez strate dans son acception géologique. Je l'emprunte pour ma part au langage sociologique, où l'idée de contiguïté spatiale n'a aucune place. Nous insérons chacun cette notion dans une strate discursive différente : ambiguïté du langage métaphorique.

Je veux bien faire un autre dessin où les strates seraient tout à fait dispersées :

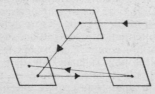

Maurice de GANDILLAC : Ce sont non plus des strates, mais des régions, et encore...

Jacques LEENHARDT : Des régions, si vous voulez. En fait, il s'agit de discours. Le passage peut se faire au hasard, revenir à celle-ci, retraverser telle autre : il n'y a pas nécessairement cette consécution que le premier schéma, en effet, pouvait laisser sous-entendre.

Françoise ROUET : Quels critères, dans le texte, vous permettent de retrouver les strates ou plutôt, donc, les discours?

Jacques LEENHARDT : Dans *La Jalousie,* quand je rencontre par exemple un texte qui dit : dans le roman, il s'agit de tornades, de révoltes indigènes, etc., je place cela dans une strate, enfin disons dans un ensemble discursif, qui peut être analysé historiquement, car il y a, effectivement, une littérature coloniale qui a été essentiellement constituée par ce type de problèmes-là. Je peux donc dire que nous avons ici des éléments appartenant à....

Françoise ROUET : Mais ces éléments sont de quelle nature?

Jacques LEENHARDT : Des fragments de texte...

Benoît PEETERS : Vous faites un autre roman : vous prenez des morceaux et vous reconstruisez un autre texte...

Jacques LEENHARDT : Mais toute lecture passe son temps à reconstituer. Vous savez, vous, ce que c'est que le texte de *Projet*...

Benoît PEETERS : Ah, non, mais de là à en faire un autre dès le départ...

Françoise ROUET : Il faudrait préciser davantage la nature de ces éléments...

Jacques LEENHARDT : Alors, on peut prendre la première phrase, celle que j'ai citée au début : « Les mots, les gestes se succèdent à présent d'une manière souple, continue, s'enchaînent sans à-coup les uns aux autres, comme les éléments nécessaires d'une machinerie bien huilée. » J'ai laissé entendre que le type de discours où les choses s'enchaînent de manière fluide appartenait à un univers où ce qui était déterminant c'était la facilité avec laquelle le flux discursif se déroulait. Dans d'autres textes, d'autres caractères vont s'affirmer comme, par exemple, ceux qui concernent la crasse, l'argent qui sent bon ou qui sent mauvais, etc. On pourrait déterminer cela paragraphe par paragraphe, phrase par phrase, fragment de phrase par fragment de phrase, si l'on poussait le travail très loin. Bien sûr, on ne peut pas avec une analyse de quinze pages saturer totalement un texte comme celui-ci, et ce n'est pas mon but. Ce qu'il s'agit de montrer, c'est que ce sont des ensembles qui s'articulent. C'est donc à un niveau général d'ensembles que j'ai travaillé. Alors, là, on peut regrouper, et c'est pour cela que j'ai utilisé les lieux et les temporalités comme éléments de recentrage.

Alain ROBBE-GRILLET : Vous vous étonnez que nous ayons réagi vivement au concept de strate, mais il est quand même chargé de tout un sens. Et quand s'y joint, par-dessus le marché, hier, aujourd'hui, demain, on finissait par voir quelque chose qui devait donner lieu à une archéologie. Ensuite, vous les dispersez dans votre second dessin, ce qui n'est plus du tout pareil. J'y suis d'autant plus sensible que j'ai joué, moi-même, de façon un peu ironique, avec ces concepts, dans *Glissements*. Le film comporte plusieurs mémoires se rapportant au répertoire d'objets formé par le texte. Une mémoire verticale, la terre, où le fossoyeur retrouve, à différents niveaux, les différents objets (bouteille, soulier, etc.) selon leur ancienneté. Et, au contraire, une mémoire horizontale, étalée, la mer, qui renvoie les objets dans un ballottement, l'un après l'autre, au gré des vagues. Enfin une mémoire codifiée : les dictionnaires que compulse le juge. De même, tout votre discours était articulé sur une relation historique entre les différents niveaux. Et, cela, vous ne pouvez pas le gommer maintenant.

Jacques LEENHARDT : Mais je ne veux surtout pas le gommer. Le problème est de savoir comment on considère l'histoire. Si vous la concevez, de manière géologique, comme une série de couches qui se superposent, comme le passage d'une synchronie à une autre synchronie, alors, effectivement, je comprends la méprise. En ce qui me concerne, ces différents discours sont à référer à des entités sociales et historiques pouvant parfaitement cohabiter dans une même époque, dans une même synchronie. On sait bien qu'aujourd'hui il y a encore des gens qui lisent des tranches de discours totalement étrangères au discours qui se déroule ici. Donc ma représentation de l'histoire n'est pas du tout une représentation successiviste, où chaque strate éliminerait la précédente, et serait pure nouveauté. Nous avons, en permanence, des rémanences de strates anciennes qui compliquent infiniment le schéma. C'est pourquoi, tout en n'abandonnant rien du caractère historique de ma pensée, je peux parfaitement disperser sur la surface du tableau les différents discours auxquels j'ai fait référence. Tout le problème consistera, comme je l'ai dit, à trouver quels sont les différents sujets de ces différentes strates. Ensuite, on essaiera de voir quels sont les rapports chronologiques entre ces sujets. Il n'y a pour moi aucune difficulté à abandonner le « géologisme » premier parce que ma notion de l'histoire n'est pas une notion en feuilleté.

Dumitru TSEPENEAG : Je voudrais revenir à l'enjeu essentiel de toute discussion après un exposé de Leenhardt : le but même de sa démarche critique, c'est de prouver que le fictif reste attaché au réel. Au début, j'ai eu l'impresion favorable qu'il faisait des pas vers une certaine théorie scripturale. Mais son projet théorique l'en empêche. Alors, en même temps, il a effectué une valorisation en établissant le hier, l'aujourd'hui et le demain, de sorte qu'il a lié Robbe-Grillet à cet aujourd'hui bloquant, non révolutionnaire...

Jacques LEENHARDT : Mais non. Je n'ai parlé ni de réel comme tu l'entends, ni de la condition de Robbe-Grillet.

Dumitru TSEPENEAG : Tu n'as pas prononcé le mot, mais cela revient au même : c'est cette impression qui se dégage d'une manière globale de toute sorte d'autres mots. Ce que tu ne comprends pas, c'est que le scripteur n'a pas à décrire la révolution ou à proposer une solution révolutionnaire : il doit la faire dans son texte, qui se transforme et qui le fait transformer...

Alain ROBBE-GRILLET : Vous protestez, Leenhardt, mais vous avez exposé le donné sur lequel le texte travaille, sans jamais entrer dans le travail du texte. C'est cela que dit en somme Tsepeneag. Malgré vos dénégations, la théorie des superstructures reste à la base...

Jacques LEENHARDT : Que mon rôle soit ici d'assumer la théorie de la superstructure, d'accord, bien que je considère l'opposition infrastructure/superstructure comme parfaitement idéaliste. Mais rien ne permet de croire que je mets en doute l'idée, qui est une vieille lune maintenant, et selon laquelle l'écrivain fait la révolution dans son texte et non pas dans la rue.

Dumitru TSEPENEAG : Voici un petit argument en faveur de mon impression. Il y a une phrase, tout au début de ton exposé, où tu définis le flux de la première phrase du *projet* parce qu'il commence comme une vague : mais alors déjà tu places le déterminant à l'extérieur du texte...

Jacques LEENHARDT : C'est dans le texte...

Dumitru TSEPENEAG : Non, ce n'est pas dans le texte...

Jacques LEENHARDT : Voici le texte : « Les mots, les

33

gestes se succèdent à présent d'une manière souple, continue, s'enchaînent sans à-coup les uns aux autres, comme les éléments d'une machinerie bien huilée. »

Dumitru Tsepeneag : Et alors?

Jacques Leenhardt : « Une machinerie bien huilée »; aucun élément de la machinerie ne dispose de l'information pour reproduire l'ensemble de la machine, chaque élément n'a pas en lui-même sa raison...

Dumitru Tsepeneag : Mais tu fais maintenant une allégorie : tu utilises les mots du texte pour faire une allégorie...

Jacques Leenhardt : Je ne fais pas une allégorie, je montre comment ce à quoi le narrateur assiste, à savoir un débit de discours, représente, dans le texte, le fonctionnement de ce discours, la manière dont ce discours se produit. Il se produit comme un discours qui a sa raison d'être ailleurs.

Alain Robbe-Grillet : Non, parce qu'il y a une phrase juste après, à propos de cette même scène qui se déroule une fois de plus : Mais quelle scène? Tout se passe, dans le texte, comme s'il y avait cette scène, déjà, à l'extérieur. Mais, en fait, elle n'existe pas encore : c'est un *comme si,* puisque c'est le texte lui-même qui va opérer sa constitution...

Dumitru Tsepeneag : Cela Ricardou l'a très bien observé dans *La Fiction flamboyante* [1]...

Jean Ricardou : Le problème que pose là Robbe-Grillet est bien : il n'y a pas un ailleurs que représente ensuite le texte. Cet ailleurs sera, au contraire, produit par ce qui vient d'être écrit. Cela est peut-être le contraire de ce que Leenhardt en tire...

Jacques Leenhardt : Absolument pas : l'ensemble du texte est évidemment producteur de cette scène et de tout le reste. Mais les scènes se déroulant les unes après les autres, se collant les unes aux autres, le fait que le texte dont il s'agit ici soit suivi de la phrase « Mais quelle scène? » ne change rien à ce qui a été dit dans la phrase précédente. Chaque phrase produit l'ensemble de sa signification et puis il y a, ensuite, le problème de l'articulation des différentes scènes. Ce même passage pourra être repris dans une petite phrase à d'autres moments du livre, et le fonctionnement de la phrase en particulier n'en sera pas modifié.

Dominique CHATEAU : Ce qui m'a beaucoup gêné, au terme de votre exposé, c'est la notion de collage. Pour continuer la métaphore biologique, je dirai que la faille de votre discours, c'est que les strates, terme dont la discussion a montré qu'il ne convenait pas, s'effondrent à son terme et que les morceaux se recollent par juxtaposition.

Jean-Christophe CAMBIER : J'abonde dans le sens de Chateau : il ne faut pas, comme le fait Tsepeneag, supposer qu'il s'agit de la même problématique que proposait Leenhardt l'année dernière au colloque *Claude Simon*. Je crois que c'est très différent...

Dumitru TSEPENEAG : Je n'ai jamais prétendu cela.

Jean-Christophe CAMBIER : Au colloque *Claude Simon*, Leenhardt travaillait avec le hors-texte. Cette fois-ci, c'est avec l'inter-texte. Vous avez très bien vu, cette année, Leenhardt, que le hors-texte était de l'inter-texte. Mais ce que dit remarquablement Chateau, c'est que toute l'ambiguïté de votre exposé vient qu'on ne sait si ces « strates » l'écriture les traverse, comme vous l'avez dit, ou si elle les travaille, ce qui est très différent. Ces morceaux de discours sont-ils constitués par le texte ou préexistent-ils au texte, en un bel alignement bien rangé dans lequel l'écrivain, effectivement, viendrait découper afin de recoller selon un petit travail d'agencement...

Jacques LEENHARDT : L'écrivain les produit, ces strates, seulement il les produit selon des logiques extérieures au texte. Il produit donc des phrases, disons, pour prendre cette unité, mais il les produit de manière parfaitement consciente dans l'horizon de ces discours, afin d'évoquer des discours et de les faire travailler entre eux dans la textualité qui se construit.

Jean-Christophe GAMBIER : Afin de les transformer, même, parce que...

Jacques LEENHARDT : Bien entendu, qu'il les transforme puisqu'il les fait jouer les uns avec les autres. Il ne s'agit pas de la répétition des discours, il s'agit de produire un texte à partir d'éléments qui font signe vers d'autres discours. Par conséquent, la lecture desdits textes doit se faire en ayant pleine conscience de ce à quoi ces discours font appel.

Jean-Christophe CAMBIER : Je serais approximativement d'accord (parce que, d'une certaine façon, vous rectifiez un peu votre formulation) pour les fragments, dont la valeur intertextuelle apparaît nettement, où l'on sent une forme de discursivité qui vient d'ailleurs. Mais, dans votre exposé, il y a une pratique insistante de l'infra-texte qui faisait que, par un processus de métaphorisation, on l'a marqué à propos du début de *Projet*, vous retombiez dans les errements du thématique. Quand vous parlez de la machinerie bien huilée, vous embrayez là-dessus par métaphorisation : est-ce pertinent? Alors, quand on s'en tient au domaine strict de l'inter-texte, par exemple pour *La Jalousie*, le roman colonial, effectivement, il y a un certain nombre de choses à déceler mais, à ce niveau-là, je me demande si votre métaphorisation est pertinente.

Jacques LEENHARDT : Dans le cas de *Projet*, j'ai travaillé sur un nombre limité d'exemples, je ne prétends pas que tout le texte puisse être renvoyé de manière parfaitement pertinente à de tels discours. Cependant, il est fait, de manière parfaitement évidente, appel à ces couches discursives. La forme même d'une quantité de phrases est significative : on pourrait en citer à foison. Maintenant, je ne dis pas que *tout* le texte se construit là-dessus : il se construit sur des modulations à partir des dits ensembles, les uns proches d'un pseudo-modèle, de cet horizon discursif auquel je faisais référence, les autres soit brisés par mélange de différentes couches, soit par transformation des dits segments.

Jean-Christophe CAMBIER : J'avais l'impression en somme que votre discours sur le texte était celui-là même que vous dénonciez à propos de l'histoire.

Jacques LEENHARDT : C'est-à-dire?

Jean-Christophe CAMBIER : Ce principe qui voudrait qu'on en vienne à traverser des couches successives déjà constituées.

Jacques LEENHARDT : Il est possible que sur ce point la formulation de mon exposé soit ambiguë. Je suis

36

étonné que personne n'ait relevé que j'ai inscrit dans mon texte, volontairement, une « reprise » en parfaite contradiction avec le développement antérieur : il semble que cela ait échappé à tout le monde...

Raymond ELAHO : Je l'ai relevé, je crois, mais je n'ai pas encore eu la parole.

Jacques LEENHARDT : A un moment, j'ai dit de façon claire : reprise. Et j'ai dit le contraire de ce que j'avais développé précédemment, ce qui va dans le sens de ce mélange, de cette impossibilité d'assigner chacune des phrases à un type de discursivité pour autant qu'on garde cette idée, non pas de la stratification, mais de l'ensemble des discursivités. En reprenant à dessein un fonctionnement de *Projet,* c'est-à-dire en faisant des reprises, c'est-à-dire en bouchant les trous nécessaires, je pense que j'ai répondu d'avance à l'objection que faisait Robbe-Grillet tout à l'heure.

Claudette ORIOL-BOYER : Tu as parlé de tranches de discours, par lesquels le texte était constitué : je suis bien d'accord. Ce terme tranche de discours pouvait remplacer avantageusement le terme de strate, pour tous les cas où on a parlé de strates. J'ai été frappée de voir que l'affiche dont tu parlais est, en fait, une tranche de discours, à partir duquel le discours du texte doit fonctionner. J'aurais été intéressée que tu montres comment ces tranches de discours, repérables en vertu d'un état de notre connaissance à un moment donné dans un texte, fonctionnent pour *constituer* le discours du texte, et non pas pour s'y ajouter ou y être collé. J'aurais souhaité voir comment les catégories du discours de l'affiche ou les catégories du discours de *La Jalousie* ou les catégories du discours de *Dans le Labyrinthe,* qui se trouvent aussi citées, fonctionnaient pour créer des catégories nouvelles, pour être perverties notamment dans le discours du texte de *Projet.*

Jacques LEENHARDT : Premier point : tu reviens sur le problème des strates, Je crois qu'il est maintenant réglé. *(Rires.)* Deuxième point : le problème du collage. Le collage est un mode d'articulation des fragments les uns avec les autres. Il y en a certes d'autres, mais c'est un des modes, relativement dominant dans *Projet :*

je ne vois donc pas de raison pour l'abandonner.

Jean-Christophe CAMBIER : Il ne s'agit pas d'un collage.

Claudette ORIOL-BOYER : Je suis d'accord qu'il peut y avoir collage, mais pas partout et donc pas comme unique fonctionnement.

Jacques LEENHARDT : Je n'ai aucunement prétendu que c'était le mode unique de rassemblement de ces fragments. J'ai simplement insisté à ce propos sur un point, qui était la différence entre *La Jalousie* et *Projet,* concernant le mode d'articulation. Et j'ai noté que ce qui me servait de lien entre les fragments dans *La Jalousie* ne fonctionnait pas, ne pouvait pas fonctionner dans *Projet* pour une raison que j'ai essayé de montrer à savoir que les discours comme développement se développent indépendamment de leurs sujets, et cela me paraît une des caractéristiques fondamentales de *Projet pour une révolution à New York.*

Paul JACOPIN : Il me semble qu'il est dangereux de passer des « hier, aujourd'hui, demain » inscrits sur l'affiche à trois ou dix lieux. En effet, « demain, ici, ailleurs, maintenant » sont des organisateurs du discours. Ce glissement que vous faites me permet de poser un problème plus général : je me demande si les archétypes dans les derniers romans ne jouent pas un peu le même tour que certaines illusions (littérature objective ou illusion référentielle) qu'on a pu voir, il y a dix ou quinze ans, dans les premiers romans. Je crains que vous masquiez, finalement, ce qui est le plus important : le travail du texte et le travail qui se montre.

Jacques LEENHARDT : Oui, les lieux comme les temps sont des organisateurs dans le discours. Les lieux sont des passerelles de types de discours à d'autres.

Paul JACOPIN : Non, parce que quand je dis « ici, maintenant », il n'y a pas de connotation. Alors, on peut parler assez clairement...

Jacques LEENHARDT : Oui, si vous dites « ici, maintenant » mais, dans le texte, ils fonctionnent comme organisateurs du discours, au même titre que les lieux...

Paul JACOPIN : Mais quand on dit la maison du narrateur ou le terrain vague, alors on commence à introduire de l'intertextualité, des archétypes, du je ne sais quoi, de l'expression, du réel. Alors il y a confusion : on ne sait plus de quoi on parle...

Jacques LEENHARDT : Là se trouve le problème de la littérature : on n'a jamais seulement affaire à des organisations, mais aussi à des éléments organisés. Cela, il me semble, qu'il y a ici une réticence assez grande à l'admettre. Or je crois qu'on peut difficilement en faire l'économie.

François JOST : Ce qui m'a gêné, dans cette intervention, c'est qu'on assimile intertextualité et archétype...

Paul JACOPIN : Non, je ne les ai pas assimilés. C'est une énumération : l'intertextualité, les archétypes.

François JOST : La seule différence à faire entre les archétypes et l'intertextualité, c'est que l'intertextualité, comme j'ai essayé de le montrer l'autre jour, peut organiser le texte, alors que l'archétype là-dedans c'est quelque chose d'impalpable.

Raymond ELAHO : A écouter les interventions qui ont suivi la communication de M. Leenhardt, on dirait qu'il a fait quelque chose de scandaleux. Je m'excuse : c'est mon impression.

Jacques LEENHARDT : Vous avez raison... (Rires.)

Raymond ELAHO : M. Lotringer a bien dit l'autre jour que personne n'aborde un texte avec les mains vides. Qu'on le veuille ou non, on a toujours quelque chose, des points de vue, des préjugés, des refoulements, des fantasmes, etc. Alors le reproche qu'on fait à Leenhardt est d'une part justifié dans une certaine mesure (il a plutôt fait un travail intertextuel utilisant des significations a priori au texte, le terme de marchandise, par exemple, à la suite de ce que Goldmann a écrit sur Robbe-Grillet) mais, d'autre part, sans importance ici. Ce qu'il faut souligner, c'est le fait que lui, il a fait un travail, il a étudié *Projet,* suivant sa lecture. Alors, d'une certaine manière, il doit avoir raison...

Alain ROBBE-GRILLET : C'est vrai ce que vous dites qu'aucun d'entre nous n'a les mains vides. Simplement, si Leenhardt nous cause souvent une gêne (mais cela ne nous empêche pas d'écouter ses communications avec plaisir et intérêt, et même, quant à moi, d'éditer son livre sur *La Jalousie,* que je conteste ici), c'est qu'il aurait un peu les mains trop pleines. *(Rires.)* A tel point qu'on ne pourrait plus y rajouter rien d'autre; ses mains sont déjà si entièrement occupées qu'on peut y placer un livre ou n'importe quoi de nouveau, il n'aura toujours que la même chose dans les mains... *(Rires.)*

Raymond ELAHO : Justement, c'est ça le problème. Comment savoir si ses mains sont trop pleines ou trop vides? Il y a bien des gens qui diront que ses mains sont trop vides et d'autres qu'elles sont trop pleines. C'est cela le problème de la littérature aujourd'hui : un étudiant africain qui voit dans *La Jalousie* un roman anticolonialiste sera très content. Personnellement, je ne suis pas d'accord, mais cela me paraît important. Il ne faut pas croire qu'il n'y a qu'une seule lecture...

Olivier VEILLON : L'intervention précédente me semble justifier toutes les lectures idéologiques possibles d'un texte. Si, effectivement, on n'arrive pas les mains vides devant un texte, il faut savoir ce qu'on a dans les mains : il faut avoir les éléments pour contrôler sa lecture idéologique. Cela dit, je voudrais revenir sur l'intervention globale de Leenhardt. Je pense que la plupart des interventions n'ont cessé de tourner autour de l'image de la stratification des discursivités. C'est une image, soit, selon Bachelard, un obstacle épistémologique gênant. Cela montre qu'on n'a pas pu passer à un niveau d'abstraction suffisant pour rendre compte de ce qui avait provoqué cette image. Je pense que, étant donné que Leenhardt se place au niveau des signifiés dès le départ, il faut resituer son propos au niveau théorique qui lui correspond, c'est-à-dire le niveau sémantique. Cela dit, il me semble que ce à quoi il a procédé, c'est simplement à l'extraction de trois classèmes selon le sens greimassien, ces trois lieux fictifs qu'il a définis, à partir desquels il a procédé à une hiérarchisation classématique qui reconstitue l'isotopie du texte. En somme, il se contente de constater l'isotopie du texte.

Jacques LEENHARDT : C'est tout à fait exact : il s'agissait simplement d'organiser en fonction d'une isotopie (ce ne sont pas trois isotopies au sens greimassien puis-

NUU

qu'il n'y a pas d'autonomie de chacun des éléments) à partir d'éléments...

Olivier VEILLON : L'isotopie c'est celle du texte : ce n'est pas celle des niveaux que vous avez spécifiés à partir de ce que vous appelez des discursivités et que nous considérons comme des classèmes hiérarchisés.

Jacques LEENHARDT : Ils sont hiérarchisés dans le texte : c'était une procédure strictement descriptive, encore qu'elle ne visait absolument pas à la totalisation.

Olivier VEILLON : Simplement, je me pose l'intérêt de ce type de travail qui reste au niveau du constat du fonctionnement de tout texte...

Jacques LEENHARDT : Le fonctionnement de tout texte n'est pas organisé de la même manière. Ce que j'ai présenté comme « l'intérêt » de cette étape, c'est de savoir de quoi on part pour concevoir une étape ultérieure. Ça n'avait pas plus de prétention que cela, et notamment pas de prétention explicative : c'est pourquoi je n'ai pas du tout compris la réaction de Tsepeneag. Il n'y avait pas, de ma part, un jugement émis à partir de la description de cette organisation et concernant l'attribution de cette organisation à une idéologie qui serait celle de Robbe-Grillet : je n'ai absolument pas visé à cela.

Georges GODIN : M. Elaho a dit qu'il n'y a pas une seule façon de lire un texte, je me demande s'il ne faut pas dire qu'il n'y a pas une seule façon de produire un texte. Là, je me rapporte à ce qu'a dit, le premier jour, Jean Ricardou : pour comprendre comment on fait un texte, il faut soi-même produire un texte. Je me demande si c'est bien vrai : la façon de produire un texte n'est pas nécessairement la même chez tous les écrivains. Il n'y a pas de raison pour que la pratique de l'un aide à comprendre la pratique de l'autre. Alors de deux choses l'une : ou bien seul l'écrivain peut nous parler de sa pratique du texte et, dès lors, il faut prendre pour argent comptant ce que Robbe-Grillet nous dit de sa façon de pratiquer le texte; ou bien il faut admettre que quelqu'un d'autre que lui peut nous parler de la façon dont Robbe-Grillet pratique le texte. Alors, il faut laisser Leenhardt supposer que peut-être Robbe-

Grillet travaille comme cela. Je trouve que ce n'est pas si absurde parce que ça se rapproche, jusqu'à un certain point, de l'écriture cinématographique où on filme, puis on découpe et on recolle.

Jean RICARDOU : Je préciserai donc en deux mots ceci. Premièrement : il y a une articulation possible des pratiques de différents écrivains : les écrivains ne lisent pas les livres de leurs collègues comme le font les purs critiques, théoriciens ou simples amateurs. Deuxièmement : il y a une articulation possible, chez un écrivain, de sa pratique et de son activité théorique. Cette activité théorique lui donne une connaissance des problèmes que pose sa pratique et que peut soulever la pratique d'un autre écrivain. Je crois que vous vous appuyez ici d'une part sur l'originalité des lectures et sur l'originalité des écritures pour concevoir un confortable œcuménisme.

Renato BARILLI : Je me pose une question : dans votre lecture de *La Jalousie* [2], il me semble que vous appliquiez une tout autre sorte de méthode : la méthode goldmannienne axée sur la notion d'homologie avec, il est vrai, beaucoup de renouvellement de votre part. Or, maintenant, vous êtes à mi-chemin entre, d'une part une lecture formaliste, mais alors les spécialistes de la lecture formaliste de l'analyse du texte ne sont pas tellement satisfaits, et d'autre part, la recherche d'une infrastructure qui se montre bien dans le terme de strate que vous employez. Alors, je me demande si, plutôt que cette position intermédiaire, il ne serait pas plus utile pour votre analyse de garder carrément cette notion d'homologie (*Rires*).

Jacques LEENHARDT : Ma situation se trouve en effet quelque part entre des univers figés qui pour cette raison ne me satisfont ni l'un ni l'autre : celui d'une certaine critique dominante et celui de la théorie de l'homologie chez Goldmann. J'ai entendu quelques discours ici qui avaient une certaine cohérence : ils m'intéressent par ce qu'ils mettent en avant et ne me satisfont pas parce que je reste profondément attaché à une position marxiste, dont la visée est non pas une simple description des fameuses « procédures textuelles » mais l'élaboration d'une explication de ce qui se produit dans la littérature. Je me trouve donc, comme vous l'avez remarqué, soit obligé, pour satisfaire à l'orthodoxie goldmannienne représentée par *Pour une Sociologie du roman* [3], de revenir à une position sur les homologies et je vais dire tout à l'heure en quoi je ne le peux pas, soit, pour faire bonne figure devant le public qui est ici, de changer quelque chose à ma manière de réfléchir et cela ne me satisfait pas non plus. Alors, quelle est la situation dans laquelle je me trouve par rapport au concept d'homologie que je considère comme un des moments seulement de la théorie goldmannienne? Je pense que le concept d'homologie n'est pas satisfaisant, au niveau épistémologique, parce que ce concept utilisé dans ce domaine par un marxiste, a cependant éliminé complètement ce qui fait l'intérêt de la méthode marxiste : la dialectique. Le concept d'homologie est un concept qui hypothèque la dialectique. Je pourrais développer le problème de savoir pourquoi, passant de la position du *Dieu caché* [4], qui est une position dialectique, à *Pour une Sociologie du roman,* Goldmann a abandonné dans les années soixante le concept de structure significative, de conscience de classe informant les structures pour arriver à une homologie tout à fait générale entre la structure de la société marchande et la structure du roman dans l'ensemble de son évolution. Puisqu'on a parlé de Goldmann, je vise pour ma part à retourner de *Pour une Sociologie du roman* à la méthode développée dans *le Dieu caché*. Maintenant un autre problème se pose : la méthode développée dans *Le Dieu caché* se fonde sur la cohérence de la conscience de classe, elle fait l'hypothèse que les classes sont des ensembles cohérents ayant une conscience et que cette « conscience », entre guillemets, s'exprime. Je préfère dire qu'elle est la condition de possibilité pour chacun des individus appartenant à cette classe de tenir un certain type de discours. A partir de là, on le sait, Goldmann a pu, à propos de Pascal, montrer le rapport entre la conscience de classe des robins et la production des *Pensées*. Il se trouve que Goldmann lui-même suggère que la conscience de classe des robins est infiniment plus complexe encore que ce qu'il a lui-même déjà clivé en trois orientations différentes. Il se trouve en outre qu'entre le XVIIe siècle et aujourd'hui il y a une différence notable concernant le concept de classe et l'éventuelle cohérence de la dite conscience de classe. Je ne pense pas que l'on puisse, en tout cas pour un grand nombre de textes philosophiques et littéraires, se fonder sur l'unique rapport entre une conscience de classe et les productions sur lesquelles on travaille. Par conséquent, j'ai été amené, non pas à rejeter l'idée que la conscience des groupes sociaux se fait dans la praxis de ces groupes, je persiste à croire que cela est fondamental, mais à engager un processus de dialectisation de la dite conscience et c'est ce qui m'a amené à accorder de l'importance à ces fragments de discursivité qui constituent la conscience, en tant que multiplicité, à un moment donné de l'histoire de notre époque contemporaine. A partir de cette mise en question, de cette réflexion sur les problèmes des rapports entre l'existence sociale des êtres et leur production fantasmatique, littéraire, artistique et autre, j'ai donc été amené à imaginer ce feuilletage de la conscience, c'est-à-dire l'existence, à un moment donné, à l'intérieur d'une classe donnée, de multiples éléments appartenant à des moments historiques différents et pouvant, dans la contemporanéité, travailler ensemble. C'est en tout cas l'idée qui est à la base de l'exposé que j'ai fait aujourd'hui. Et ces différents éléments sont ce qui est travaillé par l'écriture actuelle. Par conséquent, dans la perspective qui est la mienne, on est obligé de repérer ces couches de discursivité (sans nécessairement les constituer en strates géologiques, on l'a vu), en faire une description, quitte après à essayer de voir comment l'arrangement spécifique, les traversées spécifiques de ces différentes couches et la transformation que chacune de ces couches subit dans le travail de l'écriture, constitue, à un moment donné, ce qu'on pourrait appeler une position.

Marcel HENAFF : Je voudrais revenir sur un point qui m'a bien intéressé : le statut monétaire des objets énoncés dans *Projet* et qui, pour moi, se métaphoriserait assez bien dans cette galerie marchande. Ce qui m'a intéressé, c'est que tu es parti de la strate dite de la substance pour arriver à celle de la circulation mercantile, qui se produit dans cette galerie marchande. Et je crois qu'il y a là quelque chose d'assez symptomatique d'une histoire économique, histoire faite par Marx dans le texte bien connu du premier chapitre de la première section du premier livre du *Capital,* et que Jean-Joseph Goux a essayé de formuler, en définissant plus précisément les processus symboliques. Alors, cette perte de substance qui se vérifie dans le passage d'une strate à l'autre, comme tu l'as présenté, ce serait, finalement, le passage de l'économie du troc à, plus tard, finalement la réserve or et à la formation du formalisme bancaire et de la valeur monnaie, autrement dit aux équivalents généraux. Alors, de là, je passe à une question qui s'est posée à Saussure, dont nous sommes les petits enfants en ce qui concerne la formulation des questions de langage. Saussure, on peut dire que son problème a été de surmonter l'angoisse fiduciaire. Comme pour les économistes de son temps, il s'agissait de savoir s'il fallait rester fidèle à l'étalon or ou définir la valeur monétaire par la consistance des différents systèmes monétaires. On pourrait donc se demander si tout ce passage de la substance à la circulation mercantile n'a pas été également le problème de toute l'écriture depuis une cinquantaine d'années et si tout ce qui s'écrit sous le nom de Nouveau Roman n'est pas, justement, l'affirmation de cette position du formalisme des équivalents généraux qui, disons, fait un choix pour la consistance contre l'illusion référentielle, c'est-à-dire contre l'étalon or, contre la réserve. Alors, ce que je voudrais demander à partir de tout cela, à partir de ce rappel très schématique, c'est si un texte comme *Projet* est une mise en scène complaisante de ce statut formaliste et contractuel de la société échangise ou, au contraire, dans quelle mesure un tel texte, reproduisant les signes de la société échangiste, les dévoile, les détourne en mettant le langage en travail dans le texte de fiction.

Jacques LEENHARDT : En ce qui concerne Goux, je dirais que sa tentative me paraît très intéressante, très suggestive disons, bien que je sois en désaccord assez

profond sur ce qui la constitue dans sa couche primordiale, à savoir un hégélianisme assez farouche. En ce
qui concerne Robbe-Grillet, je suis bien entendu opposé,
je l'ai dit tout à l'heure, à une assignation politique.
L'intérêt, disons, du texte, c'est de mettre en jeu et en
contradiction ces différents domaines qui sont ceux du
débat intellectuel et politique qui est le nôtre depuis
cinquante ans. La manière spécifique de cette mise en
jeu ne relève pas, comme tu en suggérais la possibilité,
d'une complaisance à l'égard de quoi que ce soit. Il
s'agit d'une mise en jeu non résolue : le texte ne résout
rien. D'une certaine manière, il peut recommencer, il
peut continuer, il n'a donc pas de position affirmée. En
revanche, je crois qu'il travaille effectivement sur les
données que tu as rappelées et que j'ai schématisées à
travers la notion de substantialité et d'abstraction.

Alain ROBBE-GRILLET : Vous n'avez pas répondu
exactement à la question d'Henaff qui demandait si
vous estimiez, vous personnellement, que ce texte ou
un autre texte du même genre apporte, par ce travail,
quelque chose de plus que la représentation homo-
logue...

Jacques LEENHARDT : Il ne s'agit pas d'une représentation puisqu'il s'agit d'un travail. Et je pense que la
seule chose qu'il peut apporter, c'est de mettre justement en travail des choses qui, dans les lieux originaires de ces discours, sont placées dans la non contradiction...

Jean RICARDOU : Ce qui produit quoi?

Alain ROBBE-GRILLET : Ce qui produit quoi, c'est
cela. Leenhardt, c'est toujours là que vous vous arrêtez...

Jean-Claude RAILLON : Un mot : je ne voudrais pas
prendre la défense de Goux, mais quand tu dis que
Goux est hégélien, moi c'est exactement l'impression que
je me suis faite quand je t'ai entendu parler. Ta dialectique est expressive et non pas productrice.

Jacques LEENHARDT : Le livre de Goux est important
et il faut en discuter. Maintenant, sur l'hégélianisme de
l'un ou de l'autre, il faudrait en discuter en détail,
textes en main, ce que nous ne pouvons pas faire comme
cela, instantanément.

Dimitri MATHALOU : Ma question portera sur un détail. Un peu avant la fin de votre exposé, vous avez dit textuellement : la répétition qui exclut la temporalité. Cette phrase me paraît un peu abusive et je demande des explications.

Jacques LEENHARDT : J'ai visé à distinguer deux fonctionnements textuels. Ou bien une séquence textuelle est reprise avec modification (auquel cas je parle de reprise) et, à travers la modification, il peut y avoir de l'une à l'autre passage par des temporalités auxquelles j'ai fait référence. Ou bien en ce qui concerne l'affiche elle-même, elle se reproduit, reproduit l'identique et, par conséquent, cette répétition qui ne laisse pas de place pour le changement, pour le glissement, se présente comme purement contemporaine : il n'y a pas de lieu, ni de temps possible, de l'une ou l'autre.

Jeanine PLOTTEL : On a déjà beaucoup parlé d'intertextualité et, comme vous n'étiez pas là, vous ne savez pas qu'on a parlé du roi Boris, par exemple. A propos du roi Boris, Robbe-Grillet fait référence à Boris Godounov. Si l'on n'établit pas de critères pour des intertextualités privilégiées, alors toute intertextualité finira par aboutir à l'archétype, par exemple ici, l'archétype du roi.

Jacques LEENHARDT : J'aurais été heureux d'entendre Robbe-Grillet dire pourquoi la référence est à Boris Godounov. J'y ai pensé aussi, mais j'ai donné mes raisons pour Boris Vian...

Alain ROBBE-GRILLET : Le mot Boris est apparu avec une certaine fréquence dans mes textes et il semble que, à plusieurs reprises, des allusions extrêmement précises aient été faites, sinon au drame de Pouchkine, du moins à l'opéra de Moussorgsky...

Jacques LEENHARDT : Pas dans *Projet* : il s'agit en tout cas là d'une intertextualité strictement robbe-grilletienne.

Alain ROBBE-GRILLET : Bien entendu. Je n'ai d'ailleurs pas dit que le roi Boris était Boris Godounov. Mais, vous, vous avez dit que c'était Boris Vian...

Jean RICARDOU : « Et de toute évidence », même.

Alain ROBBE-GRILLET : « Et de toute évidence » avez-vous dit, en effet. Alors, là, quand même, on a un peu sursauté. Et d'ailleurs, Rybalka vous dira que si Vian était prénommé Boris, c'était à cause de Boris Godounov (*Rires*). Personnellement, je ne vois pas tellement de rapport entre cette figure du roi fou qui tape avec sa canne à l'étage supérieur...

Jacques LEENHARDT : Et le schmurtz? Chacun peut avoir ses associations : les bâtisseurs d'empire, le bruit dans la chambre du haut, qui revient à deux endroits dans le texte sans qu'on puisse le nommer. J'ai noté les pages...

Alain ROBBE-GRILLET : Oui, oui.

Jacques LEENHARDT : Voilà comment j'ai constitué cette intertextualité-là. Alors, on me dit qu'il y en a d'autres...

Jean RICARDOU : On rejoint ici un problème qui a été posé au début du colloque : celui de l'intertextualité pertinente. Pour qu'une intertextualité soit pertinente, il faut la construire à partir d'un nombre probant de relations.

Jacques LEENHARDT : J'en ai donné deux non pas pour l'ensemble du texte, mais pas rapport à un problème précis qui est celui de la maison, la maison dont le dernier étage est occupé par ce personnage qui fait du bruit, et on ne sait jamais s'il existe ou s'il n'existe pas. Il y a un bruit quelque part en haut, à la page 120 et à la page 209.

Alain ROBBE-GRILLET : Le personnage du roi Boris, dans *Projet,* venait tout simplement du roman précédent : *La Maison de rendez-vous*. Et son apparition est ironique : Vous n'allez quand même pas me dire que c'est le roi Boris? D'ailleurs, je ne parle de tout cela que parce que vous avez soulevé le problème. En fait, je n'avais pas envie de protester contre le fait que vous l'ayez appelé Boris Vian, puisque je l'avais bien appelé Boris Godounov.et, comme vous dites : pourquoi pas?

Jacques LEENHARDT : En tout cas, cela fonctionne ainsi...

Jean RICARDOU : Oui, mais si cela a fonctionné ainsi pour Leenhardt, nous nous en moquons éperdument...

Alain ROBBE-GRILLET : Pas plus que pour un autre...

Jean RICARDOU : Pas plus que pour un autre, bien sûr, mais tout autant.

Jacques LEENHARDT : Cela fait donc partie du fonctionnement du texte...

Jean RICARDOU : Peut-être du fonctionnement du texte pour Leenhardt...

Jacques LEENHARDT : Quand Ricardou écrit sur Robbe-Grillet, c'est le fonctionnement du texte pour Ricardou.

Jean RICARDOU : Mais non, je ne me satisfais pas du tout d'une position pareille. Si c'est le fonctionnement du texte pour Ricardou, là aussi nous nous en moquons éperdûment. Ce qui m'importe, précisément, c'est de ne pas m'en tenir à cette postulation subjective. Ce qui m'importe, c'est d'accomplir certaines opérations capables d'emporter l'adhésion. Ainsi il me semble nécessaire, en l'occurrence, de déterminer, dans l'intertexte général, un intertexte restreint, par exemple selon un certain nombre de relations convergentes.

Jacques LEENHARDT : Je l'ai fait précisément dans le cadre d'une intertextualité : j'ai rapporté Boris Vian à ce discours de la substantialité, de même que j'ai rapporté Roussel à la machinerie, etc.

Jean RICARDOU : Si tu manifestes cette exigence, ce dont je te félicite, alors tu ne peux accepter la position subjectiviste qui consiste à dire que lorsque Ricardou ou un autre écrit sur un texte, c'est le fonctionnement du texte pour Ricardou ou un autre...

Alain ROBBE-GRILLET : De toute façon, Ricardou, cela est une mauvaise querelle...

Jean RICARDOU : Non, c'est un problème théorique : la détermination, par exemple, d'un intertexte pertinent.

Alain ROBBE-GRILLET : Vous estimez par principe que, ce que vous avez dit, vous l'avez démontré et que, ce que les autres ont dit, ils l'ont avancé un peu au hasard...

Jean RICARDOU : Je m'astreins en tout cas, autant que possible, dans mes analyses, à des précautions et à des opérations qui s'efforcent au démonstratif.

Alain ROBBE-GRILLET : Mais non, Ricardou, ce n'est pas démonstratif de la façon dont vous l'imaginez. Cela n'a aucun rapport avec une démonstration scientifique. L'apparition du mot « rogue » dans la chaîne rouge, dont on a déjà parlé [5], n'a absolument rien de pertinent. Et vous la considérez, vous, comme évidente...

Jean RICARDOU : Mais voyons, il s'agit, dans ce cas, non d'une relation intertextuelle mais d'un tout autre problème d'ordre intratextuel. Et je crois avoir précisé ce fonctionnement démonstratif à la suite de l'exposé de Vidal.

Olivier VEILLON : Il me semble que la notion d'intertextualité telle qu'elle a été évoquée ici n'avait aucun statut théorique. Et ce que dit Ricardou me semble donc très juste dans la mesure où il faut préciser le statut théorique de l'intertextualité à laquelle on fait référence. Je pense que ce pourrait être, selon le concept althussérien, une formation idéologique par exemple. On peut travailler en essayant de référer à une formation idéologique donnée le travail qui se produit dans les textes ou dans les films.

Alain ROBBE-GRILLET : Vous avez raison : idéalement, théoriquement, cela devrait... Or, en réalité, ces relations que nous établissons, et moi autant que Ricardou ou Leenhardt ou Vidal ou n'importe qui, nous y sommes amenés simplement à cause de notre bagage personnel, dû en principe à la généralité idéologique, mais en partie aussi à notre histoire individuelle.

Jacques LEENHARDT : Je ne voudrais absolument pas laisser croire qu'il s'agissait de ma part d'une intervention subjective. J'ai parlé de Vian et de Roussel, parce qu'ils me sont venus, effectivement, en tant que sujet, mais aussi parce qu'il y avait un fonctionnement de différentes couches textuelles qui me paraissaient telles que, dans l'hétérogénéité Vian/Roussel, se reproduisait l'hétérogénéité des couches textuelles auxquelles je les ai référés. Alors, si cela ne constitue pas une démonstration au sens scientifique du terme, comme le rappelait Robbe-Grillet, il s'agirait de ce que, dans le langage juridique, on appellerait une présomption.

Jean RICARDOU : Le problème demeure : à quelles conditions accède-t-on au moins à la présomption ? Il s'agit là d'une difficulté réelle. Peut-être ne l'a-t-on pas très bien résolue, mais en tout cas, la première des exigences consiste à ne pas la masquer.

François JOST : Je voudrais juste dire une chose qui va aggraver le cas de beaucoup de gens, dont je suis. L'un des critères de pertinence, c'est sans doute qu'il faut retrouver une organisation plus ou moins structurelle et non pas simplement des associations d'idées. Tant qu'on en restera au niveau du mot, aux associations phoniques qu'on peut faire ou aux associations diverses qui appartiennent à la culture de chacun : on n'aura jamais de critères pertinents.

NOTES

1. *Pour une théorie du Nouveau Roman*, Seuil.
2. *Lecture politique du roman*, Editions de Minuit.
3. De Lucien Goldmann, Gallimard, Collection *Idées*.
4. Gallimard, *Bibliothèque des Idées*.
5. « La Fiction flamboyante » dans *Pour une théorie du Nouveau Roman*, Seuil.

X. GÉOGRAPHIE DE ROBBE-GRILLET

par Tom BISHOP

L'analyse de nombreux textes de Robbe-Grillet fait valoir un mode particulier et évoluant de référence à des données géographiques réelles et imaginaires, des données qui sont à l'image du texte en question mais qui, en même temps, reflètent et expliquent chacun de ces textes. Je me propose de revoir certains romans et films en fonction de leur géographie, c'est-à-dire, d'examiner le rôle que joue à l'intérieur de ces œuvres le LIEU où se déroule l'action et d'analyser la façon spécifique d'utiliser et de décrire le matériau géographique.

Les lectures orientées autour de cette optique montrent bien à quel point la géographie tient une importance primordiale chez Robbe-Grillet et à quel point la qualité des références géographiques change à travers sa production. Les romans des années cinquante témoignent de l'utilisation précise de lieux géographiques assez précis. Cela correspond bien entendu à l'époque de son écriture dite objective, soigneusement descriptive et précise. A partir de 1960, donc dans tous les films et dans *La Maison de rendez-vous* et *Projet pour une révolution à New York*, le référent géographique devient de plus en plus flou, même si les textes impliquent des lieux véritables la plupart du temps, comme New York, Hong Kong, Istanbul, l'Europe centrale, etc. En même temps, nous savons à quel point la narration romanesque et filmique se déconcrétise, se conteste de plus en plus.

Dans les deux manières (si l'on veut bien admettre la notion générale de deux manières chez Robbe-Grillet, le début de la seconde se situant plus ou moins à l'époque de *Dans le labyrinthe*), la fonction centrale de la géographie me paraît évidente. Le lieu est parfaitement intégré dans la structure de l'œuvre; il ne la domine pas, mais il n'est pas non plus arbitraire, ni tout simplement ajouté. Je veux dire par là que si, comme Leenhardt l'a constaté, *La Jalousie,* par exemple, n'est pas un roman africain colonial, ce qui impliquerait un roman qui détaille des aspects politiques, sociologiques, psychologiques ou autres de la vie d'une colonie européenne en Afrique, c'est néanmoins un livre dans lequel le cadre colonial, les rapports humains que les colonies africaines impliquaient, ainsi que les données de climat et de végétation (jusqu'à la bananeraie avec ses bananiers soigneusement alignés) ne sont pas simplement « en plus », ne se trouvent pas gratuitement insérés dans le texte, mais sont inextricablement liés à la narration, font partie intégrante de la texture de *La Jalousie.* Robbe-Grillet n'aurait pas pu choisir, me semble-t-il, de situer son roman dans le pays de Galles, par exemple. Sans être roman colonial, *La Jalousie* ne peut se passer des colonies.

De même, comme nous allons le voir, *Le Voyeur* exige, par la nature même de sa conception, que l'action ait lieu sur une île suffisamment éloignée du continent pour créer un petit monde à soi, isolé, à l'abri de ce qu'on pourrait appeler les préoccupations « habituelles ».

Et *Projet* n'est évidemment pas un texte SUR New York, mais c'est quand même un texte qui a besoin de New York ou plutôt, d'un New York mythologique, cette mythologie de New York représentant un des sommets de l'imagination populaire de notre époque.

Dans chaque cas, la géographie soutient la narration, la clarifie et, en revanche, est clarifiée par elle, à tel point que les deux, géographie et narration, font partie nécessairement du même système.

Pour commencer au début alors, *Les Gommes* présente un problème de déchiffrage au lecteur, lequel est amené à chercher une grille qui lui permette de percer le récit proposé, de déchiffrer le mystère-au-delà-du-mystère. Le lecteur inaverti se trouve donc devant ce qui paraît à premier abord être un roman policier avec tout le bagage de ce genre bien connu : meurtre, détective, énigme, etc. Pourtant, il comprend rapidement qu'il s'agit d'autre chose que d'une série noire, qu'il y a des confusions de personnalité, que l'identité de la victime et celle du détective semblent coïncider, que le crime a lieu deux fois, et ainsi de suite.

La quête d'une grille amène le lecteur tout naturellement à considérer les données géographiques du roman, à se transposer dans la situation de Wallas qui erre dans une ville, et d'y errer comme lui en essayant d'y trouver des repères qui puissent l'orienter.

Le lecteur se rend donc compte dans une première période qu'il se trouve dans une ville indéterminée, qui pourrait être flamande par son aspect terne, par ses canaux. Il notera ensuite la circularité de la ville — le boulevard circulaire et la véritable dédale d'artères qui s'y trouve. Ces deux caractéristiques de la ville des *Gommes* soulignent et révèlent la circularité de l'œuvre même (cette circularité qui sera la direction principale du mouvement des romans et des films de Robbe-Grillet, ainsi que du nouveau roman et du nouveau théâtre en général) et l'aspect labyrinthien de la quête de Wallas (le labyrinthe étant le signe de la structure intérieure de toute l'œuvre de Robbe-Grillet). La linéarité du roman cède ainsi à une structure labyrinthienne à l'intérieur de la circularité narrative.

Il est possible que le lecteur ne veuille pas tenir compte du fait que le premier lieu mentionné est la rue des Arpenteurs, ou alors ne sera peut-être pas prêt tout de suite à évoquer Kafka et à songer à un thème du parcours. Mais il y a d'autres éléments géographiques à l'intérieur du roman qu'il sera obligé de confronter, qu'il le veuille ou non.

Bruce Morrissette a bien souligné jadis le contenu œdipien des *Gommes* en proposant une lecture qui projette Wallas en Œdipe dans son rôle archétypique de celui qui tue le père et cherche sa propre vérité. Morrissette nous a fait remarquer la citation de Sophocle en exergue du texte et a montré que la structure même du roman est sophocléenne, c'est-à-dire, structure de la tragédie, les cinq chapitres, entourés d'un prologue et d'un épilogue correspondant aux cinq actes de la tragédie classique.

Même le lecteur le plus sceptique ne peut pas ne pas vouloir reconnaître la signification de la rue de Corinthe dans *Les Gommes,* puisque c'est précisément sur la route de Corinthe qu'Œdipe avait tué Laïus sans le savoir. Nous finissons par associer métaphoriquement la ville non nommée des *Gommes* avec la Thèbes antique (vous vous souviendrez aussi de la description d'un dessin de Thèbes dans la vitrine de la papeterie) et par rattacher l'élément œdipien et les structures labyrinthiennes à l'histoire d'Œdipe en général. Ainsi, les pleines résonances des *Gommes* ne ressortent qu'à travers la grille des indices géographiques qui nous permettent de saisir la texture du roman dans toute sa complexité.

Pour ce qui est du *Voyeur,* la géographie inventée par Robbe-Grillet paraît encore plus indispensable pour le récit. Non seulement la structure du roman reflète-t-elle l'île et sa situation, mais les réactions de Mathias sont, de façon importante, déterminées par le cadre. Pour que les éléments de l'intrigue puissent fonctionner convenablement, il importe que l'action prenne place dans un endroit isolé, très isolé même, où les préoccupations des gens ne soient pas les mêmes qu'ailleurs et où on aurait véritablement le sentiment d'être coupé du monde. Ce n'est qu'à partir de ces conditions-là que peuvent se comprendre le dépaysement de Mathias (même s'il s'agit de son île natale), son véritable délire quant à la possibilité de vendre un nombre très considérable de montres, l'insouciance des habitants de l'île par rapport à la mort de Jacqueline, et les circonstances qui empêchent Mathias de fuir après le crime et qui le condamnent à rester quatre jours, pendant lesquels il est obligé de couvrir ses traces. Pour ces raisons et pour bien d'autres, l'île est le cadre idéal pour *Le Voyeur*. Sans doute Robbe-Grillet aurait-il pu situer le roman ailleurs, par exemple dans un village perdu des Alpes en hiver, coupé du monde par une avalanche, mais le recours à la contingence d'une telle solution aurait probablement été ridicule et aurait desservi le besoin de se tenir à tout moment à une vraisemblance très nette du monde objectif. Une île fait bien mieux l'affaire, et l'îlité de l'île devient un élément intégral de la structure du *Voyeur*, qui se conforme, en somme, au mouvement général suivant : continent → traversée de la mer → île → traversée de la mer → continent (cette dernière étape) étant annoncée mais pas entamée dans le texte).

Sur l'île, la géographie de l'endroit... et surtout le fait d'être sur une île... déterminent le comportement de Mathias : la population (très peu nombreuse — ce qui est important — dans cet endroit loin du continent) est concentrée dans le village où arrive le bateau, diminue très rapidement dans les quelques maisons de plus en plus rares qui entourent le village, et enfin disparaît entièrement dans les endroits sauvages de landes et de rochers, propices au crime; la forme en huit de l'île, un huit entouré d'eau, qui se replie donc sur lui-même et donne plein champ aux forces centrifuges qui attirent le point focal au centre de l'île, l'endroit où les deux cercles concentriques formant le huit de l'île se rejoignent, et qui correspond au célèbre trou où le récit laisse Mathias à la fin de la première partie pour l'y retrouver de nouveau au début de la deuxième. Seule une île peut tracer un huit, et ainsi, en situant *Le Voyeur* sur une île, Robbe-Grillet réussit aussi à inclure la géographie de l'œuvre dans la série des huit (yeux, lunettes, cordelettes, roues de bicyclettes, affiche de cinéma) qui sont le corrélatif constant de cette fiction.

Donc, le choix d'une île est capital et permet une fusion du récit et du lieu impliqué par ce récit. Le centre de l'île, le trou, organise le livre; nous passons de la première anticipation de violence à la répression

56

de son souvenir coupable, ensuite à des images de plus en plus insistantes de violence qui cèdent, suivant l'apaisement auquel nous n'assistons pas, à l'effacement de ces mêmes images, jusqu'à ce que le souvenir s'impose à la conscience de Mathias et donc au récit.

Le caractère du terrain de l'île entre également en jeu; il permet à Mathias de songer avec anticipation aux pins, aux herbes sèches qui commencent à flamber et à la robe de Jacqueline/Violette qui prend feu.

A la fin du roman, quand Mathias a fini d'errer sur l'île en attendant le vapeur, il s'embarque enfin ayant échappé à toute poursuite possible. Le calme lui revient par le mouvement de l'eau qui berce le bateau et berce le voyageur. L'épisode insulaire terminé, Mathias reprendra ses habitudes de vie à terre, habitudes que nous ignorons mais qui ne ressemblent peut-être pas à celles, extravagantes, de l'intervalle sur l'île.

Dans *Dans le labyrinthe,* la géographie joue un rôle tout à fait semblable; c'est de nouveau dans la précision du décor que l'auteur met en évidence le doute et l'ambiguïté. Voilà ce qui a permis à Gérard Genette de parler du « *point d'honneur* réaliste d'un auteur qui ne l'est pas, mais qui ne peut se résoudre à ne pas l'être ». (*Figures,* p. 90.) Mais il n'y a pas de contradiction fondamentale dans cet énoncé. Jusqu'à *Dans le labyrinthe* l'univers de Robbe-Grillet est, en effet, partagé consciemment : le réalisme précis de descriptions basées sur des données géographiques précises souligne et sert l'imprécision profonde de la narration. Le contraste entre les deux peut déconcerter mais il met en relief très net l'aspect trouble et vague de Wallas, du mari de *La Jalousie,* de Mathias, du soldat. Quant à ce dernier, même si la ville labyrinthienne « sort » de la gravure de la bataille, elle devient une réalité concrète à l'intérieur de laquelle les errances du soldat se découpent avec une clarté particulière.

Renato Barilli a signalé ici même il y a quatre ans la charnière que fut *Dans le labyrinthe* : « Le grand virage s'effectue à partir de *Dans le labyrinthe* : roman à deux faces, suspendu entre " hier " et " aujourd'hui ", dernier des récits construits sur un point de vue unique, préexistant à la narration et la conditionnant, et premier entre les récits où tout point de vue devient lui-même une fonction du texte, pouvant se déplacer indifféremment d'un personnage à l'autre. » (*Nouveau Roman : hier, aujourd'hui*, I, p. 115.) Ce n'est pas seulement le point de vue qui change, mais aussi l'univers à partir duquel opère ce nouveau point de vue mobile.

Avec *L'Année dernière à Marienbad* le système a changé. Le cadre géographique sera désormais une réflexion du flottement ambigu de la narration plutôt que d'en être le contraste saillant. Le conflit des réalités contradictoires est directement servi par un cadre qui, malgré sa surface d'apparence bien réaliste, relève néanmoins de la fantaisie du rêve. Cette « histoire d'une persuasion » se déroule dans un univers clos, abstrait, fictif, onirique, glacé... qui reprend, comme tant d'autres chez Robbe-Grillet le motif du labyrinthe. Le décor irréel, où rien n'est clair, où l'on a l'air de subir un enchantement, convient parfaitement à ce récit qui consiste en une alternance d'images, de souvenirs, de désirs, de faux souvenirs, d'anticipation. C'est un monde à la fois net et imaginaire : des salles, des corridors, des allées bien précises mais inexistantes, ce monde disparu des villes d'eau de l'Europe centrale d'autrefois. Comme Marienbad qui n'existe plus, comme cette « année dernière » qui n'existe pas et qui n'a peut-être jamais existé, le palais et son parc n'existent pas non plus en dehors des images projetées sur l'écran.

Avec *L'Immortelle,* nous sommes de nouveau et davantage dans un monde mythologique, chimérique. « L'Orient vu de Paris, un Orient de carte postale... tout un folklore mythologique qui joue un grand rôle dans l'esprit de la société occidentale, mais qui n'a rien à voir avec l'Istanbul des Turcs », nous dit Robbe-Grillet, « C'est un Istanbul parfaitement imaginaire, réduit à des surfaces, à des stéréotypes, exotiques et sexuels » (cité dans Gardies, *Alain Robbe-Grillet,* p. 120). La désagrégation de la géographie réaliste, sa mythification, est maintenant très avancée, presque complète. L'Istanbul de *L'Immortelle* préfigure Hong-Kong, New York, l'Europe centrale de *L'Homme qui ment*, l'Europe occidentale et l'Afrique de *L'Eden et après*.

Au début de *La Maison de rendez-vous*, Robbe-Grillet déclare pleinement ses intentions de présenter un lieu géographique qui soit tout à fait vrai tout en étant parfaitement faux. C'est la fonction du double avertissement au lecteur.

« L'auteur tient à préciser que ce roman ne peut, en aucune manière, être considéré comme un document sur la vie dans le territoire anglais de Hong-Kong. Toute ressemblance, de décor ou de situations, avec celui-ci ne serait que l'effet du hasard, objectif ou non.

Si quelque lecteur, habitué des escales d'Extrême-Orient, venait à penser que les lieux décrits ici ne sont pas conformes à la réalité, l'auteur, qui y a lui-même passé la plus grande partie de sa vie, lui conseillerait d'y revenir voir et de regarder mieux : les choses changent vite sous ces climats. »

Ainsi, nous nous trouvons dès le début dans un Hong-Kong des bandes dessinées qui incarne tous les mythes possibles que l'Occident attribue à cette ville chinoise et internationale : trafic de drogue, espionnage, bordels de luxe, belles filles eurasiennes, aventures infâmes, tortures, etc. « Tout le monde connaît Hong-Kong », dit le narrateur (p. 13) et Robbe-Grillet a expliqué que son roman part de cette déclaration, se base sur le fait que tout le monde connaît Hong-Kong, que c'est une valeur connue et acceptée, qui sert donc de référent fixe. La fausseté de ce Hong-Kong envahit la narration et la surcode, car comme ailleurs, la géographie n'est que le reflet des préoccupations plus profondes du texte : ainsi le caractère de bande dessinée, pop-art, de Hong-Kong et de ses habitants est le paradigme de la qualité bidimensionnelle du récit même, qui parfois nous est présenté comme les panneaux successifs d'une bande dessinée. Ce mouvement plat et saccadé donne sa texture particulière à la narration; c'est dans l'absence de profondeur physique et textuelle, dans l'absence de signification préexistante que nous suivons l'itinéraire de la production littéraire. Ce Hong-Kong faux et théâtral qui miroite la fausseté et la théâtralité à l'intérieur de la Villa Bleue et de ses représentations, prête à l'ambiguïté partout... ce qui se transforme en incertitude du lecteur par rapport au récit, à la narration. Par exemple, ces quelques lignes prises au hasard : « Sans doute cette scène a-t-elle eu lieu un autre soir; ou bien, si c'est aujourd'hui, elle se place en tout cas un peu plus tôt, avant le départ de Johnson. C'est en effet sa haute silhouette sombre que désigne Lady Ava du regard, lorsqu'elle ajoute : " Maintenant, vous allez danser encore une fois avec lui "» (p. 30). Et presque immédiatement après : « Tout à coup le décor change » (p. 31).

Le texte désigne l'écriture en train de se faire, l'écrivain écrivant, choisissant des solutions parmi les possibilités diverses qui se présentent à lui. La géographie de *La Maison de rendez-vous,* c'est-à-dire, cet Hong-Kong artificiel et mythologique, sert de cadre idéal aux articulations contradictoires de la narration. Le récit se conteste d'un bout à l'autre dans un paysage contesté par son irréalité, son manque de relief. Ainsi, l'aspect hypothétique de la narration grâce à des phrases telles que « La scène qui se déroule alors manque de netteté » ou alors, plus hésitant encore, le recours au conditionnel de narration : « et presque aussitôt, elle redescendrait en tenant contre sa poitrine une enveloppe très épaisse et déformée, faite de papier brun, qui semble avoir été bourrée de sable. Mais que serait devenu le chien pendant ce temps »? (p. 39).

Dans ce Hong-Kong de feuilleton, tout est jeu, tout est irréel au moins en partie, y compris le récit même qui désigne cette irréalité. Tout s'anéantit; ce qui avait été affirmé disparaît. Même Lady Ava affirme enfin qu'elle n'a jamais été en Chine, que la Villa Bleue n'est qu'une histoire qu'on lui avait racontée. Dans une fausse représentation d'une ville élevée au niveau mythique, nous sommes au centre de la fictivité de la fiction, au sein de la génération d'images qui se transforment, qui s'enchaînent et reviennent sur elles-mêmes à travers une série de générateurs (réceptions, représentations théâtrales, bague, illustré chinois, etc.) qui font partie de cette ville, de cette géographie mythique.

Un phénomène semblable de géographie de feuilleton se retrouve aussi dans *Trans-Europ-Express* et *L'Homme qui ment*. Dans l'un comme dans l'autre nous sommes dans un cadre bi-dimensionnel et parodique de l'univers de trafic de la drogue dans le premier, de la résistance aux Allemands dans le second. La géographie de bande dessinée sert de fond à des actions contradictoires, comparables aux tentatives de reproduire les hésitations du procédé créateur de *La Maison de rendez-vous*. C'est maintenant le cinéma qui sert, à sa manière, pour reprendre les problèmes de la narration, du récit qui n'arrive pas à se dire.

Dans *Trans-Europ-Express*, les éléments de la géographie mythologique sont, tout d'abord, le train — lieu par excellence, depuis Hitchcock, pour les histoires d'intrigue et d'espionnage et, de nos jours, de drogue — et Anvers, ville dont Robbe-Grillet accentue le caractère louche de mystère, de prostitution, de truands. Le film nous montre un vrai train, une vraie gare du Nord, de véritables rues de la ville hollandaise pour bien encadrer les vrais Alain et Catherine Robbe-Grillet, Jean-Louis Trintignant et le producteur du film, et leur donner une première dimension de réalité qui se dissout par la suite dans une série d'ambiguïtés qui contestent toutes les données du film. Comme Didier Anzieu l'a montré, Anvers devient un lieu double, l'Anvers de l'endroit, pour ainsi dire.

« Rien n'est plus fantastique que la précision » avait écrit Robbe-Grillet dans « Du réalisme à la réalité » (*Pour un nouveau roman*, Idées, p. 180). Dans *Trans-Europ-Express* ainsi que dans *L'Homme qui ment*, c'est là exactement la fonction du cadre géographique. A partir de ce train réel se détacheront les fantasmes de l'histoire qui s'y déroule, qui sera d'autant plus hallucinante qu'elle prend son départ dans la précision. A propos de *L'Homme qui ment,* Claude Mauriac parle d'un phénomène analogue quand il écrit : Nous reconnaissons la Slovaquie, si nous y avons été; et si nous n'avons pas fait ce voyage, une Europe centrale qui ressemble à ce que nous en savons. » Et puis il continue : « Où sont les Tatras? Que sont les Tatras? Nous l'avons oublié : ces personnages à la fois étranges et familiers sont d'ailleurs de nulle part. Et ces maisons, et ces rues Alain-Robbe-Grillet, qui a situé l'action de *L'Homme qui ment* dans un pays imaginaire ne pouvait mieux utiliser, visages et villages, ce qu'une région réelle de notre Europe lui offrait. » *(Figaro littéraire.)* Donc, cette Tchécoslovaquie véritable mais méconnaissable, au moins pour un spectateur occidental, sert de tremplin pour les inventions de Boris, pour ses fabulations de poursuite, de résistance, d'héroïsme. Le jeu de colin-maillard des trois jeunes femmes fait fonction ici de corrélatif objectif des recherches tâtonnantes du récit (tout en étant aussi, bien entendu, signe de l'érotisme des rapports entre les personnages). De même que la narration de Boris ne correspond pas aux images projetées, la précision du cadre ne colle pas avec l'imprécision du récit.

Aucune œuvre de Robbe-Grillet n'utilise sa géographie avec plus de fantaisie et de raison spécifique que *Projet pour une révolution à New York.* Comme dans *La Maison de rendez-vous,* c'est de nouveau dans une ville fausse — un faux New York, un New York des mythes et des bandes dessinées — que se déroule cette intrigue non linéaire, circulaire en structure externe et labyrinthienne en structure interne, et là aussi, au-delà de l'intrigue très chargée d'action (délibérément *trop* chargée), c'est la fiction elle-même qui est mise à l'examen.

C'est un New York entièrement truqué. D'une part, c'est la mythologie du crime et de la lubricité new-yorkaise (mythologie chère au public français et propagée avec délectation par la presse parisienne), qui nous montre la métropole américaine comme festival du meurtre, du viol, d'attaques sadiques, où le métro devient un univers à part, un souterrain vague strictement hors-la-loi. D'autre part, ce New York est une imposture puisqu'il est présenté à travers des éléments volontiers falsifiés, des éléments parisiens importés à Manhattan, et qui y sonnent faux... exprès. « Il ne m'est pas venu à l'esprit de me renseigner sur New York », a dit Robbe-Grillet dans cette salle en 1971. « A partir d'une courte et déjà ancienne expérience de New York, quelque chose était en train de se faire, sans que j'aie à me soucier des impossibilités ou erreurs techniques... » (*Nouveau Roman : hier, aujourd'hui,* II, p. 166.) De façon très évidente, le métro newyorkais robbe-grilletien ressemble à son modèle parisien par les portes qu'ouvrent les passagers par des poignets de cuivres, et par les couloirs de correspondance munis d'affiches collées en dizaines d'exemplaires côte à côte, les immeubles (qui ont des numéros non newyorkais comme 7 *bis*) sont munis de minuteries, cette invention qui rend la vie misérable aux Américains en France et qui par son intention frugale pourrait bien être considérée anti-américaine. Les portes des appartements ont des trous de serrure très commodes pour voyeurs mais que l'Amérique ne connaît pas et à l'intérieur on trouve des porte-fenêtres à la française; enfin, le pimpon bien parisien des pompiers, détail particulièrement amusant pour quiconque a jamais été angoissé, voire terrifié par les hurlements des sirènes fréquentes des pompiers à New York.

Il est d'ailleurs tout à fait normal que ce soit un faux New York qui serve de scène pour de faux projets pour de fausses révolutions faites par de faux révolutionnaires. On pourrait imaginer des variantes du titre : « New York pour un projet de révolution » ou bien « New York pour une révolution de projet ». C'est contre un arrière-plan de la métropole moderne par excellence telle qu'elle existe dans l'imagination populaire en Europe que se dessinent ces personnages masqués qui se jouent les uns les autres tout en jouant à faire la révolution. Il importe de constater, me semble-t-il, que si Robbe-Grillet s'amuse beaucoup, il ne s'amuse pas à nos dépens, il ne se moque pas du lecteur. Il nous accepte comme complices, nous donne les règles du jeu et nous invite à le rejoindre dans son jeu. Une des clefs les plus importantes qui nous donnent accès au mouvement particulier de la narration, se trouve dans la géographie, dans le soulignement de la falsification de New York. Puisqu'il s'agit d'une stylisation de la ville, bi-dimensionnalisée comme dans les panneaux d'une bande dessinée, on nous facilite l'acceptation de la platitude du récit, et finalement, les retours que ce récit fait continuellement sur lui-même.

Ces retours du récit sur lui-même, cette complexité du récit sont repris aussi au niveau de la ville. Je veux dire que Robbe-Grillet présente un New York falsifié, mythologique, et que le texte désigne cette imposture. Considérez le passage suivant :

« ... Autre chose : vous parlez du quartier de Greenwich, ou de la station de métro Madison; n'importe quel Américain dirait ' le Village ' et ' Madison Avenue '.

— Cette fois-là, je trouve que c'est vous qui exagérez! D'autant plus que personne n'a jamais prétendu que le récit était fait par un Américain. N'oubliez pas que ce sont toujours les étrangers qui préparent la révolution. »

(Projet pour une révolution à New York, p. 189)

Donc, vers la fin du roman, le romancier désigne sa grille, déclare pleinement qu'il ne s'agit pas du véritable New York mais de celui inventé (comme le récit) par un non-Américain. New York désigne sa propre fictivité; l'anecdote en fait de même, refusant toute tentative de signifier, de raconter une histoire (car elle en raconte tellement et des histoires si contradictoires qu'il n'en reste aucune au niveau de la crédibilité). La fiction reste consciente à tout moment de sa fictivité, consciente de n'être autre chose qu'élément narratif, sans point de vue privilégié.

Si le tortionnaire peut dire à la fille qu'il est en train de torturer pendant un interrogatoire : « Arrangez-vous pour inventer des faits précis et significatifs », cela miroite dans la logique du récit (ou l'*alo*gique comme on dit amoral ou alittérature) la reproduction de New York, inventée et arrangée pour devenir précisément et de façon « significative » la parodie de la grande ville moderne archétypique.

Par sa structure, *L'Eden et après* est le film le plus complexe de Robbe-Grillet. (Je dois dire que je n'ai pu voir ni *Glissements progressifs du plaisir* ni *Le Jeu avec le feu*, que je ne connais de celui-là que le ciné-roman et que je ne sais vraiment rien du tout de celui-ci.) *L'Eden*, construit en séquences, nécessite ce qu'André Gardies appelle une lecture horizontale au-delà de la lecture cyclique. « Ainsi transparaît le mouvement propre au film : les thèmes, par leur retour cyclique, donnent naissance à la fiction et la structurent, tandis que les connotations introduisent une lecture horizontale. Le film s'alimente sans cesse à ce double mouvement » (p. 91).

Ainsi que dans les autres films et romans, la géographie joue un rôle essentiel et intégral dans *l'Eden*. Nous partons de lieux précis et stylisés : le café, le cinéma, l'usine, l'université, la Tunisie. Ces lieux servent de générateurs qui produisent les séquences du film; par exemple le mouvement de l'image se déplace de la salle de cinéma dans laquelle nous voyons Violette, au film qu'elle regarde dans lequel nous retrouvons la même Violette en Tunisie. Pour citer Gardies de nouveau : « Le passage d'une ville apparemment européenne... à la Tunisie ne désigne plus ni trajet ni durée, puisqu'il intervient au sein d'un film » (p. 36).

On a souligné le rôle important que joue dans ce film la lumière très forte qui sert de lien entre diverses séquences. Dans ce sens-là, le tableau bleu et blanc tient une place privilégiée de générateur principal, conduisant d'abord à un film sur la Tunisie projeté au cinéma Eden et ensuite à la Tunisie même, une Tunisie où dominent des formes géométriques (comme le tableau) composées entièrement de blanc et de bleu d'une luminosité particulièrement intense.

A-t-on besoin d'ajouter que tous les éléments géographiques sont oniriques et faux, comme le reste de la géographie de Robbe-Grillet? Café, cinéma, usine, jusqu'à la Tunisie : tout est mythifié, tout est invention. Car enfin, le Café l'Eden est l'endroit par excellence où l'on fait semblant, où l'on joue la comédie. Ce que dit la voix de la narratrice du comportement de Marie-Eve sert d'analogie : " Elle fait semblant de faire semblant d'être jalouse. » Et puis elle ajoute cette petite phrase qui rejette ce qu'il vient d'écrire au deuxième degré et reflète la subversion du récit : « Mais personne n'est dupe » (cité dans Gardies, p. 155).

La stylisation des lieux, la lumière crue, le bleu et blanc, le manque de relief de surfaces géométriques rendent plus abstraite une géographie véritable et correspondent donc à l'abstraction de la structure fondamentale de *L'Eden et après*. Robbe-Grillet a appelé cela « ... création mobile où des architectures fortes, et ne laissant rien au hasard, seraient pourtant minées de l'intérieur, toujours en train de s'édifier, de s'organiser, et de s'écrouler en même temps, pour laisser au fur et à mesure le champ libre à des constructions nouvelles ». (Gardies, p. 148.)

Pour terminer cet exposé, je voudrais me référer à une observation faite par Robbe-Grillet à la décade sur le nouveau roman en 1971 et qui se rapporte justement aux problèmes de la géographie que j'ai essayé d'analyser.

« ... *A tort ou à raison, New York est pour nous le lieu par excellence où il n'y a plus rien de naturel, tout y est transformé sans cesse à l'état de mythe. C'était donc, pour moi, un lieu privilégié. Et j'ai nommé New York. Ayant mis assez longtemps sans doute à liquider certains conflits avec la nature, dans mes premiers livres je me refusais complètement à nommer. Le décor du* Voyeur *a été fait d'un mélange d'îles bretonnes que je connaissais (puisque c'est quand même toujours avec les sensations vécues qu'on fabrique), mettons Ouessant, Belle-Ile, etc. Mais j'ai éprouvé le besoin de dépayser le texte par rapport à la Bretagne : les personnages du livre payent en couronnes et non en francs français. A partir de la charnière du Labyrinthe... j'ai nommé Hong-Kong, puis maintenant New York. Je savais désormais qu'il ne pouvait plus être question de représentation, et je pouvais nommer une ville réelle tout en produisant par mon propre texte une ville parfaitement imaginaire.* »

(*Nouveau Roman : hier, aujourd'hui*, II, p. 166)

Nous voyons donc clairement la méthode de Robbe-Grillet quant à ces phénomènes géographiques : d'abord des endroits exactement décrits mais qui ne sont pas nommés et ne correspondent pas intégralement à tel ou tel lieu; ensuite des villes et des pays véritables, mais altérés, devenus légendaires, non-représentationnels — la géographie fabulée à l'intérieur de laquelle se déroule l'aventure du récit.

T. B.

DISCUSSION

Dominique CHATEAU : Un point d'information. Vous avez dit que *Marienbad* n'existe plus. Or Marienbad existe : j'y suis allé l'année dernière. (*Rires.*)

Tom BISHOP : Cela s'appelle autrement.

Dominique CHATEAU : Marianské Lazne.

Tom BISHOP : Je me demande si le lieu n'a pas subi aussi un changement de caractère si bien que Marianské Lazne n'est plus du tout Marienbad.

Dominique CHATEAU : De toute façon, le film n'a pas été tourné à Marienbad, mais dans des châteaux allemands...

Tom BISHOP : Cela n'a donc rien à voir, au fond.

Alain ROBBE-GRILLET : On peut dire quand même, Chateau, que Marienbad est un lieu mythique qui, effectivement, n'existe plus...

Tom BISHOP : C'est le lieu mythique qui n'existe plus, l'autre existe...

Alain ROBBE-GRILLET : Marienbad restera éternellement lié à Goethe, à Kafka. Vous pouvez bien aller à Marianské Lazne, vous n'irez pas à Marienbad.

Dominique CHATEAU : Je ne sais pas; on trouve des traces du passé, de Goethe.

Alain ROBBE-GRILLET : Oui, mais enfin on peut chercher des traces de Byzance dans Istanbul, néanmoins la ville de Byzance n'existe plus.

Edgar REICHMAN : J'aurais aimé que Bishop insiste sur la géographie dans *La Jalousie*. Il a déclaré qu'on

68

ne peut comprendre *La Jalousie* sans cette géographie tropicale, et, à partir de cette promesse, je m'attendais à ce qu'il revienne sur la bananeraie, la végétation...

Tom BISHOP : Leenhardt a tellement parlé de cela, que j'ai pensé qu'il valait mieux insister sur autre chose.

Edgar REICHMAN : J'aurais aimé des précisions...

Tom BISHOP : L'alignement rectangulaire, par exemple, des bananeraies, une certaine ambiance de végétation, de chaleur, quelque chose qui opprime, tout cela crée vraiment un cadre dans lequel les personnages agissent.

Alain ROBBE-GRILLET : Du point de vue de la construction du livre, le lieu géographique de *La Jalousie* est un lieu impossible : tous les gens qui connaissent les plantations africaines (de Moyenne-Guinée, par exemple) peuvent trouver des ressemblances avec le paysage de brousse et la disposition en quinconce des bananiers. Par contre, ces caractères rendent absolument impossible l'existence de cette maison. Il n'y a aucune habitation coloniale de ce type en Moyenne-Guinée, ni nulle part ailleurs dans les zones de bananeraies africaines. La maison est de type colonial américain, tel qu'on en trouve soit dans le sud des Etats-Unis, soit dans les Antilles françaises. Cette maison précise serait typiquement martiniquaise ou guadeloupéenne. La contradiction est importante : il faut que jamais le récit ne soit situable. On a dit un peu trop facilement que cela se passait en Afrique : il est certes fait allusion au séjour en Afrique, mais comme si l'Afrique était un ailleurs. Le lieu de *La Jalousie* est un peu un lieu clos par rapport auquel tous les autres lieux sont des ailleurs, y compris lui-même. C'est une sorte de lieu qui s'exclut lui-même de la géographie...

Tom BISHOP : Mais qui a besoin quand même d'être tropical et colonial...

Alain ROBBE-GRILLET : Oui : il a des caractères généraux tropicaux.

Edgar REICHMAN : On aurait pu penser à la Guyane.

Alain ROBBE-GRILLET : Effectivement. Mais comme vous savez, il n'y a pas de bananeraies en Guyane parce que le trajet est trop long. Je peux vous donner beaucoup de renseignements sur la culture du bananier. *(Rires.)* C'était ma spécialité et j'aime beaucoup en parler.

Jean-Christophe CAMBIER : Je me demande si ces pages de *La Jalousie* consacrées à la bananeraie ne sont pas lisibles comme une description de la pagination : il y a des histoires de feuilles, de blanc...

Lise FRENKEL : Deux remarques me sont inspirées par la représentation des lieux géographiques au cinéma : la première, c'est par rapport au film réaliste. Dans *L'Immortelle* et dans *Trans-Europ-Express*, il s'agit de montrer non pas une ville, mais des images mentales. C'est-à-dire comment l'imaginaire travaille sur un nom géographique : les représentations mentales de Robbe-Grillet ou d'un personnage sur, mettons, Istanbul ou Anvers. Avec ma seconde remarque, je considère que le paysage, chez Robbe-Grillet, est une projection du personnage : il y a dilution du personnage dans le paysage. Jeanine Chasseguet-Smirguel pense que le vide du personnage est compensé par le bourrage baroque et la surcharge du décor. Cela se voit aussi bien dans *Marienbad* que dans la grande fontaine de *Trans-Europ-Express*.

Tom BISHOP : Ce que vous avez dit sur *L'Immortelle* et sur *Trans-Europ-Express* peut concerner aussi les romans, au moins *La Maison de rendez-vous* et *Projet*.

Lise FRENKEL : Oui. Quand, dans *L'Immortelle*, on dit qu'il faut reconstruire Byzance, ce n'est pas Byzance qu'il faut reconstruire, c'est le personnage qui doit se reconstruire. D'autre part, la dénégation, qui est un phénomène psychologique, est projetée dans l'architecture. Dans *L'Immortelle*, on assiste au désir d'insister sur la fausseté du décor ancien, sur le fait que les tombes sont récentes, qu'elles ont été penchées exprès.

Alain ROBBE-GRILLET : Je peux parler un peu de la façon extrêmement différente dont se pose le problème du décor au cinéma et dans le roman, pour la bonne raison que la matérialité du décor existe pendant le tournage du film. Quand j'ai signalé, dans un passage que Tom Bishop a lu tout à l'heure, qu'il y avait eu des îles bretonnes, ou l'Afrique et les Antilles, ou Hong-Kong, ou New York, je crois qu'il faut beaucoup insister sur leur caractère passé. Une expérience a pu exister de certains lieux qui m'ont probablement intéressés. Je dis probablement parce que, sur le moment, je n'ai pas du tout eu envie de les utiliser. Il ne m'arrive jamais dans une ville ou devant un paysage de dire : tiens, je vais mettre un roman là-dedans. Les lieux géographiques des romans sont toujours des lieux fabriqués et, souvent, avec une certaine perversion, comme je l'ai signalé à propos de *La Jalousie*. Même quand le lieu est moins calculé, il y a toujours des mélanges considérables. Dans la mesure où j'ai une certaine conscience de ce que peut être l'origine (même si cela scandalise certains que je parle des origines, mais je trouve qu'il n'y a pas de raison de ne pas en parler, même si cela n'a aucune importance théorique, on peut quand même en parler, pour montrer l'importance théorique justement de certaines autres choses qui s'opposent à la notion d'origine), la villa bleue qui se trouve dans *La Maison de rendez-vous* n'appartient absolument pas à mon passage à Hong-Kong. Ce lieu a plus ou moins été, à un moment, le palais en bois de Victoria O Campo sur le rio Parana, près de Buenos-Aires. Par conséquent, il y a des morceaux de souvenirs qui servent pour construire. Au contraire, quand il s'agit de tourner un film, le problème se pose de façon tout à fait différente : si je fais un film à Istanbul, il ne va pas s'agir d'un Istanbul imaginaire venu d'un souvenir d'enfance, en supposant que j'ai passé quelques jours ou quelques années à Istanbul, autrefois, etc. C'est ici et maintenant qu'il faut tourner. Et cette remarque me semble importante. Pour un roman, le lieu est construit, et la construction du lieu fait partie du travail textuel, même si c'est à partir de souvenirs plus ou moins transformés. Au contraire, le lieu, au cinéma, peut souvent être vraiment une origine. Et quand je dis origine, je veux dire que certains décors tout d'un coup me donnent envie de tourner un film à cet endroit. A l'origine de *Trans-*

Europ-Express, il y a eu l'envie de tourner dans ce train, d'abord parce que c'est un train, avec un point d'arrivée et un point de départ, parce que le train fait un trajet entre deux lieux et que ce trajet se répète, ensuite parce que ce train a des caractères propres. Le film a été tourné au début de l'époque où les wagons en verre sont apparus et, évidemment, ça se rapportait aussi à la destination du train en question : Anvers. Le lieu matériel du tournage est si important que même, souvent, le chef opérateur a le droit d'intervenir sur les éléments diégétiques, dans la mesure où tel lieu qui m'intéresse sera le lieu de son travail. Il m'est arrivé de dire à Igor Luther, pour *L'Homme qui ment* ou pour *L'Eden* : quels sont les mouvements de caméra que vous avez envie de faire dans cet ensemble de pièces? Et c'est, quelquefois, en fonction des mouvements de caméra qu'il avait envie de faire, c'est-à-dire de la création d'un parcours dans le lieu en question, que j'organisais ma scène. Je viens de prononcer le mot clef : un *parcours*; que ce soit dans les romans ou les films, la notion de parcours est extrêmement importante pour moi, beaucoup plus que la notion de lieu. Seulement, chaque lieu est justement un lieu privilégié pour certains types de parcours. Il faudrait entrer ici dans une étude générale de chaque film et de chaque roman.

Dominique CHATEAU : Vous avez parlé du tournage, mais il faudrait parler aussi du montage et du monteur. Par exemple, pour *Glissements,* ce qui a été tourné dans la cellule, au studio Dovidis, et ce qui a été tourné dans le donjon du château de Vincennes, fait que les deux lieux vont finalement, par le montage, devenir le même lieu.

Jean RICARDOU : Je prolonge un peu ce qu'a dit Chateau : l'espace fictif met souvent l'espace référentiel en cause en lui faisant subir une contraction. Ainsi *La Jalousie* associant en un même lieu, une plantation de Moyenne Guinée et une maison antillaise. Ainsi *Glissements,* associant en un même lieu des scènes de studio et des scènes tournées au château de Vincennes. Evidemment, pour que la mise en cause de l'espace référentiel

72

soit active, il faut que le spectateur en connaisse les caractéristiques. Le plus souvent, le cinéma traditionnel prend bien soin d'éliminer les repères qui permettraient au spectateur de percevoir ce phénomène. Je me demande si, à l'aide de monuments caractéristiques, on ne pourrait pas, au contraire, donner au spectateur les éléments pour goûter de savoureuses contractions. A cet égard, je signale un effet de ce genre, mais au second degré, dans *Le Jeu avec le feu*. Il y a le couloir dont les portes donnent sur des chambres mais, à un moment, une porte s'ouvre et l'on accède à une salle de concert avec une cantatrice. Il semble à ce moment qu'on ait bien affaire à une contraction de l'espace référentiel (une salle de théâtre à la place d'une chambre). Or, il n'en est rien. Comme les couloirs du bordel sont tournés à la salle Favart, ce sont les chambres ayant l'air de faire partie de l'édifice qui opèrent une contraction et la salle, ayant l'air d'une contraction, qui appartient comme les couloirs et les portes à l'Opéra comique.

Alain ROBBE-GRILLET : Je peux répondre aux deux choses à la fois. Effectivement, c'est un problème intéressant : il y a deux espaces. Celui qui m'intéresse c'est l'espace du film, mais cet espace est un espace imaginaire, fait à partir de deux ou de plusieurs espaces réels. Evidemment, entre ce ou ces espaces réels et cet espace imaginaire, il y a des points de contact. Et tout le travail du montage qui, comme l'a fait remarquer Chateau, est le principal travail créateur du film s'applique en particulier à l'espace. Par exemple, il y a deux films qui ont été faits avec le même matériau de tournage : *L'Eden et après* et *N a pris les dés*. Dans *L'Eden et après* il y a deux lieux différents, même dans l'espace imaginaire, la ville de Bratislava et l'île de Djerba, séparés par des milliers de kilomètres, tandis que dans *N a pris les dés,* il y a toujours ces deux lieux différents comme lieux de tournage réel, mais il n'y a plus, dans le film, qu'un seul lieu en tant que lieu imaginaire. L'université de Bratislava se trouve directement au bord de la plage de Djerba, par des effets de montage extrêmement faciles...

Jean RICARDOU : Ne vous intéresserait-il pas d'utiliser ces lieux différents, non pour les fondre dans un espace imaginaire qui assure leur unité, mais pour les faire se rencontrer de manière à ce que l'illusion référentielle soit brisée. Pour donner un exemple énorme : supposons un acteur qui marche sur les Champs-Elysées, entre dans un couloir, ouvre la porte d'un appartement, se met à la fenêtre et contemple la pyramide de Chéops.

Alain ROBBE-GRILLET : Oui, bien entendu, on peut faire des choses comme ça...

Jean RICARDOU : Pourquoi des effets de ce genre ne vous ont-ils pas tellement retenu?

Alain ROBBE-GRILLET : Je ne me rappelle pas, en effet, si je l'ai fait de façon nettement lisible. Il me semble cependant que, dans *Le Jeu avec le feu,* la même porte peut déboucher sur des lieux différents selon sa place dans le film. D'ailleurs cela a été fait par d'autres cinéastes...

Jean RICARDOU : En effet.

TOM BISHOP : Le montage pourrait aussi servir, plutôt que de faire se raccorder des décors vrais avec des scènes faites en studio, à nommer la différence du même endroit, filmé tantôt en studio et tantôt en décor réel. Je conçois que le montage puisse être fait pour accentuer ces différences entre un décor véritable et la reconstitution de ce décor.

Alain ROBBE-GRILLET : C'est un peu ce qui existe d'une certaine manière dans *Glissements.* La cellule tournée en studio et le château de Vincennes sont raccordés par des parcours montés selon la technique du raccord juste : on voit les personnages faire le passage dans la continuité. Néanmoins il y a, du point de vue de l'image, deux mondes bien différents, un monde blanc et un monde noir. Le monde des souterrains et des couloirs est un monde noir, il est absolument impossible que cette cellule blanche se trouve dans ce type de château.

Dominique CHATEAU : C'est intéressant d'un point de vue théorique, parce que c'est dans la mesure où il y a des raccords justes qu'il est possible d'avoir ce passage d'un lieu à l'autre extrêmement éloignés. Et il y a un exemple célèbre de ce passage d'un lieu à un autre, je crois que c'est Koulechov qui avait donné cet exemple de la puissance du montage. On pouvait très bien imaginer un personnage qui traverse la Place Rouge à Moscou et qui ensuite monte les marches de la Maison Blanche à Washington...

Alain ROBBE-GRILLET : Vous avez raison. Bien que nous ayons beaucoup nié vous et moi, qu'il y ait une grammaire cinématographique, il y en a quand même une dont on se sert ici sournoisement : on respecte les principes du raccord juste toutes les fois qu'il s'agit de changer d'espace...

François JOST : Il faudrait peut-être essayer de différencier dans ce modèle des espaces de film, le tournage avec non pas le montage, mais la vision du film...

Alain ROBBE-GRILLET : C'est ce que j'ai fait...

François JOST : Oui, c'est pourquoi j'interviens maintenant. Dans *L'Homme qui ment,* il y a toute une série de raccords qui paraissent tout à fait justes à la vision mais qui, du point de vue spatial, sont faux : je pense à ce circuit qu'il y a autour d'une galerie en forme de carré dans le château...

Alain ROBBE-GRILLET : Dans le château de *L'Homme qui ment,* il y a des parcours tout à fait différents selon qu'on a affaire à un personnage ou à un autre. Quand on voit la jeune Sylvia qui monte jusqu'au grenier, elle suit un parcours compliqué qui n'est absolument pas celui qu'un autre personnage accomplira pour aller du même point de départ au même point d'arrivée.

François JOST : Ce n'est pas exactement ce à quoi je pensais. Je pensais au syntagme simple champ/contre-champ auquel on est habitué, qu'on identifie facilement. Toute cette partie à laquelle je fais allusion est un champ/contre-champ : elle ne pose donc aucun problème, parce que le spectateur est habitué à sentir le champ/contre-champ comme face/opposée. Or chaque fois, on a en fait un faux raccord, donc le lieu référentiel n'est plus du tout senti à ce moment-là...

Alain ROBBE-GRILLET : Oui, c'est un autre exemple d'espace variable. Dans le cinéma traditionnel, il s'agit de faire apparaître soit l'espace réel, soit du moins un espace dont la cohérence ressemblerait à celle d'un espace réel, c'est-à-dire qui fonctionnerait selon les mêmes normes. Maintenant, les techniciens qui travaillent avec moi se sont habitués à faire exactement le contraire, puisqu'il s'agit de créer un espace qui non seulement n'aura pas le souci d'être l'espace réel ou de lui ressembler mais qui, par-dessus le marché, fonctionnera délibérément selon des critères impossibles dans l'espace réel. Il s'agit de créer un espace en perpétuelle distorsion, déformation, un espace mouvant, en train de se faire et de se défaire. D'où l'importance de la notion de parcours, comme si chaque personnage traversant le même lieu lui donnait une forme nouvelle, sa propre forme, comme dirait Lise Frenkel...

Lise FRENKEL : Ce qui m'intéresse dans ces espaces, aussi, c'est qu'il s'agit non seulement de pôles qui communiquent comme la communication de l'hôtel et du jardin dans *Marienbad* ou, plus précisément des salons, de la chambre et du jardin extérieur, mais encore une communication interne : les jardins sont déjà à l'intérieur sur les murs.

Alain ROBBE-GRILLET : Ah oui, bien sûr. Tous les espaces communiquent toujours entre eux de façon extrêmement fluctuante...

Lise FRENKEL : Oui, mais dans *Marienbad,* ces espaces extérieur et intérieur aboutissent à une fermeture : l'extérieur n'est pas plus ouvert, il est aussi clos que l'intérieur. Par contre, dans *Le Jeu avec le feu,* l'envers n'est plus l'endroit. Il y a le bordel qui est clos, le salon de l'hôtel particulier, le jardin et la campagne : et, d'après la fin du film, la campagne est signe d'une ouverture. La clôture n'est donc plus totale.

Alain ROBBE-GRILLET : De toute façon, *Le Jeu avec le feu* qui est, comme on l'a dit, un film de la dépense, ne peut pas se penser en termes d'économie : il y a de multiples lieux, il y a une dépense de lieux considérable...

François JOST : Je voudrais insister sur cet aspect de la géographie robbe-grillétienne que j'appellerais, par une sorte de délire verbal : la topologie connotative inaugurale...

Alain ROBBE-GRILLET : Bravo! Vous m'en mettrez une livre... (*Rires.*)

François JOST : Ce que j'appelle topologie connotative inaugurale s'inspire d'un fait remarquable dans plusieurs films de Robbe-Grillet. *L'Homme qui ment, L'Eden* et *Glissements* commencent par un lieu indifférencié. Dans le cas de *L'Homme qui ment,* c'est la forêt; dans le cas de *L'Eden,* c'est la mer (dans les premiers plans rapides); dans *Glissements,* c'est un des premiers plans de ponctuation montrant la mer vidée de tout objet. Il s'agit donc là d'une espèce d'unité culturelle connotée qui permet de donner métaphoriquement, je le précise, une origine ironique de la diégèse : Boris vient du bois, les objets viennent de la mer et Violette, elle-même, retournera à la fin de *L'Eden* dans la mer. Alors, je crois qu'ainsi se marque une ironie de notre unité culturelle primaire, la religion...

Alain ROBBE-GRILLET : Vous posez un problème important : l'origine du récit. Comment les choses apparaissent au début d'un récit. Le problème en littérature est un peu différent, dans la mesure où l'on peut très bien composer des phrases sans supposer un lieu à ces phrases, tandis que, quand on tourne un plan, il faut bien qu'on le tourne quelque part; il faut donc bien qu'il y ait une origine localisée. D'une façon générale, on a insisté là-dessus de nombreuses fois, Ricardou, moi-même, d'autres encore : quand un livre commence il n'y a rien. Puis quelque chose commence à être, et puis des choses sont, et puis les choses se défont et, de nouveau, il n'y a plus rien. Ce mouvement se fait nettement jour à travers à peu près tous mes romans. Pour les films, il faudrait étudier chaque cas particulier. A titre d'exemple, je citerai la phase inaugurale de deux récits à peu près contemporains, l'un dans le cinéma, l'autre dans la littérature : *L'Homme qui ment* et *Dans le Labyrinthe.* Pour *le Labyrinthe,* c'est une cellule génératrice qu'il y a au départ : « Je suis seul ici, maintenant, bien à l'abri. » Cela constitue vraiment une cellule, qui m'apparaît d'autant plus comme génératrice que j'ai écrit cette phrase sans avoir aucun projet de ce qui viendrait ensuite du point de vue diégétique. Ce dedans a engendré aussitôt un dehors : « Dehors il pleut, dehors on marche sous la pluie en courbant la tête, etc. » Puis le personnage dedans, le personnage dehors. Et, de proche en proche, tout s'est organisé à partir de ma cellule, cette espèce de cube complètement fermé. Car il n'y a pas de fenêtre dans la cellule initiale du *Labyrinthe* : il y a un rideau qui en masque complètement la possibilité. Jamais, dans *le Labyrinthe,* on ne peut ouvrir ce rideau pour regarder dehors, et la porte elle-même fonctionne suivant le mode que vous avez remarqué : on ne la franchit pas, on se trouve dedans ou on se trouve dehors. On ne monte pas l'escalier de cette maison pour franchir cette porte...

Au contraire, dans *L'Homme qui ment,* la forêt a été l'origine matérielle du projet : c'est en traversant ces immenses forêts des Carpates orientales, entre la Pologne, la Slovaquie et l'Ukraine, que j'ai eu envie d'y tourner un film, d'en faire le lieu d'origine d'un film; lieu ouvert, presque indifférencié, tout le contraire d'une cellule close et protectrice. Dans cette espèce de no man's land, il y a seulement les troncs verticaux des arbres, puis des soldats, puis des coups de feu, puis un personnage qui sort des buissons et qui ne vient de nulle part. De même que le narrateur, dans *le Labyrinthe,* est seulement l'homme de la cellule, de même ce Boris ou Jean de *L'Homme qui ment,* j'ai l'impression qu'il n'existe pas en dehors de cette forêt : il habite dans cette forêt, il y est né, il est sorti de l'eau, il est sorti d'une pierre, il est tombé d'un arbre. Alors, il essaie de quitter la forêt, il va au village, à l'auberge, au château, etc., mais il finit par être expulsé de nouveau vers cette forêt, qu'on peut comparer à l'Urwald, la forêt originelle. Et l'on peut très bien parler d'origine sans parler de religion, je crois...

François JOST : Ce que je voyais dans l'eau en particulier, c'est tout de même une connotation purifiante : il n'y a pas seulement l'origine, il y a la fin. Dans *L'Eden,* tout ce qui est arrivé à Violette se termine presque comme ça. Il y a seulement un plan, après, je crois.

Alain ROBBE-GRILLET : C'est moins net que cela.

François JOST : C'est la même chose dans *Glissements* : après tous les objets, on revient à la mer...

Alain ROBBE-GRILLET : « La mer déferle sur la plage » est d'ailleurs la phrase qui rythme...

François JOST : ... lave toutes les héroïnes des activités...

Alain ROBBE-GRILLET : Oui, mais c'est aussi la mère, la mer mère, l'espace clos originel.

Lise FRENKEL : La connotation indiquée par Jost, je ne l'accepte pas. C'est vraiment très polysémique l'eau. Il est presque banal de dire que la mer est le grand réservoir de l'inconscient : vous parlez de mémoire perdue, mais ce n'est pas une eau forcément purificatrice...

François JOST : Je n'avais pas d'autre prétention que de montrer comment la banalité fonctionnait dans le film.

Alain ROBBE-GRILLET : A propos des espaces de *Glissements,* il faudrait noter que, théoriquement, l'appartement et la cellule de prison devraient être des mondes opposés. Or ce sont des espaces volontairement construits, sinon sur les mêmes schémas, du moins sur les mêmes apparences plastiques. Pour la cellule, ce qui viendrait normalement à l'esprit serait d'en faire un monde noir : cellule noire, couloirs noirs, cave noire. Pour la ville libre, un monde blanc, l'appartement blanc. Or que se passe-t-il? L'appartement est blanc, mais la cellule est exactement de la même blancheur, et ce sont seulement les souterrains qui constituent un monde noir. La cellule et l'appartement ont donc des colorations équivalentes : la blancheur, la clarté, etc. Les planchers eux-mêmes sont peints en blanc. Néanmoins, du point de vue de leur topographie, ces lieux ne fonctionnent pas du tout de la même façon. Et je défie quiconque de faire un plan de l'appartement où habitent la jeune fille et son amie. La cellule est donnée comme un cube, on en voit les quatre côtés avec quelques rares meubles en tiges de fer contre les parois (la table de toilette, le lit). La fenêtre est dessinée de façon abstraite : c'est un schéma de fenêtre avec un barreau brisé sans aucune vraisemblance. L'appartement, lui, a des parois sans meuble : tous les meubles sont au centre. En outre, vous avez pu remarquer que les trajets, ceux de Trin-

tignant en particulier, y sont d'une complication fantastique...

François JOST : Je voudrais seulement rappeler qu'au
cinéma il y a une chose qui est très importante, c'est
que la bande sonore change l'espace. En particulier,
dans cette prison, on entend le petit vapeur qui passe
dans *L'Immortelle* : ce qui donne une allure de vacances à la cellule...

Alain ROBBE-GRILLET : Et une autre chose du même
genre : dans la prison, quand on descend, on entend des
bruits d'eau qui goutte dans des citernes; mais dans
l'appartement, c'est en ouvrant une trappe dans le plafond qu'on entend ces mêmes bruits. Donc, il faudrait
croire que ces citernes souterraines se trouvent au-dessus
de l'appartement et que la cellule est au-dessus encore.

Jean-Christophe CAMBIER : Dans le ciné-roman de
Glissements, il y a une description de cette inspection
de l'appartement par Trintignant. Vous dites que vous
souhaitez donner l'effet d'un Trintignant qui tournerait
en rond autour d'un centre, mais ce n'est pas l'impression qu'on a à la vision du film...

Alain ROBBE-GRILLET : Ah, bon!

Jean-Christophe CAMBIER : On a plutôt l'impression
de la répétition d'un passage...

Alain ROBBE-GRILLET : Quand Trintignant découvre
le cadavre, à la fin, Anicée est au fond. Or, quand il est
arrivé, il est allé droit sur elle et puis il a pratiquement
tourné autour d'un point central qui est le lit avec le
cadavre, qu'il aurait dû découvrir tout de suite. Les
répétitions font comme s'il avait tourné plusieurs fois de
suite autour de l'appartement, en repassant devant Anicée
à plusieurs reprises, pour finir par arriver au point central. Tout cela est un peu schématique : je n'aime pas,
bien sûr, raconter un film et, a fortiori, un des miens.
Je ne peux que donner des indications un peu floues de
phénomènes qui sont, en réalité, extrêmement précis sur
l'image, mais qu'on ne peut pratiquement décrire qu'en
décrivant le film plan par plan, et encore.

Lise FRENKEL : Vous avez écrit, dans le ciné-roman
de *Glissements,* que la cellule et l'appartement sont sur
le même registre : vous dites qu'ils sont tous les deux

blancs et vous avez ajouté que ce sont des scènes « réalistes » tandis que les scènes des caves sont des scènes fantasmatiques. Or, ce matin, lorsque j'ai dit qu'il y avait différents registres de réalité au cinéma, on m'a fortement contestée.

Alain ROBBE-GRILLET : Quand vous avez fait remarquer qu'il y avait différents registres, je vous ai soutenue. Je me suis seulement opposé à l'idée qu'il y avait deux registres : le réel et le fantasmatique. Mais j'ai admis que chaque image était affectée de plus ou moins de réalité : il s'agit de degré. Les scènes situées dans les caves sont fortement marquées de connotations fantasmatiques...

Lise FRENKEL : Vous avez écrit aussi que vous avez tourné les scènes « réalistes » d'une manière abstraite et les scènes fantasmatiques d'une manière réaliste. Je trouve cela très intéressant...

Alain ROBBE-GRILLET : Les scènes « fantasmatiques » ont été tournées dans le seul espace qui ait une présence réelle : ce sont des vraies pierres quoi...

Lise FRENKEL : Pour l'éclairage aussi... les couleurs...

Jean-Christophe CAMBIER : Ce que je voudrais que Robbe-Grillet marque, c'est que cette dimension fantasmatique, il faut qu'elle soit codée dans l'image.

Alain ROBBE-GRILLET : Oui.

Jean-Christophe CAMBIER : Ce n'est pas le film en soi qui est d'ordre fantasmatique.

Alain ROBBE-GRILLET : Non, bien sûr. De toute façon, ce sont des exposants *momentanés* de plus ou moins de fantasmes. Momentanés : c'est très important pour moi.

Lise FRENKEL : C'est la grammaire cinématographique, le code. Ce serait l'éclairage, par exemple, dans *Marienbad*...

Alain ROBBE-GRILLET : Il peut y avoir des éléments de ce genre mais, de toute façon, il s'agit d'effets (effets de fantasme) et d'effets momentanés, fluctuants. La blancheur peut produire aussi bien que la noirceur un effet de fantasme : les fantômes sont blancs comme vous savez *(Rires)*.

Georges GODIN : Une question de détail à propos de

Glissements. Je lis à la page 28 : « Le décor urbain a peu d'importance. Le plus simple serait de prendre des plans de stock-shots. » Ceci à propos d'une scène qui vient seulement une fois dans le film.

Alain ROBBE-GRILLET : La voiture qui roule?

Georges GODIN : La voiture qui roule...

Alain ROBBE-GRILLET : La scène est unique, si l'on veut, mais on la voit trois fois : on voit le trajet de la voiture en trois fois...

Georges GODIN : En trois fois. Mais, elle est privilégiée par rapport aux autres scènes parce qu'elle est située au début du film...

Alain ROBBE-GRILLET : Pourquoi?

Georges GODIN : La plupart des autres scènes, étant donné qu'elles reviennent souvent...

Alain ROBBE-GRILLET : La scène de la voiture fait justement partie du matériau « des origines ». Le fait que cette voiture de police roule à vive allure, dans un grand bruit de sirènes, indique qu'on va arriver à un lieu clef.

Georges GODIN : C'est cette phrase qui m'intrigue : Le décor a peu d'importance.

Alain ROBBE-GRILLET : Il faut préciser que ce fragment-là du livre s'adresse non pas à un lecteur, mais à un technicien du film : les plans en question peuvent être tournés n'importe où par n'importe qui, voilà ce que je veux dire...

Georges GODIN : C'est quand même une voiture américaine dans un décor européen : les autres voitures sont françaises, non?

Alain ROBBE-GRILLET : On ne voit pas qu'elle est américaine, on ne voit rien...

Jean-Christophe CAMBIER : Ce qui est important avec ces images, c'est de marquer les réalisations qui les accompagnent. La façon dont on a photographié le trajet dans *Glissements,* le grain différent de la pellicule produisent un effet d'agression étrangère, en quelque sorte, qui déréalise complètement ces images...

Alain ROBBE-GRILLET : Oui.

François JOST : N'est-ce pas seulement parce qu'il pleuvait? C'est une question technique...

Alain ROBBE-GRILLET : Il a assisté au tournage, il peut en dire des choses *(Rires)*. Oui, c'est parce qu'il pleuvait, bien sûr : seulement, ça, il n'en reste rien. C'est le texte qu'il faut voir : et, maintenant, l'effet de grain en question, il y est *(Rires)*. Et ce que dit Cambier est d'autant plus juste que, par-dessus le marché, ce trajet, qui a l'air continu puisqu'il est racordé comme si c'était en un montage parallèle avec les plans qui viennent entre, se trouve dans une temporalité incompatible avec celle des durées qui les séparent. Dans les plans intercalés, il se passe des quantités de choses, dans des décors différents, avec des costumes différents, et la voiture continue à rouler, impertubablement, comme si elle avait roulé pendant des jours et des jours. Donc l'effet de grain remarqué par Cambier est, en réalité, tout à fait à sa place...

Michel RYBALKA : A propos d'espace pourriez-vous commenter le titre de votre prochain livre : *Topologie d'une cité fantôme?*

Alain ROBBE-GRILLET : C'est une série d'espaces qui fonctionnent comme des villes différentes, appartenant à des civilisations différentes, qui auraient été trouvées sur le même site. Je pense à Ephèse, où il y a eu une ville grecque, une ville romaine, une ville seldjoukide, une ville ottomane, etc. Toutes ces villes ont laissé des traces, absolument incompatibles, qui se trouvent dans le même espace. Le plan des rues était différent et le niveau des rues était différent. Si bien que, comme on a conservé, dans les fouilles, non pas l'une des villes mais tous les éléments qui étaient en bon état de n'importe laquelle de ces villes successives, on trouve, par exemple, un égoût romain qui surplombe une chaussée grecque, la coupant en travers à deux mètres du sol environ. Et l'égoût, une canalisation en poterie, a été mis sur piliers pour qu'il se conserve en bon état... C'est un peu comme cela que fonctionne le roman en question : ce serait toujours la même histoire en train de se dérouler, mais tantôt c'est un roman policier moderne, tantôt un récit historique, tantôt un fragment de mythologie ancienne dans un manuel, etc. Tout cela est en train de se passer en même temps au même endroit, quoique dans des espaces différents. C'est pourquoi j'ai employé le terme de topologie.

Jean-Christophe CAMBIER : Est-ce que, dans cette métaphore d'Ephèse, le fait que ce soit un port perdu dans les terres joue un rôle?

Alain ROBBE-GRILLET : Ah, oui. Pour deux au moins des quatre villes dont j'ai parlé, c'était un port. Les dernières je ne sais pas...

Jean-Christophe CAMBIER : Un port qui n'est plus au bord de la mer...

Alain ROBBE-GRILLET : ... qui est maintenant très loin. C'est une ville qui fait un effet extrêmement différent de Leptis Magna en Tripolitaine, où il n'y a eu qu'une seule ville bâtie en une seule fois et qui a été engloutie par le sable. Mussolini l'a fait dégager et elle est maintenant intacte comme elle était à l'époque de sa construction. C'est une ville qui a simplement changé de temps. C'est impressionnant aussi, mais le cas d'Ephèse est le cas le plus fréquent. C'est un peu la même chose que Rome, mais avec plus de netteté.

Tom BISHOP : On dirait des strates qui ne se rejoignent pas...

XI. RECIT ET MATERIAU FILMIQUE

par André Gardies

En 1966, répondant à une enquête des *Cahiers du cinéma* [1], Nathalie Sarraute déclarait : « Quel rapport y a-t-il entre les sensations produites par une œuvre littéraire, c'est-à-dire par l'écriture, sur un lecteur sensible aux qualités propres au langage littéraire, et celles que produisent sur les spectateurs les images cinématographiques? Pour moi, je n'en vois aucun. » Elle disait clairement la radicale différence de substance entre le cinéma et l'écriture. D'autre part, dans ses travaux théoriques, Jean Ricardou exhibe, comme ici chacun le sait, le rôle producteur de la matière scripturale chez les nouveaux romanciers.

Parce qu'Alain Robbe-Grillet travaille au plus près de la matière signifiante, c'est-à-dire là même où s'accuse la radicale différence entre cinéma et écriture, sa double et simultanée pratique d'écrivain et de cinéaste semble donc relever du paradoxe. Faut-il admettre qu'il s'agit de deux activités parallèles et étrangères l'une à l'autre et que l'alternance des productions n'est que le fruit d'une simple alternance chronologique? Faut-il admettre, dans le cas présent, l'activité comparatiste comme irrecevable? Trop de signes, dont le jeu des citations inter-textuelles, par exemple, attestent le contraire.

Si les dimensions d'une communication ne sauraient autoriser un travail d'envergure, qu'il nous soit, du moins, permis de proposer une approche et un cheminement singuliers. Qu'il travaille la matière scripturale ou le matériau filmique, Robbe-Grillet produit, dans les deux cas, du récit. Risquons donc la proposition suivante : dans sa spécificité, le matériau filmique produit-il un récit spécifiquement filmique?

Nul doute qu'il ne faille, dans un premier temps, esquisser quelques caractéristiques de ce matériau, examiner ensuite quelques-unes des procédures de « mise en procès » du récit, selon la voie proposée par Jean Ricardou dans *Le Nouveau Roman* [2], évoquer enfin telle figure proprement cinématographique rencontrée dans divers textes filmiques de Robbe-Grillet et particulièrement dans *L'Homme qui ment*.

Contrairement à l'opinion courante, un film n'est pas composé seulement de sons et d'images; il s'élabore, comme l'a nettement rappelé Christian Metz [3], à partir de cinq matières de l'expression : les mentions écrites, l'image mouvante, la parole, les bruits et la musique. A l'homogénéité de la matière scripturale s'oppose donc l'hétérogénéité du matériau filmique; cela même qui fait du cinéma un langage et non une langue.

Toutefois, ce n'est pas tant ce caractère pluriel qui importe, que la différence d'accès au sens propre à chacune des cinq substances. Par la parole et les mentions écrites, c'est le double système linguistique que le film véhicule, par l'image mouvante et, dans une moindre mesure, par les bruits, c'est l'immense domaine de l'analogie qu'il convoque; quant à la musique, elle s'inscrit à son tour dans un système différent.

Au cinéma, la production du sens opère donc à partir de substances plurielles. De plus, parmi les codes dont use le cinéma peu lui appartiennent en propre; les propos tenus par un personnage, par exemple, renvoient aux codes de la langue orale, tandis que l'image mouvante, elle, propose trois types de codes, ceux qui sont absolument spécifiques de l'image, ceux qui ne le sont que partiellement, ceux qui ne le sont en rien.

A la pluralité et l'hétérogénéité des substances correspond une même pluralité et hétérogénéité codiques.

Chaque film travaille donc à plusieurs niveaux et propose, en raison même du caractère composite de son matériau, plusieurs lectures simultanées. On touche là à une fondamentale ligne de démarcation entre le film et le roman. Ce dernier dispose la matière scripturale selon le seul et précis ordre de la consécution, alors que le premier travaille selon deux axes, celui de la consécution, chaque plan succédant au précédent, chaque photogramme faisant suite à un autre, et celui de la simultanéité, plusieurs matières de l'expression peuvent être perçues dans le même temps, de multiples systèmes codiques se donnent à lire simultanément. Précisons. Tout fragment écrit de quelque importance véhicule, lui aussi, simultanément plusieurs systèmes codiques (codes du récit, codes gestuels des personnages, codes proprement linguistiques, etc.) mais, à la différence du film, l'analyse peut toujours isoler, dans la consécution scripturale, les unités minimales qui relèvent d'un seul et même code; chaque segmentation est alors fonction du système codique étudié. Pour le film, rien de semblable, en raison d'abord de la pluralité des substances (à l'exception du cinéma muet, toute image est accompagnée de son, et réciproquement), ensuite, et en particulier pour l'image mouvante, à cause de la pluralité codique; l'isolement, par segmentation, d'un seul trait pertinent est impossible. La plus petite unité sécable dans la chaîne filmique, le photogramme, véhicule toujours plusieurs systèmes codiques, inscrits simultanément sur ce fragment de pellicule. Peut-être faut-il voir là l'origine du problème de l'unité minimale au cinéma?

Nul doute que sur l'axe de la consécution, puisqu'il leur est commun, ne se rencontrent divers points de similitude entre le film et le roman, tandis que les traits spécifiquement filmiques se rencontreront sur l'axe des simultanéités, du moins les traits liés à la substance. C'est lui qu'il faudrait maintenant interroger, mais une telle étude retarderait à l'excès l'examen du travail singulier de Robbe-Grillet.

Toutefois, afin de saisir dans le détail quelques-unes des possibilités structurales qu'offre la substance, un point particulier sera étudié : les rapports qu'entretiennent, en tant que matières de l'expression — et seulement cela —, le son et l'image mouvante. D'autres niveaux d'intervention seraient possibles, celui de la signification, par exemple, mais dans ce cas l'analyse se situerait du côté des codes et non de la substance.

Par son, il faut entendre les trois matières déjà répertoriées : la parole, les bruits, la musique. Certes, la fréquentation des films de Robbe-Grillet apprend qu'une semblable distinction relèverait, dans ce cas, plus de l'hypothèse de travail que de la réalité filmique. Michel Fano l'a rappelé lui-même [1] en avançant la notion de « continuum sonore », où le passage d'une matière à l'autre s'opère par glissement; du pouvoir sémantique maximum (la parole) à la sémantisation nulle (la musique), une chaîne s'établit que le sens, devenu fluide, parcourt sans rupture, et cette circulation du sens n'a lieu qu'après un travail de « manipulations », selon le propre terme de Michel Fano. C'est dire que l'intervention première se situe bien au niveau de la substance. Pour cette raison, les remarques qui vont suivre, en dépit de leur caractère général, parleront malgré tout, mais de manière détournée, de la pratique robbe-grilletienne, puisque les traits distinctifs qui seront repérés l'auront été à partir de l'examen d'un système singulier, *L'Homme qui ment*. Nul doute que l'observation d'un film narratif classique n'aurait exhibé qu'un nombre limité de traits, alors que Robbe-Grillet, parce qu'il travaille au plus près de la matière signifiante, en explore les multiples virtualités pour les actualiser dans le tissu filmique.

Dans son rapport à l'image, le son est perçu soit comme « in », soit comme « off », premier trait distinctif. Si la source sonore est visible à l'écran (en d'autres termes, si elle se trouve dans le champ), il s'agit du son « in », dans le cas contraire, du son « off ». Définition simple, empruntée à la pratique courante, qui pour l'instant peut donner satisfaction.

Envisageons chacun des cas séparément et, d'abord, le son « off » pour en faire surgir aussitôt deux grands types : celui pour lequel la source sonore n'apparaît jamais à l'écran, celui pour lequel l'apparition est seulement différée. Pour ce dernier, le son possède, au niveau diégétique, une fonction spatiale puisque le bruit entendu atteste l'existence d'un champ situé quelque part au-delà du cadre. A son tour, nouvelle subdivision, l'espace est soit continu, soit discontinu, par rapport à celui que montre l'image dans le même instant.

Le rapport de continuité confère au son « off » une valeur homogénéisante puisqu'il atteste la permanence d'un espace diégétique cohérent; simplement, l'espace diégétique du plan est plus étroit que celui de la séquence. Menacée par l'image en raison de la fragmentation que provoquent les successifs plans, l'unité de lieu trouve sa garantie dans le son. Ainsi conçu, le son « off » n'est que le corollaire du son « in »; l'un n'est que la figure actualisée de l'autre, chacun pouvant permuter de rôle. On conçoit que le cinéma narratif classique fasse grand usage de cette procédure; elle se rencontre aussi, bien sûr, dans *L'Homme qui ment* : lors de la première séquence à l'auberge, les brouhahas continus tentent d'assurer une unité que les images cherchent à briser.

Lorsqu'il renvoie à un hors champ discontinu (c'est-à-dire qui n'est pas une extension de l'espace vu à l'écran), le son « off » joue d'autre manière. Sa fonction spatiale cède le pas à la fonction temporelle. Plus exactement, l'espace représenté, qui appartient à la diégèse, s'efface au profit d'une fonction temporelle qui, elle, entretient un rapport privilégié avec la narration [5]. Ainsi, dès le début du film, sur l'image d'une forêt de conifères, on entend un bruit de bottes martelant un sol pavé. Manifestement le hors champ évoqué se situe dans un lieu différent de celui de l'image et sans rapport de continuité avec lui. Mais quel lieu? Rien dans les séquences précédentes qui ne permette d'ancrer cet espace et de le localiser. A l'évidence, la bande sonore ne tient pas le même discours que la bande image. La narration se dédouble. Plus tard, peut-être (mais un plus tard dans la narration, non dans la diégèse), ce lieu pourra s'ancrer, lors de la deuxième séquence de l'évasion, par exemple. Peut-être aussi que, resté longtemps énigmatique, ce discours sonore demandera à être entendu avec force et qu'alors il appellera une séquence visuelle. Après s'être alimenté à diverses figures sonores et visuelles, il pourra se transformer et devenir la longue marche punitive de Jean vers le château. Lorsqu'il refuse la subordination à l'image, le son « off » produit donc un discours spécifique qui peut devenir générateur de sens.

La source sonore peut n'être jamais montrée à l'écran et, dans ce cas, le hors champ dans lequel elle se situe n'est jamais attesté dans le film. Trois conséquences en découlent. Lorsque le son n'a de valeur ni analogique, ni référentielle (le musical, par exemple), il fonctionne d'une manière semblable à celle du « hors champ différé ». Parce que son ancrage dans la diégèse est nul, et cela quel que soit le moment de la narration, il circule plus librement encore dans le film. Ses successives apparitions sur des images différentes tissent des correspondances entre ces images-là, provoquant alors de véritables « précipités » de sens.

Cependant, l'origine du son peut n'être jamais attestée bien qu'elle établisse une solution de continuité entre le champ et le hors champ; on aura reconnu ce que l'on appelle couramment le bruit d'ambiance (son à valeur référentielle, donc). Il concourt généralement à un accroissement de l'effet de réel, mais dans *L'Homme qui ment* un tel usage est parfois détourné pour produire un sens autre. Dans le parc, alors que Boris et Sylvia dialoguent, on entend un chant d'oiseau sans que l'oiseau soit visible. En ce lieu, pareil gazouillis semble « naturel » et anodin. Mais il suffit que le chant apparaisse et disparaisse avec une régularité parfaitement concertée pour que ce « naturel » soit mis en doute. Parce qu'il ponctue systématiquement le dialogue, il désigne ironiquement le stéréotypé duo d'amour sous les frondaisons.

Reste le dernier cas, celui pour lequel la source sonore n'apparaît pas dans le film mais dans les autres films de Robbe-Grillet. Le discret bêlement de chèvre que l'on perçoit dans la séquence du cimetière n'est autre que le bêlement déjà entendu dans un autre cimetière, lui-même montré dans un autre film, dans *l'Immortelle*. Les citations sonores occupent une place plus importante encore dans les derniers films. Cette procédure rejoint, naturellement, toute l'activité des citations inter-textuelles de l'œuvre robbe-grilletienne; remarquons seulement que la citation, dans le cas présent, relève aussi bien du signifié que de la substance puisque un bruit cite un bruit.

Le son « in », lui, travaille dans un rapport immédiat avec l'image; c'est au niveau du synchronisme que se situent ses possibilités structurales. D'après l'usage habituel, un son est dit synchrone lorsque « l'image accoustique » et l'image visuelle sont perçues dans le même instant. Il s'agit d'abord d'une simultanéité d'ordre narratif, de laquelle on pourra déduire, éventuellement, une simultanéité diégétique.

On conçoit aisément que la non synchronisation, parce

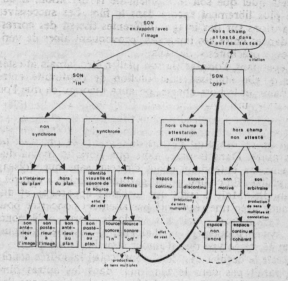

REMARQUES :

1. « La place non marquée des sons » figure ici dans son ambivalence puisque, surgissant au terme de la chaîne « in », elle se trouve alors renvoyée vers la chaîne « off ». Sa puissance de transgression réaliste se matérialise dans le tableau : elle est la seule à rompre le partage in/off.

2. Deux grandes fonctions se dessinent en rapport avec les particularités structurales de la substance : l'effet de réel, la production ·de sens multiples. L'une, par exaspération de l'analogique, gauchit le texte vers la dimension référentielle; l'autre, par multiplication des virtualités, souligne la dimension littérale du récit.

qu'elle provoque l'irruption soudaine de la dimension narrative, soit peu en usage dans la production courante, mais rien ne s'oppose aux hypothèses; on peut envisager un décalage qui ferait intervenir le son antérieurement ou postérieurement à l'image; ce même décalage aurait lieu au sein d'un même plan ou déborderait (anticiperait) sur un autre. Dans *L'Homme qui ment,* une désynchronisation régulière de deux photogrammes dit, à sa manière, le « mensonge ».

A première vue, le son synchrone relève pleinement et uniquement du son « in »; en effet, comment vérifier la simultanéité si la source sonore n'est pas dans le champ? En réalité, à cause d'une procédure essentielle, que nous appellerons « la place non marquée des sons », toute lecture de *L'Homme qui ment* oblige à redéfinir cette notion. Lorsque Maria, au pied de la Tour, pose une à une les épingles à linge sur l'étendoir, le cliquetis des lamelles de bois que l'on attendrait pour « authentifier » le visuel, est remplacé par un tintement de cloche; dans la séquence « Maria punie », une main se pose en gros plan sur le plateau d'une balance et, sous la pression qu'elle exerce, elle fait surgir un son musical ponctuel. Des gestes, des mouvements, des regards appellent des sons dans un rapport d'iconicité mutuelle nulle; le signe n'est plus motivé, il accède à l'arbitraire. Parce qu'elle rompt l'asservissement du son à l'image, semblable procédure produit une violente rupture de l'effet de réel et s'ouvre aux riches combinaisons structurales.

Dans le même mouvement, c'est la distinction son « in »/son « off » qui subit une perturbation majeure. En raison de son synchronisme, pareil usage relève de la subdivision « in », mais la source sonore ne figurant pas à l'image, il appartient aussi à celle du son « off ». On dira donc qu'il y a synchronisme chaque fois qu'un son interviendra en simultanéité avec une mutation à l'image. Par mutation il faut entendre toute modification qui affecte le contenu de l'image. La gestuelle des acteurs propose, bien sûr, de majeures modifications (gestes, regards, attitudes, etc.), mais le changement de plan en constitue une autre. C'est ainsi que Boris, quittant l'auberge pour la Tour, un tintement de cloche souligne et le changement de plan et le changement de séquence.

Le synchronisme s'affirme donc comme un rapport de simultanéité *narrative* entre le son et l'image, et seulement cela. Dans l'usage courant un autre critère agissait, mais de manière insidieuse, qui, sous des apparences de « naturel », se dissimulait : le critère d'identité. A la simultanéité s'ajoutait l'identité visuelle et acoustique de la source sonore.

Chez Robbe-Grillet, affranchi du mirage représentatif et de sa subordination à l'image, le son manifeste sa richesse productrice; or, il semble que celle-ci, au regard des quelques traits que nous avons esquissés, relève moins des codes que de la substance. L'aptitude du son à tisser des relations avec l'image n'est liée ni à la valeur sémantique de celui-là, ni aux contenus significatifs de celle-ci. Par ailleurs, situer l'étude du complexe audio-visuel dans la seule perspective codique conduirait à privilégier les sons à fort coefficient sémantique (la parole), au détriment de ceux dont le coefficient est le plus faible (le musical); or, c'est par un travail au niveau de la substance que l'ensemble des sons produit des rapports nouveaux avec l'image et provoque cette circulation du sens, dont parle Michel Fano, et qui n'est rien d'autre que le sang du corps textuel.

« *Récit* désigne l'énoncé narratif, le discours oral ou écrit qui assume la relation d'un événement ou d'une série d'événements », c'est au premier des trois sens du mot récit distingués par Gérard Genette [6], que Jean Ricardou propose de donner le nom de récit [7]. Semblable définition met à jour « deux grandeurs incommensurables » (J. Ricardou) : le littéral (l'énoncé narratif de G. Genette) et le référent (la série d'événements). « Il est *l'effet* de l'agencement scriptural *en référence* à tel événement, réel ou imaginaire : ce que nous appellerons une fiction. » (J. Ricardou). Ainsi défini, le récit résulte d'une relation dialectique entre deux dimensions antagonistes. A première vue, si quelque rapport s'établit entre le film et le roman, ce ne peut être qu'au niveau de leur commune dimension, la fiction. Paradoxe de la présente étude qui s'est située du côté de la substance, de l' « agencement littéral », précisément là où texte écrit et texte filmique se différencient.

Sur une commune pratique de l'écriture, Jean Ricardou fonde la parenté des nouveaux romanciers, or l'analyse qu'il produit dégage diverses opérations qui, elles, rendent compte essentiellement d'un trajet : l' « effet » de la dualité écriture/fiction. Ce trajet, s'il est lié à la substance, n'est pas la substance. Aussi peut-on risquer l'hypothèse selon laquelle ces mêmes opérations sont repérables dans un texte filmique. Deux d'entre elles seront ici évoquées : la mise en abyme, les transits.

Déjà, Jean Ricardou a montré le chemin qui tente de joindre film et roman, précisément à propos de la mise en abyme, lorsqu'il examine attentivement le rôle de celle-ci dans *L'Année dernière à Marienbad* [8]. La valeur spéculaire de cette opération n'est pas liée à la matière scripturale, puisqu'elle se repère aussi, et de longue date, dans la peinture [9].

Dans *L'Homme qui ment* diverses occurrences de cette procédure sont remarquables. Double mise en abyme serait-on tenté de dire puisque la duplication intervient aussi bien au niveau de la fiction, diverses composantes de la diégèse sont reproduites sur une plage plus brève, que de la substance puisqu'elle fonctionne à propos des sons comme des images. Lorsque Boris poursuit Maria dans les fourrés du parc et la violente, c'est l'ensemble des formants sonores qui sont repris dans une complexe composition; lorsque Boris dort dans le lit de Maria, c'est une composition kaléidoscopique d'images déjà vues qui est offerte.

Exemplaire de ce point de vue se révèle le segment du « Codex ». On sait que Boris, venant d'entrer à la pharmacie, feuillète un lourd album posé sur le comptoir, et sur la couverture duquel on peut lire le mot Codex. Ouvert et feuilleté, l'ouvrage livre son contenu, une séries de photographies représentant Jean. Elles fonctionnent comme une parfaite mise en abyme. Avant d'en détailler le contenu, il n'est pas inutile d'insister sur le caractère singulier de ce support photographique. Photographies, à leur tour photographiées, elles désignent, par une sorte de mise à plat, la réalité littérale de la narration : le film ne renvoie pas à une réalité extérieure, il ne renvoie qu'à lui-même, c'est-à-dire à une organisation d'images. Remarquons au passage que la substance sonore, non convoquée par cette représentation visuelle, se trouve à l'œuvre, mais de manière oblique, dans cette désignation de la réalité narrative, puisque le bruit « réaliste » des pages feuilletées est chassé au profit de quelques formants sonores, qui se constituent en une micro mise en abyme. Toute dimension référentielle du segment a donc disparu. D'autre part, les photographies disent leur rapport avec le récit, puisque la première apparition de Jean dans le film a lieu par le biais de photographies fixées aux murs du château, et que son entrée dans le film, c'est-à-dire dans la substance de l' « image mouvante », sera assurée, elle, plus tard à l'auberge, lorsque la photographie de Jean s'animera sous les yeux de Boris. Le choix d'une substance singulière, l'image fixe, comme support de la mise en abyme, produit donc une mise en abyme seconde, dont le sens est double : il désigne la dimension narrative du film; il rappelle comment un personnage est né à la fiction. Les photographies qui se succèdent sous nos yeux peuvent se répartir en trois groupes : a) des photographies données comme telles, c'est-à-dire comme traces d'une réalité antérieure disparue ou jamais vue. Parmi celles-ci, quelques-unes ont pris place antérieurement dans le film, notamment parmi toutes les illustrations encadrées et fixées aux murs du château; d'autres semblent inviter à lire un passé de Jean antérieur au film, celles de Jean enfant, adolescent ou jeune homme étudiant. b) La photographie qui circule dans divers lieux de la diégèse (château, auberge, pharmacie), celle-là même qui a subi l'effet d'une animation et qui a provoqué l'entrée de Jean dans le domaine de l'image mouvante. c) Des photographies qui s'apparentent à des photogrammes puisqu'elles rappellent, par leur contenu et leur cadrage, des images déjà vues ou à venir plus tard dans la narration. Dans l'ordre : sortie du souterrain, Jean et Boris attablés face à face à l'auberge, gros plan de Jean en contre-plongée (séquence de la Tour), Jean et Boris dans le souterrain à proximité de la balustrade fatale, enfin Jean au château dans l'embrasure de la porte.

Par l'ordre qu'engendre leur succession, ces photographies forment un véritable segment visuel, producteur de sens. Il raconte une histoire, mais une histoire singulière puisqu'elle s'inscrit au sein même de son référent, le film, en position de miroir et de miroir à plusieurs faces. Alors les images se dédoublent, se subdivisent à nouveau et rayonnent dans de multiples directions, produisant une mise en abyme à plusieurs niveaux.

Celui de la diégèse d'abord. Le dernier groupe de photographies remplit les trois fonctions distinguées par Jean Ricardou : la répétition (certaines images redisent ce qui déjà fut mentionné), la condensation (elles redisent autrement, par bref rappels discontinus), l'anticipation (d'autres images parlent de ce qui surgira plus tard à l'écran). Par ce jeu de rappels et d'anticipation, l'unité du récit se trouve véritablement court-circuitée. En ce point précis de la narration, la fiction se voit littéralement aspirée, puis éclate en mille brisures, subissant l'effet de ce qu'il faut bien appeler, métaphoriquement, une implosion.

Au niveau de la narration ensuite. La succession des trois groupes de clichés qui renvoient respectivement à des photographies seulement, à une photo animée, puis à des plans — voire des séquences — du film, reproduit l'ordre et les modalités selon lesquels Jean a pris place dans la fiction. Le contenu de l'album redit, mais sur une plage plus brève, la disposition narrative du film.

Ce n'est pas seulement par sa valeur spéculaire que ce segment offre de l'intérêt, car dans ce cas il jouerait le rôle d'une simple excroissance, d'une sorte de kyste, qu'une incision ferait disparaître sans dommage; en tant que segment il appartient pleinement à la diégèse et produit lui-même, en relation avec elle, ses propres significations.

Le passage du latin « codex » au français « code » n'est pas sans rappeler, humoristiquement, la mutation que subit le Codex au sein de *L'Homme qui ment*. Lorsqu'il surgit sur la couverture de l'ouvrage que Boris feuillette à la pharmacie, ce terme bénéficie d'une forte valeur référentielle et désigne alors le « recueil officiel des formules pharmaceutiques [10] ». Dès qu'apparaît le premier groupe de photographies, le mot codex subit une violente mutation; il n'était qu'un alibi, le masque d'une autre réalité, celle d'un album de photographies familiales. Par ce retournement du sens, ce sont les paroles antérieures de Lisa qui trouvent une confirmation : « Un jour Laura avait prétendu que son jeune époux la trompait (avec) la dame de la pharmacie... C'était pendant la guerre... Jean Robin allait souvent à la pharmacie. » Amours clandestines confirmées, d'abord, par le pieux souvenir dont témoigne la présence des clichés, ensuite, par l'alibi auquel recourt la pharmacienne. Simultanément, un autre sens tend à s'imposer. Ces photographies où figure Jean enfant n'attestent-elles pas un passé ancien, antérieur au temps de la diégèse, qui authentifierait l'existence autonome du personnage? C'est un démenti catégorique qu'apporte la photographie suivante, et qui, à elle seule, constitue le groupe central (affichant à la fois son importance et sa fonction transitaire). Parce que, antérieurement dans la narration, elle s'est mutée en image mouvante, elle dit clairement que Jean est né à la fiction seulement après que la narration a débuté. Il naquit d'un père photogramme et d'une mère photographie. Enfin, avec le dernier groupe, toute dimension référentielle se voit évacuée au profit de la narration.

Avec ce bref segment visuel on assiste, d'une part, à une mise en abyme exemplaire, d'autre part, à une véritable production de sens liée à la substance (des photographies filmées). Mais ces mutations successives qui affectent la signification ne forment-elles pas, à leur tour, une mise en abyme du fonctionnement textuel? D'une certaine manière ce segment désigne les lois d'un tel fonctionnement : récit lié à la matière de l'expression, mutations et glissement du sens, rupture de l'impression de réalité. En quelque sorte, le Codex s'est muté en Code.

S'agissant de celui-là, Larousse ajoute ces quelques

renseignements « Une commission permanente (...) est chargée de tenir le Codex au courant des progrès de la pharmacie et de la thérapeutique ». S'agissant de *L'Homme qui ment,* nous pouvons, au prix de quelques mutations, risquer ceci : « Le Codex est chargé de tenir le spectateur au courant des progrès du film et de son fonctionnement. »

« Nous appellerons séquence tout ensemble d'événements supposés sans hiatus, et transit tout changement de séquence. Passer d'une séquence à l'autre c'est traiter le hiatus qui les sépare. » Par ces deux définitions, Jean Ricardou rappelle implicitement que la chaîne de la consécution scripturale se voit, à tout moment, menacée de rupture; mieux, que ces brisures sont le lieu d'un travail essentiel, celui des transits.

Avec le transit actuel, c'est l'écriture qui dispose deux similantes contiguës; avec le transit virtuel, c'est la lecture qui rassemble deux éléments similaires non contigus. Les fulgurants rapprochements qu'opèrent ces transversales lectures rompent et morcellent l'ordre linéaire du mot après mot de la page. Dans ce cas, l'opération transitaire vise la discontinuité fictionnelle.

S'agissant d'un texte filmique, ces mêmes procédures pourront intervenir avec de similaires effets. Cependant, dans le détail de leur fonctionnement, particulièrement pour le transit actuel, on constate qu'elles ne sont pas transposables ipso facto; la substance filmique (pluralité des matières de l'expression, double axe de la consécution et de la simultanéité) oblige à des cheminements singuliers.

Si les textes des nouveaux romanciers élaborent la discontinuité fictionnelle à partir de la continuité littérale et contre elle, tout film narratif classique élabore sa continuité fictionnelle à partir de la discontinuité matérielle et contre elle. Chacun sait que tout film construit de plus vastes unités à partir de ces fragments incertains que sont les plans. Si, pour le récit écrit, la parcellisation résulte d'un travail, pour le cinéma elle est donnée. Raccorder deux plans, c'est travailler le hiatus qui les sépare. Depuis longtemps une certaine tradition apprivoise cette perpétuelle menace contre l'unité fictionnelle. Le bon raccord en termes académiques, n'est-il pas celui qui masque le passage d'un plan à l'autre? La nécessaire fragmentation visuelle d'une séquence, ne récupère-t-elle pas son homogénéité grâce au secours du son?

Toute autre, bien sûr, sera la démarche robbe-grilletienne où, brisure dans la continuité pelliculaire, le changement de plan produit souvent un hiatus diégétique. Quatre types de transits actuels seront ici évoqués : la fissure, la substitution, le « raccord à appréhension retardée » et l'inclusion.

Les deux premiers, parce qu'ils font surgir la dimension littérale du raccord, loin de masquer le changement de plan, en soulignent au contraire les aspérités. En se référant à l'usage académique, on pourrait parler, à propos de ce que nous appelons fissure, de semi faux raccord. Au cours du générique, Boris fuit à travers la forêt et, dans sa course, il doit franchir un léger obstacle; prenant appui du bras gauche sur les racines apparentes d'un tronc, il effectue un saut latéral. Cet épisode est traité en deux plans; au cours du premier, Boris est vu de dos, pour le deuxième, un contre-champ le montre de face. La césure intervient en plein saut et les deux plans sont raccordés dans le mouvement. Raccord parfait de ce point de vue puisque la continuité du geste y est assurée. Mais un déplacement a eu lieu. Le point de départ et le point d'arrivée du geste ne se situent pas dans le même coin de forêt. Toutefois, la mutation reste discrète et tout spectateur qui recherche obstinément l'illusion référentielle peut encore s'aveugler devant cette fissure qui atteste pourtant le bord à bord des deux plans. Nombreuses sont les procédures de ce type dans le film. Elles semblent devoir remplir deux conditions : a) Attester un simple changement de plan au sein du segment qui, lui, conserve son unité. b) Assurer la permanence et la continuité des codes provisoirement majeurs (ici le mouvement du personnage) tandis que des mutations affectent les codes provisoirement secondaires (ici, variation sur le détail du décor). Par référence aux procédures analysées par

Jean Ricardou, et parce que le Même l'emporte sur l'Autre, on pourrait parler ici de variante.

Bien qu'agissant de similaire façon, faire surgir la dimension littérale du raccord, la substitution doit remplir deux conditions inverses : a) provoquer, en même temps que le changement de plan, un changement de segment; b) assurer la permanence et la continuité de codes provisoirement secondaires tandis que les mutations affectent, cette fois-ci, les codes provisoirement majeurs. On aura reconnu, par analogie, ce que Jean Ricardou appelle une similante, puisque l'Autre l'emporte sur le Même. Au cours du récit de l'évasion, Boris, tout en racontant son histoire, empoigne la main courante du comptoir et, ajoutant à la parole le mime, il effectue un rétablissement. A nouveau le plan, coupé en plein saut, est raccordé sur le même mouvement au plan suivant. Mais c'est Jean qui achève dans un autre lieu — les combles de la prison — le geste commencé par Boris à l'auberge. L'Autre, changements de lieu et de personnage, l'emporte sur le Même, continuité du geste.

Parce que le plan ne constitue pas une unité simple (comme le phonème ou le mot dans la phrase, par exemple), mais qu'il est déjà un ensemble complexe, il peut tendre de véritables pièges transitaires. Il provoque alors un effet rétroactif que Noël Burch [11] appelle un « raccord à appréhension retardée ». Il suffit pour cela par exemple, de restreindre le champ de l'image par un cadrage plus serré, de sorte que les repères spatiaux de la diégèse sont renvoyés dans un hypothétique hors champ. Ainsi, après la mort du père, un plan montre Laura à proximité d'une fenêtre tandis qu'on entend, off, la voix de Boris : « Belle, mystérieuse.. » Au plan suivant, Boris est vu, achevant son discours : « ... désirable, inquiétante, etc. »; manifestement il s'adresse à Laura puisque, tout en avançant et regardant vers la droite — vers elle probablement —, il précise : « Vous ne pouvez pas rester seules toutes les trois avec ce domestique fou. » Mais au troisième plan c'est Sylvia qui fait face à Boris et l'écoute, et le segment se poursuit entre eux deux.

Par le cadrage serré des trois plans et la perte de précis repères spatiaux qu'il provoque, une violente mutation de la diégèse court-circuite un discours naissant (Boris et Laura) au profit d'un autre et provoque, par surprise, une dérivation du sens.

L'inclusion provoque, elle aussi, de majeures perturbations dans la continuité diégétique. Elle se caractérise par l'insertion, au sein d'une suite $a\,1$, $a\,2$, $a\,3$... (formant le segment a), d'un plan b manifestement étranger au segment qui l'accueille. Semblable procédure fonctionne au niveau de l'image mouvante mais peut se repérer aussi sur la bande sonore. Un plan sera manifestement étranger lorsque les signes qu'il véhicule n'auront pas de rapport direct avec ceux que manifestent les plans immédiatement antérieurs et postérieurs. Dès le début du film, alors que Boris s'éloigne de la forêt pour gagner le village, l'image rapprochée d'une nuque féminine interrompt provisoirement le récit, qui reprend aussitôt après.

Selon que l'énigme proposée par l'arrivée soudaine de ces plans sera résolue dans une proche consécution (le segment d'accueil ou le suivant immédiat) ou que la réponse (éventuellement plurielle) sera différée, il y aura lieu de distinguer deux grands types d'inclusion. Alors que Boris, après avoir quitté l'auberge, va pénétrer dans le château, deux plans successifs précèdent l'ouverture du portail : à la sortie du souterrain un soldat tire une rafale, en gros plan une bouteille se brise sur le sol, cependant qu'au niveau sonore le bruitage est iconique. Ces deux plans provoquent une suspension provisoire du segment antérieur, mais à eux deux ils ne forment pas un nouveau segment à signification immédiate. Plus tard seulement, chacun sera repris individuellement au sein de récits différents; à la suspension du récit correspond une égale suspension du sens. Cependant leur place, à ce moment précis de la narration, n'est pas indifférente. Ils ont une fonction immédiate : le caractère réaliste du son qui les accompagne (son « in », synchrone et iconique), introduit lui-même par un bruit ambigu — la cisaille qui évoque quelque brutale ouverture de porte [12], met fin à la composition musicale du segment antérieur et prépare le bruitage iconique du segment suivant. Les deux plans assurent, à ce moment précis de la narration, une véritable mutation. Si, par leur caractère soudain et abrupt, leur signification demeure provisoirement énigmatique — la réponse est différée —, leur fonction est immédiate : rupture et transition.

Alors que Boris au pied de la Tour, en compagnie de Maria, tente de séduire celle-ci, le discours verbal qu'il tient se trouve menacé par diverses images de Sylvia. Un plan inattendu surgit; il cadre en plan rapproché Maria et Jean, face à face, de part et d'autre d'un bourdon, tandis que la voix off de Boris s'éteint. Manifestement cette image tient un autre discours : quelques amours ancillaires, préparatoires elles-mêmes aux amours clandestines avec la pharmacienne. En réalité ce plan trouvera une réponse différente peu après, mais toujours dans la même séquence de la Tour. Maria, Jean, le bourdon, ces trois éléments annoncent le récit qui va se dérouler au sommet du clocher, et au cours duquel Boris se trouve confronté avec eux : Maria d'abord, pour une ultime tentative de séduction, Jean ensuite, comme fantôme menaçant, les diverses cloches enfin, pour chasser le spectre de Jean. L'inclusion de ce plan permet donc le passage d'un sous-segment à un autre.

Jusqu'ici le plan en situation d'inclusion a affiché sa singularité; il ne se combinait pas avec d'autres pour former un segment (les deux plans de l'entrée du château restent visuellement étrangers l'un à l'autre), or, au début du film, par exemple, c'est une autre figure qui se propose. Le plan rapproché sur une nuque féminine réapparaît un peu plus tard, suivi à son tour d'images montrant les trois filles qui jouent à colin-maillard. Progressivement, les images séparées de cette scène se rapprochent, se font plus serrées et finissent par former une suite continue. Un nouveau segment a envahi le segment d'accueil et a pris sa place. Opération riche de conséquences puisque la diégèse subit une violente agression : c'est la lutte pour l'occupation de l'espace narratif qui, ici, se donne à

102

lire. La dimension littérale empêche l'illusion référentielle de s'installer. *Pendant que* Boris marcherait vers le village, les filles joueraient quelque part au château, la marche du héros le conduirait inéluctablement vers cet espace habité par les filles; semblable interprétation « réaliste » se voit interdite par l'agencement singulier des deux segments. Si la rencontre a lieu, elle résultera de l'organisation narrative (la suite du film et la sortie de l'auberge en particulier le démontrent) et non d'une quelconque aventure antérieure au texte, que celui-ci se contenterait d' « exprimer ». Pareil glissement narratif, parce qu'il porte sur d'importantes unités, se manifeste à travers diverses figures complexes qui jalonnent le film et ne sauraient être toutes étudiées ici.

Si les quatre types de transits actuels possèdent leurs propres caractéristiques, ils affichent, néanmoins, un point commun : traiter le hiatus qui sépare deux plans, deux séquences, en mettant à nu la dimension narrative contre l'illusion référentielle. Il s'agit bien d'une procédure qui touche à vif l'unité du récit.

On conçoit que toutes manières de transits virtuels soient opérées par la lecture du film. En regard de l'hétérogénéité codique et de substance propre au cinéma, leurs interventions sont multiples, diverses et riches, tant au niveau des codes majeurs que des codes mineurs, tant au niveau des micro-structures que des macro-structures; on comprend alors qu'elles ne puissent être développées ici. Tout spectateur actif de *L'Homme qui ment* a déjà de lui-même procédé à quelques-uns de ces rapprochements, c'est donc au film que nous le renvoyons.

Tout en considérant la spécificité filmique, il semble possible de retrouver dans la trame singulière d'un texte, diverses opérations que Jean Ricardou a analysées à partir d'une matière signifiante homogène, et dont il a dessiné les modalités d'intervention. Le modèle formel s'avère parfaitement transposable tandis que le fonctionnement particulier de ces procédures atteste une étroite corrélation avec les matières de l'expression filmique.

L'image montre et ne dit rien; elle est spectacle, c'est-à-dire organisation réglée d'un espace. Chaque film de Robbe-Grillet propose comme une mise en abyme de cette fonction spectaculaire; spectacle dans le spectacle qui exploite ce que le film a de spécifique par rapport au roman. Chacun aura remarqué ces séquences où, tout à coup, la parole se tait, s'efface et semble s'évanouir devant la toute présence de l'image, à laquelle, du reste, une organisation sonore singulière apporte son concours : le cabaret turc de *L'Immortelle,* l'esclave enchaînée du cabaret anversois dans *Trans-Europ-Express,* la danse de Violette auprès du feu dans *L'Eden et après,* ou encore la séquence de « Maria punie » dans *L'Homme qui ment.* Toutes ces séquences semblent comme s'attarder en marge de la fiction; leur apparition dans la diégèse provoque une curieuse excroissance qui suspend le cours des histoires en même temps qu'une brusque déflation du sens envahit la fiction. La parole s'évanouissant, c'est le plus fort support sémantique qui disparaît. De ce point de vue la séquence de « Maria punie » s'affirme comme exemplaire.

Boris, chassé par le père, vient de quitter le château : Sylvia le rejoint dans le parc pour lui confier la petite clé « de la porte que vous savez ». Sitôt après, elle retourne vers la demeure dont elle ouvre la porte, grimpe plusieurs escaliers et arrive au grenier où déjà Laura et Maria semblent l'attendre. La séquence peut commencer. Nulle parole jusqu'ici et ce jusqu'à la fin du segment; on aura remarqué le déplacement qui a eu lieu : ce n'est plus Boris que la caméra suit, mais Sylvia. On assiste à un véritable décentrement de la fiction; Boris, chassé du château, l'est aussi et de la narration et de la fiction. On conçoit aisément que l'ancrage de ce segment au sein de la diégèse soit périlleux : comment articuler cette séquence avec la suivante? Là aussi le décentrement se trouve accusé. On retrouve Boris dans sa chambre, à l'auberge, en compagnie de Lisa. Celle-ci semble commenter verbalement le discours visuel que l'on vient de suivre : « Elles sont folles vous savez », dit-elle à Boris qui l'écoute. La séquence « Maria punie » aurait donc été racontée par Lisa? Ce qui est manifestement faux puisque l'on vient de voir les *quatre* filles, après que le sabre a percuté le billot, éclater de rire : Sylvia, *Lisa*, Laura, Maria. Lisa participait donc, elle aussi, à ces jeux de folles? Qui donc parlait? Personne, sinon la narration filmique. Ainsi, par la disparition de la parole et le décentrement de la fiction, cette séquence s'affiche comme marginale. En fait, elle dit ce que la parole n'a jamais dit et porte au premier plan ce qui, jusqu'à présent, demeurait latent : le discours érotique.

Cette érotisation, bien sûr, s'alimente à la thématique du segment : une jeune servante offerte aux jeux saphiques et cruels de ses deux maîtresses; cependant, plus que le « sujet » de la scène, c'est le fonctionnement même du discours audio-visuel qui produit cette érotisation, par une organisation minutieusement réglée de tous les éléments qui le composent.

L'organisation de la temporalité narrative d'abord. La durée de ce segment, le plus long de tout le film, accorde une importance privilégiée au rythme. Alors un complexe jeu de correspondances s'établit entre le visuel et le sonore; ainsi, l'immobilité des personnages et le silence de certains plans, les gestes ponctuels et la résurgence soudaine de quelques sons, encore, le discret contrepoint entre un son musical itératif prolongé (le « tom-tom ») et la fragmentation des plans successifs.

En raison même de cette activité de correspondance, on conçoit que s'épanouisse, dans cette séquence, la procédure de la « place non marquée des sons ». Les gestes lents et contrôlés des personnages, le plus souvent isolés par un cadrage serré, provoquent de lisibles mutations à l'image : le plateau de la balance abaissé par une main, Sylvia pointant l'index, Maria joignant les mains ou tournant la tête vers ses maîtresses, chacun de ces gestes appelle un son synchrone et « off ». Parfois, c'est la brusque arrivée d'un plan discontinu qui provoque une mutation dans la continuité sonore. Lorsqu'en gros plan paraît le volant du hachoir, un claquement de fouet retentit, lorsque ce même volant se met en action un nouveau claquement se fait entendre. A l'organisation rythmique s'ajoute ici le travail sémantique des signes, le hachoir et le fouet réunis disent le sadisme du jeu.

Enfin, sur l'axe de la consécution se déploie le rythme général du segment : fixité et silence des premiers plans, lente mise en action des personnages (il faut attendre le vingt et unième plan pour que Laura accomplisse un geste) à laquelle correspond une succession de sons ponctuels et espacés, ensuite, tandis que peu à peu s'établit une fragile continuité à l'image, les sons occupent en volume et en durée de plus larges plages; le silence à nouveau s'installe à la fin, exaspérant le « suspens » de l'image avant que ne s'abatte le sabre sur la nuque de Maria. Le retour soudain et intense du son (sabre qui se plante sur le billot vide, cri de la fausse victime) libère la charge émotive accumulée jusque-là, met un terme au segment et provoque l'arrivée d'un bref segment transitaire : le rire des quatre filles.

Sur l'axe de la consécution encore, c'est un conflit d'une autre nature qui se donne à lire; alors que le rythme d'ensemble de la séquence règle une dramaturgie, somme toute, traditionnelle (la montée progressive du suspens), le montage visuel lui oppose une systématique discontinuité. Si la fiction propose un conflit entre Maria et ses jeunes maîtresses, la narration, elle, dispose un conflit littéral.

Simplement juxtaposés par un montage « cut », sans que de l'un à l'autre ne s'établisse de continuité, les plans fonctionnent comme des cellules autonomes. Trois vues successives de Laura illustrent cette disposition singulière : immobile, visage tourné vers la droite, regard absent dans le premier plan; immobile, regard absent mais le menton appuyé sur la main pour le deuxième, immobile au début, elle s'anime et détourne le visage dans le troisième. Aucune continuité temporelle, causale ou gestuelle ne s'inscrit entre ces trois plans ; chacun affirme son autonomie. Tout se passe comme si n'étaient retenus que trois fragments d'une action plus complète et continue au cours de laquelle Laura, peu à peu, se serait intéressée à la scène et aurait enfin contemplé le spectacle. Chaque collure, chaque raccord correspond alors à un blanc diégétique, à un vide fictionnel. En somme, le segment visuel dispose ses plans comme une planche dessinée ses vignettes. Inscrit dans la fiction sous diverses occurrences (tableau, miroir, embrasure, etc.) le cadre du photogramme travaille ici au niveau narratif puisqu'il manifeste le bord à bord des successifs plans; il atteste la césure et clôture l'espace de l'image. Contre les montants de ce cadre vient buter le sens qui, littéralement endigué, ne peut plus glisser d'un plan à l'autre; et c'est dans l'espace qu'il se déploie, l'espace de l'image. Répartis sur la surface de l'écran, dans l'impossibilité de tisser des liens consécutifs, les signes visuels se donnent à lire en toute clarté et s'appellent l'un l'autre par-delà la césure. A la lecture continue que propose le déroulement filmique, s'oppose alors une lecture oblique et active qui, sans cesse, par de multiples rapprochements, transgresse l'ordre linéaire de la narration.

Dans cet univers peuplé de signes, gestes et objets produisent de majeurs appels. Coupés dans le mouvement, saisis le plus souvent en cadrages serrés, isolés par la fragmentation des plans, les gestes refusent l'innocence du naturel et se donnent comme signes « bruts »; bribes éparses d'un discours éclaté, qui tentent de se rejoindre et ne parviennent qu'à juxtaposer, en un fragile équilibre, le balbutiement d'une illusoire continuité : sentence, imploration, dénégation, exécution.

Le véritable discours se trouve ainsi déplacé vers les objets. A travers leur prolifération hétéroclite, quelque distinction s'impose. Une première série regroupe les objets à signification codifiée, une deuxième apparente les objets dont le sens est lié à leur inscription dans le film.

L'association du glaive et de la balance, par symbolisme codifié, dit la justice et le procès en cours; les ciseaux disent à la fois la castration et la mort, celle des Parques; le soc de charrue, la corde et la chaîne disent, en termes de symbolisme psychanalytique, la violence sexuelle. Signes appris et socialement codifiés, leur signification « brute » produit un véritable effet de « collage » qui n'est pas sans rappeler la disposition singulière des plans.

Toutefois, un sens second, comme dérivé, tisse d'autres rapports avec le film ou la séquence. Si l'association du glaive et de la balance désigne le procès en cours, celui-ci n'est pas sans évoquer un autre procès à l'œuvre dans le film, celui de Boris dans les souterrains. Quant aux ciseaux qui tranchent les mèches de cheveux, ils suscitent par réminiscence le thème de la Résistance et du film de guerre (archétype fictionnel); la tonte des femmes n'appartient-elle pas à l'imagerie historique?

D'autres objets, plus nombreux encore, disposés dans le décor du grenier ou portés à la surface de l'écran par des plans « insert », travaillent comme autant de reflets du film. Mise en abyme singulière, qui, disséminée dans la séquence, propose une constellation de rappels : le bandeau de la victime, les tableaux, les draps étendus, les chandeliers, les cadres vides, le pied nu de Laura, le lustre renvoient, à tour de rôle, à d'autres moments de la fiction où déjà ils ont figurés. Quant au masque de pierre qui surplombe le trône, c'est le jeu théâtral de la séquence (gestuelle, espace réglé et circonscrit du grenier) qu'il désigne immédiatement; à plus long terme c'est aussi l'archétype donjuanesque de Boris qu'il rappelle.

Ainsi, alors que la parole verbale s'est effacée, qu'un décentrement dans la diégèse est intervenu, cette séquence de « Maria punie » offre une disposition remarquable. Par la fragmentation des plans en unités autonomes, c'est la continuité fictionnelle qui se trouve agressée et brisée; un discours dérivé, porté par les objets, réglé par le rituel des gestes et des sons, peu à peu s'impose, celui que produit la narration, et dit l'érotisation du texte. Séquence exemplaire qui, par des moyens proprement cinématographiques, étroitement liés à la substance, inscrit le spectacle dans le spectacle.

Par sa double et simultanée pratique de cinéaste et écrivain, Robbe-Grillet rencontre ce qui différencie radicalement le roman et le film, la substance. Ainsi l'étude comparatiste, si elle souhaite conserver à chaque pratique sa spécificité, doit se situer, nous semble-t-il, au niveau des matières de l'expression. Brièvement, quelques caractéristiques propres au cinéma ont été envisagées ici, afin de rappeler combien les possibilités structurales du son et de l'image sont liées moins aux codes qu'à la substance. Si quelque lieu existe, qui soit commun à cette double pratique et qui résout donc l'antagonisme des substances, il pourra se rencontrer dans le travail des procédures déjà analysées par Jean Ricardou, celles qui mettent en procès le Récit. De peu nombreux exemples ont été analysés à propos de *L'Homme qui ment,* mais ils ont attesté que le modèle formel, en jeu dans ces diverses opérations, était transposable d'une pratique à l'autre. Quant à l'examen de la séquence « Maria punie », elle tendrait à rappeler que Robbe-Grillet cinéaste n'est pas un romancier égaré sur la voie filmique, mais qu'au contraire, travaillant au plus près d'une substance plurielle et hétérogène, il en assume pleinement le caractère composite pour produire un texte spécifiquement cinématographique.

La totale prise en charge de la spécificité, d'une part, le caractère constant de certains modèles formels, d'autre part, permettent donc la production d'œuvres écrites et filmiques singulières mais non étrangères l'une à l'autre. En somme, l'opposition entre film et roman se résorbe dans la production des *textes,* en même temps que, du conflit entre une matière qui résiste et une organisation formelle, résulte ce qu'il faut bien appeler une Rhétorique singulière.

A.G.

NOTES

1. Numéro spécial : « Film et roman, problèmes du récit ». N° 185. 1966.

2. *Le Nouveau Roman*. Jean Ricardou. Col. Ecrivains de toujours. Seuil. 1973.

3. *Langage et Cinéma*. Christian Metz. Col. Langue et langage. Larousse. 1971.

4. « L'attitude musicale dans *Glissements progressifs du plaisir*. » Michel Fano. Revue *Ça*, n° 3. 1974.

5. Au sens ricardolien et qui renvoie à la dimension littérale du texte.

6. « Discours du récit. » *Figures III*. Seuil. Cité par Jean Ricardou.

7. Œuvre citée p. 2.

8. Œuvre citée. De la page 59 à 65.

9. A titre d'exemple : *Portrait des Arnolfini*. Van Eyck.

10. Définition proposée par Larousse, in *Larousse Universel en deux volumes*. 1923.

11. *Praxis du cinéma*. Noël Burch. Col. Le Chemin. Gallimard. 1969.

12. En réalité, semblable son possède, ici, deux fonctions : *a)* S'agissant d'un bruit à valeur iconique (bruit d'une cisaille) mais qui renvoie à un hors-champ non attesté, il se voit affecté d'une réelle ambiguïté; *b)* S'agissant d'un son à « place non marquée », il joue un rôle structural, puisqu'il est lié à l'image de Laura qui termine le segment visuel.

DISCUSSION

Claudette ORIOL-BOYER : Une question de détail à propos du raccord où Boris saute sur le comptoir et où ce mouvement est repris par le saut de Jean. Le raccord reprend-il exactement le mouvement là où il est laissé par Boris ou, plutôt, y a-t-il un petit retour en arrière qui provoque un effet de répétition presque imperceptible?

André GARDIES : De toute manière, la discordance qui intervient sur d'autres éléments du raccord oblige à opérer un réajustement au niveau des perceptions : c'est cela qui provoque par lui-même, déjà, l'effet dont vous parlez.

Alain ROBBE-GRILLET : C'est un problème général du raccord cinématographique : pour produire l'effet de raccord juste selon le code du cinéma traditionnel, on est amené, suivant la nature exacte du geste, soit à reprendre un peu plus (il y a donc un chevauchement en réalité), soit un peu moins. Cette entorse au réel pour produire l'effet de raccord juste est évidemment accentuée ici par le fait que le décor a changé du tout au tout : c'est ce qu'on peut appeler un faux raccord juste. Un faux raccord, parce que ce n'est pas le même personnage, et que ce n'est pas le même décor, mais il a été produit en vue d'un effet de raccord juste.

Maurice de GANDILLAC : Il n'a pas réussi, alors, puisque Claudette Oriol-Boyer a l'impression qu'il était un peu faux.

Alain ROBBE-GRILLET : Cela c'est un autre problème. Dans toutes ces questions, la perception est subjective : l'effet de justesse varie même selon la distance du spectateur par rapport à l'écran. Cela existe aussi pour le cinéma traditionnel : selon que le film sera vu en projection privée dans une petite salle comme la salle Washington, ou dans une salle immense comme celle du Rex à Paris, le raccord sera perçu différemment. C'est un problème puisque le cinéma travaille toujours sur des effets, et des effets de justesse ici en particulier. Mais la perception de ce chevauchement, Claudette Oriol-Boyer, vous est apparue comme quoi ?

Claudette ORIOL-BOYER : J'ai pensé que c'était un effet de répétition à peine suggéré et qui devait enclencher un certain nombre de répétitions à d'autres niveaux, — qu'il ne s'agissait pas seulement de combler le noir, en quelque sorte entre deux plans, mais que cela pouvait être voulu de façon à faire déjà passer en nous, inconsciemment, le phénomène de la répétition.

Alain ROBBE-GRILLET : Si j'avais voulu produire l'effet de justesse maximal, j'aurais choisi de changer d'axe : pour que le raccord juste fonctionne bien, on change d'axe. Si le personnage a été pris en face amorçant tel geste, on le reprend ensuite non pas de dos, parce que le changement de cent quatre-vingts degrés est périlleux, mais presque de dos en train de continuer le geste : alors, l'effet de justesse est beaucoup plus fort. Ici, au contraire, on a choisi la difficulté majeure, qui consiste à le prendre dans le même axe.

André GARDIES : Ce que je voudrais souligner à partir de cette intervention, du point de vue du travail critique sur les textes, c'est que, comme l'a bien dit Robbe-Grillet, on a toujours affaire à des textes. La perception de celui qui lit le texte entre en jeu : quand on lit à la visionneuse, au magnétoscope, ou dans la projection continue, il est évident que les effets changent totalement. Alors, on ne peut jamais être certain de ce que l'on affirme concernant la réalité exacte de cette dimension littérale dont j'ai essayé sans cesse de parler. Par exemple, ce fameux décalage de deux images, il est lié aussi à des problèmes strictement matériels. Je m'en suis aperçu à mes dépens, Robbe-Grillet l'a rappelé : pour une étude très détaillée du générique de *L'Homme qui ment*, j'ai travaillé sur une mauvaise copie dans laquelle il y avait un décalage d'un peu moins d'une seconde. Or je n'ai pas pu m'apercevoir tout de suite de ce décalage : je l'ai pris pour vrai. Je m'en serais aperçu si je l'avais perçu comme constant pendant tout le générique. Je me serais dit : il est constant, donc c'est un décalage sur la pellicule. Mais par le phénomène de perception, il y avait des plans où le décalage était nettement attesté et d'autres où j'avais l'impression que cela « collait ». J'ai eu longtemps des hésitations : il a fallu que je change de copie pour m'en rendre compte. Voilà un problème de méthode qui se pose à partir de ce point de détail que vous avez soulevé.

Jean RICARDOU : A quel moment aviez-vous l'impression que cela collait ? Et d'où venait cette impression ?

André GARDIES : Lorsque, dans le générique, Boris se laisse tomber d'un arbre à terre, l'arrivée des pieds au sol est visible à l'image. Donc, je devrais nettement entendre le bruit simultané selon une sorte de « clap ». Or sur la copie que j'avais, le bruit venait ensuite, au moment où Boris fait un pas en arrière. J'avais là un double effet : d'une part j'avais un « faux » bruit sur l'arrivée du sol, d'autre part je récupérais ensuite le bruit précédent, ce qui pouvait très bien fonctionner comme un effet majeur. En revanche, lorsque le son forme, non pas une attaque brutale comme la percussion, mais une sorte de glissendo, de bruit continu, l'entrée du son est beaucoup plus difficilement repérable et le décalage est moins sensible.

Jean RICARDOU : J'ai posé cette question pour faire paraître que, dans ce genre de problèmes, il n'y a pas que des phénomènes subjectifs.

Alain ROBBE-GRILLET : Ah si, il y a une vitesse

de perception subjective, qui dépend du regard de chacun...

Jean RICARDOU : Avec ce regard de chacun... je me demande si le subjectif n'a pas pour rôle d'éluder les effets idéologiques.

Alain ROBBE-GRILLET : Ah non, cela dépend souvent des dispositions techniques de l'oreille. Le problème du synchronisme est encore accentué par le fait que le son et la lumière ne se déplacent pas à la même vitesse, comme vous savez. Cela peut sembler un problème mineur dans la mesure où il ne s'agit pas de longue distance : néanmoins, dans une très grande salle, le spectateur qui est près de l'émission sonore ne percevra pas le synchronisme de la même façon que celui qui en est loin. Le problème est compliqué encore par le fait que le son vient quelquefois de l'écran et quelquefois d'ailleurs. Alors, là aussi, l'effet de justesse sera un peu mou, si j'ose dire, suivant la place du spectateur dans la salle, suivant la disposition de son oreille, etc.

Lise FRENKEL : Je vais parler d'abord de *L'Homme qui ment* et, à ce propos, du rapport son-image, ensuite du codex. Pour parler du rapport son-image d'une manière générale, je dirais qu'il y a deux effets : un effet de renforcement du sens et un effet de destruction du sens. L'effet de renforcement du sens se trouve, par exemple, dans la scène du grenier où Boris sonne le glas pendant que Jean Robin apparaît sur sa poutre. L'effet de destruction du sens c'est, par exemple, quand Boris apparaît dans l'auberge. Le texte dit : l'auberge était vide ce matin-là, alors que l'image montre l'auberge pleine de monde. Voilà donc ces deux pôles. Maintenant je reviens à cette séquence particulière du grenier parce qu'elle me paraît importante. Il me semble que la fonction du son y est cruciale : elle est surdéterminée et ses rapports avec l'image sont assez complexes. Il y a d'abord une lutte entre le son et l'image : la bande sonore tend à détruire l'effet de l'image. L'image a une connotation persécutoire : Jean Robin est sur sa poutre, c'est un fantôme que Boris tend à faire disparaître en

114

sonnant le glas. Mais ce glas qui est un son, c'est aussi la forme du phallus, c'est-à-dire que Boris essaie de lutter contre la castration par le père persécuteur. En ce qui concerne les raccords sonores, il faut que je demande d'abord à Robbe-Grillet une confirmation. Vous nous avez expliqué, dans le ciné-roman de *Glissements,* qu'il y a parfois un montage par contiguïté : parfois le son annonce l'image. Or il me semble que, dans *L'Homme qui ment,* le bruit des craquements et de la chute de la grille précède l'image de la mort du père et de la chute...

Alain ROBBE-GRILLET : Je réponds immédiatement sur ce point : on n'entend pas les craquements et la chute de la grille, on entend tout à fait autre chose qui est l'abattage d'un arbre. C'est d'ailleurs un point important et qui va vous faire plaisir *(Rires)* parce que la mort du père a effectivement une figuration stéréotypée freudienne : c'est le chêne qu'on abat *(Rires),* pour reprendre le langage de Malraux. Mais j'ajoute deux mots sur ce point, qui a déjà été signalé par Gardies et auquel Michel Fano a fait allusion. Le père est doublement lié, dans *L'Homme qui ment,* à deux phénomènes sonores volontairement tremblés, c'est-à-dire avec passages possibles de l'un à l'autre : le bruit des bottes que vous avez signalé et d'autre part le bruit de la hache. Le père figure donc sous ses deux formes, celle de son affirmation, le bruit des bottes (puisque le fantasme des bottes qui martèlent un sol dur, comme vous l'avez remarqué, c'est la puissance virile, stéréotype que j'ai utilisé à plusieurs reprises, dans *le Jeu avec le feu* en particulier); mais ce bruit-là ressemble, par des glissements opérés volontairement, à celui de la hâche qui détruit l'arbre et qui est donc, elle, la suppression du père. Et c'est à mon avis intéressant dans la mesure où plusieurs images sont, sur ce point particulier, extrêmement ambiguës. Je ne sais pas si vous vous rappelez que Michel Fano a fait allusion, au moment du réveil de Boris (au début de *L'Homme qui ment,* quant à la fin du générique il est mort et qu'une ouverture à l'iris éclaire l'image comme si le jour se levait), au fait qu'on entend un bruit de pas sur un sol dur. Or, à ce moment-là, Boris lève les yeux et on voit les futs des arbres en contre-plongée avec un des arbres qui bouge, tout simplement par l'effet du vent. Mais l'impression très forte que l'on a, à ce moment-là, c'est que déjà on entend une hache, et que l'arbre est en train de tomber. Donc, le bruit des bottes, qui est strictement identifiable, car il est impossible de frapper avec une cognée à un rythme si rapide, est déjà connoté par l'image d'un bruit de hache qui est la négation en somme du premier. C'est une chose qui me paraît importante, ces rapports troubles, dans la mesure où justement ils sont à peu près impossibles, en tout cas avec cette simplicité, à obtenir en littérature. C'est un des points à propos desquels je pourrais dire à Barilli que le cinéma met à ma disposition un matériel quelquefois extrêmement favorable à mes manipulations. Le cinéma a la possibilité naturelle de faire entendre une chose sans la dire, alors que, en littérature, seuls des travaux complexes permettront de retrouver des mutations et tremblements comparables. Prenez le cas des pas et de la hache. Si j'écris dans un texte : ces pas étaient comme une hache qui..., vous aurez vraiment un effet grossier qui enlèvera toute sa puissance énergétique à l'opération. Si je renonce à ce moyen très grossier, à ces « trois coups sonores que je frappais à la porte du malheur » *(Rires)* et, si j'essaie, par un effet rythmique, de produire cette association d'idées dans l'oreille du lecteur, à ce moment-là je vais perdre en démonstrativité ce que je gagnerais en finesse.

Renato BARILLI : Avant, il y avait une traduction de la spécificité de la littérature dans votre recherche cinématographique et maintenant, là, vous pratiquez une traduction littéraire de la spécificité du son et des autres matériaux.

Jean-Claude RAILLON : Il est clair que Robbe-Grillet, quand il parle de ses films, tient un discours plus matérialiste que quand il parle de ses livres.

Alain ROBBE-GRILLET : Oooh! *(Rires.)*

Jean RICARDOU : Précisez un peu cela, Raillon, c'est intéressant.

116

Jean-Claude RAILLON : Les propos qu'il tient à propos de son travail filmique me semblent moins investis d'idéologie que ceux qu'il tient à propos de ses livres. Cela vient peut-être du fait que le travail filmique serait davantage matérialiste dans sa manipulation que le travail scriptural qui, lui, se fait toujours dans un après-coup idéologique.

Alain ROBBE-GRILLET : Raillon a tout à fait raison : ce côté matérialiste obligé du cinéma est quelque chose qui m'intéresse et d'autant plus que, justement, ce matériau privilégié pour la modernité (en raison de sa discontinuité, par exemple) a été plus fortement pris sous la domination souveraine de l'idéologie. Peut-être que l'intérêt très fort que je prends au cinéma réside dans cette contradiction.

Jean RICARDOU : Peut-être est-ce que ce phénomène que Robbe-Grillet souligne et accepte vient du côté manipulatoire plus net du cinéma en raison de la diversité des matières mises en jeu, dont a parlé Gardies dès le début et qui a orienté tout son travail. Seulement, je me demande si la distinction que fait Gardies entre, d'une part, une sorte d'unité matérielle de l'écriture et, d'autre part, une diversité matérielle du travail cinématographique, qui est certes pertinente à un certain niveau d'analyse, ne masquerait pas en même temps, à un autre niveau, un autre phénomène : c'est que l'écriture ne travaille probablement pas non plus une matière unitaire. Le langage, tel que le pratique l'écriture, est aussi fait d'une diversité de plans matériels telle que, s'il est bon, dans un premier temps, de marquer une différence entre le texte et le film, il faudrait aussi, dans un second temps, se servir de ce que vous avez dit à propos du cinéma pour revenir sur le travail du texte et montrer qu'il y a là aussi une diversité de matières. Elle est moins visible et la manipulation n'est pas aussi franche que dans le cinéma, mais elle y est probablement aussi. Ce qui fait que, en poussant Robbe-Grillet dans cette direction, je suis certain qu'on arriverait à lui faire parler également de son texte d'une façon aussi matérialiste qu'il peut le faire quand il parle de cinéma.

Alain ROBBE-GRILLET : Bien sûr. Mais ce qui est porté à mon crédit en tant que matérialisme quand je dis comment le film est fait, se trouve souvent porté à mon débit quand je parle de littérature. Car cela est alors ramené par certains au niveau de la biographie, de l'expérience vécue, qui n'aurait, dit-on, aucun intérêt. Comme si ce matérialisme dont on me félicite en somme pour le cinéma, au moment où j'essaie de l'assumer dans le *comment* le livre a été fait, il se trouve m'être reproché comme idéalisme.

Jean RICARDOU : On peut éclaircir cela : lorsque vous donnez un certain nombre d'indications, elles constituent un matériel d'informations. Celui-ci peut être soit interprété du côté biographique, soit travaillé du côté théorique. Si, à partir de l'information que vous donnez, vous ne produisez pas la théorisation qui est ainsi rendue possible, l'information reste en l'air, en quelque sorte, et elle se trouve aussitôt reversée dans le pur biographique. Ce ne sont pas les informations que vous donnez qui gênent certains d'entre nous, au contraire : ce serait, de votre part, le défaut de théorisation correspondant.

Alain ROBBE-GRILLET : Sauf que je ne théorise jamais, moi-même, ni dans un cas, ni dans l'autre...

Jean RICARDOU : Oui : mais en raison de la multiplicité des matières au cinéma, l'activité manipulatoire est par elle-même plus visible.

Jean-Claude RAILLON : Une petite précision : le matérialisme, pour moi, n'est pas un label de qualité.

Alain ROBBE-GRILLET : C'est un point de départ quand même...

Jean-Claude RAILLON : ... c'est-à-dire que, parlant de votre travail filmique, vous vous donnez davantage les chances d'arriver à une théorisation de type matérialiste que quand vous parlez de votre travail d'écrivain.

Alain ROBBE-GRILLET : Bon.

André GARDIES : La distinction que j'ai établie concernant cette pluralité de matières vient d'une première urgence méthodologique. Mais je suis d'accord, Ricardou, sur votre remarque concernant en retour un affinement d'analyse de la matière mise en jeu en littérature.

Lucien DALLENBACH : Il me semble avoir distingué un certain flottement, justement, quant à ton opposition entre récit filmique et, disons, récit romanesque. Tu as insisté fortement et de façon tout à fait pertinente sur la différence de matières d'expression mais, par ailleurs, tu as recouru aux codes, semblant dire que le littéraire ne pourrait pas superposer les codes, alors que le film le pourrait. Alors, si tel était le cas, je crois bien que Robbe-Grillet n'aurait jamais écrit. Ce qui m'intéresse, dans l'écriture aussi, c'est, il me semble, la pratique de l'ambiguïté. Je pense donc qu'il faut insister, au contraire, sur cet étagement de codes, ainsi que Barthes l'a montré, même à propos de Balzac, en parlant de la tresse du récit.

André GARDIES : Il est évident que tout fragment écrit de quelque importance véhicule plusieurs niveaux. La différence fondamentale, du point de vue méthodologique, c'est que selon le niveau qu'on choisit d'étudier, on va pouvoir découper, dans l'homogénéité scripturale, des segments qui correspondent aux codes, alors que cela est absolument impossible au niveau du cinéma. C'est cela que je voulais souligner surtout.

Lise FRENKEL : J'aimerais revenir au codex. Ce codex est un des codes du film : je voudrais donc le décomposer en *code* et en *ex*. L'ex, c'est l'ex-mari, c'est-à-dire le thème de l'usurpateur et, à ce propos, je ne suis pas d'accord avec vous : plutôt qu'à une structure en abyme, je pense qu'il s'agit d'une structure obsessionnelle donnée par le déroulement, l'effeuillement des pages où ne revient qu'une seule image, celle de Jean Robin. Peu importe qu'il soit enfant, que ce soit une vision diachronique de sa vie : ce qui importe, c'est la répétition. Ce photogramme vous avez eu raison de signaler qu'il est très important dans le film. La photo de Jean Robin sur le mur je pense qu'elle se situe dans différentes scènes. D'une part, il y a la photo des mariés, Jean Robin et Laura : et je crois que le problème de Boris, c'est d'usurper la place de Jean Robin en 'marié. D'autre part, il y a la photo de Jean Robin qui se trouve au-dessus du lit au moment où Boris viole la sœur de Jean Robin. Et aussi, la photo de Jean Robin qui se trouve dans la salle à manger au moment du repas...

Jean-Christophe CAMBIER : On ne comprend pas : on n'a pas vu de viol...

Lise FRENKEL : Bon, le viol, vous savez, j'emploie le mot viol... à moins qu'on puisse employer le mot de baisage dans ce colloque. *(Rires.)* Ce que je voulais dire, c'est que la photo de Jean Robin se trouve aussi dans la salle à manger au moment où Boris se fait servir par la servante Marie et au moment où il prend la place du maître. Le thème de l'usurpateur est donc bien indiqué comme code dans le codex.

Dominique CHATEAU : J'ai entendu successivement le photogramme de Jean Robin et la photo de Jean Robin. Je crois que cela résulte d'un flottement dans le texte de Gardies. Il faudrait distinguer le photogramme, la photo et le plan. On peut très bien assimiler le photogramme à la photo : on peut très bien tirer d'un photogramme une photo. Mais, dans le film, la photo et le photogramme ne fonctionnent pas du tout de la même manière. On pourrait distinguer trois sortes de cinéma : premièrement, un cinéma de la photographie, *La Jetée,* par exemple, de Chris Marker, suite de photographies fixes dont la fixité justement n'est démentie qu'à un seul moment au milieu du film par un imperceptible battement de paupières; deuxièmement, un cinéma du photogramme, par exemple le film d'un cinéaste américain dont je ne me rappelle plus le nom, qui a fait un voyage en Europe et qui a monté les uns à la suite des autres les photogrammes qu'il a pris dans cette espèce de film de vacances. La différence avec le cinéma de la photographie, c'est qu'un film comme celui de Chris Marker conserve la photographie et permet d'identifier ce que Pasolini appelle les cinèmes dans les plans, tandis que le cinéma du photogramme ne permet plus d'identifier des cinèmes : on a affaire à un scintillement. Troisièmement, le cinéma du plan, cinéma de Robbe-Grillet qui inclut, à un certain moment, le cinéma de la photographie et, à de rares moments, le cinéma du photogramme. Le cinéma du plan lui a, d'une part, la dimension des cinèmes de ces objets qui sont dans le plan et, en plus, la dimension du mouvement dans le plan que Eco appelle, je crois, les kinémorphèmes.

Lucien DALLENBACH : Pourrait-on préciser ce qu'est un photogramme...

Dominique CHATEAU : Le photogramme, c'est l'une des images de la pellicule arrêtée.

André GARDIES : D'une certaine manière, tu as raison : la formulation ici n'est peut-être pas suffisamment rigoureuse, puisque ce qui me paraissait suffisamment clair a prêté à confusion. Quand j'ai parlé des photos qui fonctionnent comme des photogrammes, je voulais dire que cette photographie peut trouver, à un moment donné, un équivalent exact avec un photogramme extrait d'un plan ou d'une séquence.

Dominique CHATEAU : Oui, parce que, évidemment, c'est la répétition d'un photogramme identique à lui-même pendant un certain temps qui produit..

André GARDIES : Le problème, c'est plutôt de l'isoler matériellement. Si je l'avais isolé, j'aurais eu un photogramme, voilà pourquoi j'ai employé ce terme.

Olivier VEILLON : La démarche de Lise Frenkel consiste en la reconstitution d'une diégèse idéale à un film non narratif, une tentative de remise en ordre du film de Robbe-Grillet, c'est tout.

André GARDIES : Un point sur le codex : quand vous dites qu'il n'y a pas de mise en abyme, mais plutôt, en effet, une structure obsessionnelle, je crois qu'il faudrait définir ces termes. Comme je l'ai dit, je me suis référé ici à Ricardou. Ricardou définit la mise en abyme de façon très précise par trois fonctions. Or, quand je regarde le film, je vois apparaître ces trois fonctions, donc je parle d'une mise en abyme.

Lise FRENKEL : Moi, je vois une structure obsessionnelle, et je crois l'avoir indiqué, dans le codex.

André GARDIES : Je ne pense pas utile de se livrer maintenant à diverses interprétations du film, ni que chacun, à partir d'un détail, reconstitue le film à sa manière. Mais j'aurais aimé que vous me prouviez où vous repérez la structure obsessionnelle dans le film.

Lise FRENKEL : Dans la succession des photos du même, dans cette séquence..

André GARDIES : Ce n'est pas probant.

Lise FRENKEL : Dans cette séquence, c'est-à-dire l'effeuillement des pages du codex qui répète éternellement la photo du même.

Alain ROBBE-GRILLET : Un mot sur le codex puisqu'on en parle. Le codex est un des lieux du film où s'affirme la différence de statut entre Boris et son double. Leur degré de personnalité, si vous voulez, n'est pas le même. Cela me paraît signalé ici de façon précise : alors que Trintignant est un personnage sans passé (il ne vient que de la forêt, il retourne à la forêt et rien n'a pu lui arriver en dehors du film), Jean Mistric, l'acteur qui joue le rôle de Jean, a au contraire été affublé de certaines caractéristiques du personnage de film traditionnel. Il possède un passé et on n'a pas assez insisté là-dessus : il y a dans le codex des photos de lui qui viennent du film (je dis bien photo parce que ce ne sont pas des photogrammes), mais aussi toutes les photos de famille du véritable Jean Mistric (avec son père, à sa première communion, etc.) et enfin des photos de famille trafiquées par moi, représentant le mariage de Jean Mistric avec Laura, qu'on n'a jamais vu dans le film, et fournissant en somme une diégèse hors-film. Les photos de Jean dans le film commencent par l'image du héros national, celle qu'on voit partout dans le village, puis Trintignant intervient, comme s'il était en train, déjà, de tenter cette usurpation qu'il est constamment en train de pratiquer d'un bout à l'autre du film. Cela nous ramène encore à ce que vous avez signalé, la lutte pour l'occupation de l'espace, qui est évidemment le problème fondamental de *L'Homme qui ment*. A l'intérieur de cette personnalité, Trintignant essaie de s'insérer : il est celui qui veut avoir un passé, en somme : le héros de Robbe-Grillet qui essaie d'accéder au statut de héros balzacien.

Paul JACOPIN : J'ai l'impression que le codex est une

espèce de faux micro-récit dans le film, une espèce de vérité ou de récit quelconque comme si on avait dit : Eh bien, vous voulez un récit, il est là.

André GARDIES : J'ai essayé de montrer cette double articulation du segment du codex; il est d'une part une mise en abyme provoquant une lecture transversale, qui renvoie à tout le film (et, en même temps, j'ai précisé que, s'il était une mise en abyme simple, il serait une excroissance qu'on pourrait enlever du film sans dommage) et, d'autre part, un segment articulé à l'ensemble des autres segments.

Alain ROBBE-GRILLET : En insistant sur ces photos d'enfance de l'acteur, on lui a donné quand même un rôle particulier, lié à ce que je faisais remarquer à propos de la métaphore de l'arbre : le père comme arbre, c'est l'arbre généalogique. Jean Robin a un père, Boris Varissa n'en a pas, et c'est comme s'il essayait d'en avoir un.

Paul JACOPIN : Est-ce qu'on pourrait appeler cela un rôle critique?

Alain ROBBE-GRILLET : Oh, critique... tout est critique dans ce film, le montage critique tout.

Lise FRENKEL : Vous avez beaucoup parlé de son, mais je pense qu'on pourrait se référer à ce qu'a dit Robbe-Grillet sur la fonction du son dans *Glissements*. Je vais donc lire rapidement les pages 126 et 127 de *Glissements* : il s'agit du moment où Alice se barbouille de rouge et, ensuite, dialogue avec la bonne sœur. On entend off une scène de lavage avec eau qui coule, douche, etc.

Dans le cas présent, comme Alice devrait se laver et sans doute va le faire bientôt, il s'agirait davantage d'une liaison métonymique! Bien entendu, chaque type de liaison peut subir des glissements vers les autres catégories (...) par exemple, les bruits de robinets ne sont aussi bien qu'une métaphore ironique de la purification de l'âme.

Alain ROBBE-GRILLET : Oui, vous avez vu la plaisanterie. C'est à cet endroit, à propos de métaphore et

métonymie, que je voulais mettre entre parenthèses :
« Merci, Monsieur Jakobson. »

Lise FRENKEL : Et pour en terminer avec les plaisanteries de *Glissements :* au moment où Alice dit au juge : « laisse tomber », on entend le bruit de quelque chose qui se casse.

Dominique CHATEAU : Il y a tout au long de ce colloque une question : faire de la théorie générale, élaborer des systèmes formels à propos de l'œuvre de Robbe-Grillet, est-ce licite? N'est-ce pas trahir cette œuvre dans sa singularité? Wittgenstein disait : la forme est la possibilité de la structure. Je vais montrer, en complétant quelques remarques de Gardies, que *L'Homme qui ment* nous induit par sa structure même à retrouver le système formel qui la conditionne, système général en même temps que singulier. Toute vision et audition, attentives et réitérées de ce film, amènent les quatre réflexions suivantes. Premièrement, le nombre des sons employés est peu important : j'en ai dénombré 44. Deuxièmement, leur quasi-totalité est donnée dans la première bobine. Troisièmement, la majorité d'entre eux a plus d'une occurrence. Quatrièmement, en général, une seconde occurrence ne respecte pas les liaisons audiovisuelles de la première. Prises séparément, ces observations sont peu pertinentes : on pourrait conclure à la pauvreté du matériel sonore rapidement épuisé, d'où la répétition en même temps que la variation pour éviter l'ennui. Articulées les unes sur les autres, au contraire, ces observations sont, à mon avis, pleines de conséquences. Robbe-Grillet et Fano travaillent sur une collection de sons bien contrôlée et circonscrite, réunie au début du film pour en poser la matrice, distribuée par la suite en combinaisons diverses, mais libres de figurer dans tout contexte possible. Ces diverses règles de travail sont à mon avis celles de Robbe-Grillet dans sa pratique d'écrivain et de cinéaste. Elles sont à la fois contraignantes, permettant la créativité dans un univers matériel et thématique délimité, excluant toutes sortes d'éléments que le hasard de la vie fait surgir dans les films narratifs. Elles sont en même temps libres, permettant la créativité au niveau de la structuration et excluant le retour exclusif au code narratif. L'effet théorique de cette pratique est de multiplier les événements structuraux dans un processus combinatoire déterminé et, du même coup, de conférer à *L'Homme qui ment* le statut d'un laboratoire sémiotique. Donc, s'il est vrai que *L'Homme qui ment* donne au spectateur-auditeur, lors d'une première vision-audition, je l'ai éprouvé moi-même, l'impression confuse d'être perdu dans un labyrinthe, il ne faut pas chercher à sortir de ce labyrinthe, mais il faut en chercher le fil d'Ariane. Quelqu'un, au début de ce colloque, avait critiqué les théoriciens qui cherchent le fil d'Ariane, dans le sens où Wittgenstein, encore, disait : « il y a quelque chose qui court tout au long du fil, c'est la superposition ininterrompue de ses fibres ».

D'autre part, je voudrais intervenir à propos du schéma. Pour une fois, je crois que voilà un schéma pertinent (*Rires*), parce qu'il ne prétend pas remplacer la démonstration, mais simplement la visualiser, exactement comme la figure illustre la preuve en géométrie, comme chacun sait. Deux choses toutefois me gênent. D'une part, ce schéma qui s'apparente à la diérèse platonicienne, comporte quelques irrégularités qui semblent contester de l'intérieur le double principe régulier exhaustif de l'arbre dichotomique. Les flèches non rectilignes, il y en a beaucoup, montrent ces flottements en même temps qu'elles entraînent l'ensemble de l'édifice dans un processus auto-contradictoire. En suivant l'arborescence qui part du son « IN » et parcourt la chaîne synchrone — non identifié — source sonore « off », on se retrouve soudain transporté de l'autre côté, c'est-à-dire du côté du son « OFF », alors même que toute l'opposition, tout l'édifice repose sur l'opposition son « IN » versus son « OFF ». D'autre part, je vois quelques raisons qui militent en défaveur du couple « IN » « OFF » lui-même, pour résumer : est « IN » ce qui est dans le champ, « OFF » ce qui est hors-champ. On admet donc d'emblée une subordination du son à l'image, c'est-à-dire le dogme du réalisme sonore. On prend exclusivement en considération les sons suscités par l'image ou par l'environnement immédiat qu'elle présuppose, suggère ou annonce. Dans la mesure où Gardies échappe largement à cette dernière critique, dans son analyse textuelle, je veux lui demander pourquoi il a conservé le couple incriminé.

André GARDIES : Il y a deux types de reproches. D'une part, le fait d'avoir privilégié la distinction « NF », « OFF », qui établirait une subordination du son à l'image. D'autre part : un flottement dans la structure même du tableau. Je réponds d'abord sur le premier point.

Dominique CHATEAU : Les deux choses peuvent être liées, c'est peut-être à cause du point de départ que finalement il y a le flottement à propos d'un film de Robbe-Grillet comme *L'Homme qui ment*.

André GARDIES : Alors je voudrais bien préciser dans quelles conditions j'ai été amené à cette élaboration. J'ai considéré le film, j'ai noté un certain nombre de choses, ensuite je me suis trouvé face à des rapports son/image qui étaient extrêmement différents les uns des autres : j'ai essayé de les regrouper en fonction de traits pertinents. Le problème est donc de savoir quelle est la pertinence de ces traits : ce qui m'a paru le plus simple, dans l'immédiat, a été de les grouper par couples d'oppositions. Et, bien entendu, ce qui est intervenu tout de suite dans mon travail, ce sont ces flottements. Et ce n'est pas un hasard si cette flèche qui fait communiquer les deux parties séparées, je l'ai écrite en trait appuyé et même en rouge sur le tableau. Ce qui a été démontré, c'est donc l'impertinence du tableau parce qu'il est lié au cinéma narratif classique. Bref, il est évident que, dans *L'Homme qui ment*, il n'y a plus de dépendance du son à l'image. Pourquoi ce tableau ne fonctionne-t-il plus? Parce que sont en jeu à l'intérieur du film des procédures radicalement nouvelles et différentes. Ce tableau a donc une valeur normative, mais provisoire.

François JOST : Je voudrais faire deux remarques de détail. La première, c'est que Gardies a présenté un tableau assez joli, mais au moment où il a pratiqué l'analyse textuelle et où il aurait pu s'en servir, il ne s'en est pas servi. Quand il a parlé de la cérémonie, il a parlé de jeux de rappel qui entraient tout à fait dans les cases qui avaient été définies. Prenons l'exemple des sons différés. Lorsque Trintignant arrive dans le film, il y a un entrelacement avec Laura, cela tout le monde l'a remarqué, il y a un entrelacement avec le colin-maillard. A ce moment-là, on entend des bruits de chaînes puis, lors de sa progression, sur une nouvelle image du colin-maillard, il y a un bruit de hâche sur le billot et, enfin, quand il arrive au château, il y a, comme l'a dit Fano l'autre jour, un coup de ciseaux. C'est finalement cet entrelacement d'images avec les sons connexes qui va donner cette scène de la cérémonie qui peut paraître totalement hétérogène au film.

André GARDIES : D'accord avec la remarque qui souligne que je n'ai pratiquement pas utilisé le tableau. J'en ai déjà, en partie, donné la raison tout à l'heure. C'est une question d'urgence : il s'agissait de poser un certain nombre de problèmes, et je ne prétends ni avoir apporté les réponses, ni avoir posé tous les problèmes. J'ai choisi de poser un certain nombre de problèmes : celui de la substance par exemple. Pour prendre un exemple précis, je dirai que, dans la séquence de Maria punie (l'analyse fait six pages, elle est on ne peut plus sommaire), j'ai essayé de cerner l'origine textuelle de l'effet érotique. Cela vient d'un double conflit : d'une part le conflit diégétique de la fiction (Maria et ses deux maîtresses, rapports sadiques) mais cela j'aurais pu le dire aussi bien à propos d'un film narratif classique et, d'autre part, ce qui est tout autre chose, l'hypothèse que l'érotisme proviendrait du conflit littéral.

François JOST : Ce n'est pas un reproche de ma part. Ce que je trouve intéressant c'est que cette association son/image se fait complètement à l'insu des acteurs : c'est quelque chose d'extérieur à leur discours, le son, qui amène l'érotisme.

Alain ROBBE-GRILLET : Cette séquence de Maria punie, qui est pour moi très importante, a été comparée par Gardies à une autre séquence d'un autre film et à plusieurs autres séquences de ce film. Il y a effectivement ces rapports; néanmoins cette séquence s'oppose assez nettement à celles auxquelles il l'a assimilée. Je prends l'exemple de la danse de Catherine Jourdan dans le feu. Bien que la fonction érotique soit présente dans les deux séquences, elle est fondamentalement différente dans l'une et dans l'autre. Dans la séquence de Maria punie, la fonction érotique est produite par ce que j'appelle l'énergie du montage : montage image et montage sonore. Au contraire, la danse du feu de Catherine Jourdan, dans *L'Eden,* est comme un entr'acte : le moment où l'on passe les glaces et les rafraîchissements. Du point de vue du montage, ces deux séquences s'opposent radicalement : la danse de Catherine Jourdan est ce que j'appellerai un système au repos, c'est-à-dire, pour en revenir à la théorie de l'information, un espace où l'information est extrêmement faible et la signification extrêmement forte. J'ai tourné cela de façon en somme confortable, en filmant, sous différents angles une fille qui danse dans les flammes. Ce n'était pas confortable pour elle, puisqu'elle s'est brûlée, mais c'était confortable pour le cinéaste. Les raccords ont été opérés ensuite, non pas tout à fait sous la forme du raccord juste traditionnel, mais sous la forme de ce que Gardies a appelé le semi faux raccord, qui peut se ramener plus ou moins à l'ellipse ou des procédés analogues dans le cinéma commercial. La narration, dans ce passage, fonctionne aussi de façon très rassurante : un complot se trame pour le rapt de la danseuse qui, effectivement, est enlevée par des cavaliers arabes. On est là dans le stéréotype du film d'aventures et pour cette raison le code du montage est respecté. Ici, je préciserai que le code du montage, tel qu'il est appris dans les écoles de cinéma, est un système dans lequel aucune apparition d'énergie n'est recherchée. Au contraire, le montage qui m'intéresse est un montage où chaque collure entraîne une production énergétique. Pour obtenir cet effet à son maximum dans la séquence de Maria punie, je veux dire comment j'ai procédé. J'ai tourné une série de plans impossibles à raccorder entre eux, si bien que c'est le travail du montage qui est primordial. J'ai tourné cinq plans d'ensemble de cinq scènes : l'accusation, le plaidoyer, l'imploration, le verdict et l'exécution. Puis, à l'intérieur

128

de chaque scène, une série de gros plans qui ne présentent aucune possibilité de raccord : gestes, objets, détails divers. Ce matériel oblige à réaliser un montage improbable qui, lui, va dégager une très forte énergie. J'entends Rybalka qui demande de préciser ce que j'entends par énergie. Mais je ne le saurais pas, justement, parce que c'est là que se situe mon travail...

André GARDIES : Une simple précision, il est évident que, quand j'ai rapproché ces différentes séquences, c'était du seul point de vue de l'excroissance.

Alain ROBBE-GRILLET : C'est exact.

François JOST : Je demanderai à Gardies si ce qu'il a défini comme synchronisme ne se rapportait pas précisément à ce concept d'énergie. Lorsqu'il a parlé de synchronisme défini par rapport à un geste dans l'image, un synchronisme un peu vague et métaphorique, je me demande si ce ne serait pas l'énergie...

André GARDIES : Cela rejoint un problème méthodologique fondamental : comment caractériser un son ? Je ne dis pas comment le nommer, mais bien comment donner les caractéristiques d'un son : si je dis « c'est le son du tom tom », je réintroduis un contenu anecdotique. J'aurais le même phénomène avec les gestes : si je dis « lève le bras », je réintroduis un contenu anecdotique. Il y a là un problème majeur, massif, sur lequel, pour l'instant, j'achoppe totalement. Cela dit, quand j'ai parlé de synchronisme, j'ai voulu mettre en évidence le problème suivant : dans le cinéma narratif classique, la notion de synchronisme recouvre deux notions superposées : la simultanéité et l'identité référentielle. C'est le cas typique du son IN synchrone : la source sonore est visible à l'écran et si, par exemple, je laisse tomber ce briquet et qu'on entend le bruit du briquet, j'aurai synchronisme, mais en même temps il y aura concordance entre la dimension référentielle de l'image et la dimension référentielle du son. Si, au lieu de faire entendre ce bruit de briquet, je fais entendre un tintement de cloches, ce tintement aura bien, lui aussi, une valeur référentielle (puisque je l'identifie comme tintement de cloches), mais alors il ne correspondra pas à la dimension référentielle de l'image. Le problème est donc de bien établir une distinction entre les sons référentiels.

Jean-Christophe CAMBIER : Je me demande si ce problème est gênant dans la mesure où, Fano le rappelait dans sa communication, lorsque le cinéma traditionnel fait entendre un bruit de porte, peu importe si cette porte est la porte considérée. Le caractère artificiel est déjà très net là et la concordance référentielle est toujours plus ou moins approximative.

André GARDIES : Oui : la valeur iconique d'un son ne peut se comparer au niveau de la perception avec la dimension iconique d'une image. Il y a là une espèce de béance qui marque la nécessité d'une conceptualisation.

Alain ROBBE-GRILLET : Pouvez-vous essayer de préciser, Jost, cette chose que nous pressentons, qu'on peut appeler l'énergie, ou pensez-vous qu'il faut mieux que ça reste...

François JOST : Je crois qu'il faut mieux que ça reste...

Jean RICARDOU : Disons plutôt que c'est un problème à travailler alors...

François JOST : D'accord : c'est un problème à travailler.

Michel RYBALKA : Est-ce que ce phénomène n'est pas lié à la surdétermination?

Alain ROBBE-GRILLET : Je pense que les productions énergétiques peuvent être reliées à des champs différents. Les écarts par rapport à la norme du montage sont des façons de produire de l'énergie, mais il y a d'autres façons et, peut-être, en effet, la surdétermination en est également une. En revoyant *Glissements* et *L'Homme qui ment,* j'ai constaté qu'il y a, dans les deux films, des passages où la production énergétique m'a semblé très forte et où, par conséquent, j'étais content. Inversement, les passages volontairement inertes ne me dérangent pas, dans *l'Eden,* mais je sais qu'ils ont dérangé beaucoup de spectateurs avertis. J'ai cité la danse du feu, mais il y a aussi la lutte des deux garçons dans l'eau : cela ne me dérange pas dans la mesure où c'est voulu. Ce qui me dérange, en revanche, dans mes propres films, c'est quand la production d'énergie qui aurait dû être forte ne fonctionne pas bien.

Jean-Christophe CAMBIER : J'en reviens au mot de substance : en quel sens l'entends-tu?

André GARDIES : Au sens de Hjelmslev corrigé, disons, par Christian Metz.

Dominique CHATEAU : Ce n'est pas la matière au sens de Hjelmslev, donc ce n'est pas la substance au sens de Saussure : c'est la substance au sens de Hjelmslev, c'est-à-dire la matière déjà transformée par la forme...

Alain ROBBE-GRILLET : Hélas, oui. Ce qui souvent nous rend incompétent, ce sont ces variations de terminologie d'un penseur à l'autre auxquelles vous êtes plus habitué. C'est, en somme, le modèle 1933 modifié 1948 avec l'apport qu'implique 1975 (*Rires*).

Jean-Christophe CAMBIER : Ma deuxième question concerne *Glissements* : vers la fin du film, il y a une scène où ce personnage ambigu (c'est peut-être un greffier) ouvre la porte et la lumière diffusée dans la pièce est bleue. A ce moment, vient se greffer un bruit maritime et, si je ne me trompe pas, on a un enchaînement avec une séquence maritime...

Alain ROBBE-GRILLET : On n'a pas un enchaîné mais, effectivement, le bleu a été étalonné de façon qu'il y ait un passage vers le plan suivant où Anicée Alvina regarde la mer, le raccord étant anticipé par les cris de mouettes...

Jean-Christophe CAMBIER : Alors ici, on a un effet madeleine, c'est-à-dire l'agression d'un ici par un ailleurs. Mais est-il pertinent de parler, à propos d'un film, de métaphore structurelle, de paronomase transitaire et d'utiliser, en somme, le vocabulaire ricardolien concernant le texte? Au niveau de la mise en abyme, le problème est résolu dans la mesure où ce vocable général désigne aussi bien des phénomènes pictographiques que littéraires ou cinématographiques mais, pour de tels concepts, je me demande ce que vous pouvez en faire.

André GARDIES : Ma réponse va être extrêmement

évasive. Ce dont je me rends compte c'est surtout d'une réelle absence de conceptualisation sur ces phénomènes du cinéma.

Jean-Christophe CAMBIER : Refuseriez-vous d'utiliser ces concepts provisoirement?

André GARDIES : Je ne sais pas : on se trouve devant de tels problèmes, comme celui de la simple notation des gestes, qu'il reste un énorme travail à faire.

Alain ROBBE-GRILLET : Je voudrais ajouter ceci : assimiler ce raccord de *Glissements* à un effet madeleine, c'est un peu le simplifier. Le palier ce n'est pas un ici : c'est un lieu très particulier. La porte de l'appartement n'est jamais apparue de l'extérieur dans tout le film : c'est tout d'un coup, à la fin, que cette porte arrive comme ponctuation et, derrière cette porte, figurent, par une série de raccords truqués, des lieux divers qui sont la falaise, comme vous l'avez dit, mais aussi, une autre fois, le jugement, etc. Ensuite on comprend que c'est le palier de l'appartement : c'est seulement à la deuxième vision du film que vous savez tout de suite. La première fois qu'on voit ce personnage devant cette porte, il est impossible de savoir que c'est la porte de l'appartement.

Jean-Christophe CAMBIER : Si je ne me trompe on voit, dans les images qui précèdent, ce même personnage déposer une clef sous la porte...

Alain ROBBE-GRILLET : Oui, mais on ne sait pas la porte de quoi...

Jean-Christophe CAMBIER : Si, parce que c'est rapporté tout de suite par le spectateur à cette histoire de fausse clef lancée par Alvina dans sa discussion avec le juge d'instruction...

Alain ROBBE-GRILLET : Ah, un spectateur particulièrement malin, peut-être... C'était moi qui sous-estimait le spectateur. Donc c'est encore mieux que ce que je croyais...

Jacques LEENHARDT : Chateau a remarqué que tu avais pris le film comme objet sémiotique. Tu as souvent dit : « tel travail produit du sens ». Il y avait donc des atomes de sens produits, et il me semble bien que le sens produit soit, à chaque fois, celui de la déconstruction de l'illusion référentielle. Alors ma question est la suivante : l'addition de tous ces fragments de sens, chacun étant une déconstruction de l'illusion référentielle, produit-elle, dans l'ensemble du film, un sens qui n'en est que l'addition, à savoir destruction, ou bien produit-elle autre chose et, dans ce cas, que peut le discours sémiotique développé pour en rendre compte ?

André GARDIES : J'ai pris en effet le film comme objet sémiotique : en particulier dans la première partie de l'exposé, où j'ai bien dit que ces remarques générales parleraient indirectement des films de Robbe-Grillet. Mais dans la troisième partie, la brève esquisse analytique de la séquence de Maria punie me semble, cette fois-ci, ne plus tout à fait prendre cette séquence comme un objet sémiotique. En réduction, dans les limites de la vingtaine de pages que suppose une communication, j'ai essayé alors, après avoir considéré le film comme objet sémiotique afin de constituer un matériau, de lire le fonctionnement du film par de fulgurantes accélérations systématiques. Quant à la question : est-ce que l'addition de fragments de sens produit autre chose que la simple déconstruction ? ... ce qui me gêne, c'est cette idée d'un sens.

Jacques LEENHARDT : Je précise : est-ce qu'il y a quelque chose qui serait l'ensemble du film ou est-ce qu'il n'y a que les procédures que tu as repérées à chaque moment ?

André GARDIES : Le point de départ qui est le mien, c'est le film point par point, pas forcément dans l'ordre chronologique. Ensuite qu'est-ce qui peut se dégager ? Eh bien disons que, pour l'instant, la notion d'addition ne se pose pas. Qu'est-ce qui se pose à la place ? J'avoue que c'est un travail qui est en cours et je préfère ne pas répondre là-dessus.

Jacques LEENHARDT : Je veux dire par là qu'il y a méthodologiquement, dans l'approche sémiotique, la mise entre parenthèses de la question de l'ensemble. Je t'interroge en somme au niveau de ta méthodologie. Acceptes-tu cette mise entre parenthèses ? La penses-tu fondamentale ?

Jean RICARDOU : Qu'entends-tu, exactement, ici, par addition et par ensemble?

Jacques LEENHARDT : Le film commence à un moment donné de l'histoire de chaque spectateur et se termine à un autre moment. Celui-ci peut repérer un certain nombre de procédures qui forment un ensemble...

Jean RICARDOU : Je dirais pour ma part que c'est une production : non pas quelque chose qui se résume dans une somme, mais quelque chose qui se transforme...

Jacques LEENHARDT : Une production sans produit? C'est un concept difficile.

Dominique CHATEAU : A moins d'en rester à l'associationisme de Stuart Mill, on peut dire que le sens global, ce n'est certainement pas l'addition des sens : la concaténation de deux signifiés est toujours inférieure ou égale au signifié ou au sens de la concaténation. C'est ce qu'a dit Eisenstein. Le sens d'une séquence de plans par exemple, ce n'est pas l'addition du sens de chacun des plans, mais bien plutôt son produit.

Jacques LEENHARDT : Je ne m'associe évidemment en aucune manière à l'addition : elle est justement pour moi totalement inopérante.

Andrée GARDIES : Je précise bien que, dans ma communication, il y a deux parties. D'une part, en raison, me semble-t-il, de l'insuffisance des travaux concernant certains secteurs de cinéma, il y a la constitution d'un matériau qui va me permettre de cerner à différents niveaux un certain nombre d'éléments pertinents et de prendre le film comme objet sémiotique. D'autre part, une tentative, en somme, de répondre à une question toute bête : quand je regarde Maria punie, qu'est-ce qui fait que ça fonctionne pour moi? C'est entre cette constitution du matériau et cette réponse à la question que se situe une espèce de vide qui désigne précisément le lieu d'un travail à faire.

Jacques LEENHARDT : Une deuxième question. Elle concerne la remarque précédente de Raillon parlant du matérialisme. Je m'interroge sur la valorisation implicite qu'il y avait, dans l'intervention de Raillon, concernant ce mot matérialisme conçu comme manipulation. Je crois qu'il faut absolument être sensible au fait que la manipulation dont il s'agit, dans un travail de construction, de montage, n'est pas moins illusionniste que l'effet de réalité produit par le film traditionnel. Il s'agit simplement d'un autre type de travail, d'un autre type d'illusionnisme...

Alain ROBBE-GRILLET : L'illusion c'est toujours l'illusion de quelque chose. Dans l'effet de réel du cinéma traditionnel, on sait très bien de quoi est l'illusion. S'il s'agit d'un nouvel illusionnisme, c'est l'illusion de quoi ? Dites-le, sinon du texte lui-même.

Jacques LEENHARDT : La manipulation produit du sens, comme la diégèse traditionnelle produit du sens. L'un et l'autre sont illusionnistes dans la mesure où ils ne sont pas...

Alain ROBBE-GRILLET : Non justement : le montage traditionnel, qui respecte la continuité et la causalité diégétiques ne produit aucun sens, puisque le sens existe déjà avant. Quand vous faites un montage selon les normes qu'on enseigne dans les Ecoles de cinéma, le sens est justement ce qui organise le montage. Alors que, au contraire, dans le travail du film, comme dans le travail de la littérature, c'est le travail même qui produit du sens, *des* sens, mouvants et qui n'avaient aucune espèce d'existence auparavant. C'est la grosse différence.

Jean RICARDOU : C'est cela. Mais j'ajoute que, dans les deux cas, il s'agit de manipulation. Dans le cas du film ou du texte traditionnels, reproduire le sens, pour la manipulation, c'est se dissimuler, précisément, comme manipulation. Dans le cas du texte ou du film modernes, la production du sens se marque parce que la manipulation se montre comme manipulation et qu'elle débouche sur une exigence nouvelle : celle de la théorisation.

Jacques LEENHARDT : J'ajouterai simplement que, lorsque le film traditionnel se donne pour réalité, il ne l'est pas pour autant. Il manipule déjà un deuxième degré. Alors, je ne crois pas qu'il y ait lieu de distinguer ici radicalement sauf, alors, dans la mesure où comme le dit Jean, il s'indique comme exigence du théorique.

Alain ROBBE-GRILLET : La différence est énorme : le cinéma traditionnel marque l'expression d'un sens idéologique alors que l'autre, au contraire, assure la production d'un sens ouvert et, à première vue en tout cas, irrécupérable.

Jacques LEENHARDT : Mais le travail qui consiste à se désigner soi-même comme sens ouvert est un sens : il n'y a pas de lieu où l'on ne produise du sens.

Alain ROBBE-GRILLET : Si vous aviez été là dans les premiers jours, vous sauriez qu'on a longuement débattu de ces rapports du travail avec le sens, et comment le travail textuel, qu'il soit cinématographique ou littéraire, se refusait absolument à l'évacuation définitive du sens, qui du même coup aurait évacué le travail...

Jacques LEENHARDT : J'aurais été d'accord.

Tom BISHOP : Je voulais revenir sur la question des parallélismes possibles entre les procédés filmiques et littéraires. Gardies a très bien souligné le fait que, dans *L'Homme qui ment,* il s'agit d'un langage tout à fait différent et qui n'est pas une traduction filmique. Je me demande si certains équivalents ne se rencontreraient pas plutôt dans certains procédés de narration au conditionnel.

Alain ROBBE-GRILLET : De toute façon, je ne tiens absolument pas aux équivalences puisque je fais *et* des films *et* des romans. Je crains que le parallélisme ne soit toujours plus ou moins métaphorique et illusoire. J'ai dit seulement que si on pensait le cinéma à partir du mode de production écrite, on trouve évidemment le cinéma malhabile, gauche. Au contraire, si l'on commence pas s'intéresser aux films et qu'on aborde la littérature à partir de toutes les possibilités de manipulation structurale du film, c'est la littérature qu'on trouve gauche quand elle essaie de reproduire les mêmes effets. Pour moi, l'effet est toujours lié au matériau même et, par conséquent, il n'y a de comparabilité possible entre les effets qu'à un niveau très global.

André GARDIES : L'idée même de parallélisme me

paraît quelque chose d'extrêmement dangereux lorsqu'il s'agit de tisser le lien entre film et roman : des précautions fondamentales doivent être prises. C'est ce que j'ai essayé de faire en soulignant, d'emblée, la spécificité d'un matériau : il s'agit de ce que j'appelle une urgence méthodologique.

Alain ROBBE-GRILLET : Oui. Il y a même un point de l'histoire de la critique cinématographique qui est vraiment à signaler ici : il s'appelle Christian Metz. Paradoxalement, le premier penseur qui a vraiment essayé de formaliser d'une façon précise les problèmes du cinéma est malheureusement un penseur qui ne s'intéressait qu'à un type de cinéma, celui qui reproduisait les structures romanesques du XIXᵉ siècle. La grande syntagmatique de Christian Metz est un objet magnifique et inutile dans la mesure où, justement, il ne peut parler que du cinéma qui n'a pas d'intérêt. Ce qui est intéressant, c'est de partir des travaux de Christian Metz et de réinvestir le même type de préoccupations dans un cinéma qui s'affirmerait pour la première fois vraiment comme cinéma. A partir de ce moment-là, la notion de syntagme basculerait peut-être de façon dangereuse.

Marco VALLORA : Gardies a très bien démontré que la vraie histoire de *L'Homme qui ment*, c'est un effet du processus du récit, le trajet de l'écriture filmique. Donc, je me pose cette question : en vérité, on peut dire que c'est la caméra et non le soldat qui menace et persécute. Il y a un rapport sado-masochiste. Les rapports de la caméra et de Boris sont effectivement des rapports de création/destruction. Quand Boris fuit dans la forêt, au début, il ne fuit pas les soldats, il devance la caméra...

André GARDIES : La série des spectres, le spectre de Jean...

Alain ROBBE-GRILLET : Quand il recule devant le spectre du tsar assassiné, dans la grande scène dite de Boris Godounov, c'est la caméra, en réalité, qui le poursuit. Ou encore, quand il se donne en spectacle sous la forme d'une scène de théâtre, je pense à la chambre où il se réveille dans le lit de la servante en face du père, du valet et de la servante elle-même, qui sont ses juges; alors la caméra est fixe et on entend, pour ouvrir la scène, un bruit de rideau qui s'ouvre, puis les bruits d'une salle, les fauteuils qui craquent, les gens qui rient, etc. Ce sont des silences qui ont été enregistrés dans une pièce de Pirandello à l'Odéon. Là, Boris ne peut pas s'échapper : la caméra s'est arrêtée et l'a pris au piège. Il est obligé de jouer et de faire face.

Marco VALLORA : La caméra veut figer, elle sait la vérité, et le personnage, lui, veut glisser.

Alain ROBBE-GRILLET : Ah oui, tout à fait d'accord. Mais je n'emploierais pas ici le terme de sado-masochisme.

Marco VALLORA : C'est important tout de même, parce que Trintignant va aussi chercher la caméra.

Alain ROBBE-GRILLET : Il va la chercher? A quel moment?

François JOST : Quand il remet sa chaussure : il relace sa chaussure, le travelling continue et il est obligé de courir pour rattraper la caméra...

Alain ROBBE-GRILLET : En effet, le rapport est donc toujours en train aussi de bouger. Ce sont des phénomènes primordiaux et là, encore, il n'y a pas de traduction possible en littérature. Ce qui intéresse tout ce type de cinéma, ce sont les rapports à la caméra. Il y a de nombreux exemples dans le cinéma contemporain : le seul film réalisé par Samuel Beckett, et qui s'appelle *Film,* montre un personnage qui ne veut pas se laisser voir de face par la caméra. Pendant tout le film, qui dure vingt minutes, la caméra effectue des mouvements complexes et sournois ou des sauts brusques, pour essayer de prendre le personnage en faute et de le montrer. Le personnage réussit toujours à esquiver et le film se termine quand le personnage a été piégé et quand la caméra a réussi à la prendre de face. On reconnaît, alors seulement, que c'est Buster Keaton et le film s'arrête.

XII. « LE JEU AVEC LE FEU »
CRITIQUE DE
« L'ANNEE DERNIERE A MARIENBAD »
— DE L'EPURE AUX FASEIEMENTS [1]
DE L'IDEOLOGIQUE —

par Olivier-René VEILLON

> « Le vent qui souffle dans la voile,
> c'est le vent de l'idéologique. Le vent ne
> souffle que sur du vent : sur « Le voile »
> et la « voile » de « Vérité ».
>
> Louis ALTHUSSER
>
> « Plus rien n'existe avant l'œuvre qui
> n'est justement la recherche que de quel-
> que chose qui avant elle n'existe pas. »
>
> Alain ROBBE-GRILLET

L'exergue d'Althusser se pose comme la métaphore d'un certain type de production du vrai : conséquence d'effets idéologiques autonomes (en dernière instance déterminés par la base économique); effets jamais aboutis mais toujours agissants, gonflant la voile, cachés aussi par ce voile qui n'est que la marque de la médiation d'un rapport. Si la phrase d'Althusser est métaphorique, celle de Robbe-Grillet ne l'est pas moins : l'œuvre n'y est pas entité idéaliste mais nœud déterminant où se devine un processus problématique. Dans les deux cas seule la formulation paradoxale importe. Sur deux niveaux, celui de la production du vrai (non scientifique) chez Althusser et celui de la production de l'œuvre chez Robbe-Grillet des correspondances non fortuites s'opèrent. Le vent sur le vent et le « plus rien » sur ce « qui n'existe pas » cernent de la même manière un objet qui se définit en creux comme étant le même; situé en deux lieux, dont le premier englobe sans doute le second, selon des paramètres différents, mais dont les déterminations, cependant, coïncident.

Tout sens produit est idéologique, mais la prégnance de l'idéologique dans le texte peut être critiquée par le fonctionnement même du texte, encore faut-il que cet aspect formel soit le premier considéré par l'auteur. C'est le cas pour Robbe-Grillet, on lui en a assez tenu rigueur. Si le cinéma ne tend pas à produire contradictoirement le vrai (dans et contre l'idéologique) comme la philosophie, il peut cependant produire la critique de ses conditions de production, en dépossédant l'idéologique de l'immédiateté de sa fonction (donner prise sur le réel) et en mettant dans la pleine lumière du représentable ce qui se donne comme déjà représenté dans la représentation; en soumettant à la violence d'une autre mise en scène ce qui s'offre comme mise en scène première du réel. C'est à travers la claire conscience de ce niveau que le cinéma peut réassurer la critique de son rôle en tant que « formation idéologique » liée à un « appareil idéologique » : l'industrie cinématographique, déterminé par des intérêts économiques.

Le cinéma de Robbe-Grillet se situe à ce niveau précis de « l'invention formelle » c'est dire qu'il est en quête d'un mode de manifestation qui soit « produit » par le film et non la simple conséquence du mode d'existence de tout film; autrement dit les films de Robbe-Grillet se « donnent à voir » en définissant conjointement le lieu d'où ils sont effectivement « visibles » : l'impossibilité de reconstituer un récit linéaire quand on voit *Marienbad* vient de ce que le mode de manifestation du film est structurellement anti-narratif (nous verrons en quoi); de même *Le Jeu avec le feu* a un mode de manifestation tellement particulier que, bien que se présentant comme narratif, il n'est absolument pas racontable. C'est dans cette optique que nous allons questionner le premier moment de l'intervention de Robbe-Grillet au cinéma, avec le ciné-roman de *L'Année dernière à Marienbad*, reconsidéré à travers la plus récente manifestation de cette intervention : *Le Jeu avec le feu.*

1. *De l'optique à la problématique*

Nous venons de situer l'intérêt d'un nouveau type de questionnement du film moderne : optique générale non encore constituée sur le terrain cinématographique qui s'appuie sur des avancées théoriques en cours d'élaboration englobant tout le domaine du sens sans tenir compte forcément de la spécificité de ses différents modes de manifestation. Optique discutable par sa généralité même, mais qui seule peut rendre compte de la rupture critique marquée par les films de Robbe-Grillet à l'encontre : 1. de la production cinématographique courante, véhiculant les contenus idéologiques de notre société sans rupture ni décalage; 2. Des films explicitement désignés comme politiques véhiculant une contre-idéologie — qui n'est que l'inverse de celle qui domine — à travers un ensemble de principes formels implicites déterminés par le mythe classique, historiquement situé, de « la représentativité de la représentation [2] ». L'attitude de Robbe-Grillet a été dès le départ de mettre l'accent sur les données formelles de l'écriture filmique, habituellement occultées; critiquant ainsi la représentativité mythique de ce qu'une caméra prend dans son champ et assignant des valeurs et des conditions de signification au représentable : « ... On imagine très bien, à la limite, une scène où les paroles et les gestes seraient particulièrement anodins et disparaîtraient tout à fait dans le souvenir du spectateur, au profit des formes et du mouvement de l'image, qui auraient seuls de l'importance, qui sembleraient seuls avoir une signification... » (*L'Année dernière à Marienbad,* introduction du ciné-roman.) Il ne faut pas chercher dans cette phrase ce qui ne peut s'y trouver : l'exposé des conditions objectives de l'élaboration de la signification au cinéma, mais simplement une hypothèse projective : à savoir qu'un signifié pauvre, « particulièrement anodin » peut dé-

gager des signifiants et des structures signifiantes
(« formes » et « mouvement de l'image ») produisant
une signification privilégiée par rapport au signifié de
départ. La formulation sémiologique de la phrase de
A.R.G. nous semble paradoxale si on la compare avec
les travaux de C. Metz; ce qui situe les deux pôles de
notre propos dont le but est justement de vider le
paradoxe en montrant que « l'hypothèse » de A.R.G.
relève d'un projet plus vaste qui doit, pour être
compris, dépasser et critiquer la perspective metzienne.

2. *La diégèse : « signifié lointain » ou idéologie narrative manifestée ?*

Pour C. Metz [3] la grande syntagmatique que permet
d'établir le découpage sémiologique du film est constituée de différents syntagmes isolables sur le plan du
signifiant, correspondant terme à terme à des « signifiés proches » « éléments de diégèse ». Ces « signifiés
proches de chaque segment filmique » sont repérables
par rapport à la diégèse qui est « le signifié lointain
du film pris en bloc ». Ainsi le film apparaît comme
narratif puisque la signification y prend la forme générale de la diégèse. Mais le corpus de Metz n'embrasse
que des films préalablement identifiés comme narratifs,
le cadre diégétique qu'il propose obéit plus à la vérification d'une tautologie : « le propre du film narratif est de narrer » qu'à l'élaboration hypothétique
d'une théorie de la signification au cinéma, qui devrait
prendre pour objet un corpus prédéterminé mais non
sur-déterminé. On peut en tenir pour indice le statut
du « syntagme descriptif » qui justement se pose
comme exception dans la classification : « il est le
seul syntagme dans lequel les agencements temporels
du signifiant ne correspondent à aucun agencement
temporel du signifié, mais seulement à des agencements
spaciaux de ce signifié », l'aspect exceptionnel de ce
syntagme montre combien la situation dans le signe-
image de l'algorithme signifiant/signifié devient gênante dès que le principe de la correspondance de « la

succession des images sur l'écran » avec une forme de rapport temporel dans la diégèse » n'est plus une évidence. En effet comment peut-on concevoir dans le cadre même du propos de C. Metz un « agencement spatial du signifié » si ce n'est en surchargeant implicitement le signe-image de l'investissement sémantique propre au spectateur (animal idéologique) qui fasse que représenter, nous reprenons l'exemple de Metz, des moutons, un berger, un chien suffise pour susciter « l'idée » d'un troupeau de moutons en marche à ce point précis. La lecture de C. Metz n'est donc que la dénotation idéologique du texte filmique, une dénotation connotée par l'idéologie qui traverse le corpus. « Le signifié lointain », la diégèse n'est que l'autre nom de l'idéologique tel qu'il se manifeste dans le narratif. En conséquence, toute analyse du contenu basée sur ces principes ne pourrait être que le reflet de l'idéologie qui s'investit préférentiellement dans les films narratifs : l'idéologie dominante [4], dont la manifestation privilégiée, narrative, dépasse le terrain cinématographique.

La sémiologie au cinéma telle qu'elle s'élabore avec C. Metz n'est donc pas encore en mesure de rendre compte de ce qui dans un film dépasse les critères de lisibilité constitués à partir du corpus limité des films narratifs, ce qui ne lui permet pas de passer sans risques du plan sémiologique au plan sémantique, car nous considérons selon A.J. Greimas que le plan sémantique « est indépendant de la deuxième articulation du signifiant », soit pour le cinéma qu'il n'y a pas d'adhérence du signifié au signifiant dans l'image (l'unité signifiante minimale étant à chercher ailleurs) et que, toujours selon Greimas : « situées à l'intérieur du processus de la perception, les catégories sémiologiques en représentent toujours la face externe, la contribution du monde extérieur à la naissance du sens ». Le système sémiologique ne correspond donc pas exactement au procès de signification tel qu'il est produit par le film, mais simplement à sa manifestation connotée, idéologique. F. Jost a montré, par exemple, que ce procès de signification empruntait des voies plus complexes que celle du découpage syntagmatique, en insistant particulièrement sur la nature spécifique d'un certain nombre de plans ponctuatifs dans *Glissements progressifs du plaisir,* et en les définissant comme supports de relations inter-segmentales d'un type nouveau : « parataxiques ».

L'exposé critique des positions metziennes impose l'utilisation d'instruments critiques non directement issus de l'analyse sémiologique, mais qui pourraient aider celle-ci à rendre compte de processus de signification plus complexes et non directement inscrits dans l'a priori narratif. La critique du « sémantisme » de Metz nous oriente vers les sémanticiens eux-mêmes et notamment vers A.J. Greimas [5] dont les « réflexions sur les modèles actanciels » peuvent, dans leur généralité et leur ouverture sur différents terrains plus ou moins investis par le narratif, (le conte populaire russe analysé par V. Propp; les situations dramatiques inventoriées par Souriau), être confrontées au texte filmique. Il est entendu que nous ne revenons pas ici sur l'analyse strictement linguistique de Greimas qui lui a permis de situer des « actants syntaxiques » qui spécifient dans la manifestation linguistique courante les « actants sémantiques » manifestés dans tout langage, et pourquoi pas dans le langage cinématographique. Cependant, il convient d'être prudent dans l'utilisation d'un modèle « induit à partir des inventaires qui restent, malgré tout sujets à caution, construit en tenant compte de la structure syntaxique des langues naturelles » mais qui « semble posséder, en raison de sa simplicité, et pour l'analyse des manifestations mythiques seulement, une certaine valeur opérationnelle. »

3. *« L'Année dernière à Marienbad » : La diégèse épurée par sa métaphore même.*

Marienbad se donne comme œuvre pure excluant dès l'abord les référents immédiats, utilisant à ce dessein ce « sens du théâtral », dont parle Robbe-Grillet dans l'introduction au ciné-roman, qui n'est que l'indice de la clôture constitutive de la spécificité de l'œuvre. Cependant le film a donné prise à de nombreuses lectures référentielles, ne respectant pas cette clôture ou l'utilisant pour enfermer le film dans un code (l'onirisme ou autres symbolismes), lectures dont le cadre a parfois été fourni par l'auteur lui-même parlant « du film intérieur qui se déroule continuellement en nous-même », mais plus sûrement encore imposées par le contexte épistémique des années soixante favorable aux influences de la phénoménologie. C'est ce que constate C. Metz dans un article publié en 1964 [6]; « Le cinéma art phénoménologique par excellence, le signifiant coextensif à l'ensemble du signifié, le spectacle qui se signifie lui-même, court-circuitant ainsi le signe proprement dit... » Voilà ce qu'ont dit en substance — E. Souriau, M. Soriano, R. Blanchard, G. Marcel, G. Cohenland, D. Marion, A. Robbe-Grillet... On peut soupçonner Metz de ramener un peu tout le monde à ses positions de l'époque et de convoquer des auteurs comme Robbe-Grillet qui bien que subissant cette idéologie philosophante ne l'a jamais pareillement exprimée. Contrairement à ce que l'on pourrait croire c'est plus la phénoménologie que le structuralisme qui envahit le terrain cinématographique dans les années soixante, ce qui explique l'occultation de *Marienbad* en tant qu'œuvre élaborée, construite et au mode de fonctionnement particulièrement rigoureux. On ne retient souvent du film, à l'époque, que « le spectacle qui se signifie lui-même » en insistant sur la mise en abyme généralement considérée comme une figure de style parmi d'autres sur le plan de la structure signifiante, mais préférentiellement investie par l'idéalisme de l'infini artistique sur le plan du signifié.

La phrase de l'introduction au ciné-roman citée plus haut pour susciter la confrontation avec les impératifs de la Grande Syntagmatique est, malgré son expression, rigoureusement irrécupérable d'un point de vue phénoménologique. Dégager à partir de signifiés pauvres, qui ne sont que bribes de discours et de pratiques, des structures signifiantes produisant une signification privilégiée

145

par rapport au signifié de départ, c'est accomplir un travail critique dont les premiers enthousiastes ou contempteurs n'ont pas perçu la fonction puisqu'ils n'en saisissaient pas l'objet. L'objet de cette critique c'est ce que Robbe-Grillet appelle « l'anecdote » qu'il considère comme « une sorte de mise en scène du réel »; c'est justement de cette métaphore dont nous nous sommes servis plus haut pour situer la fonction de l'idéologique : le réel contradictoire n'est perçu qu'à travers la mise en scène idéologique qui permet, illusoirement, de lever la contradiction. Robbe-Grillet est ainsi sensible à ce niveau qui peut être celui spécifique au cinéma où l'idéologique investi dans l'anecdote est repris, critiqué par la forme, par le mode de manifestation particulier que le film se donne en élaborant sa structure.

« L'histoire d'une persuasion » qui constitue le film, toujours selon l'auteur, ou plutôt selon son double idéologique (rédacteur de l'introduction) n'est donc pas la représentation immédiate de rapports vaguement inquiétants, de suggestion voire d'hypnose, entre deux êtres. Mais la tentative de constituer un récit persuasif, cohérent; tentative métaphorisée en un locuteur principal dont on entend d'abord que l'insistante voix : cet X qui tente à partir des bribes d'un passé problématique de reconstituer sur ces signifiés épars un signifié global, qui serait la diégèse du film, qui ainsi rentrerait dans l'ordre narratif traditionnel. Persuasion qui s'avère impossible; étant toujours contredite, elle ne peut réduire le présent du film, qui retrouve ainsi le mode d'apparition d'un réel filmique, qui ne peut se réduire à l'ordonnance d'une chronologie fictive voilant les rapports qui échappent à la temporalité. Si X est un héros, il est celui de la narrativité; il est à peine personnage, rien ne peut le situer référentiellement : qui est-il? d'où vient-il? de nulle part si ce n'est des livres, des films et autres véhicules du récit, comme « le vieux prince pensif » du *Jeu avec le feu*. Il est l'X irrémissible auquel tient l'existence du texte, celui à partir duquel s'institue l'espace de la fiction. C'est cet espace fictionnel que constitue la mise en abyme, jouant un rôle déterminant dans la struc-

ture du film. Comme l'a fait remarquer J. Ricardou [7] :
« L'enseignement de la mise en abyme est ici plus ample
qu'il n'y paraît. D'une part, elle trahit des événements
ultérieurs : la fin de l'aventure nous est offerte pratiquement d'emblée. D'autre part, elle souligne les fonctionnements de l'ensemble : inversion symétrique, circularité. » Cet effet de circularité rassemble justement les
conditions nécessaires à la clôture de la métaphore.
Métaphore de l'ordre narratif pris au piège de ses
manques dont l'X recherche vainement « dans cette
construction d'un autre siècle » les moyens de réactualiser son récit. Ainsi la métaphore se mire elle-même
dans le théâtre de sa structure : la mise en abyme peut-
être considérée non seulement comme moyen de souligner « les fonctionnements de l'ensemble », mais encore
comme « dévoilement » de la structure profonde du film.
Dévoilement, car le passage de la voix de X à celle du
comédien abymé se fait par un imperceptible glissement,
leurs deux textes se raccordent exactement par l'intermédiaire de la comédienne, qui occupe déjà la place de
l'objet absent que la fiction va instaurer :

Voix de X : ... ou des dalles de pierre, sur lesquelles
je m'avançais, comme à votre rencontre [8] — entre ses
murs chargés de boiseries, de stuc, de moulures, de
tableaux, de gravures encadrées, parmi lesquels je
m'avançais, — parmi lesquels j'étais déjà moi-même,
en train de vous attendre, très loin de ce décor où je me
trouve maintenant, devant vous, en train d'attendre
encore celui qui ne viendra plus désormais, qui ne risque
plus de venir, de nous séparer de nouveau, de vous arracher à moi. *Venez-vous?*

Voix de la comédienne : Il nous faut encore attendre,
— quelques minutes — encore — plus que quelques
minutes, quelques secondes...

Voix de X : Quelques secondes encore, comme si vous
hésitiez vous-même encore avant de vous séparer de lui,
— de vous même, comme si sa silhouette, déjà grise
pourtant, déjà pâlie, risquait encore de reparaître, —
à cette même place, où vous l'avez imaginée avec trop
de force, — trop de crainte, ou d'espoir, dans votre
crainte de perdre tout à coup ce lien fidèle avec...

Voix de la comédienne : Non, cet espoir — cet espoir est maintenant sans objet. Cette crainte est passée, de perdre un tel lien, une telle prison, un tel mensonge. — Toute cette histoire est maintenant déjà passée. Elle s'achève — quelques secondes...

Voix de la comédienne : ... encore — elle achève de se figer...

Le comédien : ... pour toujours — dans un passé de marbre, comme ces statues, ce jardin taillé dans la pierre, — cet hôtel lui-même, avec ses salles désormais désertes, ses domestiques immobiles, muets, morts depuis longtemps sans doute, qui montent encore la garde à l'angle des couloirs, le long des galeries, dans les salles désertes, à travers lesquelles *je m'avançais à votre rencontre,* au seuil des portes béantes que je franchissais l'une après l'autre à votre rencontre, comme si je passais entre deux haies de visages immobiles, figés, attentifs, toujours, et que je vous attends encore, hésitante encore peut-être regardant toujours le seuil de ce jardin...

La comédienne : Voilà, maintenant. *Je suis à vous.*

Durant tout ce passage, la voix de X, la seule entendue jusque-là, s'est théâtralisée, elle s'est projetée sur la scène spéculaire où elle se fait image. X n'apparaît à l'image qu'après l'institution de ce niveau, celui de la fiction où la comparaison se fait métaphore, où le texte se referme sur lui-même. C'est en effet par un glissement rhétorique connu que l'on passe de la comparaison de « je m'avançais, comme à votre rencontre » à la métaphore, à « je m'avançais à votre rencontre ». Ainsi, progressivement, s'effectue l'entrée dans l'espace de la fiction. Espace où se dessine l'objet possible de la fiction invoquée, réfraction de la projection de la voix narrative de X sur la scène du théâtre : A. qui « se présente exactement dans la position où se trouvait la comédienne du théâtre », première lettre d'un récit à reconstituer, à construire; objet d'une quête indécise, implacable. Métaphore où se retrouve le mythe orphique, dont Blanchot a fait le mythe du littéraire : « une fois de plus — je m'avance, une fois de plus, le long de ces couloirs... » mouvement réitéré d'une même quête, d'une même descente vers un enfer où la parole quitte ses référents et se retrouve projetée sur la scène (dans « cet hôtel lui-même avec ses salles désormais désertes, ses domestiques immobiles, muets, morts, depuis longtemps sans doute »), investie par le lieu mythique où s'accomplit la quête de l'œuvre. M., la lettre du lieu : Marienbad retient A., il est le maître de l'ordre rigoureux du référentiel que le récit se faisant à chaque instant rencontre et contredit; le jeu de nim indique le plein pouvoir de M., «nullement un vrai jeu mais une certitude mathématique qui fait que la partie est toujours gagnée ou perdue d'avance [9] », c'est contre ce jeu sans surprise que X doit imposer son propre jeu : le récit, et délivrer A. comme Orphée, Eurydice.

Le film entier se donne ainsi comme métaphore; métaphore à plusieurs niveaux où se dessine l'ombre du mythe orphique au cœur duquel la fiction se problématise et dévoile les conditions structurelles de sa production. Structuration métaphorique de l'œuvre qui par un mouvement de retour, critique ce qui lui permet d'advenir : le récit mythique tel que l'a réinvesti l'idéologique, car nous pensons comme Umberto Eco [10] que le récit n'est pas innocent parce qu'il apparaît être la forme la plus immédiate de l'idéologique, mais qu'à travers lui s'investit la forme actuelle de « l'esprit conservateur ancestral, dogmatique et statique, des fables et des mythes, qui transmettent une sagesse élémentaire, construite et transmise par un simple jeu de lumières et d'ombres, et la transmettent par des images indiscutables ne permettant pas la critique ». La distorsion entre le présent et cette année dernière marque la critique du mythe, et de l'instance idéologique qui l'enveloppe, qui immédiatement désignent leur statut d'illusion dans l'impossibilité de réactualiser le passé de leur récit et se trouvent à chaque image contredits par la progression linéaire, au présent, du signifiant filmique. Dans cette distorsion ce qui agit le drame du récit impossible, c'est... le récit lui-même, les données du récit constituent le modèle actanciel du film. Le fonctionnement structurel de la métaphore se retrouve au niveau sémantique : fonctionnement structural. Selon la répartition fonctionnelle de Greimas : le « fictif », l'année dernière où l'ordre du récit s'origine est le destinateur de la fiction paradoxale où « le fictif » est pris au piège de sa littéralité et conduit au destinateur qu'est le film lui-même. X est le sujet, la voix narrative qui tente de saisir A, objet de la narration. M. est l'opposant, la résistance référentielle à la littéralité de la fiction.

Marienbad fait apparaître ce qui, implicitement d'habitude, sous-tend le film et le problématise dans sa structure; la diégèse redevient ainsi problématique : effet plutôt que cause. Si l'une des constantes du discours idéologique est d'inverser l'effet en cause, de dire par exemple : « ce n'est pas parce que le cinéma est un langage qu'il peut nous conter de si belles histoires, c'est parce qu'il nous en a contées de si belles qu'il est devenu un langage [11] ». Un cinéma qui veut affirmer la spécificité de son intervention, contre-idéologique par sa spécificité même, se doit de mettre en scène le procès diégétique dont « l'effet de réalité » n'est que la plus apparente émergence. Effet diégétique dont la cause est ailleurs, dans ce qui n'appartient pas spécifiquement au film, dans ce qui détermine son mode de production. La métaphore structurale de *Marienbad* joue donc un rôle contraire à celui de la métaphore littéraire renoncée par A. R.-G., elle dévoile au lieu de dissimuler, elle épure l'idéologique au lieu de le mobiliser, et substitue à l'univocité du signifié global diégétique les différents traitements des rapports narratifs qui permettent de préciser des points de vue et des choix. C'est le choix de Robbe-Grillet avec *Le Jeu avec le feu* que nous allons développer maintenant.

4. La diégèse offusquée : vers le dépassement de l'idéologie narrative

Le modèle actanciel de *Marienbad* constitué à partir des paramètres du récit est prisonnier de son statut de métaphore. Il est épure, rien n'excède en lui la correspondance des fonctions et des actants; c'est pourquoi la rigueur métaphorique a parfois pu être vidée de son objet, pour se retrouver occupée par les différents codes qui peuvent s'investir dans le cadre fonctionnel de la métaphore sans contredire le modèle actanciel. Le succès de *Marienbad* peut s'expliquer par cette perméabilité aux lectures référentielles et idéologiques de tous ordres. Contrairement *Le Jeu avec le feu* ne se livre pas immédiatement comme métaphoriquement anti-narratif; le film raconte une histoire, une histoire qui prolifère, se complique pour aboutir, du point de vue diégétique, à la contradiction majeure de deux lectures possibles; opposées, exclusives, dont chacune a cependant une cohérence sémantique indéniable puisque dans les deux cas il est possible de proposer un modèle actanciel cohérent. Ces deux lectures expérimentales consistent donc en deux tentatives de répartition fonctionnelle reconstituant l'éventuelle diégèse.

1. Le banquier Georges de Saxe veille, en père attentif, aux destinées de sa fille : Carolina; il en est le destinateur. Mais il est aussi le sujet d'une quête vers cette jolie fille neuve avec qui il entretient des rapports ambigus, très ambigus. Quête aboutissant logiquement au père lui-même, destinataire dégradé ou plutôt abyssal qui accomplit (fantasmatiquement) l'inceste. Dans cette quête du père vers sa fille, que nous pouvons appeler « cycle incestueux » (père : destinateur, sujet, destinataire), Franz a fonction d'adjuvant; il fait pénétrer Carolina dans le bordel où elle est livrée au père abyssal, destinataire. Francis est par contre l'opposant qui dans toutes les séquences où il apparaît détourne Carolina de son père.

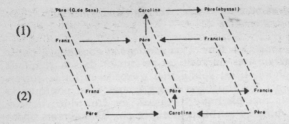

(1)

(2)

2. Franz organise l'enlèvement de Carolina, qui vraisemblablement est complice de son destinateur. La même Carolina est le sujet d'une quête vers son père, vers le signe de son pouvoir : son argent : « ... Déroulement correct; il y a eu quelques accidents de parcours mais les choses en gros se succèdent normalement. Eh bien les contacts n'étaient plus possibles pendant tout ce temps-là. J'aurai le sac en ciment dans une heure, sauf circonstances imprévues [12] », téléphone-t-elle « aux camarades ». Francis est le destinataire de l'argent du père, il le récupère avec l'aide involontaire (adjuvante) et souvent contredite (opposante) du banquier lui-même.

Avant d'aller plus loin nous devons préciser que nous n'établissons pas différents niveaux dans le représenté filmique. Le fantasme est aussi réel (aussi illusoire) que le réel. Le micro-univers signifiant du film est autonome; il fonctionne sans mobiliser aucun code référentiel, ni le réaliste, ni le psychanalytique.

Cette double répartition fonctionnelle et les effets diégétiques contradictoires qui en découlent nous imposent plusieurs constatations. Au premier abord tous les personnages du film, ramenés à des fonctions, semblent dédoublés de manière différente. Le père par exemple subit un dédoublement que l'on peut qualifier de « vertical », vers « les abysses de son inconscient ». Franz se transforme par glissement métonymique, par un changement de syllabe et la perte d'une moustache : on peut considérer ce dédoublement comme « horizontal ». Carolina enfin se dédouble par travestissement, ce qui donne

un dédoublement « transversal ». On peut ainsi constituer un tableau des dédoublements des trois personnages principaux et indiquer ce premier aspect du fonctionnement du film que nous retrouvons transformé,
élaboré dans le modèle actanciel.

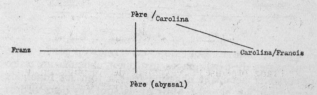

A un autre niveau, chaque fonction qui définit l'actant
est occupée par deux personnages. Ce qui donne un
modèle actanciel particulièrement ambigu permettant des
effets de narration dédoublés et non solidaires. Le film
peut être vu en privilégiant les fonctions occupées par
les personnages dans la répartition (1) ou bien en rete-
nant uniquement les fonctions de la répartition (2).

Ce qui dans le premier cas est l'aventure incestueuse
de G. de Saxe qui prend pour prétexte une histoire
d'enlèvement pour s'accomplir devient dans le second
l'aventure de Carolina qui joue le jeu de l'enlèvement
pour mieux soutirer de l'argent à son père. En fait
l'élément moteur, générateur de la narration : le rapport
sujet/objet est simplement inversé terme à terme, mis en
miroir : le centre générateur de la structure actancielle
épuise ainsi les possibles d'un rapport, lui donne sa
pleine extension. On peut constater aussi que le père,
G. de Saxe est omni-présent dans la structure, remplis-
sant toutes les fonctions et constituant ce que l'on peut
appeler un « ordre ». Ordre auquel on peut opposer
celui, inverse, constitué par Franz, Carolina et Francis,
ordre qui triomphe à la dernière image où le dédoublement Franz/Francis se trouve résolu par le travestissement de Carolina en Franz. Alors que c'est l'ordre du
père qui dans ses premières paroles triomphait au début
du film.

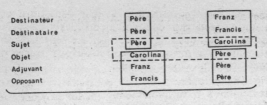

Destinateur		Père		Franz	
Destinataire		Père		Francis	
Sujet		Père		Carolina	
Objet		Carolina		Père	
Adjuvant		Franz		Père	
Opposant		Francis		Père	

Actants

Tout le film se résout donc en termes de conflit entre deux séries de personnages instituant chacune un ordre discursif et occupant chacune tour à tour les fonctions constituant les actants. Mais quels sont ces deux ordres discursifs opposés que nous percevons à travers cette double répartition fonctionnelle? l'ordre du père peut être considéré comme celui de la narration traditionnelle. G. de Saxe tout au long du film tente de réordonner, de donner un sens à l'aventure aberrante qui se déroule sous ses yeux : « Peut-être y a-t-il seulement une erreur de coordination dans le système » répète-t-il après l'annonce de l'enlèvement absent, interférence choquante mais dont il est encore possible de rendre compte : « l'enlèvement va quand même avoir lieu, demain, aujourd'hui peut-être, avec un léger retard, un faible battement, un répit, dont nous devons profiter pour nous mettre sous la protection de la police ». G. de Saxe dans sa tentative de remise en ordre réassure en son discours le principe de narrativité, comme X, il se fait le narrateur du film qui se fait : « j'ai hésité d'abord, j'ai présenté des objections, mais j'ai fini par accepter » après le départ de Carolina et de Franz, de Saxe commente au passé ce qui vient de se dérouler au présent, par le récit, il marque son pouvoir. Mais c'est surtout à partir des premières paroles du banquier que l'ordre narratif se constitue et peut véritablement lui être identifié.

Le film s'ouvre sur un discours englobant, voix profonde et lointaine qui rassemble, efface et actualise tout un passé mythique : « Et maintenant... »; le film est ainsi relié à ce qui lui est préalable, au non-dit qui se coordonne par le « Et » à ce « maintenant » qui décrit l'espace du film, son manque de temporalité. Ce non-dit auquel se rattache le discours du banquier c'est ce que le film justement, en tant que fiction, efface : la trame idéologique à laquelle se rattache tout discours. Carolina coïncide avec cette trame renoncée où vient se mêler la biographie fictive du banquier : « sans doute déjà ressemble à cette adolescente qui fut sa jeune mère autrefois »; elle est la duplication d'un élément inactuel, elle convoque le souvenir : « est-ce pour cette raison le souvenir ». Cette trame ainsi s'éclaire, elle est constituée de bribes détournées de l'ancien discours biblique : « ou bien seulement parce que les vieillards, dit-on, Hérode ou Balthazar ou Salomon, fils de David, aiment réchauffer leur âme à la chair des filles toutes neuves... ». Bribes aussitôt enfermées dans l'affirmation : « Mais non, c'est un mensonge », qui renvoie, métaphoriquement, au lieu de leur énonciation : l'illusoire de la fiction. Le discours du père se situe donc maintenant dans l'espace du livre : « Enfant déjà tout au fond du grenier sous les poutres trop basses, par les silencieuses, par les immobiles après-midi d'été, vides, je relisais... »; espace qui multiplie les enfermements : de l'enfance, du grenier, du silence, pour aboutir à l'ultime lieu clos du livre où les images se rassemblent et convergent vers le « vieux prince pensif » qui n'est autre que le texte absent du livre évoqué comme objet mais au cœur duquel se concentrent toutes les virtualités du dicible : « oui, livres rouges aux images criblées de piqûres, où les belles jouvencelles aux corps de biches, souples et svelte, et dorées, poursuivies par les chiens, tombaient à bout de force dans les rets des chasseurs qui les ramenaient toutes palpitantes au vieux prince pensif »; mais le texte échappe à lui-même et se transporte ailleurs, « abandonnant alors comme à regret sa plume d'or sur un texte fuyant toujours inachevé », abandonnant les possibles de l'écriture pour la saisie de l'image : « afin de contempler (...) la dernière illustration la représente ainsi; lèvres entrouvertes, servie sur un lit de roses »; afin de contempler l'objet prisonnier de la fiction filmique : « Et maintenant Carolina sans doute ressemble à cette image lointaine. »

Ce texte est à proprement parler le générique du film qui nous fait entrer par étapes dans son espace spécifique. Entre la première phrase : « Et maintenant Carolina sans doute déjà ressemble à cette adolescente qui fut sa jeune mère autrefois », et la dernière : « Et maintenant Carolina sans doute ressemble à cette image lointaine » on passe d'une référence biographique constituant le personnage du banquier et situant la trame idéologique dans laquelle son discours se trouve pris à l'étalement du rêve, du mensonge, de la fiction; faisant de Carolina la manifestation renouvelée d'une « image lointaine ». Entre ces deux phrases presque identiques Carolina est née à la fiction; née à l'image, ressemblant, coïncidant avec ce qui dans le souvenir n'est plus actuel, elle efface la trace d'un passé présumé réel pour advenir image du film, objectalisée par le père à travers la longue métaphore qui transforme son discours (au père) en « vieux prince pensif », en texte maître de provoquer la relance narrative de la fiction. L'idéologie du discours du père est donc bien narrative, c'est la narration en acte, métaphorisée, par laquelle le film s'impose comme fiction. Mais à travers le père c'est aussi cette idéologie narrative, et les enjeux qu'elle recouvre, qui est menacée par la perte de son objet. L'anaphorisation de l'enlèvement, d'abord manquant dans la diégèse, est le facteur ponctuatif qui brise la « syntaxe » narrative et découpe les séquences de telle manière qu'elles échappent à l'écrasement linéaire qui habituellement favorise la structuration diégétique. Un a-priori de montage aussi net que celui-ci (dans le scénario, A. R.-G. qualifie déjà l'enlèvement d' « élément structurel du récit ») permet de briser les investissements idéologiques négatifs, car non contrôlés, qui accompagnent la linéarité narrative et de faire « faséier » l'idéologique, de le représenter non plus comme un plein sens univoque mais comme l'effet relatif d'un certain nombre de possibles.

Par l'établissement d'un modèle ambigu nous avons pu expérimentalement constater ce faséiement, effet de la positivité d'un refus, produit au cœur de cette forme idéologique déterminante (parce que déterminée) : la narrativité. Dépasser l'ambiguïté critique du modèle imposerait l'élaboration de rapports de signification produits au-delà de toute structurelle allégeance au cardinal primat narratif. Mais l'épuisement des possibles narratifs, jusqu'à l'éclatement de l'univers signifiant diégétique, est, sans doute, la voie de leur dépassement véritable. L'idéologie narrative que met en jeu le discours du père est consumée par le dédoublement des actants et par les effets diégétiques contradictoires qui en découlent. Le récit se consume par l'anéantissement de son objet : « Carolina, chair de ma chair, anéantie dans les flammes. » Anéantissement qui inévitablement conduit à la disparition de ce fragile banquier Georges Balthazar de Saxe par lequel s'énonçait l'ordre formel d'une idéologie maintenant contredite efficacement.

O.-R. V.

NOTES

1. Faseiement : (s) petits battements d'une voile qui se dégonfle et commence à battre. Larousse.

2. Selon l'expression de M. Foucault dans *Les mots et les choses.*

3. *Essais sur la signification au cinéma;* toutes les citations de C. Metz sont issues de l'article qui y est repris : « La grande syntagmatique du film narratif. »

4. Nous sommes conscients qu'une telle affirmation, pour le moment, ne repose que sur des constatations empiriques.

5. *Sémantique structurale,* Larousse.

6. Le cinéma : Langue ou Langage. Communications 4 (recherches sémiologiques).

7. *Le Nouveau Roman,* Seuil.

8. C'est nous qui soulignons.

9. B. Morrissette : « notes sur le jeu de nîm » (*les romans de Robbe-Grillet*).

10. « James Bond : une combinatoire narrative. » Communications 8.

11. C. Metz : « Le cinéma : langue ou langage » Communications 4.

12. Extrait du dialogue (transcription de M. Fano).

DISCUSSION

Alain ROBBE-GRILLET : Veillon a supposé que nous étions tous familiarisés avec le schéma de Greimas. Ce n'est pas mon cas, ni, il me semble, le cas de beaucoup de personnes ici. Alors, pourrait-on d'une façon précise expliquer le principe du schéma, en dehors de son application à *Marienbad* et au *Jeu avec le feu*?

Olivier VEILLON : Greimas a constitué le modèle actanciel avec une base linguistique et à partir de l'établissement d'un certain nombre de fonctions dans le récit, chez Propp, avec sa *Morphologie du conte*[1] et chez Souriau avec son travail sur les fonctions au théâtre. Le modèle actanciel donne une forme générale à ces fonctions :

Alain ROBBE-GRILLET : Est-il possible de donner un exemple simple, puisque les exemples tirés de mes petits travaux sont forcément des exemples pervertis?

Paul JACOPIN : Les contes de Perrault, par exemple...

Olivier VEILLON : Oui, tout récit qui a un fonctionnement élémentaire fonctionne sur ces données. Mais je n'ai pas d'exemple précis en tête...

Paul JACOPIN : On peut en imaginer un : le roi

demande au chevalier d'aller conquérir un objet magique qu'il destine à son voisin, son ami ou son allié.

Georges GODIN : Qui est le destinataire, qui est le destinateur?

Jean RICARDOU : Le destinateur, c'est le roi. Le destinataire, c'est l'allié qui doit recevoir l'objet. Le chevalier est le sujet. Ceux qui l'aideront en route seront les adjuvants. Ceux qui le gêneront seront les opposants.

Jean-Christophe CAMBIER : Je n'ai pas compris dans ton exposé le terme de métaphore structurelle. En quel sens l'emploies-tu?

Olivier VEILLON : J'ai employé à la fois le terme de métaphore structurelle et le terme de métaphore structurale. La métaphore structurelle, c'est ce qui permet la constitution du récit, c'est le travail spécifique du récit qui produit la fiction. La métaphore structurale, c'est justement le fait que ce travail du récit se retrouve être le travail même, être la situation même de la fiction : les données narratives qui fonctionnent dans le récit se prennent elles-mêmes pour objets.

Claudette ORIOL-BOYER : C'est l'auto-représentation, un peu, non?

Olivier VEILLON : Oui, si vous voulez.

Jean-Christophe CAMBIER : Ce qui me gêne, c'est qu'il y a une notion qui a été déjà constituée et qui se trouve réinvestie dans ton discours d'une façon différente.

Olivier VEILLON : Ici, la métaphore structurelle, c'est au niveau du fonctionnement du récit, la métaphore structurale c'est au niveau des significations.

Jean RICARDOU : Lorsque j'ai employé la formule de métaphore structurelle, j'entendais une notion précise qui recoupe ce qu'on pourrait appeler, en hommage à Proust, l'effet madeleine. Est-ce que votre formule fait référence à cette notion-là? C'est cela, je pense, que veut dire notamment Cambier.

Jean-Christophe CAMBIER : Oui, notamment.

Olivier VEILLON : Je réponds : oui. Le terme de métaphore structurelle concerne le niveau de la production narrative qui permet le passage de la comparaison à la métaphore (ce moment précis dans le ciné-roman que j'ai indiqué). Et, si l'on passe au niveau sémantique, cette organisation se retrouve, si bien que, pour spécifier les niveaux, on peut la qualifier de métaphore structurale.

Benoît PEETERS : Ne te semble-t-il pas que, dans *Le Jeu avec le feu,* ce conflit des deux ordres que tu as très bien montré (l'ordre du père et ceux des trois autres personnages) est la métaphore non seulement du fonctionnement du film, mais, peut-être, du fonctionnement général du cinéma selon Robbe-Grillet : ces conflits institués entre des groupes de personnages, entre le son et l'image, entre le montage et le tournage? Ce serait comme la condensation du fonctionnement général du cinéma robbe-grilletien.

Olivier VEILLON : La voie de recherche que tu indiques me paraît en effet possible. Mais comme le travail que j'ai produit ici a un objet précisément situé, je ne peux pas le transporter immédiatement sur d'autres terrains. En tout cas, je crois que le type de fonctionnement que j'ai indiqué rend assez bien compte de la spécificité du travail de Robbe-Grillet...

Benoît PEETERS : En tant que cinéma de conflit...

Olivier VEILLON : En effet.

Lise FRENKEL : Je signalerai d'abord la longue étude de Janine Chasseguet-Smirguel sur *Marienbad,* parue en 1963 dans *La Revue Française de Psychanalyse* et reprise en 1971 [2]. Ensuite, je vous ferais les reproches qu'on a faits à Metz : réduire le film à un récit. Je me demande comment on peut arriver à dire que *Marienbad* est un récit. Je sais bien que Robbe-Grillet a employé la formule d' « histoire d'une persuasion », mais vous employez le terme de récit persuasif cohérent. Je ne crois pas que le terme de cohérent puisse s'appliquer aux structures de *Marienbad.*

Olivier VEILLON : C'est le récit qui tend à se faire...

Lise FRENKEL : Est-ce qu'on peut réduire un film à un récit? Metz s'est tellement empêtré là-dedans qu'il a renoncé à la grande syntagmatique.

Alain ROBBE-GRILLET : Effectivement, on ne peut pas réduire un film à un récit et pourtant moi-même je l'ai fait, ou plutôt, comme dirait Veillon, c'est mon double idéologique qui l'a fait. Il se trouve, pour des raisons historiques très précises, que ce double idéologique, au lieu de parler dans une prière d'insérer qu'on met en général à l'extérieur du volume, a parlé là à l'intérieur du volume. Quand *Marienbad* a été terminé, le producteur a été tellement effaré qu'il a pensé qu'on se moquait de lui. Le distributeur qui avait avancé l'argent a décidé qu'il ne montrerait jamais ce film à un exploitant quelconque de peur de se brouiller définitivement avec la profession. Ce n'était pas désagréable pour Resnais qui ne déteste pas être un cinéaste maudit. Alors, on faisait des projections privées : une pour André Breton, une pour Antonioni, une pour Sartre. Le film semblait voué à une carrière clandestine. J'ai essayé de l'en faire sortir. Six mois après, nous avons eu la possibilité de le faire passer au festival de Venise, par un subterfuge qu'il serait trop long d'expliquer ici. C'est pour ce festival de Venise que le volume en question a été préparé. D'une part, il décrivait non pas le film tel qu'il avait été réalisé par Resnais, mais un film encore plus résistant à la récupération idéologique : celui que j'avais proposé à Resnais; et les spécialistes peuvent très facilement voir les détails caractéristiques qui ont été changés par Resnais, bien qu'il ait respecté de façon très pointilleuse la plupart de mes propositions. La musique par exemple a été changée, le viol réaliste a été supprimé et remplacé par l'ange blanc qui ouvre ses ailes. Toutes les modifications de Resnais allaient déjà dans le sens de la récupération et, moi-même, j'ai fait un pas de plus en signalant mon accord total avec Resnais, en reprenant des histoires de mémoire, etc., dont je n'avais que foutre évidemment, et en mettant cela dans le volume même, dont cinq cents exemplaires ont été distribués à Venise, à tous les participants importants et à tous les critiques du monde entier. Alors, oui, à ce moment-là, j'ai laissé parler clairement mon double idéologique. Donc réduire *Marienbad* à un récit était impossible, non seulement le film tel qu'il était, mais encore plus celui qui se trouve dans le ciné-roman, et malgré tout, je l'ai fait. Alors Veillon a considéré à juste titre le film tel qu'il se présentait à l'époque et tel qu'il a eu un grand succès grâce précisément à cette récupération possible. On a parlé de ces problèmes à plusieurs reprises au début du colloque : les pièges tendus à la récupération pour que l'objet ne soit pas rejeté complètement. Mais, présenter un objet qui mettrait définitivement en péril l'idéologie, à tel point qu'il ne serait jamais vu par personne parce que, justement, on l'aurait censuré au départ, est peut-être pire que d'occulter un peu le travail de l'œuvre par des clins d'œil à la récupération, disposés soit dans l'œuvre, soit, de préférence, dans les prières d'insérer, dans les présentations à la presse, etc., afin que l'œuvre ne soit pas enterrée et qu'un public plus averti qui la verra autrement puisse se développer. Pour la voir autrement, il fallait peut-être commencer déjà par la voir comme cela. De la même manière, tout ce qu'on a pu dire contre la lecture psychologique de *La Jalousie* par Morrissette est exact, mais il faut bien préciser néanmoins que, si l'on n'avait pas commencé par lire *La Jalousie* de Morrissette, on n'aurait jamais lu *La Jalousie* de Robbe-Grillet.

Jean RICARDOU : C'est la tactique du malentendu avec ses avantages et ses inconvénients.

Lise FRENKEL : Le second point, c'est le problème théorique de la pertinence des théories de Greimas au cinéma. J'ai regardé avec une grande attention vos tableaux. J'avoue franchement que ce sont des schémas abstraits et vides qui ne rendent pas compte des images et des figures du film. En ce qui concerne le rapport entre *Marienbad* et *Le Jeu avec le feu*, je dirai que c'est un rapport en miroir, un rapport narcissique : c'est l'auteur contemplant une œuvre précédente. Dans *Le Jeu*, on montre que, sur la porte, il n'y a pas de verrou : c'est une allusion au texte d'Albertazzi dans *Marienbad* : « non, la porte était fermée ». La chambre dans l'opéra-bordel du *Jeu* est une chambre blanche et représente le premier stade de la chambre dans *Marienbad*. Cette chambre blanche devient rouge avec des oreillers rouges et des œillets rouges et cela correspond au deuxième stade de la chambre dans *Marienbad*. Les postures d'Alvina sur le lit dans *Le Jeu* sont une copie des positions de Seyrig sur le lit de *Marienbad*. Le passage où elle dit à peu près : « des clés, des portes, des couloirs, des clés, des prénoms sur les portes, mon propre nom, ma

162

propre image » renvoie clairement aussi à *Marienbad*. Il me semble que ma position, en partie psychanalytique, tient peut-être davantage compte du texte, des images et des figures du film que la vôtre.

Alain ROBBE-GRILLET : Le fait que *Marienbad* soit un miroir déformant ou informant, le fait que *Le Jeu avec le feu* soit une image de *Marienbad* dans un miroir déformant ou informant correspond au contraire tout à fait aux propos de Veillon : il n'y aurait pas de faseiements s'il n'y avait pas...

Lise FRENKEL : Oui, mais pour Veillon, c'est un dispositif, alors que, lorsque je parle de narcissisme, ce n'est pas uniquement un dispositif : c'est une intentionnalité, c'est une des structures génératrices de l'œuvre.

Olivier VEILLON : Il ne s'agit pas dans mon propos des rapports de *Marienbad* et du *Jeu avec le feu*. J'ai bien précisé que, dans *Marienbad,* se dessinait un certain type de choix à l'égard du primat narratif et que c'est véritablement au niveau sémantique une mise en scène du primat narratif, où tous les paramètres du récit sont pris pour objet et où il n'y a rien d'autre.

Lise FRENKEL : Il n'y a pas de récit dans *Marienbad* : c'cst une succession d'images, de séquences, qui n'ont aucun rapport cohérent entre elles. Ce sont des rapports d'onirisme. Je crois que vous avez occulté l'onirisme et qu'on ne peut pas le faire dans *Marienbad*. La destruction de l'ordre idéologique dont parle Alain Robbe-Grillet (c'est cela qui a scandalisé, à l'époque), c'est qu'on montrait un ordre incohérent, celui même de l'onirisme. Ce qu'on pourrait, peut-être, opposer au récit diégétique, c'est le récit onirique.

Olivier VEILLON : *Marienbad* est la tentative de constitution d'un récit, et justement l'impossibilité de clore ce récit marque, chez Robbe-Grillet, le refus du postulat narratif.

Lise FRENKEL : Vous réduisez le cinéma à la littérature. En quoi ce que vous avez fait est-il spécifique du cinéma? Pensez-vous que les théories de Greimas puissent rendre compte de la nature spécifique du cinéma? Je ne le pense pas.

Paul JACOPIN : Je trouve que Lise Frenkel fait une

mauvaise querelle à Veillon. Il ne prétend pas dire tout ce qu'il y a à dire sur *Marienbad* : il pose une méthode qui interroge le film mais évidemment ne prétend pas tenir tout le discours qu'il y a à tenir. Il y a dans le modèle actanciel des points qui font problème et c'est de cela qu'il faudrait parler, plutôt que de recourir à cette parole proliférante, qui utilise des notions dangereuses, par exemple la cohérence...

Lise FRENKEL : Ce n'est pas moi qui défends la cohérence, c'est Veillon qui a employé le mot de récit diégétique cohérent.

Olivier VEILLON : J'ai dit que la fonction de X, dans le film, était de constituer un récit cohérent.

Alain ROBBE-GRILLET : C'est une tentative...

Lise FRENKEL : Tentative, je veux bien, mais le mot cohérent, c'est tout de même là qu'il se trouve. Si je puis me permettre de dire mon opinion, je préciserai que le rapport de X avec son objet n'est pas un rapport de persuasion logique, mais de persuasion transférentielle, qui n'est pas de l'ordre de la logique ou du narratif.

Jean-Christophe CAMBIER : Ce qui est occulté par Lise Frenkel, c'est le travail de Veillon. Veillon a essayé de constituer théoriquement une intertextualité, et cet objectif de son travail est pleinement réalisé à partir des modèles actanciels...

Lise FRENKEL : Ce que je mets en cause, précisément, c'est la pertinence de l'intertextualité quant à la spécificité cinématographique. Tout ce que vous dites est intéressant et je comprends très bien dans quelle voie a travaillé Veillon : je pose seulement la question de sa pertinence au cinéma.

Laure ESBOA : Lise Frenkel reproche au modèle actanciel de ne pas respecter la spécificité du cinéma, mais elle propose, à la place, l'onirisme dont je ne vois pas en quoi il en respecte davantage la spécificité.

Lise FRENKEL : L'onirisme fait partie du signifié de *Marienbad* et, aussi, du signifiant : des structures. Je ne prétends nullement que l'onirisme rende compte de la spécificité du cinéma mais, en ce qui concerne *Marien-*

bad, je ne vois pas comment vous pouvez dire que l'onirisme n'est pas spécifique.

François JOST : Il faudrait être naïf pour croire que le cinéma ne met en jeu que des codes spécifiques. Il y a beaucoup de codes, et Metz a montré, c'est un de ses acquis, que beaucoup de codes non spécifiques sont mis en jeu : c'est la manière dont ils sont mis en jeu qui est spécifique. C'est donc un faux problème que rejeter toute une partie en disant que ce sont des codes non spécifiques.

Olivier VEILLON : Le code dont est parti Robbe-Grillet dans sa pratique cinématographique c'est, justement, celui qui est né d'une pratique des récits littéraires. Le travail du ciné-roman, antérieur au film lui-même, représente ce point de départ. Ce code spécifique totalement investi par la narrativité a été travaillé et transformé par la multiplication des codes dans le film. Ce qui donne des résultats tout autres, ce qui permet de critiquer le postulat narratif, et c'est pour cela que je n'ai pas utilisé la grande syntagmatique de Metz. Cet aspect novateur qu'il y avait chez Robbe-Grillet, on ne pouvait pas en rendre compte avec les éléments de la grande syntagmatique. Je suis allé donc chercher des modèles sémantiques et j'ai pris beaucoup de précautions, celle de citer par exemple comment ils s'étaient constitués chez Greimas. Je suis allé chercher ces modèles pour essayer de rendre compte, dans une perspective plus large, de ce qui au niveau de la grande syntagmatique n'était pas encore constitué.

Alain ROBBE-GRILLET : Se servir du modèle actanciel de Greimas, ou d'autres tentatives pour formaliser le conte est d'autant plus justifié quand il s'agit de *Marienbad* qui a opéré volontairement sur un conte typique, celui de l'étranger qui arrive pour arracher une jeune femme au milieu maléfique qui emprisonne sa personnalité. Il s'agit en somme d'éléments directement empruntés à toute une banque des actants...

Olivier VEILLON : *Marienbad,* c'est le fonctionnement minimal de la narration.

Paul JACOPIN : Donc, si je comprends bien, le modèle actanciel est déjà prévu dans *Marienbad* puisque c'est lui qui guide finalement le travail. A l'inverse, dans *Le Jeu,* il n'y a rien de prévu, comme commentaire, puisque tout se fait à mesure.

Alain ROBBE-GRILLET : Dans *Marienbad,* il y a un grand modèle, alors que, dans *Le Jeu,* il y a un certain nombre de modèles différents qui se recouvrent partiellement, qui se contredisent largement, ce qui crée un film tout à fait différent dans sa globalité.

Olivier VEILLON : Le modèle actanciel qui se constitue dans *Le Jeu avec le feu* est paradoxal : il y a deux modes possibles cohérents de répartition des fonctions et, donc, deux effets diégétiques justifiables. A partir de cela, l'univocité du récit est radicalement critiquée.

Lise FRENKEL : A propos de Metz, il faut dire que, dans le dernier numéro de *Communications* [3], il abandonne la sémiologie...

Olivier VEILLON : Je trouve qu'il a tort...

Lise FRENKEL : Avec ce qu'il appelle le signifiant imaginaire, il donne comme un aspect de la spécificité cinématographique l'inconscient.

Olivier VEILLON : J'aimerais qu'un spécialiste de Metz intervienne...

François JOST : Tu as bien montré que la grande syntagmatique n'était pas suffisante pour rendre compte d'un certain nombre de films; on aurait pu le développer en montrant que certains films ne possédaient pas du tout de syntagme : c'est le cas de *Glissements.*

Olivier VEILLON : Oui, j'ai fait allusion à ton travail sur *Glissements* en ce qu'il indique l'impossibilité de travailler avec la grande syntagmatique sur les films de Robbe-Grillet.

François JOST : Ce qui commence à me gêner, c'est quand tu fais intervenir Greimas. Tu supposes, malgré tout, une connaissance de la diégèse que tu vas chercher dans un lieu qui ne te pose pas tellement de problèmes : alors tu es obligé de clarifier ce qui n'est pas clair. Comment peux-tu dire, par exemple, qu'on va vers le cycle incestueux?

Olivier VEILLON : Le cycle incestueux, c'est ici simplement un dispositif fonctionnel où le destinateur, le sujet et le destinataire sont les mêmes.

166

François JOST : Il me semble quand même que la topologie du film n'est pas claire. Quand Greimas parle de modèle actanciel, finalement il réfléchit sur un mode de récit très spécifique, le récit du Moyen Age qui est très marqué idéologiquement. Alors je veux bien, puisque Robbe-Grillet le confirme, que ce modèle actanciel ait fonctionné dans *Marienbad* mais, quant à moi, je ne le vois pas du tout dans *Le Jeu avec le feu*.

Alain ROBBE-GRILLET : Je suis un peu de votre côté, mais je ne pense pas que Veillon ait dit le contraire. Il est parti de *Marienbad* en montrant justement comment ce modèle pouvait fonctionner encore avec une certaine greimacité. *(Rires.)* Au contraire, dans *Le Jeu avec le feu,* on avait affaire à autre chose. En tout cas, dans *Marienbad,* le rapport au conte ou au moins à l'histoire du Moyen Age est très indiqué dans le texte même : par l'intermédiaire de la statue et de l'allusion à la Diète.

François JOST : Ce qui me gêne, malgré tout, c'est que c'est une tentative de mouvements centripètes pour une œuvre centrifuge. Le modèle actanciel, s'il existe, est donné de manière totalement éparpillée et ton travail, dans la mesure où il a été de le faire fonctionner parfaitement, t'a conduit à tout réorganiser.

Olivier VEILLON : Non, justement. A propos du *Jeu avec le feu,* j'ai montré que ce phénomène de répartition possible selon deux dispositifs fonctionnels écartait les cadres du modèle actanciel, le rendait paradoxal, puisque chaque fonction définissant un actant est occupée dans le film par deux personnages.

Paul JACOPIN : Dans un récit classique, quelqu'un peut être d'abord destinateur, puis devenir opposant...

Olivier VEILLON : Du point de vue de Greimas, il ne peut y avoir de changement de fonction que pour les adjuvants et les opposants. Les quatre fonctions cardinales (destinateur, destinataire, sujet, objet) doivent rester les mêmes pour constituer la cohérence du récit.

Paul JACOPIN : Dans *Boule de suif* de Maupassant, ce n'est pas seulement l'adjuvant et l'opposant qui changent, mais l'objet même, le destinateur et le destinataire.

Jean-Christophe CAMBIER : Ce que montre Veillon, c'est que, dans la mesure où l'on a deux modèles actanciels, le fonctionnement conjugué et ce qu'on pourrait appeler le change des fonctions interdisent à ces modèles de fonctionner comme dans le récit traditionnel. Ce que fait Robbe-Grillet c'est, précisément, de permuter des fonctions qui, dans le récit classique, sont impermutables.

François JOST : Ce qui me paraît différent chez Robbe-Grillet, c'est qu'il permute peut-être des fonctions (on en revient toujours au problème des unités culturelles qui rôdent autour de nous), mais je ne suis pas sûr qu'il y ait forcément toutes les fonctions décrites par Greimas et donc que le schéma puisse fonctionner aussi bien.

Olivier VEILLON : Les fonctions telles que les a posées Greimas, ce n'est pas simplement à partir du travail de Propp, c'est à partir de la conjonction de plusieurs travaux qui arrivaient tous à la définition d'un certain nombre de fonctions. Les travaux de Souriau sur le théâtre ou les travaux de Propp sur les contes populaires en arrivaient à des fonctions que Greimas a retrouvées dans toutes les manifestations narratives.

Jean RICARDOU : Jost, il y a une petite difficulté à progresser sur ce point. Vous dites que certaines fonctions établies par Greimas ne vous semblent pas mises en jeu dans *Le Jeu avec le feu*, alors que Veillon, au contraire, non seulement a montré qu'elles étaient en jeu, mais leur a même affecté des personnages précis. Alors, il faudrait une démonstration pour étayer votre affirmation.

François JOST : Je pourrais dire à mon tour : prouvez-moi que j'ai tort (*Rires*). Je trouve qu'il y a là un certain arbitraire...

Jean RICARDOU : Si Veillon a localisé et attribué les fonctions, cela me paraît suffisant, à cet égard.

François JOST : J'aimerais alors qu'il me réexplique exactement son tableau.

Olivier VEILLON : Faisons une expérience : quand on demande à quelqu'un de raconter un film comme *Le Jeu avec le feu*, c'est-à-dire de reconstituer une cohérence diégétique à un film anti-narratif, la personne en question peut passer par différentes possibilités d'organisation. En fait, il y en a deux : l'une revient à considérer que le père, Georges de Saxe, est le sujet d'une quête vers sa fille Carolina. Cette quête est alors une relation de désir, de type incestueux : il est donc le destinateur parce que Carolina vit chez lui, sous sa protection, et il est aussi le destinataire, puisque le résultat de cette quête serait la consommation de l'inceste. A l'intérieur du film, les scènes dans lesquelles Franz apparaît, le personnage joué par Trintignant avec une moustache...

Alain ROBBE-GRILLET : Trintignant avec une moustache s'appelle Franz, sans moustache il s'appelle Francis.

François JOST : Dès le départ, quand on dit : le père est en quête de sa fille, cela me choque...

Alain ROBBE-GRILLET : Vous savez, Jost, c'est un schéma narratif...

François JOST : Cela ne me choque pas du point de vue moral... (Rires). Je trouve que c'est réintroduire un schéma interprétatif, quoi...

Olivier VEILLON : Oui, oui : je suis parti d'un point de vue expérimental. J'ai considéré la manière dont on pouvait rendre compte diégétiquement du film et j'en arrive à la conclusion que, si on ne peut pas en rendre compte dans un schéma narratif organisé, c'est qu'il y a un dédoublement des fonctions dans le modèle actanciel...

François JOST : Oui, mais c'est au point de départ que cela ne va pas.

Alain ROBBE-GRILLET : Jost, ce schéma narratif que vient de donner Veillon comme point de départ du film est, effectivement, ce qu'on entend au début du film. On entend la voix du père qui dit que Carolina, sa fille, lui fait penser à sa jeune mère autrefois. Est-ce que c'est pour cela qu'il s'intéresse à elle, ou est-ce simplement parce qu'il est vieux et qu'il aime les petites filles en général... Tout cela est dit, c'est vraiment dans le texte même. Ce n'est pas Veillon.

François JOST : Vous interprétez...

Alain ROBBE-GRILLET : Ah, non (Rires.) Ce n'est certes pas tout le film. Ce serait une interprétation si l'on disait que le film c'est cela. Mais c'est un élément :

vous ne pouvez pas nier qu'il se trouve dans le film. Cela est dit explicitement, à un moment particulièrement important, le début. « Et maintenant, Carolina, sans doute, déjà ressemble à cette adolescente qui fut sa jeune mère autrefois. » Ce n'est pas possible de ne pas entendre cela.

François JOST : Mais enfin, cela ne dit rien encore...

Alain ROBBE-GRILLET : Alors il me semble que vos rapports avec le sens sont encore plus extraordinaires que les miens *(Rires)*.

Laure ESBOA : Si c'est une interprétation, elle est possible à partir des éléments du film. Il faudrait que Jost cite les éléments du film qui la rendent impossible.

François JOST : Alors, vraiment, c'est très spécieux : quand on dit, de *Marienbad*, que c'est l'histoire d'une persuasion, ou l'histoire d'une psychanalyse, ou l'histoire de n'importe quoi, alors on a aussi raison de le dire. Il y a une quantité d'éléments qui le prouvent. Et je pense que Lise Frenkel ne me démentira pas. *(Rires.)*

Olivier VEILLON : Non, je pense que ce qui choque Jost en ce moment, c'est plus le mode de fonctionnement particulier du *Jeu avec le feu*. C'est le fait qu'on puisse, à travers le mode de manifestation particulier du film, reconstituer deux fonctionnements diégétiques contradictoires.

Alain ROBBE-GRILLET : Est-ce que vous êtes sûr qu'il n'y en a que deux? Personnellement, je n'en suis pas sûr. Il y a des fonctionnements diégétiques qui englobent une plus ou moins grande part des éléments du film et, effectivement, deux de ces diégèses possibles recouvrent un très grand nombre de plans, mais en laissent d'autres à l'extérieur. D'autres diégèses sont aussi possibles, mais sur un plus petit nombre d'éléments. Plutôt que les deux seules, disons que ce sont les deux principales.

Olivier VEILLON : Oui, mais ce qui est important, c'est que ces deux diégèses principales sont référées à deux ordres que j'ai précisés, celui du père et celui de Carolina.

Paul JACOPIN : J'en reste à la question des modèles. Ce qui fait difficulté, peut-être, c'est que, dans le premier schéma de *Marienbad*, tous les actants ne sont pas anthropomorphiques, comme chez Greimas. Le fictif comme destinateur, cela fait quand même problème. Ce qui fait encore plus problème, c'est qu'un des actants, le destinataire, soit le modèle actanciel lui-même. Ce n'est pas la mise en abyme mais...

Olivier VEILLON : Oui. Je suis parti justement de ce fonctionnement structurel de la mise en abyme et j'ai essayé d'en rendre compte, au niveau sémantique, du point de vue structural. On part d'éléments fictifs non précisés, réinvestis par la voix narrative, pour constituer un objet fonctionnel, qui n'est produit, structurellement, que par ce passage sur la scène du théâtre, que par la mise en abyme. Et c'est là que je note la fonction structurelle de la mise en abyme que Ricardou a fait remarquer, et qui permet, ensuite, la constitution du film qui se trouve aussi, du point de vue sémantique, ce vers quoi tend le fonctionnement du rapport sujet voix narrative/objet de la fiction.

Françoise ROUET : Quand on fait des analyses de ce type, je me demande comment on fait pour séparer le sens au niveau de la linguistique sémantique et la signification que le lecteur dégage de l'œuvre. Les deux niveaux se mêlent nécessairement.

Olivier VEILLON : La signification telle qu'elle se produit dans le mouvement même de l'œuvre c'est, au niveau structurel, ce qui permet le déroulement même du film. Le sens tel qu'il est produit par le film c'est, au niveau sémantique, ce qui rend compte de ce déroulement structurel comme mise en forme des signifiés proches.

Lucien DALLENBACH : Il me semble que l'une des causes des questions qui se posent c'est, d'une part, le schéma et, d'autre part, la manière dont on traduit les différentes fonctions. Je me demande si l'on ne pourrait pas opérer la traduction que vous avez faite pour tout récit. Je pense notamment à un article de Todorov qui s'appelle précisément : *La Quête du récit* [4], où il aboutit à la conclusion que tout récit, au fond, est en quête de lui-même. Alors, tout protagoniste peut être le principe de narrativité et l'on peut trouver une mise en abyme dans tout texte, même dans tout film. Alors, je trouve que c'est un peu général : je suis plus convaincu par l'analyse du *Jeu* que par celle de *Marienbad*.

Olivier VEILLON : Si j'ai utilisé ce type de modèle, c'est justement parce qu'il rend compte du fonctionnement de tout récit. Je pense que votre intervention peut répondre à ce qui gênait Jost tout à l'heure..

Lucien DALLENBACH : Mais alors : qu'est-ce qui est spécifique dans *Marienbad* ? La transparence de ces fonctions ?

Olivier VEILLON : Oui, c'est cela. Ce qui est spécifique, c'est justement la correspondance du niveau structurel et du niveau structural.

Dominique CHATEAU : Il faut d'abord parcourir son domaine, disait M. Teste. Veillon l'a fait très bien ici, à mon avis, mais Christian Metz aussi. C'est à la fois le même domaine et un domaine différent. Pour l'expliquer, je veux d'abord revenir sur ce que Robbe-Grillet a dit ce matin de Christian Metz et de son édifice sémiologique : il serait magnifique et inutile. A mon avis, au contraire, c'est précisément parce que Metz n'est pas magnifique qu'il est utile. En d'autres termes, c'est parce qu'il est rigoureux qu'il est important. Je pense qu'une mise au point s'impose puisqu'on a vraiment beaucoup parlé de Metz ici. Alors la grande syntagmatique est un modèle partiel de description de la structure du film. J'entends par là un système conceptuel dont chaque composition vise à représenter les principes et processus qui gouvernent la formation et la compréhension des suites d'images filmiques. Ce système se fonde sur trois données essentielles : l'analyse du cinéma en tant que langage (c'est-à-dire comme système de signification), une certaine conception de la formalisation (c'est-à-dire une méthodologie), enfin quelques règles élémentaires de la recherche scientifique. Eu égard à ce troisième caractère, la grande syntagmatique est digne d'un intérêt qu'aucune autre théorie du cinéma de jadis et naguère ne pourrait revendiquer. En vertu du second, elle peut être regardée pour un modèle, le moindre ou le meilleur, il faut en discuter, parmi tous les systèmes conceptuels que la variété des méthodologies autorise à concevoir. Enfin, la troisième donnée signifie que cette pluralité de modèles repose nécessairement sur un matériel empirique commun, une base universelle, le langage cinématographique. Alors je pense, et c'est le sens global de ma mise au point, que Metz est incontestable en ce qu'il a introduit, disons, l'esprit scientifique dans la théorie du cinéma, et suivant la perspective qu'il fallait : la perspective sémiologique. Cela dit, Veillon, à mon avis, a tout à fait raison de dire que c'est sur le point précis du syntagme descriptif que l'interrogation sur la grande syntagmatique doit venir. En situant la grande syntagmatique de Metz entre deux pôles, d'une part le syntagme parallèle (par exemple l'alternance d'images du type guerre/paix) et, d'autre part, la séquence narrative... A ce propos, je pense que la définition de Ricardou de la séquence « ensemble d'événements supposés sans hiatus » est, contrairement à ce qu'a dit Gardies, insuffisante au cinéma...

André GARDIES : Ricardou la définit en littérature et je l'appliquais moi-même à la littérature, au texte écrit : pas du tout au cinéma.

Donimique CHATEAU : Oui, mais enfin tu as laissé entendre que tu l'utilisais pour le cinéma et que tu n'utilisais même qu'elle... Il y a précisément, dans la grande syntagmatique, trois types de séquences : la scène ou séquence ordinaire et la séquence par épisodes qui, justement, se distinguent par le plus ou moins grand degré de hiatus diégétique qu'elles comprennent. Enfin cela n'était qu'une simple incidente. Donc, je reprends : en situant la grande syntagmatique entre deux pôles, le syntagme parallèle et la séquence narrative, en donnant au syntagme descriptif, comme l'a très bien dit Veillon, le statut d'exception unique, Christian Metz élimine finalement un nombre considérable de syntagmes que l'on trouve chez Robbe-Grillet. L'exemple des suites de ponctuation dans *Glissements* est tout à fait probant à ce niveau. Alors, je dirais que c'est parce que la grande syntagmatique donne à des règles un statut de lois, c'est-à-dire qu'elle est restreinte à la description d'un corpus où certaines règles font lois, que toutes exceptions, et elles abondent dans les films de Robbe-Grillet, semblent, semblent seulement, rendre caduc son modèle. Comme l'a dit Macherey, une exception confirme la règle, mais détruit la loi.

Maintenant, je vais poser une question à Veillon. Veillon a dit qu'il faut prolonger, pour mieux envelopper, comme dirait Bachelard, la grande syntagmatique de Metz dans un projet plus vaste. Alors je lui demande : ne craint-il pas qu'une certaine rhétorique althussérienne qui fleurit dans son texte donne l'impression à l'auditoire qu'il réitère l'illusion qu'il reproche à la théorie metzienne : la fameuse illusion hégélienne du système des systèmes ?

André GARDIES : Juste une mise au point : il est évident que lorsque j'ai utilisé la définition de Ricardou, elle s'appliquait au texte écrit. J'ai utilisé le mot séquence, en sachant qu'il pouvait prêter à confusion, puisque c'est un terme utilisé couramment en matière de cinéma. Simplement, je crois avoir bien pris soin de préciser, dans la suite de la communication, que le mot important c'était le mot hiatus et que le mot hiatus s'appliquait au cinéma aussi bien au niveau du plan qu'au niveau de la séquence. Par ailleurs, ce mot séquence, même s'il est ambigu, est justement rejeté par Christian Metz au profit du mot segment, ce qui me permettait de jouer sur cette ambiguïté du terme, tout en essayant de ne pas tomber dans le piège.

Dominique CHATEAU : Je voulais simplement montrer que, sur quelques points, il arrive que Christian Metz donne plus d'informations que d'autres.

Olivier VEILLON : Tout à fait d'accord avec l'intervention de Chateau. Je pense qu'il a bien montré la raison pour laquelle j'avais quitté la grande syntagmatique et pourquoi j'étais tenté de proposer des modèles qui, d'un point de vue méthodologique, me semblent utilisables, comme l'a lui-même indiqué Greimas, pour des manifestations mythiques autres que le conte populaire ou les pièces de théâtre. A partir de là, je pense qu'on peut essayer de constituer d'autres catégories pensables dans le cadre d'une sémiologie du cinéma, mais non basées sur le postulat de départ de l'identité du niveau sémiologique au niveau sémantique. Je pense avoir bien indiqué que ce qui me gênait chez Metz c'était l'adhérence du signifié au signifiant dans l'image et l'image considérée comme unité signifiante de base sur le plan sémantique permettant, à partir de là, de reconstituer la diégèse et de retomber aussi sur ce qui déterminerait encore une fois le corpus. Ma recherche est donc programmatique : elle tente simplement de proposer des modèles opératoires qui échappent à la définition produite par le corpus de Metz. Pour ce qui est de la référence à Althusser, je ne pense pas qu'elle ait d'autre implication que de préciser quel est le lieu d'intervention du cinéma par rapport aux autres formations idéologiques.

Dominique CHATEAU : La démarche de Veillon finalement est la suivante : il pose le problème de l'identité ou de la non-identité au niveau sémiologique et au niveau sémantique. Partant de certaines constatations qu'il a faites, lui, il propose un modèle sémantique qu'il utilise pour étudier les films de Robbe-Grillet, en particulier parce que le modèle sémiologique est insuffisant. Alors, je reprendrai ici l'idée que j'ai énoncée au début du colloque : la démarche est intéressante parce que, comme disent certains épistémologues modernes, elle est falsifiable. En tout cas, elle a le mérite d'être claire et d'être incluse dans un domaine qui a été défini.

Olivier VEILLON : Ces modèles sémantiques auxquels je me suis référé ont pour fonction de marquer ce dont ne peut pas rendre compte la grande syntagmatique. Cela implique, inévitablement, un autre type de découpage syntagmatique qui puisse prendre en compte cette manifestation sémantique bizarre.

Marceau VASSEUR : Si je considère le travail qu'il faut pour voir vraiment un film de Robbe-Grillet, je pense à la grande quantité de spectateurs moyens ou mauvais qui ne sont pas dans les conditions pour s'initier. S'il y avait, dans la société, un lieu où l'on puisse débattre en permanence des phénomènes culturels, quel langage faudrait-il employer? Si vous rencontrez au bistrot de Cerisy un ouvrier agricole qui a vu *Marienbad*...

Olivier VEILLON : Vous remettez en cause l'institution dans laquelle nous sommes en ce moment...

Alain ROBBE-GRILLET : On peut répondre autre chose : évidemment *Marienbad* peut être considéré comme s'adressant non seulement aux gens de ce colloque, mais aussi à l'ouvrier agricole. C'est pour cela qu'il est passé à la télévision : si l'ouvrier agricole l'avait vu, il aurait pu le regarder. Il est probable qu'il ne l'a pas fait. Si *Marienbad* s'adresse donc mettons à tout le monde, il est évident que le type de discours qui se tient ici ne s'adresse qu'à une société limitée qui prétend penser justement les phénomènes... Alors vous avez raison sur un point : c'est que l'œuvre est toujours plus directe que ce qu'on peut en dire. Mais je me demande si vous ne supposez pas qu'il vaudrait mieux ne pas en parler...

Marceau VASSEUR : Non, non. Je demande simplement : si l'ouvrier agricole n'a pas compris *Marienbad* et s'il demande qu'on lui explique...

Jean RICARDOU : On peut l'aider à partir d'une certaine élaboration théorique. Si vous me dites qu'il ne comprend pas non plus l'élaboration théorique, eh bien il faudra aussi la lui expliquer. Il ne faudrait pas imaginer la possibilité d'un raccourci qui permettrait d'arriver immédiatement à un film, spontanément, sans en passer par la constitution de concepts qui permettent d'agir sur le film, de le segmenter, d'articuler des rapports.

Marceau VASSEUR : Mais quelles seront les conditions, alors, dans lesquelles l'ouvrier agricole arrivera...

Jean RICARDOU : Bien entendu, d'abord, une bonne révolution. *(Rires.)* Il me semble que l'un des effets d'une révolution bien comprise serait notamment que l'ouvrier agricole puisse parvenir à accéder et même, encore mieux, à produire des éléments théoriques tels qu'il pourrait travailler sur quelque œuvre d'art que ce soit et, pourquoi pas, en produire.

Dominique CHATEAU : Je dirais, pour ma part, que l'ouvrier agricole utilise quotidiennement des machines dont il ne connaît pas la théorie. Il ne sait pas qu'avant la charrue, il y a eu l'araire.

Jean RICARDOU : Ce n'est pas exactement la théorie cela, c'est de l'histoire sur un point déterminé. Et, en outre, l'on ne pratique pas une charrue comme un film.

François JOST : Vous avez raison, Ricardou, il y a une idéologie sous-jacente ici, à savoir que la sensibilité ne serait pas idéologique, qui tend à faire croire qu'on va parler directement à la sensibilité des gens.

Lise FRENKEL : On aborde ici un problème important. Je crois tout de même, en effet, qu'il y a des systèmes de référence plus universels que les vôtres. Christian Metz, dans *Le Signifiant imaginaire,* parle de l'affect. Or l'ouvrier agricole, comme vous et moi, est doué d'affect. Il est doué d'un imaginaire et je crois que d'autres systèmes de lecture théorique expliquent davantage et rendent davantage compte des rapports entre le spectateur et l'œuvre d'art. Lorsque, après d'autres, mais il a raison de le préciser, Metz rappelle que le spectateur a des rapports d'affect, qu'il fait des projections, qu'il retrouve ses propres fantasmes et qu'il y a un rapport de désir entre l'œuvre d'art et le public, il permet l'économie d'un détour théorique et d'une articulation. Je m'appuierais ici sur ce que Lacan dit dans *L'Instance de la lettre* [5], et je suis bien contente qu'il le dise : « Le feu prend de partout. » Shoshana Felman, dans son article sur Lacan, dit bien que, dans cette espèce de lecture psychanalytique, on peut passer par-dessus l'articulation syntagmatique ou logique.

Alain ROBBE-GRILLET : Un dernier mot pour répondre à Vasseur. La question que vous posez est : comment présenter *Marienbad* au grand public ? Effectivement, elle se pose de façon très matérielle puisque, très récemment, on nous a proposé d'en faire une édition de poche destinée en somme aux ouvriers agricoles et assimilés. La question restait de savoir ce qu'on allait mettre comme introduction. Vous pouvez constater que j'ai pris le parti de laisser l'introduction écrite par mon double idéologique pour le festival de Venise. Je pense que les schémas actanciels de Greimas ou des choses du même genre ne peuvent pas s'adresser à un public mettons « illettré » entre guillemets et que, au contraire, on est toujours plus ou moins amené, pour parler à ce public-là, de glisser plus ou moins soi-même dans les pièges de l'idéologie. C'est une question dont j'ai parlé à plusieurs reprises depuis le début de ce colloque : la présentation des œuvres par un diffuseur, par un éditeur, par un distributeur de films. Dans cette présentation des œuvres, j'admets très bien, personnellement, qu'il faille jouer une sorte de double jeu, et proposer des interprétations que l'on est prêt, soi-même, à démentir. Pourquoi? Parce qu'il y a plusieurs niveaux, probablement, dans n'importe quelle œuvre et, en particulier, dans *Marienbad*. Le grand public se trouvera avoir accès à *Marienbad* par une explication idéologique qui n'est pas pertinente. Cependant, ayant fréquenté ce film grâce à cette interprétation réductrice, même falsificatrice, il sera en contact avec une œuvre qui, peut-être, lui fera aller un peu au-delà, c'est-à-dire que l'œuvre lui dira : il y a autre chose.

Jean-Christophe CAMBIER : Robbe-Grillet, vous sacrifiez la récupération à la diffusion : c'est un problème.

Alain ROBBE-GRILLET : C'est un problème, en effet. J'ai seulement dit que je l'avais toujours fait et la publication du recueil *Pour un Nouveau Roman* en est un autre exemple. Oui, cela me pose des problèmes, mais je continue à croire à l'efficacité de cette méthode...

Jean RICARDOU : Ce qu'il faudrait analyser et évaluer c'est l'éventuelle contrepartie de cette efficacité.

Alain ROBBE-GRILLET : Ce qui est important, pour moi, c'est de ne rien mettre dans l'œuvre qui puisse, d'avance, permettre cette récupération. Rien, dans l'œuvre, n'a été mis volontairement pour que cette préface du double idéologique soit possible. Mais, une fois que l'œuvre est achevée telle qu'elle est, je suis prêt à tendre des fausses clés, comme la quatrième page de couverture de *La Jalousie*, où l'on disait « le narrateur de ce récit, un mari qui surveille sa femme », ce qui avait tellement choqué Blanchot qui répondait : ce n'est pas le mari, c'est la pure présence anonyme... Bien sûr, mais je ne pouvais pas dire à

Emile Henriot que c'était la pure présence anonyme. Je répète que le gros avantage de cette réduction ou même de cette inversion opérée par mon double idéologique, c'est que l'œuvre peut avoir un impact : *L'Année dernière à Marienbad,* au lieu d'être directement envoyé au rebut, a pu être vue par des gens comme, disons, Veillon, qui, à dix-sept ans, a pu en prendre connaissance à Dompierre-sur-Besbre...

Jean RICARDOU : Je crois qu'il est possible ici d'apporter une précision. La mise en jeu de ce que Robbe-Grillet appelle son double idéologique présente un avantage : celui d'établir résolument un malentendu qui permet, au départ, une certaine diffusion du roman ou du film. La mise en jeu de ce double idéologique présente aussi un inconvénient : c'est cette tactique, à mon sens, en effet, qui est la cause du refus de la théorie, pour lui-même, de Robbe-Grillet. Il lui est possible, facilement, d'assurer le dédoublement entre le rôle de la production et le rôle de la divulgation. Il ne lui est pas possible d'assumer la contradiction entre le discours de la divulgation et le travail de la théorie. Cependant, Robbe-Grillet ne refuse pas entièrement la théorie : il préfère seulement que d'autres l'accomplissent. Ce qui aurait été grave, c'est que le double idéologique ait été tellement fort, que Robbe-Grillet en fût arrivé...

Alain ROBBE-GRILLET : ...à ne pas s'intéresser, par exemple, à ce qu'a dit Veillon...

Jean RICARDOU : Exactement.

Olivier VEILLON : Je pense que les interventions de Robbe-Grillet pour permettre la diffusion de ses produits ne sont pas dangereuses dans la mesure où les produits eux-mêmes sont suffisamment résistants, structurellement, pour évacuer toutes les lectures idéologiques qui s'y investissent.

Jean RICARDOU : Mais peut-être y a-t-il, précisément, tout de même, un petit problème. Robbe-Grillet parle souvent de la récupération de ses premiers livres. Je crois que Robbe-Grillet va peut-être un peu trop loin quand il dit que certains de ses livres ou de ses films ont été récupérés mais, quand il le dit, il dit tout de même que certains de ses ouvrages ont, quant à leurs dispositions, une résistance moindre que d'autres.

Alain ROBBE-GRILLET : Non : pour un lecteur ou un spectateur comme Veillon, les textes résistent à ce que j'ai pu en dire pour les promouvoir.

Anthony PUGH : Mais vous en encouragez d'autres, au contraire, à se projeter...

Alain ROBBE-GRILLET : Oui.

Anthony PUGH : Alors vous leur tendez un piège : ils tombent dedans et ils ne peuvent plus en sortir...

Alain ROBBE-GRILLET : C'est possible, mais ce n'est pas sûr puisque, justement, l'œuvre prétend apporter cette thérapeutique pour sortir du piège que l'introduction présente.

Anthony PUGH : Je pensais, notamment, à un texte que vous aviez fait imprimer dans *Lui,* il y a un certain temps, sur *La Maison de rendez-vous.* Il me semblait que cela encourageait justement cette espèce d'investissement...

Alain ROBBE-GRILLET : Sans doute, sans doute... *(Rires.)*

Frédéric GROVER : Ce que fait Robbe-Grillet n'est pas tellement différent de ce que faisait Molière avec *Tartuffe.* Au fond, historiquement, il est tout à fait justifié.

Alain ROBBE-GRILLET : Je le répète : la seule chose grave serait au moment où je construis l'œuvre elle-même, de me dire : attention, là, je vais quand même arranger les choses du côté de... Mais, cela, je ne l'ai jamais fait.

Lucien DALLENBACH : N'y a-t-il tout de même pas le danger d'un certain fétichisme de l'œuvre? Il me semble que les œuvres sont d'autant plus récupérées qu'il n'y a pas de discours théorique correspondant. On met les particularités de l'œuvre sur le compte de l'originalité et, finalement, cela ne pose pas tellement de questions à la société.

Alain ROBBE-GRILLET : Oui, peut-être. Mais, heureusement, j'avais mon fantasme le plus beau, Ricardou, qui lui, sur ce point, était là et bien là. *(Rires.)*

Frédéric GROVER : Tant qu'il y aura des Robespierre et des Saint Just, on pourra se permettre toutes sortes de choses : les complémentaires sont assurés.

Olivier VEILLON : L'œuvre provoque un certain nombre de modes de lecture qui, lorsqu'ils s'affrontent à l'œuvre, deviennent tout à fait inadéquates. A partir de cette inadéquation, on est obligé de passer à un autre plan de type théorique. Le fait qu'on ne puisse pas reconstituer un récit linéaire pour *Le Jeu avec le feu* provoque un travail théorique qui puisse rendre compte de ce fonctionnement. Je pense que les modèles actanciels peuvent le permettre.

Lucien DALLENBACH : Là, il y a le problème de l'écart temporel. Ne retarde-t-on pas, précisément, cette analyse théorique adéquate, en facilitant un accès fallacieux à l'œuvre?

Alain ROBBE-GRILLET : Je ne crois pas : voici comment je vis cette expérience par rapport aux autres auteurs. Comment ai-je commencé à lire Nabokov, auteur qui me passionne et dont certaines œuvres comme *Pale Fire* [6] nécessiteraient tout un colloque par leur richesse structurelle extraordinaire? Eh bien, j'ai commencé, comme tout le monde à lire Nabokov avec *Lolita*. C'est quand même ce murmure de propagande, disant du livre tout à fait autre chose que ce que j'y ai découvert en le lisant, qui m'a fait lire ce livre. Il n'y a donc eu là aucun retard.

Jean-Christophe CAMBIER : Mais votre conscience théorique n'est pas celle du lecteur moyen...

Alain ROBBE-GRILLET : Non, mais je veux dire qu'à tous les niveaux ce sera pareil : ma conscience théorique est faible, nous le savons, comme l'a fait remarquer Ricardou...

Olivier VEILLON : Il ne s'agit pas de conscience théorique : il s'agit seulement de remarquer une inadéquation entre les lectures idéologiques...

Jean-Christophe CAMBIER : Je crois que, dans ses fictions mêmes, Robbe-Grillet en joue. Une phrase comme « je n'ai rien compris au scénario », à la fin du *Jeu avec le feu,* provoque un rire cette fois unanime. Cette phrase a un effet précis : libérer, d'une

181

certaine façon, le spectateur d'un travail sur le film. Alors, évidemment, pour vous, c'est un jeu...

Alain ROBBE-GRILLET : Mais non, pour moi, ce n'est pas un jeu. C'est une phrase au contraire extrêmement importante du point de vue théorique. Ce qu'elle dit, c'est : ce n'est pas le scénario qu'il faut étudier dans ce film, il est incompréhensible. Le fonctionnement de ce film se passe hors de sa diégèse, c'est cela qui est dit d'une façon précise...

Jean-Christophe CAMBIER : Oui, mais la phrase peut être lue : ce récit est tout simplement incohérent...

Alain ROBBE-GRILLET : C'est une lecture névrotique. *(Rires.)*

François JOST : Je voudrais interroger Robbe-Grillet sur ce point. Il vient de dire que le film se passait hors de la diégèse. Or, tout à l'heure, quand je ne voyais aucune diégèse, il m'a dit qu'il y en avait une...

Alain ROBBE-GRILLET : Non, Jost, j'ai dit seulement que le film n'est pas réductible à sa diégèse. Mais il y a des éléments diégétiques dans le film : ils sont assez précis et situés de façon assez nette pour qu'on puisse très bien aussi parler d'eux, ce qu'a fait Veillon.

Marcel HENAFF : Je voudrais d'abord marquer une réserve globale envers le positivisme de Greimas. J'appelle positivisme toute production de modèles qui ne s'interroge pas sur les conditions idéologiques de sa production. Cela dit, il existe un aspect très intéressant, que tu n'as pas souligné, du modèle actanciel de Greimas : la constitution d'un contrat dans toute production de récit, que ces contrats soient explicitement énoncés (comme entre le personnage principal et un adjuvant, ou avec un personnage qui devient un ennemi comme le diable dans les récits du Moyen-Age), ou que ce contrat soit implicite (comme celui que Barthes a analysé à propos de Sarazine : un récit contre une nuit d'amour mais le récit lui-même mettant en scène la castration, rend impossible l'échange et déçoit le contrat, l'annule). Alors, ce qui est intéressant, à mon avis, dans cette exhibition du contrat dans les structures actancielles, c'est ce que Barthes énonce par ailleurs dans *S/Z* : le récit vaut toujours pour quelque chose, le récit est une monnaie d'échange. Dans *Les Mille et une nuits,* un jour de survie pour un récit supplémentaire; chez Sade, une scène d'orgie pour une dissertation philosophique. Alors, ce qui m'intéresse du point de vue de l'économie symbolique et de son investissement dans toute production de récit, serait de déterminer la complicité historique du développement de l'économie échangiste, contractuelle, et de la narrativité bourgeoise moderne. Et alors, précisément, ce qui m'intéresse dans le travail à la fois textuel et filmique de Robbe-Grillet, c'est l'impossibilité d'assigner les contrats. Il y a donc éclatement conjoint de l'ordre contractuel et de l'ordre narratif. Alors la difficulté, qu'on a relevée dans ton exposé, d'appliquer les schémas greimasiens à Robbe-Grillet tiendrait justement à l'ampleur de la rupture que le texte ou le travail filmique provoquent dans l'ordre symbolique que surveille et constitue le contrat. Peut-être faudrait-il donc que tu précises le statut du contrat chez Greimas.

Olivier VEILLON : Tu viens de poser le cadre de ton propre travail : je ne peux pas donner les réponses aux questions que tu te poses à l'intérieur de ta problématique spécifique. Pour ce qui est de la question du contrat chez Greimas, il faut préciser que le contrat, en lui-même, ne spécifie pas la fonction : il n'en est qu'une des précisions accessoires.

Marcel HENAFF : C'est cela que j'appelle son positivisme : il ne s'interroge pas sur les conditions idéologiques de la formation de ces modèles. Ce que tu appelles ma problématique, c'est en fait une recherche assez généralisée.

Olivier VEILLON : L'éclatement de la narrativité chez Robbe-Grillet ne vient pas tant de l'impossibilité de spécifier les contrats que de la possibilité d'en spécifier plusieurs et contradictoires. C'est ce que j'ai essayé de montrer dans la double répartition fonctionnelle de ce qui serait le modèle actanciel d'un film de Robbe-Grillet. Mon travail peut, si l'on veut, être considéré comme une critique interne du modèle actanciel greimasien.

Paul JACOPIN : Est-ce que je réponds un peu à votre question en notant que l'espèce de contrat varie selon les époques? Par exemple, dans les récits du XVIe ou du XVIIe siècle, on a des contrats de troc, alors que, dans les récits du XIXe, les contrats impliquent qu'on produise, dans le cours du récit, quelque chose qui n'existait pas au départ.

Jacques LEENHARDT : Un mot était fondamental dans l'exposé et il est revenu tout au long de la discussion : c'est le mot idéologique. Il fait problème dans l'usage qu'on en a fait. Idéologie, dans votre exposé, c'est ce qui est investi dans l'anecdote : c'est le récit biographique, c'est l'idéologie du père comme idéologie narrative. L'idéologie, c'est alors le passé, ce qui est mort. Ma question est dès lors : quel est le caractère opératoire de cette distinction éthique en quelque sorte? L'idéologie serait plutôt, pour moi, l'ensemble des conditions de possibilité du travail scriptural.

Olivier VEILLON : La situation de l'idéologie ne relève pas d'une quelconque distinction éthique, mais de la précision claire, référée à la théorie althussérienne d'un certain niveau de réalité qui est celui qui donne prise le plus immédiatement sur le réel. L'idéologie, de ce point de vue, ce n'est pas ce qui est mort ou les autres, c'est tout ce qui nous permet d'avoir prise sur nos pratiques.

Jacques LEENHARDT : Si c'était ce que vous dites, ce serait exactement le contraire de ce que j'ai entendu. Malheureusement, dans votre exposé, il s'agissait lorsqu'on parlait d'idéologie, uniquement de ce qui est la narrativité, la référentialité et non du travail sur la narrativité traditionnelle, sur la référentialité, etc. Si ceci avait été cela, nous serions d'accord.

Olivier VEILLON : Dans mon exposé, quand je parle d'idéologie, je parle précisément d'un certain type de formation idéologique qui est celui de l'idéologie narrative.

Jacques LEENHARDT : Il y a donc l'idéologie narrative d'un côté, et puis plus rien. Alors je demande : qu'y a-t-il après qui travaille le travail sur l'idéologie narrative? Quel est le statut de l'idéologie qui travaille l'écriture qui déconstruit l'idéologie narrative? Vous n'en avez pas dit un mot.

Olivier VEILLON : Par la référence à l'idéologique, je me suis simplement situé à un certain niveau. Cela dit, dans ce niveau que l'on spécifie sous le terme d'idéologique, un certain nombre de formations particulières peuvent se développer. L'idéologie narrative en est une. Mais, à travers le fonctionnement particulier des films de Robbe-Grillet, j'ai essayé de montrer que l'idéologie narrative ne peut plus en rendre compte. C'est donc une forme idéologique différente qui doit l'appréhender...

Jacques LEENHARDT : Voilà ce qui n'avait pas été dit dans votre exposé et que je suis heureux de vous entendre dire. L'idéologie, pour moi, ce n'est pas une chose honteuse. *(Rires et protestations.)*

Alain ROBBE-GRILLET : Mais Leenhardt, si vous étiez arrivé au début du colloque, vous sauriez... *(Rires.)*

Jean RICARDOU : Ce qui manque alors, ici, il me semble, c'est la spécification d'une certaine idéologie comme dominante... *(Rires.)*

Jacques LEENHARDT : Alors, on en revient au système de l'idéologie-c'est-celle-des autres...

Jean RICARDOU : Non, voyons, le concept d'autres fonctionne ici de manière fantasmagorique. Que construis-tu Leenhardt à partir de cette réaction typiquement éthique, à ton tour?

Dominique CHATEAU : Heidegger disait qu'il fallait écouter les mots d'une oreille grecque. Je pense que Leenhardt a écouté Veillon et nous écoutera tous, de toute façon, avec une oreille post-goldmannienne. Quant à ce qu'a prétendu Lise Frenkel, j'aimerais bien qu'à la prochaine séance elle nous amène un ouvrier agricole qui a lu Lacan. *(Rires.)*

Lise FRENKEL : Je n'ai jamais prétendu rien qui puisse justifier une remarque pareille! J'ai seulement dit qu'un ouvrier agricole était doué d'affect.

Olivier VEILLON : Je veux dire à Leenhardt que dans le domaine idéologique, ce à partir de quoi

l'appréhension du réel est possible, différentes formations se trouvent contrôlées par une idéologie qui,
à un certain moment, est dominante. On peut dire,
par exemple, que l'idéologie narrative, contre laquelle,
je l'ai montré, Robbe-Grillet manifeste une rupture,
est aujourd'hui une des formes de l'idéologie dominante. C'est uniquement dans ce cadre-là qu'il y a
critique de certaines manifestations idéologiques.

NOTES

1. *Seuil*, Collection *Points*.
2. *Psychanalyse de l'art et de la créativité, Payot*.
3. *Communications* n° 23, *Seuil*.
4. *Poétique de la prose, Seuil*.
5. *Ecrits, Seuil*.
6. En français *Feu pâle, Gallimard*.

XIII. LE NARRATEUR
ET SA MISE A' MORT PAR LE RECIT

par Pierre FEDIDA

J'ai lu Robbe-Grillet, il y a quinze ans. Il y a quinze ans, c'étaient *Les Gommes, Le Voyeur, La Jalousie*. Et depuis lors je n'avais jamais rien lu ni relu.

Un jour du mois de janvier de cette année, je vis arriver un homme grand, au visage émacié incertain d'une contenance qu'il semblait devoir prendre pour disposer ses jambes et ses mains à un récit longtemps retardé par l'excuse de ne pas avoir le temps. Je le regardais et je crois que j'écoutais déjà ce qui jamais ne se dirait d'une place juste cherchée pour raconter, tant les plans géométriques se recoupent dans les regards et dans les voix dont les objets se disposaient. Venu me parler dans l'idée d'entreprendre — comme on dit — une psychanalyse, il se trouvait tout à coup menacé d'être détruit, anéanti, par le narrateur qu'il n'avait cessé d'être, depuis que sa femme — cinq ans auparavant — l'avait quitté. Narrateur il le fut ainsi — pour lui-même — pendant des années, de la seule place qu'il s'était assigné pour en jouir complètement : la place d'un narrateur solitaire — voyeur invisible d'une scène à jamais dérobée de la mémoire, sorte de scène pour l'amnésie d'un voyeur lorsque le monde ne tient plus que par la seule géométrie du rapport des objets entre eux. La passion — lorsqu'elle est devenue blanche, indolore — tient, peut-être, toute entière dans ces gestes qui étriquent la mémoire et la

187

congédient peu à peu et qui ne sont certains que d'une géométrie d'angles refermés invariablement sur le même point. A la fin, les gestes ont rendu tout récit dérisoire, comme si raconter devait être revivre ce qui, peut-être, ne fut jamais vécu.

Aujourd'hui l'homme disait qu'il ne pourrait jamais plus raconter ce qui lui était arrivé, ce qu'il avait vécu : il ne l'avait jamais raconté à personne et il pensait pouvoir, un jour, le raconter à quelqu'un. Au moment où il était assis en face de moi, il ne pouvait plus être le narrateur et le narrateur était bien un autre le dépossédant d'une histoire ou d'une femme qui pouvait ne pas être la sienne et dont il serait pourtant l'amant... En ce moment-là, le narrateur — telle la statue du commandeur — menaçait de l'anéantir, lui qui — voyeur invisible — avait été le séducteur.

Que se disait-il en lui au moment où le narrateur se retourne pour commettre un meurtre? Le narrateur exige qu'il lui rende sa femme. La femme appartient au narrateur et à lui seul. Il en est l'amant. Et celui qui s'était retiré — l'homme venu me parler — n'aurait pas pu croire que sa femme l'avait quitté. « J'ai laissé faire » avait-il dit chaque fois pour commencer ce récit impossible. Ou encore : « Je les regardais devant un verre plein et sur une chaise vide... »

C'est ainsi que fut ce premier rendez-vous. Il dura longtemps. Etais-je celui qui pouvais enfin être de cet homme son narrateur? Je n'avais pas parlé tant devenait évident, dans un silence parfois doux et pourtant aigu, le vide persécuteur du narrateur. Vide cet homme était non pas d'un sentiment d'existence et encore moins de la perte d'un être « aimé », mais d'une sorte d'évanouissement du narrateur lorsque celui-ci devenant son double persécuteur, se faisant amant de sa femme, le rendait mari. Il ne l'avait jamais été mais comment raconter une histoire qui ne vous appartient pas?

C'était un soir de janvier et je n'aurais pas su pourquoi l'idée me vint de savoir qui j'étais de ce que je me racontais. Je savais seulement que le narrateur est invisible. Je savais qu'il est, comme l'oiseau conteur, celui à qui il ne faut jamais dire « oui » sous peine de disparaître aussitôt de s'être reconnu. J'ai — ce soir-là de janvier, pensé à ces livres dont on se dit qu'on ne les lit qu'une seule fois, qu'on ne les relira jamais. Et ce soir-là, j'ai relu *La Jalousie* de Robbe-Grillet!

Et en lisant une nouvelle fois *La Jalousie,* je m'étonnai de n'y plus retrouver le narrateur à la place où mon souvenir l'avait gardé. Mon souvenir le tenait pour présent d'un bout à l'autre d'un récit qui jamais ne le faisait apparaître mais qui l'insérait pourtant en un effet de travelling lui rendant son immobilité. Et le lecteur que j'avais été alors s'était surpris à découvrir que la perception mobile des objets, de leurs plans et de leurs rapports entre eux n'était possible que par l'immobilité du narrateur. Sans nom ni visage, ce narrateur immobile est tout entier en une parole qui voit et laisse en elle se disposer, se dessiner scrupuleusement, se détailler dans le regard les choses et les attitudes — et surtout l'étrange géométrie vigilante et têtue de leurs rapports. Cette parole ne raconte rien, ne peut rien raconter. Seule la lecture a le pouvoir d'être narrative. Et ce pouvoir elle semble le tenir de la parole du texte dont on dirait qu'elle est infiniment plate ainsi que l'entendait Poincaré pour in-imaginer des êtres vivant dans un espace à deux dimensions!

J'avais donc été — il y a quinze ans — le narrateur de *La Jalousie,* non point donc par l'effet de ce qu'on appellerait identification à un personnage, mais prenant ce texte pour ce qu'il est — une jalousie — avec ses fines lamelles inclinables dont l'avantage est celui de rendre réversibles le dedans et le dehors et aussi de voir à l'extérieur celui qui doit renoncer à savoir si à l'intérieur il y a quelqu'un. Et que serait la passion de l'amour si elle ne faisait de la jalousie ce miroir à lamelles dans lequel on ne se voit jamais puisqu'il ne réfléchit — pour ainsi dire, à l'infini — que la scène de l'autre dont le double est le protagoniste et l'instigateur. Parler de jalousie n'est-ce point toujours faire tenir le récit par le rival qui n'est autre que le double imaginaire persécuteur. Ne nous étonnons pas que les maisons de rendez-vous — qui sont les demeures intemporelles de l'amour des amants — conservent la trace des moindres détails et gardent jalousement les objets pour une mémoire qui défie le souvenir. La jalousie, enfin, donne cette connaissance des objets dans leurs moindres détails comme si la nécessité de les attendre était façon de conjurer la terreur dont ils sont faits.

Avoir été le narrateur et ne plus l'être : qu'est-ce à dire? Serait-ce que le souvenir du texte conserve le narrateur en une figure de cire après l'en avoir abstrait? Ou encore que le texte est comme une demeure désaffectée vide à jamais? Le vide était pourtant ce par quoi cette nouvelle lecture connaissait son vertige : le texte n'était-il là désormais que pour produire son auto-mouvement obsessionnel, faire défiler comme dans un miroir des plans, des profils, des perspectives se faisant et se défaisant sans cesse et ne pouvant tenir ensemble sinon de leur propre théorie. Vide était le texte — non comme on dit d'un texte qu'il ne contient rien — mais par une lecture sans mains ni voix confiée alors au seul regard de l'imprimé. Et c'est à ce moment-là que le texte ressemble à un organe. Son vide est organe — peut-être organe ou appareil psychique.

Que pouvait donc être devenu le narrateur? S'était-il évanoui ou n'avait-il jamais existé? Le vide dont il se soutenait pour parler — pour rendre possible un récit — existant à présent pour lui seul avait-il englouti le narrateur? Etrange texte dont le pouvoir serait celui d'avoir déchiré, détruit, entièrement la parole d'un récit pour livrer la lecture directement aux objets, pour faire d'elle, sans écran, une perception immédiate des objets dans la flagrante évidence de leur sur-réalité. Le vide, c'est lorsque les objets ne sont plus portés par l'illusion d'un récit ou d'un film qui les crédite d'une réalité; le vide c'est aussi lorsque viennent à se distendre les rapports dont une parole les rendait perçus ou dont une attente les faisait sensibles. Et ce vide était la place du narrateur.

Je viens donc de décrire cette sorte d'auto-destruction du narrateur dont le sujet — l'*ego* — n'était autre que le vide. Ce n'est point d'une mort que nous parlons : elle est, comme on le sait, le contraire du vide. La mort remplit. Le vide — qui est sans doute le prototype ou la forme la plus archaïque de ce qu'on nomme psychisme — est l'incapacité de constituer l'espace en un temps de l'absent. L'absence est fondatrice du temps de la narration.

Je me contenterai de formuler quelques propositions pouvant servir d'arguments à notre discussion.

La jalousie est peut-être le *glissement d'un désir* qui fait de l'amour une passion. La transgression subjective consiste dans l'instauration d'une scène imaginaire qui se signifie d'une expropriation de soi : autrement dit, le glissement est, en vérité, celui de soi dans la répétition présumée de l'autre. L'autre est *quelqu'un* fait du geste d'un couple. Et l'attention est ici toujours le creux d'une attente. *La scène imaginaire n'est pas une image, non plus une représentation. Elle est une parole qui s'écrit : elle est le narrateur.* Et le narrateur est ce double — voyeur invisible — dont le soi s'est anéanti. Il est le double devenu autonome : il impose l'ordre de la narration et régit l'économie du vide. Le narrateur est amnésique et sa mémoire est ivre de narration. Le récit est peut-être fait pour ne pas mourir. C'est pourquoi la parole narrative est marquée, dans son principe, par son propre épuisement : c'est le lot de sa toute-puissance. Littéralement amnésique de soi, le narrateur ne peut souffrir ni d'absence ni de séparation puisqu'il est au centre multiple de la scène qu'il engendre et dont il ordonne le moindre détail. La subjectivité des personnages du récit dépend entièrement de la loi du narrateur. Il se pourrait bien que le narrateur (qui n'est pas un personnage, puisqu'il est la parole d'un vu) échappant ainsi à toute loi psychologique de la subjectivité, soit *la surface d'un corps qui s'appelle texte.* Moyennant quoi, les figures corporelles de l'érotisme ne peuvent être que dérisoires : l'érotique — et non pas l'érotisme — défie toute représentation de la nudité corporelle. L'érotique se dirait seulement de l'écriture qui seule a pouvoir — par sa négativité — d'engendrer le texte.

Ce qu'on appelle le corps ne saurait se représenter car son sexe est le texte. Et la jouissance ne peut avoir lieu ailleurs qu'en la parole narrative comme si elle se définissait négativement par la fascination de son propre objet qui n'est autre que le non-dit. Et il revient enfin à l'explicite d'être l'affirmation dénégative du non-dit.

Je me suis placé — tout au cours de ce propos — dans une position indépendante du commentaire. Je n'ai point cherché non plus à dégager des thèmes symboliques et encore moins un syndrome! Le texte n'est pas un patient sur un divan même s'il pût être, en un moment, pour l'écrivain une figure de l'analyste sans fauteuil. Le narrateur — ni analysant ni analyste — est inanalysé et inanalysable. Et finalement celui qu'on appelle le psychanalyste pourrait bien être le vide dont s'engendre la scène imaginaire et à partir de quoi se reconstitue un temps de l'absence.

La psychanalyse a donné — comme on sait — une place au roman et à son origine. Peut-elle — par les renouvellements conceptuels et opératoires qu'elle engage aujourd'hui — donner enfin au vide la place du sujet?

P.F.

DISCUSSION

André GARDIES : Vous avez dit que vous éviteriez l'interprétation totalisante. J'aimerais donc que vous nous fournissiez quelques précisions sur les raisons de cette décision. Y a-t-il danger? Et de quelle sorte?

Pierre FEDIDA : Danger certain, oui, et qui est actif dans ma propre dépression! Par ses interprétation totalisantes (je pense à Marie Bonaparte et à d'autres lorsqu'on a cherché à faire coïncider un certain nombre de grilles interprétatives sur des œuvres littéraires), la psychanalyse se met en échec là où, précisément, son renouvellement est possible, là où la lecture du texte littéraire est en mesure de participer aux remaniements de la technique analytique elle-même. On parle beaucoup aujourd'hui, de transformations ou de remaniements de la technique psychanalytique : personnellement, j'y crois beaucoup. La volonté de maîtrise psychanalytique conceptuelle de l'œuvre me semble désormais de l'ordre disons d'une satisfaction idéologique que la psychanalyse se donne. Elle ne va pas vers ces nouvelles rencontres qui peuvent exister entre le travail psychanalytique et le travail textuel, le travail littéraire.

André GARDIES : Puisque vous pensez que la lecture de textes peut avoir un rapport direct avec le travail psychanalytique en tant que pratique, quel est le corpus d'œuvres qui pourraient avoir un intérêt par rapport à ses objectifs? Ce qui m'a un peu gêné dans un certain nombre des propositions que vous avez faites, c'est qu'elles m'ont laissé sur ma faim : on allait vers le texte et, au moment où on approchait du texte, eh bien, effectivement, il y avait ce vide dont vous avez parlé... Bref, cela a provoqué en moi une certaine frustration.

Pierre FEDIDA : Oui, j'en ai conscience. Mais plutôt que d'arpenter moi-même préalablement le texte, ce qui me ferait tomber dans le défaut que je veux éviter, j'aimerais que la discussion elle-même fasse revenir le texte à la surface, que ce soit sur le texte que l'échange se passe. Mes propositions sont des prolégomènes, des indications de recherche plus que des tentatives de cerner...

André GARDIES : Je reprends ma question, en la grossissant beaucoup : est-ce que Balzac, par exemple, vous intéresse par rapport aux objectifs que vous avez indiqués?

Pierre FEDIDA : Ah oui, je pense qu'il n'y a aucune discrimination possible. Il ne faut pas retomber dans ce défaut d'une espèce de pré-thématisation : d'une part des textes de vague consonnance ou intérêt psychanalytiques et, d'autre part, ceux qui n'en auraient pas. L'une des tâches premières à mon avis est de pouvoir se confronter aux résistances de chaque texte quel qu'il soit et de savoir à quel moment il peut entrer dans le projet de ce remaniement de la technique analytique.

Alain ROBBE-GRILLET : La question de Gardies peut se poser sans retourner jusqu'à Balzac : à l'intérieur du simple corpus constitué par l'ensemble de mes propres textes. Il est frappant que, dans l'exposé de Fedida, seuls soient apparus les trois premiers romans, *Les Gommes*, *Le Voyeur*, et *La Jalousie*. J'ai eu l'impression, moi-même, en écrivant ces livres, de rencontrer en somme les problèmes que Fedida a exposés : au cours de ces trois romans, j'ai assez volontairement prêté à cette problématique du trou, à ce vide dans l'œuvre. Quand je repense aux *Gommes*, au *Voyeur*, à *La Jalousie*, ce qui me frappe, c'est une approche croissante de ce qu'est ce vide central de l'œuvre. Dans *Les Gommes*, c'est une sorte de moment différé : à partir d'un schéma très grossièrement stéréotypé, le roman policier, on enlève le seul acte privilégié, le crime, et on se met à décrire une enquête où non seulement le crime manque, mais où l'enquêteur ignore que le crime manque. Il y a donc un double trou, mais qui reste diégétique. Dans *Le Voyeur*, ce trou dans la diégèse est vraiment la force organisatrice du roman. Ce qui a fasciné, au moment de la sortie du livre, des gens comme Bataille ou Blanchot, c'était bel et bien ce trou considéré comme un indicible. Je pense à la première phrase de l'essai de Blanchot : « d'où vient cette lumière qui illumine le texte ». Inversement, des critiques très traditionnels, Robert Kanters par exemple, disaient que j'avais écrit le texte d'une façon continue et que j'avais enlevé, ensuite *(Rires)* le moment où Mathias a peut-être commis un crime sadique. Il y a donc deux lectures névrotiques concernant l'œuvre : l'une qui privilégiait ce trou comme une récupération totalisante de la conscience coupable; l'autre, au contraire, qui consistait à le présenter comme un simple artifice. Pour moi, il s'agissait d'un trou organisateur : le moment central qui manquait dans l'histoire et qui organisait toute la matière textuelle. Au lieu qu'il y ait, comme dans un roman de Balzac, un plein central qui diffuse du plein dans toutes les directions, on avait affaire à un vide central qui diffusait du vide. Avec *La Jalousie*, un progrès encore dans cette voie : le narrateur tombe dans le trou. C'est alors qu'on retrouve cette problématique, esquissée par Fedida, des rapports entre l'existence de ce trou et la cohérence d'une voix narratrice. Des *Gommes* au *Voyeur*, et du *Voyeur* à *La Jalousie*, la voix narratrice devient de plus en plus cohérente. La narration des *Gommes* semble dispersée par un polycentrisme, les scènes ne passent pas toutes par un personnage, Wallas par exemple. Avec *Le Voyeur*, cela se concentre. Avec *La Jalousie*, c'est tout à fait concentré : tout passe par une voix narratrice tellement concentrée qu'on peut l'assimiler à un personnage. Or, en même temps qu'on assiste à cette concentration de la voix narratrice, en même temps l'importance croissante que prend le trou fait justement que cette voix narratrice disparaît dans le trou. C'est comme si toute la narration s'invaginait. Avec *le Labyrinthe*, tout se passe pour moi comme si la voix ressortait de l'autre côté, dans un monde qui, à ce moment-là, n'est plus le monde de la représentation. J'insiste beaucoup là-dessus parce que si, effectivement, on peut classer les trois premiers romans dans un groupe et les trois derniers dans un autre groupe, c'est justement pour cela. L'espace s'est retourné comme un doigt de gant : une fois seulement qu'on est de l'autre côté, on peut commencer à travailler vraiment sur le texte. Ce qui est intéressant, c'est que Fedida n'a jamais parlé, n'a jamais cité même, *La Maison de rendez-vous* ou *Projet* où justement commence tout mon travail actuel. Et je donnerais alors ma propre réponse à la question de Gardies : peut-être que, en effet, les romans de Balzac resteront définitivement destinés à Marie Bonaparte et que, au contraire, une modernité qui est en train de se faire permettrait alors cette nouvelle psychanalyse dont parle Fedida.

Lucien DALLENBACH : En lisant Robbe-Grillet et en vous écoutant, Pierre Fedida, j'ai souvent pensé à la description du jeu de la bobine, telle que Freud la rapporte dans *Au-delà du principe de plaisir* [1]. Il y a plusieurs choses qui tiennent à cœur à Robbe-Grillet et qu'il pratique : il y a la création/destruction, il y a l'apparition/disparition, dont il vient de parler maintenant, il y a ce rapport à l'absence. Alors, je me demande si ce rapprochement est éclairant selon l'interprétation traditionnelle : l'acquisition d'un certain pouvoir de domination sur le réel par le détour du leurre.

Pierre FEDIDA : On peut garder cette interprétation, mais ce n'est pas celle-là qui m'intéresse à propos de votre évocation de la bobine, que j'ai eu l'intention à un certain moment de citer. Comme je ne l'ai pas fait, je vous remercie donc de le faire. Là où je situerais une espèce de congruence de mon propos analytique et de l'œuvre de Robbe-Grillet, c'est dans l'exploration de ce qu'on appellerait l'objet total : je dirais de l'absent ou l'absence (c'est à voir) qu'il est l'objet total. Par rapport à ce qui a été dit, dans la théorie psychanalytique, de la volonté de constituer l'objet total, par rapport aux objets partiels, comme un plein. Je suis très frappé par le fait que la théorie psychanalytique a été, jusqu'à son point-limite, un hyper-substantialisme : Mélanie Klein conduit à des substantialisations qui excluent pratiquement ce que Freud, pourtant, engage de façon très résolue dans son œuvre : le pouvoir du négatif. J'ai eu envie de dire, à un moment, tout à l'heure, que la parole narrative (plutôt que la voix), dans les trois textes auxquels j'ai fait allusion, engage, jusqu'à un certain point, toute la fonction de ce qu'on pourrait appeler une hallucination négative : hallucination négative qui évite absolument la possibilité, en un quelconque moment, de substantialiser quelque chose qui serait de l'ordre d'une subjectivité.

Jean RICARDOU : Je me demande si l'opposition du plein et du vide est tout à fait pertinente...

Pierre FEDIDA : Ce n'est pas une opposition : c'est le vide qui m'intéresse...

Jean RICARDOU : Je voudrais donc préciser mon propos à partir de deux de vos formulations : la première c'est celle qui fait suivre, en deux temps, vide constitutif et vide modifié; la deuxième c'est : « on ne sait pas ce que l'œuvre peut venir transformer de la conceptualité opératoire de l'analyse ». Je n'interviens pas à l'intérieur du domaine analytique où je ne suis pas compétent, mais simplement dans les marges. Je ferai simplement deux remarques avec l'aide rapide de deux dessins. Je me demande en général si l'usage de la notion de vide n'en reste pas, d'une certaine manière, à la pensée du plein. Je me demande s'il ne s'agit pas, en effet, de l'un de ces dispositifs oppositionnels avec valorisation d'un des deux termes au détriment de l'autre et qui aurait pour tâche, ici, de penser ce qui serait un procès de transformation, c'est-à-dire, précisément, la mise en cause du concept d'identité. Alors je reprendrais ici, et je compliquerais, un des schémas que j'ai été conduit à risquer précédemment. Supposons dans le texte une phase 1, suivie d'une phase 2 obtenue par transformation. Lors de mon premier schéma, j'avais déjà présenté deux remarques : la première, c'est qu'il est possible d'accomplir en B, à partir du segment AB, une extrapolation BB' et la seconde qu'il était certes possible, inversement, d'accomplir, en B, à partir du segment BB', une interpolation AB qui retrouve le plein de la phase 1.

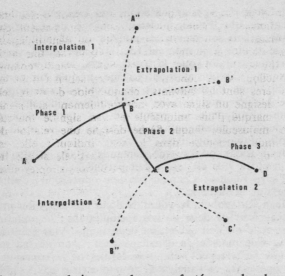

Cette extrapolation est donc confortée par la phase 1
qu'elle prolonge et contestée par la phase 2 qui ne continue la phase 1 que par une transformation. Ce qu'on
pourrait souligner maintenant, c'est ceci. D'une part, et
de la même manière, il est possible d'accomplir en B, à
partir du segment BC, une interpolation BA" et inversement, en B, à partir du segment A"B, une extrapolation
BC qui retrouve le plein de la phase 2. Cette interpolation est donc confortée par la phase 2 qui la prolonge
et contestée par la phase 1 que la phase 2 n'a continuée
que par transformation. Il s'ensuit d'une part que la
caducité des extrapolations et des interpolations dis-
tribue à chaque tournant une sorte de vide double. Il
s'ensuit d'autre part que, de même que la phase 2 transforme la phase 1, chaque interpolation et extrapolation,
contestées en elles-mêmes par la succession des phases,
contestent en outre l'interpolation et l'extrapolation
précédentes dont elles sont à chaque fois la transformation. Il s'agit donc non seulement de vides doubles,
mais de la transformation de ces vides.

198

Les opérations de transformation peuvent certes être très diverses. Si l'on considère celles qui passent par l'expresse mise en jeu des signifiants, on peut indiquer, comme dans les marges de la psychanalyse, une activité un peu différente : celle du texte entendu comme production. Voici donc un tout autre schéma dont les caractères sont les suivants : chaque bloc de deux cellules désigne un signe avec, horizontalement, son signifiant marqué d'une minuscule et son signifié marqué d'une majuscule; chaque flèche désigne une relation de similitude parcourue dans le sens indiqué : elle est horizontale si elle lie des signifiés, verticale si elle lie des signifiants. Disons un mot des parcours simples ainsi

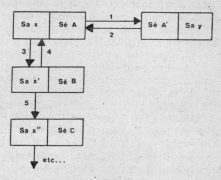

construits. Le premier parcours, c'est la métaphore expressive (qui substitue un signe à un autre) ou productrice (qui rapproche un signe d'un autre) en s'appuyant sur la similitude de leurs signifiés. Le second parcours, c'est la rétrospection allégorique afin de déchiffrement. A partir du signifié A', plus ou moins énigmatique, on s'efforce de revenir au signifié *similaire* A qui en est le départ. Le troisième parcours, c'est le trajet paronomastique expressif (qui substitue un signe à un autre) ou producteur (qui rapproche un signe d'un autre) en s'appuyant sur la similitude de leur signifiant. Le quatrième parcours, c'est la rétrospection paronomastique afin de déchiffrement. L'un des mérites de Freud est d'avoir insisté, non pas sur la rétrospection allégorique, mais sur la rétrospection paronomastique. A partir du signifié B, plus ou moins énigmatique, on s'efforce de revenir au signifié *différent* A qui en est le départ selon le détour de la similitude de leurs signifiants respectifs : considérer le rêve moins comme un symbole que comme un rébus. Mais il y a un cinquième parcours : c'est la prospection paronomastique afin de production. Cette fois, il ne s'agit plus, comme avec la rétrospection paronomastique, de remonter à partir d'un jeu de signifiants vers un signifié de départ; il s'agit de produire indéfiniment, à partir de jeux de signifiants, toutes sortes de signifiés autres. Ainsi, l'activité de déchiffrement analytique et l'activité de production textuelle ont bien un aspect commun : elles pensent notamment, l'une et l'autre, la transformation des signifiés à partir du jeu de signifiants. Mais elles sont, aussi, inversement orientées : ce qui intéresse le déchiffrement analytique, c'est surtout de reconstruire les signifiés de départ *à travers* les transformations dont ils sont l'objet; ce qui intéresse la production textuelle, c'est surtout de produire des signifiés autres *à l'aide de* la transformation dont ils seront l'effet. En ce sens, l'activité analytique traditionnelle mettrait l'accent davantage sur une identité retrouvée sous ses travestis et l'activité textuelle moderne mettrait l'accent davantage sur la rupture prospective de la notion d'identité. Alors, s'il s'agissait d'une éventuelle relance analytique par son rapport au texte, je me demande si le fonctionnement de certains textes modernes ne permettraient pas d'envisager une activité qui relèverait moins de l'écoute d'une parole que de la production textuelle à plusieurs.

Pierre FEDIDA : Pouvez-vous préciser cette dernière indication?

Jean RICARDOU : C'est-à-dire que, au lieu d'écouter une parole avec ses irrégularités signifiantes, le travail consisterait à entrer dans un processus collectif de production textuelle. Non pas des retrouvailles à travers des transformations signifiantes, mais la venue d'autre chose par des transformations signifiantes.

Jean-Christophe CAMBIER : Je voudrais d'abord demander à Ricardou sur quelles bases théoriques il condamnait, il refusait plutôt, le quatrième parcours.

Jean RICARDOU : Je ne le refuse pas : je dis que ce parcours a lieu, mais je dis aussi que d'autres sont possibles. Comme d'habitude, Cambier, je ne condamne pas : je régionalise. Freud, il me semble, régionalise l'interprétation allégorique : il ne dit pas qu'elle est complètement à refuser, il dit qu'il y a quand même autre chose qui fonctionne et en l'occurrence d'une toute autre importance. De la même façon, le dernier parcours s'ajoute aux autres et empêche l'ensemble qu'ils formaient d'occuper, de manière impérialiste, la totalité du domaine des possibles.

Jean-Christophe CAMBIER : Alors, quelles sont les insuffisances des premiers parcours qui permettent de déterminer la nécessité d'un parcours autre? S'il s'agit de régionaliser, c'est qu'il s'agit de penser autre chose...

Jean RICARDOU : Je dirais que le problème se pose de façon inverse. Ce n'est pas tant à partir d'insuffisances du quatrième parcours qu'on se trouve devant la nécessité d'en penser un cinquième. C'est parce qu'on en pense un cinquième que le quatrième montre ses limites, c'est-à-dire son impensé. C'est parce que je pratique l'activité moderne en matière de texte et c'est parce que je m'efforce de théoriser cette pratique que je perçois un autre parcours et que je me rends compte, par contrecoup, qu'il s'agit, malgré le cousinage, d'autre chose que le parcours freudien. Donc, quand il m'arrive de lire Freud, je me trouve le plus souvent d'accord mais, en même temps, je me dis, il y a quelque chose qu'il n'a pas envie de faire, qui ne fait pas partie de son domaine et qui pourtant existe, je dirais : la *spécificité* de l'activité artistique. Non que Freud ne se préoccupe pas de l'activité artistique : au contraire, elle le fascine. Mais ce qu'il écrit sur l'activité artistique, et qui est d'une perspicacité remarquable, concerne non pas tant sa spécificité que ce qu'elle a en commun avec toutes autres sortes d'activités.

Pierre FEDIDA : Je dis un mot là-dessus : je suis assez d'accord avec ce que vous dites. C'est comme si le point que vous signalez chez Freud pose la question de la mise en échec de ce concept de psychanalyse appliquée. Et là je voudrais, très prudemment et de façon très provisoire, introduire la problématique d'une nouvelle rencontre entre ce que représente les modifications de la technique analytique et ce qui est en mesure d'être engagé par le travail de l'œuvre, le travail de la création. C'est pour cela que ce schéma m'intéresse et j'avais envie de répondre aussi par une simple image : on est tenté de se demander si dans ce travail d'extension qui n'a rien, en effet, je crois, d'une condamnation, on ne se trouve pas, un peu, devant le projet de la psychanalyse non-freudienne, au sens où l'on parle de la géométrie non-euclidienne. C'est-à-dire donner de nouvelles extensions tout en admettant que certains schémas interprétatifs de Freud restent tout à fait vrais régionalement.

Jean-Christophe CAMBIER : Vous avez parlé, Pierre Fedida, d'un règlement de la narration sur un non-dit qu'elle suscite; vous avez parlé d'une scène, à propos de *La Jalousie*, dont il ne serait pas fait de description; vous avez parlé d'une *différance* de la jouissance. Alors, j'aimerais que vous fixiez plus précisément cette scène. Quelle est cette scène qui donne lieu dans le texte à un travail de condensation et de déplacement? Quelle est cette scène dont la jouissance représentative nous est refusée?

Pierre FEDIDA : Oui, votre question me pose un problème. Plutôt que de répondre moi directement, je serais tenté de demander à Robbe-Grillet ce que ça évoque, pour lui, la question que vous posez. Pour ma part, cependant, il me semble que c'est un simple impossible, par rapport à ce que nous nous figurons comme scène, dans la représentation, capable de comporter son pouvoir de jouissance. La scène, dans *La Jalousie*, est à la fois constituée et en même temps annulée comme capacité de se donner en représentation. Alors je ne sais pas si je peux être plus explicite sur ce...

Jean-Christophe CAMBIER : Je crois que ce qu'a dit Robbe-Grillet tout à l'heure à propos du *Voyeur* et des *Gommes*, est intéressant, d'une certaine façon, parce que...

Alain ROBBE-GRILLET : Pourquoi d'une certaine façon, Cambier, ne soyez pas... *(Rires)*.

Jean-Christophe CAMBIER : Tout à fait intéressant *(Rires)*, parce qu'il a bien marqué que, par rapport à ce trou dans la diégèse, qui fonctionnait dans ces deux premiers romans, il ne s'agissait pas d'adopter un principe de lecture qui valorise l'indicible. Alors, c'est précisément là que se trouve en jeu ce processus de dissémination dans le texte par une série d'opérations où il s'agirait de repérer maintenant un non-dit. Dans *La Jalousie*, les principes de génération des premiers romans se compliquent dans la mesure où l'on aurait, non seulement ce trou que constitue...

Pierre FEDIDA : Je ne crois pas que ce soit un trou et je ne serais pas d'accord avec Robbe-Grillet là-dessus. Je préfère le vide, qui n'est pas un trou. En employant le mot trou, je me demande si Robbe-Grillet ne redonnait pas, justement, une espèce de substantialité. Alors que ce que je ressens être en cause, dans ces trois textes auxquels j'ai fait allusion, c'est à la limite, ce qui est l'extinction psychique...

Alain ROBBE-GRILLET : Je crois que Fedida a tout à fait raison. J'ai employé le mot trou parce que, dans les deux premiers romans, *Les Gommes* et *Le Voyeur*, c'était constitué pratiquement par un trou dans le texte, tandis qu'avec *La Jalousie*, on s'aperçoit que ce trou est un vide, justement : on ne peut plus le penser comme un trou...

Pierre FEDIDA : On ne peut même pas le penser! Le penser c'est le constituer ou le remplir!

Alain ROBBE-GRILLET : On sort en tout cas du domaine de la géométrie pour entrer dans le domaine de la topologie, où il s'agit des propriétés, non pas quantitatives de l'espace, mais qualitatives.

Jean-Christophe CAMBIER : Ce narrateur, dans *La Jalousie*, c'est ce que je proposerais d'appeler le point aveugle...

Alain ROBBE-GRILLET : Blanchot avait dit : « la pure présence anonyme ». On peut le nommer comme on veut. Ce n'est pas très important, pour moi, de le nommer ou pas...

Pierre FEDIDA : Je ne crois pas que ce soit non plus la pure présence anonyme...

Alain ROBBE-GRILLET : Non, mais je veux dire que nommant cela ainsi, Blanchot nommait lui-même ses propres préoccupations.

Jean-Christophe CAMBIER : Le point aveugle me satisfait davantage parce qu'il est dans le texte.

Alain ROBBE-GRILLET : Le mot point aveugle figure dans le texte, vous me l'avez fait remarquer il y a quelques jours : j'avais oublié...

Jean-Christophe CAMBIER : Il s'agit précisément, pour le narrateur, d'observer une tache qui se trouve dans la cour (on sait l'importance de la tache dans le livre) et, par un jeu de la vitre, de faire disparaître progressivement cette tache jusqu'à un point aveugle...

Alain ROBBE-GRILLET : Il faut préciser en effet qu'il y a, d'une part, une tache d'huile dans la cour, liée à la voiture et donc très fortement chargée et, d'autre part, un défaut dans la vitre. Avec ce défaut, en déplaçant la tête, on peut trouver le point où, effectivement, la tache d'huile aura disparu à la surface de la cour.

Jean RICARDOU : Vous avez bien fait de préciser cela parce que certains auraient pu croire qu'il s'agissait de faire se projeter l'image de la tache d'huile sur la tache aveugle du fond de l'œil.

Alain ROBBE-GRILLET : Le mot point aveugle est en effet un point rétinien : c'est pour cela que ce n'est aussi qu'une métaphore. Vous demandiez, Fedida, que je dise ce que la question de Cambier suscitait en moi. J'ai l'impression qu'on vous pousse à parler un petit peu de la scène primitive. *(Rires.)*

Pierre FEDIDA : Ce dont je me garde bien...

Alain ROBBE-GRILLET : Ce qui me frappe, c'est que Cambier essaie de vous le faire dire et que, très visiblement, vous ne voulez pas. C'est d'autant plus drôle que, dans *Le Voyeur,* où il y a justement ce manque, la scène primitive elle-même figure ironiquement sous la forme de ce que Mathias a entr'aperçu par une fenêtre en passant dans la rue, près du port, avant de s'embarquer. Ironiquement car, moi aussi, comme Fedida, je ne suis pas tombé dans le piège. En revanche, Lise Frenkel qui, je le vois, demande la parole, propose d'y tomber elle-même. *(Rires.)*

Lise FRENKEL : Je n'allais pas parler de la scène primitive, mais je m'apprêtais à faire une discrète allusion à l' « autre scène » d'Octave Mannoni. Je veux dire : est-ce que ce ne serait pas une ouverture abyssale sur l'imaginaire au sens lacanien?

Pierre FEDIDA : Je ne sais pas bien ce que cela veut dire...

Lise FRENKEL : Moi non plus, mais je le pressens...

Alain ROBBE-GRILLET : Lacan non plus probablement.

Lucien DALLENBACH : Il y a une absence qui m'a frappée dans votre communication : c'est, sauf erreur de ma part, celle du mot inconscient. J'aimerais bien que vous vous expliquiez à ce sujet.

Pierre FEDIDA : Je pense que, au contact d'un texte, il nous reste chaque fois à réeffectuer l'élaboration conceptuelle qui est en mesure de se trouver en démarquage par rapport à l'ensemble, disons, de la topique analytique. C'est important cela, parce que si nous parlons à l'instant du vide, ce n'est pas que nous venions à partir de quelconques textes ou quelconques théories analytiques plaquer cette problématique sur le texte de Robbe-Grillet : nous cherchons à travailler sur ou avec le vide à travers l'élaboration elle-même de l'œuvre de Robbe-Grillet. Si je prononce le terme d'inconscient ou d'autres termes psychanalytiques, je me sentirais dans un jeu de rétrécissement progressif qui nous empêcherait, par la suite, de redonner à l'œuvre sa capacité de réeffectuation. Je crois, dans ce qui est le rapport au texte littéraire, comme je dirais par rapport à la cure analytique, qu'il faut partir d'une espèce de point zéro. J'ai l'impression que, dans toute l'histoire du mouvement psychanalytique, il y avait ce qu'on appelle des syndromes géniaux (l'hystérie, l'hypocondrie ou je ne sais quoi), de véritables paradigmes nosographiques qui ont fonctionné, au cours du mouvement psychanalytique, comme moyens géniaux de découverte technique. Tout cela est fort intéressant, bien sûr, mais je suis actuellement intéressé, plutôt, par les gens qui viennent me trouver avec une dépression sans nom sur le mode très abandonnique. Ces choses n'ont pas tellement été prises en compte par la pratique analytique jusque-là, et je ne sais pas, moi-même, ce que devient là-dedans le projet théorique de l'analyse. Je suis au contact, à ce moment-là, avec quelque chose que je redécouvre, que je découvre plutôt : je ne sais plus rien. Je voudrais réaffirmer ici ma propre dépression fondamentale par rapport aux systèmes théoriques préexistants. Fondamentale, cette dépression du psychanalyste n'est- elle pas aussi fondatrice? L'étant-néant de Paul Klee!

Benoit PEETERS : A ce propos, j'aimerais que vous précisiez cette notion de psychanalyse non-freudienne que vous avez avancée tout à l'heure...

Lise FRENKEL : Lacan.

Pierre FEDIDA : Pas nécessairement Lacan, non, non. Je pense qu'on a parlé beaucoup de Winniccott, de Bion... Il ne s'agit pas d'être toujours dans une déférence vis-à-vis de la théorie freudienne telle qu'elle consisterait à savoir si l'on est dans l'orthodoxie conceptuelle ou non. Il s'agit plutôt, sur la base d'une reprise en compte des nouvelles conditions de la cure analytique, de ce qui représente des démarches nouvelles, non pas contradictoires avec ce qu'ont pu écrire Freud, Mélanie Klein ou d'autres encore, mais qui constituent une espèce d'extension métapsychologique. Je dis non-freudienne, je le précise de nouveau, au sens où l'on disait non-euclidien ou non-newtonien : ce qui ne veut pas dire qu'Euclide soit faux, mais qu'Euclide devient régionalement vrai.

Jean-Claude RAILLON : Je voudrais dire d'abord une certaine déception à l'écoute de votre discours, dont l'allure intimiste, du moins à son initiale, pose la question de son mode de fonctionnement public. Cela tient à l'imprécision de certaines notions : notamment deux. Vous avez dit : « la parole narrative se modifie dans le soubassement du texte ». Je voudrais connaître un peu mieux ces profondeurs. Vous avez parlé d'intensité du narratif, et je voudrais à ce propos faire quatre remarques plus précises. Vous avez dit : « la parole narrative est marquée dans son principe par son propre épuisement ». Or ce qui est vérifiable et qui peut être théorisé à la lecture de textes fictifs bien précis, c'est qu'au contraire la production est marquée dans son principe par son inépuisable prolifération réglée; ce qui est tout le contraire. J'en arrive ainsi, c'est ma deuxième remarque, à la notion de vide, qui me paraît un peu trop vide. En effet, un texte n'est marqué que par le vide de ce qui n'est pas sa réalité scripturale, mais ce constat ne conduit pas très loin. Le texte est présent à lui-même dans son fonctionnement : il est plein en tant que matérialité agissante. Le vide, c'est ce qu'il désigne dans son référentiel : mais dire que le mot sang ne salit pas, c'est un constat qui ne nous conduit pas très loin. Troisième remarque : vous avez parlé des objets créés par la narration. Ce sont des productions idéatives, et ce qui est capital, c'est de savoir comment elles fonctionnent parmi les autres traces idéatives du corps. Voilà une question dont je n'ai pas encore vu réponse. Quatrième point, à propos du statut du narrateur : votre démarche me paraît psychologisante en ce qu'elle ne tient pas compte que le sujet du texte est sa matière scripturale qui produit des effets fictifs de sujet dont le narrateur n'est qu'une des figures parmi les autres. Enfin, pour jouir de cette production narrative, je crois qu'il faut un corps. Dès lors, vient cette question qui, pour moi, n'est pas encore résolue : comment se fait la jonction active de deux types d'économies, l'économie du corps et celle du texte?

Pierre FEDIDA : J'ai envie de vous renvoyer une question : qu'est-ce que vous entendez par corps?

Jean-Claude RAILLON : Le corps jouisssant, le fonctionnement du corps anonyme qui est désigné par un effet de subjectivité. Je dis : je. C'est mon corps qui travaille et qui me met dans la position où je peux dire : je. Et, là, il y a tout un travail qui s'est fait et qui est théorisé par la théorie freudienne.

Pierre FEDIDA : Je comprends d'autant mieux votre déception que, à vous écouter, je me sens moi-même déçu par votre intervention. Vous pointez un risque de psychologisation dans mon propre propos, mais vous revenez, en retour, sur une resubstantialisation que je voudrais précisément ici mettre en cause. Je voudrais être sûr de vous comprendre : j'ai l'impression que, lorsque vous posez le problème du corps et du texte, lorsque vous réappelez de cette façon-là la subjectivité de celui qui écrit par rapport à la subjectivité de celui qui lit...

Jean-Claude RAILLON : Ah, non! Je n'ai pas parlé en ces termes. Le mot substance me déplaît parce que, dès l'instant où l'on parle de substance, on entre dans un certain nombre d'oppositions extrêmement programmées par le discours de la philosophie. Je remarque qu'un texte, c'est une matière scripturale extrêmement précise, vérifiable dans sa production et dans ses effets. Or un corps est aussi une matière qui fonctionne. Dès lors, le point théorique où l'on pourrait penser l'interaction active de ces deux modes de fonctionnement spécifiques ne m'apparaît pas. Sur le mode de production du texte, il y a un certain nombre de propositions très précises. Mais je suis absolument démuni quant à la batterie de concepts analytiques qui pourrait rencontrer ce que je peux connaître du texte. Il y a bien diverses propositions, celles du « marxo-freudisme », mais elles sont très décevantes, parce qu'elles sont marquées par des notions très métaphoriques, a-théoriques, comme celle d'intensité. On reconnaît le problème, on le nomme et on oublie, finalement, que c'est un problème contre lequel on bute. Il y a peut-être chez moi une exigence de rationalité excessive mais, dès l'instant où j'entends parler de soubassement du texte, j'aimerais savoir ce que cette notion désigne. Même si cette notion est opératoire, même si elle est problématique, quelle avancée, quel pas, fait-elle faire, au moins, dans la résolution du problème? Si l'on ne peut répondre à cette question, je crains que cette notion ne fasse plutôt écran à la résolution du problème.

Pierre FEDIDA : Je vous accorde qu'il y a une sorte d'insuffisance de ma propre formulation et, cette insuffisance, je n'ai pas l'intention de la justifier parce que j'ai dit à quel point cela, pour l'instant, reste pour moi un projet d'élaboration. Je vais essayer de répondre tout de même à vos questions. D'abord, ce qui est parole narrative dans la cure analytique : quand j'évoque cette sorte d'intensité hallucinatoire dans la parole narrative, qui comporte en elle son propre seuil ultime d'épuisement, je suis tenté de mettre ici l'accent sur, d'une part, ce que j'ai appelé le vide constitutif de cette parole narrative et, d'autre part, sur le fait qu'on peut assister à un ensemble de transgressions subjectives. La parole narrative dans *La Jalousie* adhère dans le détail à un certain nombre de gestes et d'expressions des personnages qui sont chaque fois reconstitués dans leur parole. Bref, quelle est cette parole narrative qui exclut à un certain moment un « je » narratif? Alors, à propos de l'expression de soubassement du texte, je vais vous livrer ma question, à laquelle je n'ai pas de réponse moi-même : c'est que cette parole a quelque chose qui fait qu'elle ne s'entend pas. Le vide est là comme capacité pour cette parole de s'entendre et, pourtant, cette parole ne s'entend pas : elle est entièrement prise dans son principe de jouissance. J'ajouterai une nouvelle question, à laquelle je ne donne pas non plus de réponse immédiate. Ce qui me fait problème, chez un certain nombre de personnes que j'ai eu en cure, c'est : pourquoi cette parole narrative ne s'écrit-elle pas? c'est comme si l'acte d'écrire était précisément ce qui vient réengager l'entendre de cette parole : écrire c'est entendre...

Jean-Claude RAILLON : Votre deuxième formulation me satisfait, parce qu'elle sort de la connotation philosophique du terme : vous parlez de parole qui travaille, mais n'est pas en mesure de connaître son travail...

Pierre FEDIDA : Qui l'ignore même...

Jean-Claude RAILLON : Dès lors, il est possible de poser le problème entre ce qu'on peut savoir du fonctionnement de la parole dans la relation analytique et ce qu'on peut savoir du travail d'écriture où, effectivement, il faut penser un fonctionnement anonyme dont la théorie essaie de comprendre le fonctionnement. Alors là, cette fois, la formulation est tout à fait satisfaisante.

Pierre FEDIDA : Je veux simplement dire une chose pour être plus précis; je me demande si l'écrire ne vient pas en lieu et place de ce qu'on appelle l'écoute... Et le vide est le prototype psychique de l' « entendre ».

Jean-Claude RAILLON : Bien sûr, et ce qui intervient dans l'acte d'écriture, et non dans la parole analytique qui, elle, s'épuise, c'est que l'instance théorique permet à l'écriture de se développer dans un après-coup psychologique et de ne pas s'épuiser parce que l'instance théorique lui permet de se connaître et de modifier, ainsi que Ricardou l'a montré tout à l'heure, le stéréotype de certains trajets. C'est l'intervention théorique qui permet à l'écriture d'être autre chose que cet épuisement automatique de la parole qui ne se connaît pas dans la cure.

Pierre FEDIDA : Je suis entièrement d'accord avec vous : le théorique vient rompre ce qui serait la toute puissance de la parole narrative dans la cure, cette toute puissance qui est en elle-même l'indice de sa propre impuissance. L'écrire engage tout le fondement du théorique comme incapacité même de s'épuiser.

Jean-Claude RAILLON : Cette fois, je suis tout à fait non déçu. *(Rires.)*

Alain ROBBE-GRILLET *:* Pour revenir à ce que je disais tout à l'heure : ce qui opposerait donc *Le Voyeur* et *La Jalousie* à *La Maison de rendez-vous* et *Projet pour une révolution à New York,* c'est que *Le Voyeur* et *La Jalousie* peuvent être conçus comme des livres dont l'écriture est plus ou moins assimilable à une écoute, tandis que, au contraire, tout le travail textuel moderne, grâce justement à l'intervention du théorique, se place au-delà. Dans *La Jalousie,* le vide se constitue effectivement comme un soubassement du texte mais, à partir de *La Maison de rendez-vous,* cela devient impossible. D'où la déception de toute une partie des lecteurs qui avaient réussi à récupérer le Nouveau Roman jusqu'en 1960 et qui, brusquement, avec *La Maison de rendez-vous* ont dit : « eh bien maintenant il n'y a plus rien ». Je me rappelle plusieurs articles sur *La Maison de rendez-vous* disant à peu près : « il y avait quelque chose dans les romans de Robbe-Grillet, on ne savait pas quoi, mais il y avait quelque chose, et tout d'un coup, il n'y a plus rien ». Comme si j'avais très exactement perdu mon âme, ce qui était bel et bien mon propos. Je crois que ce n'est pas du tout par hasard que, dans son exposé, c'est surtout sur *Le Voyeur* et *La Jalousie* que Fedida devait insister. Et ce n'est pas du tout par hasard non plus que, au cours de ce colloque, c'est plutôt de *Projet* qu'on a parlé, et que j'ai même prétendu refaire moi-même une nouvelle lecture de *La Jalousie* qui montrait tout autre chose que ce qu'on en avait dit à l'époque.

Pierre FEDIDA : Encore un mot à propos du théorique dans l'analyse. En employant une formule un peu grossière, je dirais que le moment où la cure est vraiment mise en place, c'est le moment où le patient apporte son vide dans un creux, où le vide, qui met en rapport une parole et le silence, engage, dans ce qu'on peut appeler le lieu de l'écoute, la capacité d'élaboration de l'absence. Et je vais employer une formule plus winni-cottienne : la transformation de ce vide en un espace intérieur. Ce qui m'importe c'est de reposer le problème du théorique dans l'analyse : il ne serait pas dans une espèce de reconstruction projective au-delà mais, très précisément, dans le rapport de la parole à l'écoute, dans le pouvoir d'écouter la différence, car l'écoute analytique se joue comme écoute de la différence. Le fondement, le soubassement de ce vide, se joue et existe à l'intérieur de ce qu'on peut appeler ici le théorique. C'est pour cela que je dirais, en essayant de voir ulté-rieurement quelles sont les correspondances d'un versant à un autre, que l'écrire est quelque chose qui se situe du côté d'un entendre. Il est vrai, effectivement, que le pouvoir du théorique, et là je parle de pouvoir et non plus de puissance, est celui de toute l'élaboration de l'absence qui, à aucun moment, ne peut se représenter, en fait, substantiellement dans l'œuvre.

Annie ARNAUDIES : Votre hypothèse aboutit à faire du travail du texte le prétexte de l'imposition d'une absence du sujet au profit d'une voix narrative. Et cette voix narrative organisatrice permettrait, justement, cette absence du sujet et la jouissance de cette absence. Or il me semble que cette évacuation du sujet est un phéno-mène fréquent dans l'ensemble du corpus qu'on appelle provisoirement Nouveau Roman : évacuation et, même, vacuité du sujet. Je pense à des textes de Pinget, par exemple, comme *Quelqu'un* ou *Passacaille*, avec cette différence que, dans *Quelqu'un,* il y a un « je » et que, dans *Passacaille,* il n'y en a pas. C'est peut-être un réflexe de comparatiste de ma part, mais il me semble qu'on ne peut penser la spécificité d'un texte que dans la comparaison. Alors, je voudrais vous demander en quoi, dans *La Jalousie* ou même dans l'intertextualité robbe-grilletienne, ce phénomène que vous avez souligné est spécifique.

Pierre FEDIDA : Spécifique, certainement pas : j'allais dire illustratif. Mais votre question me donne envie de dire ceci : d'un point de vue psychanalytique, une tâche nouvelle est celle de l'exploration de l'absence comme objet total. On se trouverait pour cela dans une position comparatiste, intratextuelle chez le même auteur, ou intertextuelle chez des auteurs différents. Vous évoquez Pinget, mais je pensais, aussi, d'une certaine façon, à Nathalie Sarraute et, encore d'une autre façon, peut-être, à Marguerite Duras. Le fonctionnement du « je » me semble très différent chez Pinget et chez Robbe-Grillet. En particulier, ce qui fait problème c'est, chez Robbe-Grillet, l'intervention de l'ironie. Cela tient peut-être à la façon dont s'est placé le texte de Robbe-Grillet dans mon interrogation personnelle, mais je ne sens pas l'humour, je ne sais pas où se situe l'humour. Alors, je ne sais pas si je peux demander à Robbe-Grillet...

Alain ROBBE-GRILLET : Pour moi, c'est assez net : l'ironie ne demande qu'un parleur, l'humour demande à la fois un parleur et un écouteur...

Maurice de GANDILLAC : Pourtant l'ironie, c'est l'interrogation...

Alain ROBBE-GRILLET : Au sens où j'emploie ces mots-là : je peux faire de l'ironie sans que personne n'y participe, je ne peux faire de l'humour que si vous participez, par exemple à l'interrogation. Mais enfin, c'est une simple question de terminologie. J'ai l'impression que ce fonctionnement est celui que suppose le propos de Fedida quand il dit qu'il ne sent pas l'humour dans mes textes. Mettons, en gros, que l'humour ne passe pas entre lui et moi.

Annie ARNAUDIES : Je ne sais pas si le biais de

l'humour et de l'ironie répond totalement à la question que je vous ai posée. Il me semble que bien des points de votre exposé auraient pu être appliqués à un autre texte : c'est ce qui m'a un peu gênée.

Alain ROBBE-GRILLET : Cela a été général pour tout le colloque. *(Rires.)*

Pierre FEDIDA : Je me suis demandé si, dans ce colloque, il fallait parler de Robbe-Grillet ou s'il fallait parler du fonctionnement du texte. Quelle que soit la spécificité propre à Robbe-Grillet, je redoute beaucoup les colloques où, finalement, subrepticement, il y a un culte de la personnalité engagé dans le propos commentatif des textes. Je ne dis pas qu'il ne faille pas, dans un deuxième temps, respécifier la problématique propre à Robbe-Grillet, mais dans mon intervention d'aujourd'hui j'ai voulu engager, notamment, les conditions nouvelles de ce que je pense être le rapport entre psychanalyse et texte littéraire. Alors je me suis demandé s'il était d'abord possible et ensuite opportun de s'attacher à une spécificité individuelle trop grande. Dans la psychanalyse appliquée, selon sa conception classique, on va très vite en effet à l'auteur : on le fouille, on l'interroge dans toute sa vie personnelle, et toutes les associations qui manquent dans le texte, on va les chercher chez l'auteur lui-même. S'il est vivant, très bien; s'il est mort, on va chercher des tas de choses ailleurs. C'est le problème que Freud soulève dans la *Gradiva,* lorsqu'il se livre à un travail interprétatif sur le texte dans son fonctionnement associatif en soulignant, bien sûr, les limites qui tiennent au fait que ce n'est pas un patient sur le divan. Je crois que Marie Bonaparte a commis l'erreur principale, majeure, de se donner l'illusion d'une interprétation de l'homme dans l'œuvre et je crois que c'est, d'une certaine façon, un moyen d'éviter le fonctionnement du texte.

Maurice de GANDILLAC : Oui, mais le texte en général ou le texte de Robbe-Grillet?

Pierre FEDIDA : Le texte en général et ici, provisoirement, on dira le texte de Robbe-Grillet...

Lucien DALLENBACH : Ce qui m'a frappé, c'est qu'au moment de la comparaison très rapide entre Robbe-

Grillet et Pinget, elle l'a été sur le je, par conséquent sur la parole...

Pierre FEDIDA : Sur le je, et non pas sur la parole...

Lucien DALLENBACH : Ah bon. Je crois qu'un des grands problèmes a été de savoir où repérer l'inconscient, d'où ma question précédente. Avec Shakespeare, je crois que Freud a oscillé, comme l'a fait par la suite Mauron, entre la constellation des personnages représentant les différentes forces de la Psyché et l'inconscient collectif. Alors, je me demande si l'analyse de la parole narrative était pour vous un moyen d'accès privilégié de l'écoute du texte, ou s'il s'est trouvé que c'était comme ça chez Robbe-Grillet.

Pierre FEDIDA : Non, non : je crois, disons, que Robbe-Grillet m'a donné une prégnance plus intense de la fonction de la parole narrative et c'est la raison pour laquelle je me sens intéressé d'être là, plus qu'à propos de tout autre écrivain.

Lise FRENKEL : Je voudrais revenir au texte et je m'excuse, au préalable, de deux aspects de mon intervention : d'une part, celle-ci peut paraître de la psychanalyse sauvage et, d'autre part, je ne dispose pas de la batterie conceptuelle des linguistes. Je voudrais demander à Pierre Fedida si, en appliquant les concepts psychanalytiques, mettons, ordinaires, on ne peut pas rendre compte de la spécificité du texte de Robbe-Grillet, ce qui préoccupait Annie Arnaudiès. Voici mon hypothèse : il y a une prolifération du texte, et même une logorrhée. Ne pourrait-on pas, alors, expliquer cette logorrhée et cette prolifération des objets comme le processus de la névrose obsessionnelle décrit par André Green : c'est-à-dire la désintrication des pulsions et la projection sur les objets de tout ce qui est absent dans le sujet? C'est une sorte de compensation.

Pierre FEDIDA : Je n'entre pas du tout dans ce ludisme psychanalytique sur le texte : je veux dire que le problème de désintrication est peut-être vrai, mais je n'en sais rien...

Lise FRENKEL : Ce n'est pas un ludisme! c'est un processus de travail. Dans *La Jalousie,* les personnages sont une sorte de vide, alors que les objets sont pris dans une description insistante, souvent géométrique. Je me demande si cela n'est pas en rapport avec un dispositif inconscient.

Pierre FEDIDA : Ce que je taxais de ludisme, c'était la facilité que l'on peut avoir, effectivement, à poser le problème de la structure obsessionnelle chez Robbe-Grillet. Mais, à ce moment-là, j'avoue que je n'ai rien à dire...

. Lise FRENKEL : Mais si cela rend compte de la spécificité du texte, cela répondrait à la question d'Annie Arnaudiès...

Annie ARNAUDIES : Ce n'est pas dans cet esprit que je posais ma question. *(Rires.)*

Lise FRENKEL : Je le sais bien, mais ce qui se pose néanmoins ainsi, c'est le problème de la spécificité littéraire du texte de Robbe-Grillet. J'en viens à ma seconde question : vous avez fait allusion au passage du travail littéraire au travail cinématographique : ne pensez-vous pas que ce processus dans la diachronie serait un processus régressif et que, d'une certaine manière, le processus de l'écriture est à rattacher au processus secondaire, tandis que le processus cinématographique se projeterait du côté du processus primaire, ou vers un état plus régressif?

Pierre FEDIDA : Vous voulez dire que Robbe-Grillet régresse...

Lise FRENKEL : Je ne dis pas qu'il régresse *(Rires)* : Mais qu'il y a, peut-être, au niveau des structures, un processus régressif. Je pense à ce propos à Madame Chasseguet-Smirguel qui parle de la poésie du processus primaire au cinéma. Elle montre dans quelle mesure *Marienbad* est une sorte de dévoilement du processus primaire. Je me demande si ce mouvement de dévoilement du processus primaire ne peut pas se trouver dans le passage du roman au cinéma.

Alain ROBBE-GRILLET : Qu'appelez-vous passage du roman au cinéma, puisque je continue à écrire des romans en même temps que je fais des films...

Lise FRENKEL : C'est un passage statistique : il y a davantage de films que de romans à une certaine période...

Alain ROBBE-GRILLET : On ne fait jamais de statistiques sur un nombre inférieur à trente. C'est le plus petit des grands nombres en mathématiques.

Lise FRENKEL : Oui, vous avez raison. *(Rires.)*

Renato BARILLI : Votre exposé a eu un commencement retardé : il a commencé quand, après une sorte de réticence, vous avez parlé de vos démarches dans les milieux de la psychanalyse. Je suis d'accord que, au niveau théorique, il faut parler maintenant d'une psychanalyse de la présence et d'une psychanalyse de l'absence. J'ai employé moi-même beaucoup de termes semblables. Mais, justement, il faut montrer de quelle façon ils travaillent. Le vide en serait certes un des concepts importants, mais ce doit être un concept opératoire. Il nous faut montrer de quelle façon il opère soit dans la cure psychanalytique, soit dans les textes. Au contraire, vous avez subi une sorte de vide. D'abord, quand vous avez commencé votre exposé, vous avez subi ce vide par une sorte de réticence, puis vous avez proposé un exposé semblable à celui que Robbe-Grillet nous a donné après. Il y a eu une parfaite coïncidence entre l'emploi du vide dans votre exposé et l'emploi que Robbe-Grillet nous en a proposé. Alors, vous avez manqué la spécificité du travail psychanalytique. Maintenant seulement, les choses commencent à se placer...

Pierre FEDIDA : Vous reprochez un commencement retardé de ma part : moi, je vous reprocherais une accélération. Je ne suis pas prêt du tout, en effet, à faire une espèce de jointure synthétique et totalisante entre ce qui est le travail du texte et le travail de la cure. Je ne me sens pas le droit de prendre le texte dans un filet à papillons et à le capter dans une sorte de congruence immédiate entre les phénomènes mis en jeu par la cure et les phénomènes mis en jeu par le texte. C'est cette sorte de maintien des résistances entre ces deux choses qui me semble être le propos à venir d'un travail entre analystes et écrivains : tous ceux qui s'occupent du texte. Nous ne gagnerions pas à aller trop vite dans les analogies. Quand je dis que l'écriture fonctionne comme une écoute, ce n'est pas la même écoute que celle qui existe dans la cure :

nous allons sans doute vers une exploration de ce que nous ne connaissons pas très bien. Après tout, qu'est-ce que c'est que cette écoute, dans ces modes différentiels de fonctionnement?

Renato BARILLI : D'accord, mais il doit y avoir tout de même des hypothèses de travail. Il doit y avoir quelque chose entre d'une part une interprétation déjà entièrement établie et, d'autre part, le néant. Ce néant se rattachant à une crainte de rien dire, de rien proposer (quitte à le transformer à mesure), ce serait un penchant mystique dans le domaine de la recherche scientifique.

Jean-Christophe CAMBIER : Il me semble que Barilli minimise l'intervention de Fedida : ce qui me paraît fondamental c'est le refus persistant de tout impérialisme de la psychanalyse vis à vis du texte...

Renato BARILLI : Oui, mais c'est de la mystique alors.

Jean RICARDOU : Non, Barilli, je ne crois pas que ce soit là de la mystique : c'est précisément l'entre-deux que vous souhaitez. Au lieu de prétendre tout dire ou ne rien dire sur un domaine (ce qui serait dans les deux cas une mystique), Fedida me semble contester le triomphalisme d'un certain tout-dire psychanalytique et postule une prudence qui n'est pas de l'ordre du ne-rien-dire mais de l'ordre du à-travailler. C'est la prudence qui l'incite à une certaine discrétion quant aux notions nouvelles. Je dirais que cette prudence est déjà une première hypothèse de travail.

Renato BARILLI : J'ai fait une précision d'ordre méthodologique, au fond : si vous-même vous admettez qu'il faut proposer des hypothèses de travail, alors on est d'accord.

Pierre FEDIDA : Tout à fait.

Renato BARILLI : Tout d'abord, j'ai donc été déçu, mais maintenant quelque chose commence à se montrer, donc, de mon point de vue.

Jean RICARDOU : Maintenant, et tout de même depuis un bon petit moment.

Jean-Marie BENOIST : Je voudrais apporter ma contribution à cette recherche d'hypothèses pour l'articulation du texte de la littérature et du texte psychanalytique tel qu'il est dans la cure ou dans le rêve. Je voudrais venir à l'appui de l'intervention de Raillon, qui a été la seule, à peu près, à nous tirer hors d'un espace que j'appellerais cartésien, basé sur du binaire ou du linéaire : le vide ou le plein, le sujet ou l'évacuation du sujet. Je polémiquerai donc contre cet espace cartésien en proposant l'espace leibnizien. Si nous nous reportons à la poétique du rêve, telle que la *Traumdetung* [2] de Freud nous la propose, ou vers la poétique de Robbe-Grillet, le lieu d'inscription possible entre l'analyse d'une part, et la fiction robbe-grilletienne serait le symbolique au sens où l'entend Lacan. J'entends ici, par symbolique, la corruption qu'une sémantique profonde apporte, par ses prélèvements, à une combinatoire et à une syntaxe originaires. Qu'est-ce qui se passe en effet chez Robbe-Grillet? Dans *La Jalousie,* on passe d'une combinatoire pure à une syntaxe pure, puis à une corruption de cette syntaxe avec des sites et toute une topologie qui prélève, localise, le fonctionnement de cette syntaxe. Ce qui est intéressant, c'est de voir comment la métaphore du store vénitien apporte, au procédé d'engendrement de l'énoncé, une série de battements à éclipse dans lesquels le sujet est pris comme il est pris dans l'ordre du symbolique : il peut s'absenter, il peut se pulvériser, il peut se fragmenter, il peut s'émietter, etc. Parler donc d'évacuation du sujet ou de présence du sujet, parler de vide central ou de plénitude, c'est vraiment simplifier beaucoup trop. Ce à quoi nous pouvons au contraire nous attacher dans l'étude de *La Jalousie* ou d'autres textes, c'est aux divers prélèvements, aux diverses dilacérations, aux diverses réinscriptions du vide soit dans les discontinuités soit dans des écarts topologiques : le premier schéma de Ricardou est une des tentatives de ce genre. Je souligne, en outre que, depuis Marie Bonaparte [3], on a fait pas mal de travail et que personne ne pense plus qu'appliquer la psychanalyse à la littérature soit chercher l'homme derrière l'œuvre. Dans *L'Or du scarabée* [4] de Ricardou, il y a déjà, en germes, cette nouvelle technique qui fait communiquer le texte de Poe avec le texte du rêve si vous voulez, mais désimpliqué du sujet, désimpliqué de tout ce qu'il y a de soubassement essentialiste dans le texte.

Pierre FEDIDA : Je suis complètement d'accord avec ce que vous dites : je ne crois pas, sauf malentendu, pour ma part, avoir joué sur l'opposition vide/plein, sujet/évacuation du sujet. Ces couples, qui ont fonctionné très fréquemment dans la théorie psychanalytique, sont faussement symétriques. Lorsqu'on met l'accent sur le passage de l'actif au passif (battre/être battu, par exemple), on a l'impression que, dans la théorie psychanalytique, il y a un bloquage sur une fausse symétrie : le battre n'est peut-être pas l'opposé de l'être battu, le vide n'est certainement pas l'opposé du plein. Je suis totalement d'accord pour casser ce jeu d'oppositions. Ce dont nous parlons ici, c'est du pouvoir d'engendrement différentiel du vide, le pouvoir élaboratif opératoire de l'absence. C'est en cela que je suis assez sensible aussi à ce que vous évoquez de l'espace leibnizien : car je crois justement que c'est peut-être par ce biais qu'on retrouve d'autant mieux une topologie freudienne, plus qu'à travers Descartes.

Jean RICARDOU : Je voudrais faire préciser quelque chose à Benoist, le premier des schémas que j'ai faits, pensez-vous qu'il soit dans l'espace cartésien ?

Jean-Marie BENOIST : Je ne pense pas parce que vous...

Jean RICARDOU : D'accord, parce que le début de votre intervention était sévère à ce propos, sauf pour Raillon.

Jean-Marie BENOIST : En revanche, je ne suis pas d'accord avec votre définition de la métaphore comme fonction permettant de passer d'un signifié à un autre. Je considère le processus métaphorique comme un travail de la matérialité du texte. C'est pourquoi je viens à l'appui de ce qu'a dit Raillon, il s'agit de passer d'un signifiant à un autre par le biais d'un signifié qui s'absente. Le trajet de la métaphore c'est quand même davantage de passer d'un signifiant à un autre par une transformation qui est médiatisée par un signifié plus ou moins absent ou plus ou moins feuilleté, plus ou moins à éclipses... sinon il y a un risque de substantialisation ou de fixation du signifié...

Jean RICARDOU : Sans entrer dans un débat sur la métaphore, je dirais seulement que le problème c'est bien d'éviter le risque de substantialisation du signifié et c'est pour cela que j'insiste précisément sur le cinquième parcours, celui de la transformation des signifiés.

Jean-Marie BENOIST : C'est ça.

Dimitri MATHAIOU : J'en reviens à la dépression : si la dépression existe dans le texte de Robbe-Grillet, précisément dans *La Jalousie,* quel est son statut opérant?

Pierre FEDIDA : Attention, ce qui m'intéresse ce n'est pas la dépression psychiatrique, c'est la position dépressive : je veux réutiliser en effet la terminologie qui vient de Winnicott plutôt que de Mélanie Klein. C'est le moment de la constitution opérante du vide dans toute l'évolution génétique de l'enfant. Alors, est-ce que l'œuvre de Robbe-Grillet est une œuvre dépressive? Je crois que vouloir établir une espèce de nosographie à propos d'une œuvre ne serait pas d'un bon propos.

Dimitri MATHAIOU : Je voudrais revenir au vide, à l'absence et pousser un peu plus loin en posant la question de l'érotisme dans l'œuvre de Robbe-Grillet. Avez-vous fait un rapport quelconque entre le vide et l'érotisme?

Alain ROBBE-GRILLET : J'ai une réaction immédiate : je tiens à séparer l'érotisme de l'érotique. Pour moi l'érotisme dans mes petits travaux est toujours plus ou moins entre guillemets. Il renvoie toujours à une stéréotypie, tandis que l'érotique serait beaucoup moins focalisé, localisé sur des points précis. Je crois que, dans l'ensemble de mes livres et de mes films, quand la focalisation est très forte, c'est-à-dire que l'objet érotique apparaît avec une évidence démonstrative, il s'agit de l'érotisme figé des stéréotypes culturels ou contre-culturels de notre société. Au contraire l'érotique de ces œuvres serait un déplacement continuel à l'intérieur du texte, qu'on ne pourrait donc pas localiser d'une façon précise.

Anthony PUGH : La question de Mathaiou m'a gêné un peu parce qu'il parlait de l'érotisme justement comme d'un contenu. Ne vaudrait-il pas mieux parler d'une qualité de lecture? Si la communication de Fedida a déçu certains, au début, c'est parce qu'elle semblait être une lecture frustrée. Et je me demandais à quel moment, dans la lecture des textes de Robbe-Grillet, la jouissance différée commençait à devenir un plaisir qui opérait, qui fonctionnait.

Pierre FEDIDA : Je ne sais pas si l'on peut rapprocher les deux interventions. Quand Robbe-Grillet est intervenu, j'ai eu tendance à aller dans le sens de ce qu'il formulait : l'érotisme est entre guillemets, suspendu entre deux pinces à linge. Alors, l'érotique, finalement, qu'est-ce que c'est? Je pense que c'est tout entier à reposer au niveau de ce qui a été évoqué tout à l'heure à propos du théorique : là où l'érotisme se montre dans l'incapacité de représenter l'érotique. Est-ce que la jouissance différée n'est pas justement au moment où on vient à reprendre contact avec l'organisation théorique du texte?

Lise FRENKEL : Pourriez-vous préciser ce que vous entendez lorsque vous dites qu'il y a une incapacité à représenter l'érotique?

Pierre FEDIDA : Le propre de l'érotique est d'être irreprésentable.

Lise FRENKEL : Je peux trouver bien des exemples au niveau de la peinture, chez Rubens ou Renoir ou Titien, où l'érotique, et non l'érotisme, se trouve tout à fait représenté.

Jean RICARDOU : L'érotique s'y trouve sans doute dans ce qui n'est pas représentatif en cette représentation.

Pierre FEDIDA : Je répondrais ici exactement comme Ricardou.

NOTES

1. *Essais de psychanalyse,* (Payot).
2. *L'interprétation des rêves* (P.U.F.).
3. *Edgar Poe, sa vie, son œuvre, étude analytique* (P.U.F.).
4. *Pour une théorie du Nouveau Roman* (Seuil).

XIV. LES TELESTRUCTURES
DANS L'ŒUVRE d'ALAIN ROBBE-GRILLET

par François JOST

> « Ne crois pas que ce rapport soit fait
> pour être lu simplement par des linguistes. »
> (p. 157.)
> « Eh bien, il y a le plaisir, évidemment,
> qu'il ne faut pas oublier non plus. » (p. 155.)
> (*Projet pour une révolution à New York*)

Il y a quelque deux ans, Barthes constatait la difficulté à parler du plaisir. Aujourd'hui, les choses ont
changé. Le plaisir est à la mode et, d'une certaine manière, il est presque inconvenant de ne pas le prendre
comme objet de réflexion. Inversement, la recherche
formelle, ou formalisatrice, a rétrogradé. On laisse volontiers croire à présent qu'elle est le contraire même
d'une activité hédoniste; peu à peu se réintroduit, insi-
dieusement, la vieille opposition entre science froide,
voire frigide, *versus* critique affectueuse, chaleureuse,
etc.

Je n'ai pas la prétention de faire œuvre « scientifique », bien moins encore celle de communiquer une
vision ennuyeuse de l'objet qui nous intéresse; mais,
plutôt que de me lancer d'entrée de jeu dans telle ou
telle lecture parcellaire, il me semble nécessaire de
faire un détour, provoqué par le texte robbe-grilletien.
En effet une question mérite d'être posée avant toute
recherche particulière, question naïve : comment caractériser formellement les œuvres de Robbe-Grillet par

rapport à d'autres formes littéraires ou cinématographiques? Pour spécifier ma question : de quel modèle de compétence est redevable une lecture de Robbe-Grillet? La jouissance textuelle s'efface devant ces questions, dirait-on. En fait, comme on le verra, résoudre ce problème théorique, c'est aussi, à la façon des personnages sadiens, délimiter et organiser le champ de nos plaisirs futurs, sans se contenter de faire l'inventaire de ce que l'on pourrait appeler les zones *hédonogènes* du texte.

Il est possible de lire n'importe quel livre, comme n'importe quel film, en n'étant attentif qu'à la seule consécution des anecdotes. Chaque action correspond à une proposition comme le dit Todorov, le lecteur-spectateur peut, en général, se contenter d'associer les énoncés deux à deux ou trois à trois. (J'ouvre ici une parenthèse pour signaler que le syntagme narratif linéaire ou, si l'on préfère la séquence, est descriptible par des énoncés et qu'en conséquence ma démonstration portera aussi bien sur les films que sur les romans de Robbe-Grillet.) Supposons un film dont on va réduire l'histoire à une suite d'énoncés simples que l'on formera en prenant comme syntagme nominal alternativement deux dénominations, Boris Varissa et Jean Robin, et comme syntagme verbal, alternativement, « est un salaud » et « est un héros ». Avec ce matériel simple, on génèrera quelques énoncés dont : « Boris est un héros », « Jean Robin est un salaud ». Selon le même principe, il nous est loisible de construire par ailleurs des histoires ayant pour structure « Boris ou Jean est un traître ou un sauveur. » On imagine assez bien Robbe-Grillet, devant ces quelques structures narratives, et le spectateur dans son fauteuil, substituant, combinant, en dernière instance associant ces énoncés, bref, construisant *l'Homme qui ment*.

Pourtant, si, en ramenant le film à un petit nombre d'énoncés simples, on montre que Robbe-Grillet met à jour le processus constitutif de tout acte narratif, il n'en reste pas moins qu'avec ces mêmes énoncés on pourrait faire d'autres films, parfois aussi en opérant de simples substitutions, dont certains seraient narratifs d'un bout à l'autre. Il est donc bien évident que ce qui fait l'originalité de *l'Homme qui ment* par exemple, par rapport à d'autres films qui utiliseraient les mêmes structures narratives, est dans le processus relationnel, dans l'agencement, plutôt que dans le matériel réduit qui les constitue. C'est donc le processus *formel* qui ordonne les structures narratives qu'il faut cerner pour différencier le texte robbe-grilletien du texte narratif. Pour ce faire, je rappellerai quelques notions linguistiques connues, dont la suite de l'exposé, du moins je l'espère, assurera la pertinence. On considère très couramment la structure de la phrase comme une succession de morphèmes dans l'ordre linéaire. L'axe syntagmatique se définit alors comme une suite de positions dont chacune peut être occupée par un morphème. A certaines de ces positions, il est possible d'opérer un choix entre des morphèmes différents regroupables en classes : c'est l'axe paradigmatique. Ruwet définit ce mécanisme dit à états finis « comme une machine à calculer de type banal qui peut passer par un nombre fini d'états. On admet que cette machine à chaque passage (à chaque transition) d'un état à un autre émet un certain symbole (par exemple un morphème français). Chaque transition d'un état à un autre, avec l'émission d'un certain symbole correspond à une instruction de la machine (ou à une règle de grammaire). La machine comporte un état initial et un état final. Elle part de l'état initial, passe successivement par une série d'états en émettant un morphème à chaque transition, et aboutit à l'état final. On peut dire que chaque séquence produite est une phrase et chaque machine de ce type définit un langage, à savoir l'ensemble des séquences de morphèmes qui peuvent être produites (émises) de cette façon [1] ». On représente souvent cette machine par un graphe, dit diagramme d'états ou Modèle de Markov. Le graphe suivant exprime par exemple la grammaire qui engendre les phrases suivantes : ce roman est nouveau, ce roman est ancien, ce livre est nouveau, ce livre est ancien :

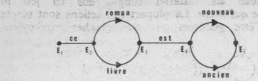

Cette machine a pour caractéristique majeure de ne pas établir de différence entre le modèle de la performance et celui de la compétence. Tout se passe comme si destinateur et destinataire suivaient pour l'encodage et le décodage du message un même chemin simple qui les amèneraient par restrictions successives — les restrictions grammaticales — du premier mot au dernier mot de l'énoncé. Ce modèle grammatical engendre les phrases de gauche à droite ce qui signifie que les règles grammaticales peuvent être produites et analysées au seul niveau de la consécution. Mais considérons la phrase suivante :

« Le critique qui dit que, si le Nouveau Roman est tantôt diégétique, tantôt non narratif, c'est qu'il est incompréhensible, est dans l'erreur. »

On constate d'une part que les éléments *si* et *c'est que* dépendent l'un de l'autre, d'autre part qu'ils emboîtent un autre système de dépendances (*tantôt... tantôt*) et qu'enfin ils sont emboîtés dans un dernier système (*le critique... est*); la dépendance signifiant que la nature du second terme est conditionnée par la nature du premier (dans notre cas, il n'est pas possible par exemple de substituer *sont* à *est*). Comme il n'y a pas de limites théoriques à un tel jeu d'emboîtements, une grammaire à états finis ne parvient pas à engendrer un langage comportant des emboîtements. Le modèle markovien est insuffisant puisque des phrases comme celles que nous avons citées ne sont pas engendrées suivant l'ordre temporel, l'ordre d'apparition dans le discours, mais selon des règles de dépendances joignant des éléments dissociés dans la structure linéaire, ce que l'on résumera grossièrement en disant que le modèle de la compétence ne s'identifie pas au modèle de la performance.

Revenons au matériel simple mis en jeu par *l'Homme qui ment*. La plupart des actions sont susceptibles d'être générées par des graphes markoviens :

Pour construire un film avec ces graphes, on a, en gros, le choix entre deux solutions. L'une, la solution psychologique, est d'inféoder une chaîne de Markov à l'autre : on relie les deux schémas par coordination causale ou temporelle et, chemin faisant, on progresse jusqu'au dénouement (par exemple : Boris a trahi Jean *donc* Boris est un salaud). Dans cette optique, le spectateur passe par un premier état, puis par un second qui résulte de la restriction des possibles narratifs apportée par le premier, puis par un troisième qui résulte de la restriction apportée par le second, etc. Ce mode de construction ne connaîtrait qu'une seule interdiction : celle qu'un même sujet (Boris ou Jean) parcourt dans un même texte les deux demi-cercles du couple prédicatif si les termes mis en jeu sont contradictoires. La lecture-écriture de l'œuvre robbe-grilletienne ne suit pas ce chemin, on le sait. Il est bien rare que l'on puisse établir un rapport causal entre deux séquences d'un film comme *L'Homme qui ment* par exemple. Cela signifie-t-il pour autant qu'un modèle de compétence différent soit nécessaire pour le comprendre? Voyons le second mode de construction annoncé.

Que l'on considère le cinéma où les romans de Robbe-Grillet le plus souvent la liaison interséquentielle s'effectue par des raccords analogiques : similarités ou oppositions de signifiants ou de signifiés ou, dans le cas du cinéma, répétition de gestes, d'angles de prise de vue, de cadrage, etc. Témoin ce raccord particulièrement réussi de *L'Homme qui ment* : Boris saute sur le comptoir d'un bar; son geste est coupé à mi-parcours : c'est le saut de Jean sur un faux plafond qui l'achève.

Si l'on en reste au niveau de la transition, la machine markovienne est bien un modèle de compétence adéquat, puisqu'il suffit de substituer Jean à Boris et le faux plafond au comptoir pour pratiquer l'enchaînement. D'un point de vue formel, la logique dite narrative et celle qui rend compte du raccord cité, c'est-à-dire une logique associative, ne sont donc pas différentes. Seul l'opérateur logique permettant de relier les deux graphes change : dans le premier cas, on instaure un rapport d'implication, dans le second, on décèle des homologies purement formelles de sorte que la liaison des deux graphes n'est plus à sens unique mais que c'est une implication réciproque, une équivalence.

Pour résumer : *l'analyse associative ne cerne pas la spécificité des œuvres de Robbe-Grillet puisqu'elle procède selon le même schéma formel que l'analyse narrative à la différence d'opérateur logique près.*

Pourtant, paradoxalement, progresser par liaisons successives de graphes markoviens paraît presque plus opératoire pour une lecture des textes robbe-grilletiens que pour une lecture d'œuvres narratives, dans la mesure où la disposition des différents paramètres (gestuels, spatiaux, chromatiques, etc.) semble n'avoir pour but que leur seule association. Dans l'œuvre narrative d'ailleurs, il existe des dépendances entre passages éloignés beaucoup plus claires : le flash-back par exemple; de plus, différents procédés, ponctuatifs ou autres, les explicitent généralement (rappelons le rôle tenu par des phrases du type de « revenons à... » dans le roman ou par le fondu au cinéma). L'absence fréquente d'outils de subordination interséquentiels dans les romans de Robbe-Grillet et le montage *cut* dans la majorité de ses films pourraient faire penser que les différentes structures narratives n'entretiennent aucun rapport de dépendance et que, finalement, la disposition du texte robbe-grilletien n'est que le résultat d'un mécanisme quasi-automatique. En mettant à jour le fait que les thèmes s'engendrent les uns les autres par dérivations lexicales, on montre certes que le texte se produit à partir d'un matériel limité, et qu'il est donc étroitement dépendant d'un paradigme lexical, mais on ne peut prouver l'existence d'un type de dépendance proprement textuel, la dépendance syntagmatique.

Reste à définir ce que peut signifier cette notion en ce qui concerne le texte robbe-grilletien. L'idée d'une grammaire romanesque ou cinématographique pose un problème du fait qu'en théorie, il n'existe pour le roman ou le film aucune construction impossible. Dans ces conditions comment parler de dépendance? Un concept vague tel que celui que la critique traditionnelle utilise implicitement en expliquant le dénouement d'une œuvre par un détail psychologique livré au début est évidemment sans intérêt. Il n'est pas non plus possible de faire intervenir des dépendances temporelles rigoureuses, inscrites dans le texte, du type de celles que décrit Genette dans *Figures III* [2] puisque, comme il le note lui-même, la distinction narration/fiction est rendue caduque par l'œuvre de Robbe-Grillet. En revanche, le seul fait que la fin de presque tous les textes robbe-grilletiens renvoie à leur début est le signe précieux d'une piste possible. Ayant constaté ce fait, on admettra que la structure narrative qui ordonne l'anecdote — que le schéma markovien formalise — n'est qu'une structure apparente, une sorte de structure de surface, dont l'ordonnance résulte d'une structure sous-jacente. Après la recherche du niveau de pertinence de cette structure, on essayera de déterminer si la *dispositio* des traits tenus pour pertinents provoque une autre *dispositio* même éloignée. Il n'y aura dépendance et donc structure syntagmatique qu'à partir du moment où l'on pourra établir un rapport non arbitraire entre deux passages.

Ces considérations sont un peu abstraites et, sans doute, il est temps de prouver leur valeur opératoire. Je choisirai mes exemples aussi bien dans les romans que dans les films de Robbe-Grillet, non par simple légèreté théorique, mais seulement parce qu'il s'agit pour moi de mettre en valeur les structures qui engendrent l'œuvre. Leur résultat, la structure linéaire, la structure de surface, a tantôt pour matière de l'expression le signe écrit, tantôt l'image et le son; le choix des unités pertinentes n'est donc pas le même. Il n'en reste pas moins que les structurations qui m'intéresseront ne sont ni spécifiquement cinématographiques, ni spécifiquement littéraires et qu'en conséquence les allées et venues dans le corpus robbe-grilletien sont possibles.

Pour distinguer ce niveau sous-jacent de la structure linéaire, je prendrai un exemple simple : le tableau de *Dans le Labyrinthe*. Si l'on admet, comme Morrissette, que le narrateur du roman « ne sort jamais de sa chambre sinon à la dernière ligne et qu'il invente toute l'histoire à partir de certains éléments de son décor (la baïonnette et surtout le tableau) »[3], on ne peut manquer de trouver la seconde section fort différente de la première. En effet, alors que la section initiale met en jeu une alternance du « dehors » et de la chambre, du soldat et du narrateur supposé, celle-là développe une action et ses variantes. Si on les résume, ces deux chapitres n'entretiennent d'ailleurs plus aucun lien de parenté : dans le premier cas on a, dit Morrissette, « un montage parallèle où séquences extérieures et séquences intérieures alternent très rapidement »; dans le second, on assiste aux « tentatives d'amener au café le garçon et le soldat ». Presque inévitablement de la lecture de ces deux sections se dégage donc une impression de contraste. Pourtant lisons la section 2 jusqu'à sa dernière ligne. La phrase ultime, évoquant les marques du verre de vin sur la table, nous arrête. Ces traces forment un « dessin rendu trouble par les déplacements successifs trop rapprochés ou même à demi effacés par des glissements[4] ». Habitués que nous sommes aux mises en abyme, nous traduisons aussitôt : « la structure rendue trouble par les déplacements (sémantiques) successifs ». A ce stade, la mise en abyme n'est qu'une métaphore habile. Mais si l'on est attentif à la structure syntaxique de l'énoncé, une bribe de phrase étonnamment ressemblante revient en mémoire : « ... d'autres formes moins simples, certaines se chevauchant en partie, estompées déjà, ou à demi effacées comme par un coup de chiffon. »

(p. 10). Or, cette phrase, dont le dernier membre épouse la structure de notre énoncé de référence, a pour particularité remarquable d'être située tout au début du texte (à la deuxième page), en sorte qu'il est séduisant de reformuler la description de la trace du verre plus précisément, par exemple de cette manière : « la structure *initiale* rendue trouble par déplacements sémantiques successifs... », et de lire la seconde section en fonction d'une structure sous-jacente à la première. Dans cette optique, il serait facile de montrer que la description du tableau au début du second chapitre emprunte un parcours inscrit dans le paragraphe immédiatement consécutif à l'énoncé de la deuxième page que je viens de citer. Par manque de place, je me contenterai d'examiner la suite évidemment convaincante.

La description inaugurale de la chambre dans la première section et l'évocation du café-tableau dans la seconde sont également suivies d'une description de la rue commençant par ses mots : « Dehors il neige. » Cette parenté textuelle invite à mettre en parallèle les deux sections (cf. p. 232).

J'arrêterai ici ce jeu de correspondances que l'on pourrait toutefois poursuivre. On constate que deux éléments — la description de la neige et l'évocation de la tige —, en plus de la déformation sémantique qu'ils subissent, interviennent dans la section 2 avec un léger retard par rapport à la structure de référence. Mais intéressons-nous au processus global : il est bien évident que si on formalisait les deux structures en appelant les énoncés relevés P_1, P_2..., P_n et les signifiés, $Sé_1$, $Sé_2$..., $Sé_n$, on aboutirait à deux pseudo-équations du même ordre, ce qui signifie que le second texte est en fait généré par une structure sous-jacente formée par une certaine concaténation de structures syntaxiques et de signifiés. Pourtant les deux chapitres sont entièrement dissemblables du point de vue diégétique : C'est essentiellement le changement du code d'interprétation des signifiants pour l'insertion des unités pertinentes dans une nouvelle structure linéaire qui produit cette disparité; malgré ces glissements de

1

« Dehors il neige » (p. 11) ———→ § 1 « Dehors il neige » (p. 31)

« Le vent chasse sur l'asphalte (...) les cristaux... » ———→ « Les petits flocons serrés... le vent... les chasse... »

« On marche en courbant un peu plus la tête... » ———→ « L'on doit marcher en courbant la tête, en courbant la tête un peu plus... »

Pour « apercevoir quelques centimètres... » ———→ Pour « apercevoir quelques centimètres carrés... »

2

La poussière tombe uniformément

3

4 Sur le plancher... des chemins ———→ « piétinements »

§ 2 « Il regarde le chemin qu'il vient de parcourir »

Sur la table : carré croix (« de la dimension d'un couteau coupé *perpendiculairement* par une barre ») ———→ « Il s'engage dans une rue perpendiculaire... »

§ 3 et 4 Description de la neige qui tombe

(*a*) « on dirait une fleur » (avec une *tige*)

§ 5 (l'enfant) « est à demi caché par la colonne de fonte dont la base élargie dissimule même tout à fait le bas de son corps »

(*b*) « ce serait une *figurine* vaguement humaine... le corps se terminant en pointe vers le bas »

(*c*) ce pourrait être aussi un *poignard* » Description du soldat : en particulier, « l'arrière du soulier droit qui présente une large entaille sur la tige... »

sens, on a cependant conservé la même structure sous-jacente. A cet égard le cas du « soulier droit » est particulièrement frappant; en effet, ce détail vestimentaire qui caractérise le soldat est produit par la place même de la description dans l'ensemble du texte : l'évocation de la chaussure du soldat intervient au moment où dans la structure de référence apparaît le signifié « poignard ». Du fait que ce signifié, par association sémantique, peut susciter le terme « entaille », pour le faire fonctionner dans la description du soldat tout en suivant d'assez près la structure initiale, il suffit de recourir au signifiant « tige » et de changer son champ d'interprétation pour engendrer un détail largement évoqué.

Chomsky a montré qu'une grammaire doit être capable de rendre compte du fait que deux phrases en apparence très différentes ont en réalité une même structure. D'une façon un peu similaire, le recours à un niveau sous-jacent permet de montrer que des consécutions d'anecdotes et/ou de descriptions apparemment très dissemblables, dans un roman particulier, ont en fait une même structure. A présent, on commence à être en mesure de spécifier formellement ce qui caractérise *Dans le Labyrinthe*. Dans la *Structure absente*, Umberto Eco note qu' « étant donné le syntagme ' Un héros quitte sa maison et rencontre un adversaire ', le code narratif l'isole comme un complexe de signifiés et se désintéresse : 1° de la langue dans laquelle il peut être communiqué; 2° des artifices stylistiques avec lesquels il peut être rendu [5] ». Au contraire, le niveau stylistique a un rôle privilégié dans une lecture de *Dans le Labyrinthe*. Par exemple, sans la forme grammaticale simple et caractéristique de l'énoncé « Dehors il neige », la duplication de la structure sous-jacente ainsi que son origine textuelle seraient très difficilement repérables. On doit donc partir d'emblée de codes plus élémentaires que le code narratif pour comprendre le roman ou, plus exactement, pour esquisser le modèle de compétence formalisant son écriture-lecture. Effectivement, si de prime abord on se place au plan des structures narratives, on est dans l'impossibilité de montrer qu'une section du texte en engendre une autre; c'est d'ailleurs ce qu'atteste la disparité des résumés cités plus haut. En y parvenant, on évitera un écueil : la notion de désordre qui rapprocherait assez rapidement, d'un point de vue formel, les romans de Robbe-Grillet de l'écriture automatique. De plus, on dégage nettement ce que j'appellerais volontiers la *sui-référentialité* du texte. Ce modèle explicatif ne va pas à l'encontre d'une théorie de la production lexicale, il ne fait que motiver les occurrences des jeux sémantiques et narratifs par une disposition syntaxique.

Le démon de l'ordre s'immisce dans mon discours, semble-t-il. Or, comme le dit Valéry, ou si l'on préfère Robbe-Grillet citant Valéry, « deux dangers menacent le monde : l'ordre et le désordre ». En fait, l'attention portée aux dépendances d'ordre lointain permettra d'éviter ces deux « dangers » : d'abord, comme on l'a vu, en ordonnant le désordre; ensuite, comme on va le voir, en désordonnant l'ordre. La séquence ou, au cinéma, le syntagme linéaire narratif, est en principe l'ordre du récit le plus clair. Considérons cette scène du *Jeu avec le feu* que j'ai analysée récemment, d'un autre point de vue, dans un article récent [6] : Trintignant, debout, finit de se rhabiller tout en parlant à une jeune femme qui se trouve près de lui, dans un lit. Il lui ordonne de se lever et, comme elle tarde à s'exécuter, il lui rappelle qu'Erika, qui « invente toujours des petites choses qui font très mal », la punira si elle n'obéit pas. La jeune femme lui demande alors s'il veut faire l'amour, mais l'homme n'accepte la proposition que lorsque, passant ses mains dans les barreaux du lit, elle lui propose de la violer.

Quand on remarque — ce qui est quasi-inévitable — que la jeune femme qui se trouve dans le lit est celle qui s'est fait enlever sur un quai de gare au début du film, on est tenté de mettre en ordre ces bribes de diégèse : d'une part en effet, cette scène est claire (on croit comprendre ce qui vient de se passer et ce qui va suivre), d'autre part elle constitue un prolongement logique de l'enlèvement inaugural, de sorte qu'avec l'assurance de Sherlock Holmes on conclut : « Elémentaire : la jeune femme a été enlevée pour le compte d'un bordel clandestin! » *Le Jeu* se distingue donc d'abord du film narratif en ce qu'il disjoint l'antécédent et le conséquent constitutifs de toute structure narrative; mais, si l'on regarde de plus près, on s'aperçoit qu'il existe en outre entre les deux séquences des parentés structurelles. La première réplique de Trintignant (« Allez! lève-toi! ») constitue une suite de sa première adresse à la jeune femme sur le quai de la gare (« Allons couchée! »). Son évocation des « petites choses qui font très mal » rappelle ce fouet dont il menaçait la « jeune chienne » enfermée dans la malle. Ce jeu d'échos qui altère la narrativité pourrait, ainsi que la scène elle-même, prendre fin avec la menace de Trintignant, mais ce parallélisme structurel n'est pas statique, il est au contraire dynamique et producteur : un nouvel élément de la structure de référence, le train, en glissant de la *partie* visuelle à la *partie* sonore, prend une valeur métaphorique stéréotypée et suscite la résolution de la scène, le viol. Ce qu'il convient de remarquer, c'est que ces deux séquences sont véritablement deux séquences, c'est-à-dire qu'elles sont inféodées à une logique toute narrative. Tant qu'on situe la performance au même niveau que la compétence, on est dans l'incapacité de dégager l'originalité des structures narratives mises en jeu puisque, si l'on considère la séquence en elle-même, on ne voit pas en quoi elle diffère d'un syntagme linéaire narratif. En procédant de proche en proche, c'est-à-dire en essayant d'approfondir la relation parataxique [7] constitutive de toute liaison interséquentielle, on progresse assurément. Alors que dans le film narratif cette opération est relativement simple — on décèle aisément des liens de causalité ou de temporalité — dans l'exemple qui nous préoccupe, le phénomène est plus complexe. De part et d'autre de la scène mettant face à face Trintignant et la jeune femme on voit respectivement une chanteuse dans un cabaret et son enlèvement. Il est assez difficile d'unir la séquence emboîtée aux deux autres. Ce cas est assez fréquent dans les films de Robbe-

Grillet. Du point de vue de l'analyse parataxique, on conclura donc que, dans le cinéma de Robbe-Grillet, il est particulièrement malaisé de subordonner des segments narratifs les uns aux autres du fait que les relations décelables sont toujours plurielles, à l'opposé de l'univocité des films narratifs. Pourtant, disant cela, on n'a pas encore cerné au plus près la spécificité de la pratique robbe-grilletienne. On a certes mis en valeur la destruction du schéma formel le plus répandu — la logique narrative — en soulignant l'éparpillement de la narration mais on n'a pas encore démontré la cohérence du texte, sa clôture.

D'ailleurs, il arrive exceptionnellement que la causalité narrative, envisagée globalement et isolément, ne pose pas de problème. C'est le cas de ce passage du *Jeu* où le père retrouve sa fille dans la chambre du bordel. Celle-ci commence à raconter son « mauvais rêve » incestueux. L'homme l'interrompt : « Enfant déjà tu avais des cauchemars morbides (...) J'ai pris contact malgré tout avec tes prétendus ravisseurs... ». Son récit est alors illustré par l'image : sur l'Arc de Triomphe, il rencontre un intermédiaire qu'il aborde en lui demandant : « Vous aussi Monsieur vous promenez votre enfant? » Ensuite, en compagnie du même homme, il assiste à l'enlèvement d'une jeune fille dans une boîte de nuit et découvre le repaire de la bande, un grenier.

Dans ce résumé rapide, on a négligé deux séquences emboîtées pour mieux mettre en valeur l'ordre apparemment logique et chronologique de la consécution des scènes. Ce qui ressort clairement de ce schéma c'est que la diégèse est enclenchée par les deux mots « enfant déjà » et qu'elle se termine dans un grenier. Le début et la fin de cette histoire ne font donc que disjoindre les éléments de ce groupe de mots énoncé par Saxe au commencement du film : « Enfant déjà, tout au fond du grenier... ». Le texte inaugural est donc générateur par la disposition même des syntagmes qu'il propose. A leur ordonnancement correspond un ordre diégétique homologique.

Ce lien structurel peut paraître assez lâche, puisqu'il

ne porte que sur l'organisation globale d'une diégèse. Toutefois, à y regarder de plus près, on constate que le récit du père est déterminé d'une autre façon encore. Le choix des décors (Arc de triomphe et repaire), de même que leur ordre, a une justification interne au film. Si l'on se souvient de la première mise en scène des rapports incestueux de Carolina et du banquier — lorsque celle-là, dont on vient d'annoncer l'enlèvement au père, rentre chez elle —, on remarque que leur conversation fait de ce déplacement spatial une structure anecdotique : le père lit le texte figurant au dos d'une carte postale (« les instructions pour libérer la prisonnière vous seront données au point marqué d'une croix sur la photographie »), puis Carolina demande : « Tu crois que je vais être enlevée vraiment et qu'est-ce qu'ils feront de moi dans leur repaire ? » Ainsi, l'itinéraire du père évolue du lieu suggéré par la carte au point d'interrogation de Carolina. Toute cette partie du *Jeu* est certes susceptible d'être lue selon des codes narratifs; pourtant, elle est surdéterminée par des paramètres non-narratifs. D'une part, l'ordre des décors est une résultante thématique : c'est une autre scène d'inceste qui suscite sa réitération; d'autre part, les gestes et la micro-diégèse sont le produit d'une simple concaténation de mots : « enfant déjà » crée le motif du « mot de passe » (Vous aussi Monsieur vous promenez votre enfant? »), « tout au fond du grenier sous les poutres trop basses » génère l'arrivée de Saxe — il baisse la tête à cause de la hauteur réduite du plafond du grenier — dans le repaire où l'une des victimes est attachée à une poutre. L'analyse parataxique, pour un film comme *le Jeu* n'est donc pas suffisante puisque la subordination causale que l'on pourrait établir entre les séquences ne rend compte du procédé implicite qui engendre leur consécution. Ni le texte, ni l'action, ne peuvent garantir l'unité d'un opéra, disait Berg. De même, si l'œuvre de Robbe-Grillet est *sui-référentielle,* c'est bien parce que l'enchaînement séquentiel ne s'effectue ni par simple implication causale, ni même par exclusions ou incompatibilités sémantiques — ce qu'on appelle

237

le « brouillage » et qui caractérise d'autres films récents comme *Les Autres* ou *Paulina s'en va* — mais par inclusions : tout élément est susceptible de jouer dans une structure plus vaste que celle qui l'enserre immédiatement. Des segments narratifs éloignés s'appuient l'un sur l'autre sans rien devoir à la diégèse; en conséquence, le modèle de la performance — l'acte de lire ou d'écrire — est dissocié au maximum de celui de la compétence (les règles grâce auxquelles on comprend le texte) et, partant, le schéma markovien est incapable de repérer l'originalité de l'œuvre.

Cette organisation non-narrative de la narration existe aussi dans les romans de Robbe-Grillet. Seules les unités pertinentes constitutives diffèrent. La difficulté de perception d'un tel engendrement de la diégèse réside seulement dans le repérage du ou des codes à adopter pour atteindre les structures sous-jacentes. Le début de la section 11 de *Dans le labyrinthe* est facile à résumer : *a*) le soldat est au café, il traverse la salle, « c'est sans doute à cet endroit que se place la scène de l'assemblée muette... mais cette scène ne mène à rien » (p. 179); *b*) « Du reste le soldat n'est plus au milieu de la foule, ni muette ni bruyante; il est sorti du café et marche dans la rue » (p. 179); *c*) Enfin le soldat entre dans la maison à la porte entrouverte.

On le voit : malgré ses errements, le texte progresse assez chronologiquement; il décrit un parcours plausible. Toutefois, si au niveau de la structure narrative globale, au niveau macro-diégétique, il y a continuité, au niveau des termes micro-diégétiques, c'est-à-dire des termes qui génèrent les détails anecdotiques, les choses sont différentes. Prenons à la lettre l'énoncé suivant : « C'est sans doute à cet endroit que se place la scène de l'assemblée muette », et considérons-le non comme l'hésitation d'un texte qui se cherche mais comme la clef du code qui va nous permettre de lire la structure de la section. Superposons cette « scène », et les deux séquences qui la précédent au chapitre x, au déroulement du chapitre xi. Pour effectuer cet ajustage, on ne retiendra que ce qu'on peut appeler imprécisément les dominantes thématiques, c'est-à-dire les groupes de mots qui, soit par la configuration de leur agencement, soit par leur répétition, signalent au lecteur leur pertinence dans la recherche d'une structure sous-jacente. On a la disposition suivante (cf. p. 240).

Les scènes 10*a*-10*c* ne sont pas unies par un fil narratif clair : il s'agit plutôt d'une déclinaison paradigmatique d'instantanés. De fait, entre 10*a*, où le soldat traîne son ami blessé dans les champs, et 10*b* où, seul, il marche dans la rue avec son paquet, le rapport est difficile à préciser; enfin 10*c* est explicitement désigné comme un tableau parmi d'autres (cf. le début du paragraphe : « *l'image suivante* représente une chambrée... »). En revanche, une relation syntagmatique unit 11*a* à 11*c* (si l'on ne cherche pas à clarifier la chronologie). Un éparpillement narratif est transformé en structure narrative. Comment cette opération s'effectue-t-elle? Tout d'abord, on remarque qu'étant donné un point de départ, la « scène de l'assemblée muette », le texte, pour progresser, inverse strictement l'ordre thématique suggéré par 10*a*-10*c*. Ensuite, si l'on observe que la rétrogradation amène le texte vers l'association thématique « Déclic-noir », on comprend pourquoi, parti du café, le soldat doit aboutir à la chambre. En cours de lecture, il s'est produit ce que l'on pourrait appeler des connotations internes au texte : la description de la minuterie, par juxtaposition simple, mais souvent réitérée, des signifiants « déclic » et « noir » crée chez le lecteur, comme chez l'auteur sans doute, consciemment ou non, une association presque obligée de ces termes au décor thématique qu'est la chambre de la jeune femme. De la sorte, la structure sous-jacente engendre une structure narrative. Ce processus n'est évidemment pas mécanique. Un thème peut être pourvu de différentes connotations internes; aussi, toute association de l'une d'elles à un nouveau thème crée une nouvelle connotation. Après le chapitre x par exemple, la liaison « déclic-noir » connotera aussi pour le lecteur la guerre. Il y a donc une réaction en chaîne. Une telle structuration malgré la contrainte qu'elle exerce sur le déroule-

Section	Lieu	Dominante thématique		Dominante thématique	Lieu	Section
10 a	Campagne	Bruit sec et saccadé des armes automatiques : déclic. « Il fait noir ».		Soldat traverse la salle. « Visages blêmes »	Café	11 a
10 b	Rue	Soldat en marche		Soldat en marche	Rue	11 b
10 c	Hôpital	« Le soldat essaye de se frayer un chemin ». « Faces blêmes ».		« Déclic. Noir. Déclic. Noir. Déclic. » Soldat blessé.	Chambre	11 c

ment du texte, laisse, par ce biais, une place à l'aléa.

Tandis que le modèle markovien ne permet d'expliquer que la logique narrative ou la transition, le rapprochement de passages éloignés cerne un mode de structuration beaucoup plus propre à Robbe-Grillet. On discerne en résumé, deux types de dépendances :

1. La première, dont l'étude de la connexion des scènes de l'enlèvement à la gare et du viol constitue l'archétype, est une relation souple, une *figure libre* en quelque sorte, une figure à agencement variable. Les deux séquences ne sont dépendantes l'une de l'autre qu'en tant que l'on peut établir une solidarité sémantique entre elles. Dans ce cas, l'ordre d'intervention des éléments signifiants importe moins que leur parenté sémantique. Le rapprochement est pertinent en ce qu'il fournit ce qu'on pourrait appeler une lecture enrichie des deux séquences. Non seulement il montre que le film est construit avec un petit nombre de générateurs, mais il met en évidence comment les générateurs s'engendrent précisément les uns les autres. Etablir un lien à distance, c'est donc d'abord expliquer le mécanisme de la production du sens.

2. Le dernier exemple que nous avons évoqué atteste un type de dépendance plus étroite. Pour prouver que le désordre de surface résulte souvent d'un ordre sous-jacent, j'ai indiqué comment le texte pouvait avancer par projection d'une structure et comment on en retrouvait la trace homologique sous forme de signaux sémantiques ou syntaxiques. Ce qui ressort de l'étude de la section 11, c'est que la structure sous-jacente de référence peut être parcourue de diverses manières, dont, par exemple, la rétrogradation. Dans cette éventualité, le segment 11*a* — 11*c* est une *image spéculaire* du segment 10*a*-10*c*. La dépendance de ces deux passages n'est plus seulement sémantique ; elle est aussi syntaxique dans la mesure où l'ordre d'apparition des thèmes anecdotiques d'un chapitre *dépend* de l'ordre des occurrences des dominantes thématiques d'un autre chapitre. On a là un phénomène similaire à celui que l'on observait au début au sujet de ce langage dans lequel une suite d'élé-

ments *a, b, c* conditionnait l'apparition des éléments dépendants dans l'ordre *c, b, a*. Ce type de dépendance constitue une *figure imposée* puisque, partant d'une consécution de référence, l'auteur ou le lecteur s'impose de l'égréner dans un ordre strictement inverse. Du fait de la solidarité des passages mis en jeu, on dira qu'il y a structure, mais, la structure n'existant que par le rapprochement des instances, on spécifiera ce terme en parlant de structure à distance ou, pour simplifier, de *télestructure*. Ce phénomène n'est compréhensible comme processus structurel que si l'on appréhende simultanément les deux segments disjoints par le texte. Au niveau de l'ordre proche une consécution *a, b, c*, peut paraître totalement chronologique ou totalement discontinue, ce qui signifie qu'en ne lisant que la structure linéaire d'un passage on occulte les règles de construction de l'œuvre, les structures sous-jacentes. La télestructure n'est ni d'un côté (*a, b, c*), ni de l'autre (*c, b, a*), elle est dans l'unification. C'est donc à une formalisation dynamique que nous invite l'œuvre de Robbe-Grillet.

Dans le cas de *Dans le Labyrinthe,* la télestructure joue au niveau de diverses catégories de signifiés (décors, objets, etc.), il n'en reste pas moins qu'elle est toujours constituée d'agencements de signes écrits. En ce qui concerne les films, il arrive que la télestructure fonctionne au seul plan du *choix* des matières de l'expression utilisées.

Vers la moitié de *L'Homme qui ment*, Boris raconte à Sylvia qu'il a trahi Jean (« c'était le chef, cela m'était insupportable », dit-il). Deux séries de plans s'enchaînent alors : dans la première on voit Boris mener des soldats dans la forêt jusqu'à une cabane où il a caché Jean Robin précédemment; dans la seconde, des hommes dans une cave, au milieu desquels figure Jean — le plan renvoie à *M. le Maudit* — jugent et fusillent Boris. Celui-ci tombe en avant mais sa chute, coupée par un faux raccord, se termine dans la chambre de Sylvia à qui l'homme se relevant dit : « N'appelez pas le docteur Müller! ». Beaucoup plus tard, vers la fin du film, Boris, dans le grenier, délire :

il croit voir Jean et s'adresse à lui en ces termes : « Tu es le chef!... Je suis innocent!... » Fuyant devant l'ombre invisible, il entre à reculons dans la pièce où repose le père mort. Un homme s'avance vers lui, se présente, c'est le Docteur Müller. Opposons ces deux passages très schématiquement (cf. p. 244).

Du point de vue de la consécution des thèmes, les deux scènes sont homologiques : on a la même concaténation Jugement-Dr Müller (avec toutefois un déplacement humoristique de la cave au grenier). En revanche, en ce qui concerne la matière de l'expression choisie pour évoquer les personnages, il y a là encore un *miroir* strict puisque l'ordre *apparition visuelle-évocation verbale* est renversé par la seconde scène. Le miroir n'est donc plus constitué au seul niveau des thèmes signifiés — ceux-ci au contraire sont toujours dans le même ordre — mais au niveau des canaux physiques employés pour les exprimer. La permutation du couple image-son n'est compréhensible toutefois que si l'on tient compte des thèmes structurés. Ce point est très spécifique de l'œuvre de Robbe-Grillet : il n'est pas possible, pour apprécier le fonctionnement de ses films de procéder par décompositions successives des codes mis en jeu, comme dans le cas du récit narratif (pour lequel, ainsi que le dit Eco, on progresse des codes narratifs aux codes stylistiques, par exemple). Le jeu télestructurel n'est perceptible que si plusieurs niveaux sont perçus *simultanément,* ce qui n'empêche pas que, comme dans *L'Homme qui ment,* chaque niveau ait une structuration propre et spécifique.

En cours d'analyse, par souci méthodologique, j'ai parfois dû formuler des hypothèses excessives, allant parfois à l'encontre de l'intuition; en particulier :

1) Robbe-Grillet procède par associations; il emprunte donc le même modèle formel que le texte narratif; seuls les codes mis en jeu diffèrent (gestuels, chromatiques, etc., au lieu de narratif);

2) Il y a un grand nombre de passages dans les films ou les romans de Robbe-Grillet dont la structuration est entièrement narrative.

Il est bien évident qu'on écarte de telles assertions

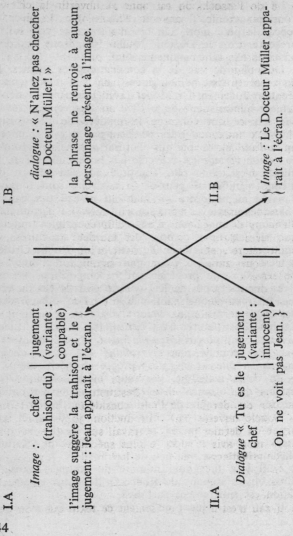

I.B

dialogue : « N'allez pas chercher le Docteur Müller! »

la phrase ne renvoie à aucun personnage présent à l'image.

II.B

Image : Le Docteur Müller apparaît à l'écran.

I.A

Image : chef (trahison du) | jugement (variante : coupable)

l'image suggère la trahison et le jugement : Jean apparaît à l'écran.

II.A

Dialogue « Tu es le chef | jugement (variante : innocent)

On ne voit pas Jean.

244

en quelques mots, si on le désire : d'une part, la pratique de l'association est apte à subvertir la chronologie par exemple, sans que l'homologie des modèles formels n'en rende compte; d'autre part, en isolant une structure narrative, on omet de préciser que l'information sémantique qu'elle livre est parfois contestée par une autre structure. Ces objections ne sont pourtant pas très satisfaisantes. Dans tous les cas, le recours à des mots comme « contestation », « subversion », « brouillage », etc. — presque inévitable — révèle une habitude de lecture : avec Robbe-Grillet, le vieux monde s'écroule, dirait-on, mais c'est toujours du vieux monde que l'on parle. Les télestructures en revanche atteignent d'emblée un niveau non-diégétique, puisque les figures qu'elles dessinent sont des agencements qui n'apportent aucune information quant à la diégèse, même pas des informations tronquées ou contradictoires. Pour nous en convaincre, il suffit d'ailleurs de constater qu'à la différence des structures narratives dont la lecture est toujours vectorisée, la télestructure peut être lue dans n'importe quel sens sans pour autant changer de signification : elle est *réflexive*.

Le monde de la fable ne peut plus se lire comme la « fable du monde ». Il ne s'agit plus de découvrir des lois du récit. La pratique de Robbe-Grillet mobilise de nombreux codes de sorte que les télestructures qu'elle constitue supposent toujours une formalisation active, puisqu'a priori on ne sait jamais à quel niveau les chercher; souvent leur décryptage requiert plusieurs grilles simultanément; à d'autres moments, un même passage met en jeu deux télestructures inverses (c'est le cas du dernier exemple considéré). Pour fermer la boucle ouverte par l'introduction, je voudrais souligner un dernier point : le travail sur les télestructures est à mon avis l'aspect le plus spécifique de l'activité robbe-grilletienne; mais de sa lecture doit aussi résulter le maximum de plaisir puisque les combinaisons théoriques sont aussi nombreuses que les unités minimales rendues pertinentes par l'auteur (ou le lecteur). Le texte nouveau n'est-il pas précisément ce texte que l'on peut toujours répéter, toujours lire, sans qu'il soit le même, et le plaisir ce glissement, sans doute progressif, d'une lecture à l'autre?

F.J.

NOTES

1. Introduction à la grammaire générative, Plan, 1968, p. 91.
2. Ed. du Seuil, Paris, 1972.
3. *Les romans de Robbe-Grillet*, Paris, Ed. de Minuit, 1963, p. 160.
4. Paris, Ed. de Minuit, 1959, p. 40.
5. Paris, Mercure de France, 1972, p. 211.
6. *Le film-opéra*, Critique n° 336, Ed. de Minuit, Mai 1975.
7. Cf. *Ponctuation et parataxe*, Jost, Critique n° 323, Ed. de Minuit. Avril 1974.

DISCUSSION

Jean RICARDOU : J'interviens à partir d'une formule qui se trouve dans le texte de Jost, sans pour autant qu'il la prenne lui-même à son compte : consécution des anecdotes. En ce qui me concerne, je définirais le texte comme une machine à subvertir la consécution des anecdotes. Et cela de deux manières : premièrement subversion de la consécution, deuxièmement subversion de l'anecdote.

D'abord *subversion de la consécution anecdotique*. La consécution anecdotique est de l'ordre d'une liaison logique, chronologique, syntagmatique. Je reprends ici le premier exemple donné par Jost :

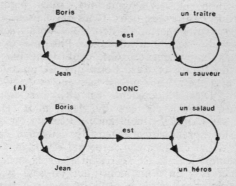

Comme l'a bien dit Jost, il s'agit d'inféoder une chaîne de Markov à l'autre : cette relation est de type logique (que marque le donc), de type syntagmatique en ceci qu'on peut transformer deux à deux les énoncés des deux chaînes markoviennes en un seul énoncé de type syntagmatique, par subordination : Boris qui est un traître est un salaud/ Jean qui est un sauveur est un héros, de type chronologique parce qu'elle marque une succession immédiate. Inversement, dans le second exemple, où le saut de Boris sur le comptoir se termine par le saut de Jean sur le faux plafond, et qui est une variété de ce que j'ai appelé ailleurs une métaphore structurelle, il y a subversion de la consécution anecdotique : ce qui est mis en consécution, cette fois, ce ne sont plus deux énoncés appartenant respectivement à deux chaînes markoviennes différentes, c'est deux énoncés appartenant l'un et l'autre à la même chaîne markovienne.

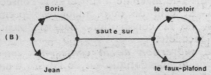

La relation est donc non plus logique mais comme analogique, non plus chronologique, mais a-chronologique, non plus syntagmatique, mais paradigmatique. Alors, entre ces deux types de liaisons, il y a des différences importantes dont je voudrais souligner la principale, celle qui distingue l'identité et l'altérité. Dans le premier cas (A), c'est d'une part Boris qui est un traître et c'est Boris qui est un salaud et d'autre part c'est Jean qui est sauveur et Jean qui est un héros. Dans le deuxième cas (B), c'est Boris qui commence le saut et Jean qui le termine. Dans le premier cas (A), il y a constance de ce qui est désigné par le sujet grammatical. Dans le deuxième cas (B), en effet, il y a changement de ce qui est désigné par le sujet grammatical. C'est la raison pour laquelle, dans le premier cas, on a pu constituer un seul syntagme par la subordination d'un pronom relatif à partir de deux syntagmes différents, et qu'on ne peut pas le faire dans le deuxième cas. Il y a, en quelque sorte, substitution paradigmatique à l'intérieur de la fonction sujet grammatical, et l'on peut dire, d'une certaine façon, que Boris devient Jean, que Boris se transforme en Jean. Si j'insiste sur la relation paradigmatique, c'est que je me demande si ce n'est pas elle qui fonde notamment le rapport à distance (que vous appelez télestructure). Bien sûr, il s'agirait d'un rapport paradigmatique plus complexe, au second degré en quelque sorte, reliant non plus des termes simples, mais des syntagmes, des dispositifs entiers. Je pense à votre exemple où l'ordre du chapitre onze dispose selon un ordre inversé des éléments similaires du chapitre dix. Je résumerais donc ce premier point ainsi : la consécution anecdotique, de type logique, est subvertie par la relation paradigmatique, de type analogique. Et cela de deux manières. D'une façon immédiate, comme dans l'exemple (B), si les deux termes sont proches. D'une façon décalée, comme dans ce que vous appelez télestructure, parce que les termes sont éloignés : le rapprochement produit entre les termes a pour effet de gommer provisoirement, le temps de l'exécution, toute la consécution des anecdotes intermédiaires. Et, ici, je noterai le risque d'un vertige : c'est une remarque générale et je ne dis pas du tout que vous-même vous y succombiez particulièrement. Ce vertige serait le vertige associatif, c'est ce que je nommerai, dans mon vocabulaire, l'extension indue du domaine virtuel : l'opération, tout à fait licite, de rapprocher des termes, quels qu'ils soient, distants dans la linéarité textuelle, risque à la limite, s'il est exécuté sans frein, d'occulter l'ordre linéaire du texte, de pulvériser le texte en un ensemble de termes infiniment rapprochables, bref de réduire le texte à un réservoir de termes indépendants de toute liaison consécutive.

Deuxième point : *subversion de l'unité anecdotique*. Cette fois, il s'agit de prendre en compte, non plus la consécution anecdotique, mais bien la consécution littérale. L'ordre littéral du texte tend en effet à subvertir l'unité anecdotique, l'anecdotique pris comme unité. Ce fonctionnement, il me semble qu'il est inaperçu par beaucoup. Ce qui est frappant, cependant, lorsqu'on écrit, c'est à quel point l'ordre d'inscription des mots dans la consécution littérale est producteur. Je reprends succinctement l'analyse que j'ai faite ailleurs [1] à partir d'une affirmation de Valéry. Valéry dit : « Toute description se réduit à l'énumération des parties ou des aspects d'une chose vue, et cet inventaire peut être dressé dans un ordre quelconque, ce qui introduit dans l'exécution une sorte de hasard. » Voilà un exemple même d'illusion anecdotique. L'identité intangible de l'objet décrit est fondée sur l'idée fausse que l'ordre des mots, l'ordre des termes de la description, est sans influence sur l'objet décrit. Or, il n'en est rien, il y a une efficace sémantique de l'ordre littéral. L'illusion de l'identité anecdotique vient de ceci :

(C)   Le soleil était jaune / Jaune était le soleil
              (rouge)   (sable)

Les deux chaînes markoviennes différentes [raccourci impropre, ici, ainsi qu'on le fera remarquer plus loin], le soleil était jaune / Jaune était le soleil, sont considérées comme identiques. Or, il ne s'agit pas du tout de la même chose. On peut le faire comprendre en disant qu'il y a une espèce de subordination orientée selon la consécution littérale et qui est d'une autre nature que la subordination syntaxique. La fonction syntaxique de jaune est la même dans les deux cas : attribut du sujet. Par conséquent au niveau d'une analyse des fonctions syntaxiques, ces deux phrases sont identiques. Si nous ne nous laissons pas aveugler par ce niveau syntaxique nous constatons ceci : il y a une subordination vectorielle des paradigmes utilisés ici. Construisons la première chaîne de Markov : à partir de soleil, il y a la possibilité de jaune ou de rouge. Construisons la seconde chaîne de Markov : à partir de jaune, il y a la possibilité de soleil ou de sable. Dans le premier cas, soleil se subordonne un certain paradigme, disons, des couleurs. Dans le deuxième cas, jaune se subordonne un certain paradigme, disons, des objets. Je ferai apparaître ce phénomène autrement par une espèce de diagramme :

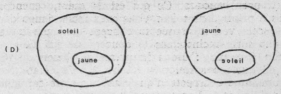

Premier cas   Deuxième cas

François Jost : Une remarque d'abord. Lorsque vous avez ramené les deux chaînes de Markov à un seul énoncé, vous avez dit que c'était un syntagme. Or ce n'est pas un syntagme.

Dominique Chateau : D'autre part, lorsqu'on écrit « le soleil était jaune », ce n'est pas une chaîne de Markov. La chaîne de Markov, c'est une certaine machine logique supposée sous-jacente à la génération d'une phrase comme celle-là. Mais « le soleil était jaune » : ce n'est pas une chaîne de Markov.

Jean Ricardou : Si je me souviens bien de ce que dit Nicolas Ruwet à ce propos [2], la chaîne markovienne, c'est un dispositif où se pensent, en même temps, le syntagme et le paradigme. L'énoncé « le soleil était jaune » est issu d'un paradigme (jaune/rouge) dont l'un des termes, jaune, est pris dans un syntagme. Alors si j'ai employé à tel moment précis la chaîne de Markov selon un raccourci qui prête à confusion, parlons en d'autres termes...

François Jost : Ah non.

Dominique Chateau : La classe paradigmatique qui se trouve au niveau de jaune et rouge ne comprend pas seulement deux éléments, elle en comprend un très grand nombre...

Jean Ricardou : Bien sûr.

Dominique Chateau : Et, si l'on considère un certain nombre d'œuvres littéraires contemporaines, on pourrait très bien trouver une phrase du genre : le soleil était rogue. (Rires.)

Jean Ricardou : Ce n'est pas le problème...

Dominique CHATEAU : Et, d'autre part, du point de vue de la compétence littéraire, il est certain qu'on pourrait trouver toutes sortes d'éléments qui ne sont pas inclus a priori dans soleil. Vous avez inclus jaune dans soleil, cela veut dire que le concept de jaune est en quelque sorte inclus dans le concept de soleil...

Jean RICARDOU : Dans la première phrase de (C), oui, en quelque sorte.

Dominique CHATEAU : Je reprendrais alors la logique des prédicats. Si l'on analyse les deux phrases émises en (C) du point de vue de la logique des précidats, c'est exactement le même prédicat qui est contenu dans les deux phrases. X est jaune, qu'on le dise dans un sens ou dans l'autre, c'est la même chose...

Jean RICARDOU : Eh bien, c'est justement cela que je conteste. La logique des prédicats, que je ne conteste pas en tant que logique des prédicats, est justement ce qui non seulement est incapable mais encore empêche de rendre compte du fait que ces deux phrases ne disent pas exactement la même chose. Il y a un effet spécifique de l'ordre des mots : il arrive même qu'on puisse le saisir dans des formules figées du français, où son activité est patente. Par exemple, si je dis : un ami petit / un petit ami, ou un homme grand / un grand homme, on voit immédiatement le phénomène que je veux souligner. Il est clair ici qu'il y a une manière d'action de ce qui précède sur ce qui suit ou, si l'on préfère, une sorte de subordination de ce qui suit à ce qui précède. Dans la première formule, petit, qui suit, ne transforme pas ami mais le spécifie. Dans la deuxième formule petit, qui le précède, se subordonne ami et en transforme complètement le sens. Dans la troisième formule, grand, qui suit, ne transforme pas l'homme, mais le spécifie. Dans la quatrième formule, grand, qui le précède, se subordonne homme et en transforme complètement le sens. Je ne crois pas que la logique des prédicats soit en mesure de rendre compte de cet effet-là et cet effet-là est constamment actif dans le texte...

Dominique CHATEAU : Finalement, vous justifiez votre thèse par le niveau sémantique. C'est indépendant, donc, on peut le supposer, du niveau syntaxique...

Jean RICARDOU : Bien entendu, Chateau. Le problème est précisément d'analyser les effets sémantiques spécifiques de la consécution littérale. C'est une des choses difficiles à penser dans la situation idéologique actuelle. Si bien que, dans les analyses, en général, on en arrive à ne pas prendre en compte l'ordre même des mots et des dispositions dans le texte. Et cette omission appartient au courant idéologique qui tend toujours à oblitérer, sous des unités apparentes, les dimensions matérielles du texte, productrices de contradictions.

François JOST : Revenons-en à ce que je vous ai dit d'abord. Lorsque vous avez ramené les deux chaînes de Markov à un seul énoncé, il ne s'agit pas d'un syntagme...

Jean RICARDOU : C'est un énoncé de type syntagmatique en tant qu'emboîtement de syntagmes...

François JOST : Enfin, c'est ne rien dire...

Jean RICARDOU : Mais si.

Jean-Christophe CAMBIER : Qu'est-ce que c'est, alors, Jost?

François JOST : C'est une phrase qui nécessite un engendrement génératif, dont on ne peut pas rendre compte justement avec le modèle de Markov...

Jean RICARDOU : Mais, bien entendu, puisqu'il ne s'agit pas de penser un rapport paradigmatique.

François JOST : Deuxième point : le risque de l'associatif. Le dernier exemple que j'ai donné montre que je ne tombe pas sous le coup de votre critique. Ce que j'ai montré, ce n'est pas du tout un processus associatif, c'est une disposition des matières de l'expression utilisées, donc un ordre. L'association n'en rend absolument pas compte.

Trosième point : vous avez l'air de prétendre que je m'intéresse surtout à l'unité anecdotique. Or, ce que j'ai essayé, c'est de montrer qu'on pouvait faire une analyse, j'oserais dire *dialectique*. Je crois qu'il est difficile de se cacher que, chez Robbe-Grillet, comme chez d'autres Nouveaux Romanciers, il y a des choses qui fonctionnent de façon totalement narrative. Au contraire, mon attitude est opératoire dans la mesure où j'essaye de renverser et de subvertir cette unité anecdotique de l'intérieur et non en employant des métaphores qui n'ont aucune pertinence ici, comme « subversion », « brouillage », etc.

Quatrième point : l'ordre de la description. Il est au contraire ce qu'il y a de majeur pour moi et il me semble que ce tableau [3] n'en reste qu'aux niveaux du signifiant et du signifié utilisés. J'ai bien montré, sur l'exemple de la tige, que la description robbe-grilletienne n'était pas aléatoire, qu'elle ne pouvait pas commencer par n'importe quel bout et que, dans la description du soldat, si l'on arrivait à la description du soulier, avec entaille sur la tige, c'était justement parce qu'l y avait une structure qu'on projetait sur une autre section. C'est au contraire cette notion d'ordre qui me paraît fondamentale.

Jean RICARDOU : D'accord sur ce point, mais cette projection est selon moi typiquement paradigmatique.

François JOST : Mais pas du tout : j'essaye de montrer comment deux structures syntaxiques se renvoient l'une à l'autre...

Jean RICARDOU : Elles se renvoient comment? Selon moi, vous travaillez dans une extension complexe de ce que j'ai appelé pour ma part la métaphore génératrice. Dans la métaphore génératrice, il peut y avoir aussi un aspect ordinal.

François JOST : Mais non. Je ne constate pas des répétitions chez Robbe-Grillet au niveau de la lecture. Je constate des répétitions à un niveau que j'ai essayé de définir et qui n'est justement pas le niveau narratif.

Françoise ROUET : Je voudrais souligner, dans *Projet,* une double transformation. D'abord se produit un premier type de discours (A_1), repérable selon des critères à la fois lexicaux et grammaticaux, disons une description de porte, encore que je n'aime pas ce terme parce qu'il donne l'impression qu'il y a un référent.

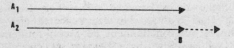

Ensuite, sur la même structure syntaxique, se produit une transformation du lexique par une projection métaphorique : des éléments comme porte, on passe à sinuosité courbe, selon une suite de métaphores (A₂). Enfin, se produit une deuxième transformation, cette fois de nature syntaxique grammaticale : la jeune femme se met à crier. La phrase change grammaticalement de nature. Elle se temporalise et, cette fois, on peut avoir ce qu'on appelle un récit.

Dominique CHATEAU : Il y a des niveaux de représentation différents dans un texte et les oppositions que vous marquez viennent finalement du fait que vous ne vous placez pas au même niveau.

François JOST : Pour en revenir à un exemple que je connais, si l'on prend dans le début de *Projet* les éléments dans l'ordre du texte, il y a : 1° « La scène se déroule très vite... » ; 2° « Je suis en train de refermer la porte... » ; 3° La porte qui devient femme ; 4° Le docteur commence à retirer sa clé de la porte, et enfin 5° Toute la scène se déroule très vite, etc. Ce qui m'intéresse dans la génération de ce texte, c'est quelque chose qui est purement syntaxique : la femme est un axe de symétrie et on s'aperçoit que ce texte est généré par une télestructure. Il s'agit là d'une des structures à distance les plus commodes à exposer, mais il y en a des plus compliquées dont j'ai déjà parlé ailleurs [1]. De plus, cette télestructure n'est pas seulement quelque chose de statique : elle est productrice. Le *je* en train de fermer la porte (2°) est dépourvu d'identité, mais quand, par la répétition d'éléments lexicaux, on revient au (4°), c'est le médecin qui est en train de refermer la porte. La narration revient alors en arrière et on peut lui attribuer le *je* du départ de sorte qu'on peut se demander si c'est le médecin qui ferme la porte. Alors vous allez me dire que je suis en train de tomber dans l'interprétation et que cela devient terriblement dangereux. Mais le danger s'écarte de lui-même lorsque, dans la suite du *Projet,* ce genre de schémas intervient constamment. Si bien qu'il faut saisir ce jeu des structures à distance pour que la mobilité de la narration soit totalement perceptible.

Jean-Claude RAILLON : Jost, est-ce que le processus se répète toujours sous la forme ABBA? En ce cas, il aurait une espèce de contrainte formelle. Ou alors est-ce que ton analyse n'est pertinente que de façon locale? A quelle condition peux-tu dire que cette téléstructure fonctionne de façon logique dans tout le texte?

François JOST : Je ne dis absolument pas qu'elle fonctionne dans tout le texte. Comme je l'ai dit, j'ai relu rapidement *Projet* avant de venir *(Rires)*, et c'est la première que j'ai trouvée. Elle était à la première page mais, comme je l'ai dit, on en trouve de beaucoup plus compliquées.

Jean RICARDOU : Il s'agit ici de la structure en miroir bien connue. Dans *L'Activité roussellienne* [5], j'en ai analysé une de huit éléments, par exemple.

Alain ROBBE-GRILLET : Je ne vois pas clairement en quoi il serait nécessaire de prendre parti soit pour les téléstructures, soit pour les structures de succession immédiate. Il semble qu'on les a opposées ici de façon un peu sommaire, comme s'il y avait deux clans : les gros boutiens et les petits boutiens de Gulliver. Je le comprends d'autant moins que je m'intéresse, à la fois, aux téléstructures et aux démonstrations de Ricardou, concernant les structures de consécution. Mais, pour ramener la discussion à un niveau assez matériel sur mon travail, je me demande si l'opposition entre Jost et Ricardou ne vient pas surtout de ce que Jost s'est intéressé davantage aux films, tandis que Ricardou n'a jamais écrit que sur les romans. Car justement, j'ai l'impression de travailler de façon différente pour l'un ou pour l'autre. J'ai précisé souvent que, matériellement, quand j'écris, je ne travaille jamais sur l'ensemble du texte à la fois : je commence au début, je termine à la fin, et chaque page est définitivement terminée une fois qu'elle a été recopiée sur le manuscrit final. Il y a une série de trois ou quatre manuscrits qui avancent en même temps, mais qui sont décalés d'une page environ l'un par rapport à l'autre. Quand le premier manuscrit arrive à la page cinq, le deuxième est à la page quatre, le troisième à la page trois, et le définitif à la page deux; le décalage de quatre pages se conservant d'un bout à l'autre entre le premier manuscrit et le manuscrit définitif. Et jamais je ne modifie une page recopiée sur le manuscrit définitif, où il n'y a pas de rature. C'est un manuscrit impeccable, qui va même souvent directement à l'imprimerie. Donc je ne modifie jamais une page terminée pour perfectionner une télestructure qui me serait apparue dans la suite, ou que j'aurais même travaillée dans le cours de la rédaction. Tandis que, au contraire, le film est continuellement remis en question dans son ensemble : il n'y a pas du tout la mise au point définitive de la première séquence, puis de la deuxième, puis de la troisième. Le film repasse constamment sous nos yeux, au monteur et à moi, sur la table de montage, chaque séquence travaillant non pas sur les séquences suivantes, mais sur toutes les séquences du film, y compris sur les séquences précédentes. Ce qui fait que, bien que me sentant dans cette petite altercation plutôt du côté de Jost, il n'en reste pas moins vrai que ce que Jost a dit des structures à distance dans les films me parle davantage que ce qu'il a dit des mêmes structures à distance dans les romans. En particulier, la réapparition du mot tige ne m'avait pas frappé comme une relation structurelle dans la mesure où la tige d'une fleur et la tige d'une chaussure ce n'est pas le même mot pour moi : je vois même quelquefois assez mal comment le mot tige a pu signifier la partie montante de la chaussure qui succède au talon. Et, d'ailleurs, ce n'est sûrement le même mot que dans très peu de langues; peut-être même que la langue française est la seule.

Par-dessus le marché, et ceci est plus important encore au niveau du travail, la structuration cinématographique opère d'une façon tout à fait différente, dans la mesure où le film accueille sans cesse des matériaux extérieurs à moi, ou en tout cas qui ne sont pas aussi prémédités que les matériaux du roman. Dans le film, il arrive souvent que le matériau, en partie du moins, est dû au chef opérateur. J'ai signalé, par exemple, dans un film comme *L'Eden*, comment je demandais à l'opérateur Igor Luther quels mouvements de caméra il avait envie de faire, dans tel ou tel décor; il est évident, à ce moment-là, que je ne peux avoir quant à ces mouvements aucune préméditation de structures, qu'elles soient immédiates ou à distance. C'est seulement ensuite, quand on aura tourné le mouvement dont il a envie pour des raisons plastiques, c'est-à-dire à cause du déplacement de son corps à lui dans un lieu donné, que le problème sera : comment cet élément que j'accueille va-t-il faire partie de la structure du film? Je reprends maintenant l'exemple qui a été donné par Jost, et qui est pour moi tout à fait pertinent, quand il a mis en relation les deux séquences du *Jeu avec le feu*, très éloignées dans le film, de l'enlèvement de Christine Boisson à la gare et de son dialogue avec Trintignant dans la chambre; il a relevé, d'une façon très précise, des éléments que j'ai dans leur ensemble mis vraiment dans la matière textuelle. Et néanmoins, il faut bien dire qu'il n'y avait forcément aucune préméditation, au moment où les séquences ont été tournées. La séquence de la gare est la première séquence d'action du film. Je la résume brièvement pour les gens qui ne l'ont pas vue : une jeune fille qui allait prendre un train est interceptée sur le quai de la gare par des ravisseurs, qui l'enferment dans une malle pour l'expédier à ce qu'on saura plus tard être le bordel. Cette séquence est préméditée : elle faisait partie des enlèvements dont la répétition scande le film d'un bout à l'autre. L'enlèvement de Carolina, qui manque à la diégèse, a été ainsi projeté dans la structure : c'est-à-dire qu'il se répète à de nombreuses reprises sous la forme d'enlèvements d'autres jeunes femmes. Cet élément était écrit avant le tournage. C'est d'ailleurs la séquence qu'on a tournée le premier jour, et ce qu'on tourne le premier jour est évidemment prémédité puisque ce n'est ni le tournage ni le montage qui a pu le produire : il faut bien, pour le premier jour au moins, savoir ce qu'on va tourner. Tout au contraire, la séquence où la même jeune fille, jouée par Christine Boisson, est couchée dans une chambre qu'on comprend plus ou moins appartenir au bordel, et où Trintignant lui parle, cette scène n'est pas absolument pas préméditée. Elle a été imaginée le matin pour l'après-midi, uniquement parce que Christine m'intéressait comme ça, en tant que fille, et que j'avais envie d'augmenter son rôle dans le film. Elle est devenue ainsi, progressivement, une espèce de double de Carolina : d'où les relations avec le père qu'elle entretient dans la suite du film.

Ce sont des choses que j'aime énormément au cinéma. Tout d'un coup dire : « eh bien voilà, je vais faire ça. » Et tout le monde dit : « mais ça n'a aucun rapport, ce n'est pas dans le film ». Eh bien oui, mais ça *sera* dans le film; et tout ce travail qui a été signalé par Jost, et qui me passionne de plus en plus, consiste à introduire dans un texte, et à le placer en position structurelle, un élément qui semblait une excroissance incompréhensible. J'ai peut-être trouvé un procédé analogue, ou en tout cas comparable, pour le roman qui va paraître, *Topologie d'une cité fantôme*. Cet élément extérieur, c'est Delvaux, Rauchenberg, Magritte, Hamilton : ils me fournissaient des images sans aucun rapport avec le roman, qui, toutes, se sont trouvées intégrées volontairement à la structure textuelle. Et cela a parfois nécessité un travail de structuration globale, qui retrouverait ainsi mes préoccupations cinématographiques. Et que je ne vois pas du tout en quoi cette préoccupation de structures à distance s'inscrirait contre la préoccupation de succession immédiate, et non plus comment elle écraserait le texte, comme a dit Ricardou, pour le transformer en réservoir.

Jean RICARDOU : Ce n'est pas tout à fait ainsi que je vois les choses. Je reconnais l'intérêt des analyses de Jost d'autant plus que j'en ai produit, je crois, de semblables depuis déjà quelques années. Ce que j'ai essayé de montrer dans la deuxième partie de ma première intervention, c'est seulement qu'il faut aussi prendre en compte d'autres phénomènes que je nomme la consécution littérale et qui les contredisent selon les contradictions mêmes du texte...

François JOST : J'apporterai deux précisions. Premièrement, je ne nie pas qu'il y ait des associations. Ce que je dis, c'est que l'association elle-même peut entrer dans un système qui la contient et qui ne la contredit pas. C'est exactement comme ce qui arrive en théorie scientifique : une théorie scientifique peut en contenir une autre sans forcément la contredire. Deuxièmement, je voudrais bien souligner que mes affirmations, peut-être polémiques, s'appuient sur le fait que le concept de téléstructure présente un avantage que je ferai paraître sur deux points. Premier point : comment, si on ne recourt pas aux téléstructures, différencier Faulkner de Robbe-Grillet? Il est bien évident que chez Faulkner le processus de l'association est tout le temps opérant, mais si l'on en vient aux possibilités structurelles, on s'aperçoit que toute l'œuvre de Faulkner fait intervenir des téléstructures *complétives* : c'est d'ailleurs ce qui se passe aussi dans le roman policier. On fait des rapports d'ordre lointain pour compléter quelque chose. La télé-structure, chez Faulkner, est vectorisée. Tout à l'heure vous avez réagi, Ricardou, quand j'ai parlé du fait qu'on pourrait lire le schéma dans les deux sens. Or cela me paraît un des points très importants chez Robbe-Grillet et qui le différencie, par exemple, d'un écrivain comme Faulkner. Chez Robbe-Grillet, les téléstructures sont lisibles dans les deux sens : il ne se produit par une signification dans cette lecture. Deuxième point. Comment distinguer Robbe-Grillet de beaucoup d'autres, puisqu'il y a chez les autres aussi des structures narra-tives, si l'on en explique pas le mode de production sous-jacent? Je ne vois pas, sans cela, comment on pourra parler et défendre, à la limite, les structures narratives dans l'œuvre de Robbe-Grillet. Si je prends l'exemple du père qui va voir l'intermédiaire, qui va dans une boîte de nuit et qui, enfin, va dans le repaire, on pour-rait très bien dire, alors : Robbe-Grillet en revient à un mode de récit assez traditionnel. Si l'on en reste donc à un niveau purement narratif, on ne pourra jamais montrer où s'inscrit la subversion.

Jean-Christophe CAMBIER : Alors, je crois que ce sur quoi tu butes, c'est sur la spécificité de Robbe-Grillet. Ce qui t'intéresse, dis-tu, ce serait de définir la spé-cificité du travail de Robbe-Grillet. Seulement, j'ai l'impression que, avec ce concept de téléstructure, bien loin de poser une spécificité, tu es en train de retomber dans les catégories de l'original et du banal. Je m'expli-que : il s'agirait de définir un mode de production de

Robbe-Grillet qui lui soit en quelque sorte complètement personnel. Or ces sortes de téléstructures, on les retrouvent aussi chez Claude Simon, chez Pinget, et chez quelques autres écrivains dont l'activité est comparable. Alors, je ne vois pas du tout en quoi, à partir de ce concept, tu définis une spécificité du travail de Robbe-Grillet.

François JOST : Effectivement, on les trouve chez Simon, mais il me semble qu'elles sont éminemment chez Robbe-Grillet. En outre, quand tu me reproches de ne pas cerner la spécificité de Robbe-Grillet, je demande simplement si l'un d'entre nous peut dire qu'il l'a fait. Je demande si l'on n'a pas trop souvent entendu : Robbe-Grillet-par-exemple.

Jean-Christophe CAMBIER : Ce que je veux dire, c'est que cette spécificité, elle se définirait par la rencontre d'activités précises à plus ou moins grande fréquence chez tel ou tel, et d'un certain nombre d'autres catégories qui sont actuellement, je pense, non théorisables. Ce que tu théorises là est une activité importante, mais qui ne peut pas définir à elle seule une spécificité.

François JOST : Bien sûr. J'aimerais même ajouter ce qui manque dans mon travail; puisque j'ai montré finalement un processus génératif de structures, il aurait été intéressant de montrer le processus transformationnel. Il faudrait expliquer pourquoi, et comment, on passe, par exemple, d'une description à une narration. Alors qu'ici, effectivement, je n'ai retenu qu'un ordre, en extrayant ce qui m'arrangeait, c'est vrai, par exemple, la croix définie comme perpendiculaire, etc. et que je retrouve plus loin sous la forme : « il s'engage dans une rue perpendiculaire ». Ce qu'il faudrait essayer de montrer, alors, en prenant un ordre très proche cette fois, c'est comment on obtient la transformation de cette description en une narration.

Jean-Christophe CAMBIER : Sur ce passage précis, il y aurait une hypothèse intéressante : c'est qu'on aurait donc ici un schéma de variantes. Nous avons un passage et sa variante, et la variation se ferait par la mise en branle d'un idéo-sélecteur intertextuel : l'idéo-sélecteur, c'est les objets dont on a déjà parlé (le couteau, etc.) et il est intertextuel parce que cet idéo-sélecteur fonctionnait déjà dans *Le Voyeur*. La variation se fait donc sur un certain nombre d'objets mis en connection par cet idéo-sélecteur. Ainsi, à la page 13 de *Dans le Labyrinthe,* la sorte de croix devient successivement un couteau de table, une fleur, une figurine vaguement humaine ou un poignard. C'est cet idéo-sélecteur qui peut définir le type de la variation.

François JOST : Je suis assez d'accord, mais il y a quelque chose qui me gêne dans ton vocabulaire : c'est le terme de variante. Dire il y a une forme qui est soit une fleur, soit une figurine, soit un poignard, c'est bien proposer des variantes, mais dire ensuite que quelqu'un s'engage dans une rue perpendiculaire, ce n'est pas du tout une variante.

Jean-Christophe CAMBIER : On atteint au contraire un certain niveau de la métaphore...

François JOST : Mais non, ce n'est pas métaphorique! Ce qui m'a intéressé, seulement, là-dedans, c'est que la croix était définie comme quelque chose de perpendiculaire. J'ai pris ce mot comme le *signal* d'un autre, puisque la rue est aussi perpendiculaire.

Jean-Christophe CAMBIER : Tu indiques, précisément, un rapport de type métaphorique entre cette croix et cette rue...

François JOST : Mais non. Je n'ai pas introduit un rapport entre la croix et la rue, j'ai introduit un rapport entre les *termes* de description de la croix et les *termes* de description de la rue...

Jean-Christophe CAMBIER : Et qu'est-ce que c'est que cette opération sinon une sorte de métaphore? Dans *La Jalousie,* par exemple, tu as la description du brossage des cheveux et, de là, passage à l'incendie. La métaphore ne se fait pas sur l'objet, parce qu'il n'y a pas une concordance entre les deux objets, mais entre les termes précisément de leurs descriptions respectives.

François JOST : Je dirais que le travail de métaphorisation, là-dedans, est peut-être à retrouver dans le processus transformationnel qui permet de passer d'une structure à l'autre. Mais je ne situe pas du tout mon travail à ce niveau-là...

Jean-Christophe CAMBIER : Alors je te pose une autre question : comment définis-tu la structure là-dedans?

François JOST : Justement, je n'ai aucune définition a priori de la structure : c'est le texte lui-même qui me permet de définir la structure. C'est pour cela que je disais tout à l'heure que la différence entre Robbe-Grillet et, par exemple, Faulkner, c'est qu'on est toujours obligé chez celui-là, de lire en arrière. Ce que je proposais d'appeler une lecture anaphorique, c'est précisément le fait que l'on a toujours besoin, pour trouver des structures dans le texte robbe-grilletien, d'un interprétant. Or cet interprétant est toujours dans le texte : c'est ce que j'appelle la sui-référentialité du texte...

Jean-Christophe CAMBIER : Et ce que tu appelles la structure, c'est une colonne par rapport à une autre [6]?

François JOST : C'est une colonne parce que j'ai pris un exemple simple : je pourrais prendre un exemple plus compliqué...

Jean-Christophe CAMBIER : Ce qui m'étonne, c'est que c'est ce fragment de texte que tu appelles structure de base.

François JOST : Non, la structure n'existe que dans le rapport entre les deux : la structure est dans ce qui englobe les deux sections. Dans ce rapport, il y a une structure sous-jacente. C'est exactement le même problème que celui que se posait Chomsky quand il disait : il faut expliquer pourquoi deux phrases qui ont une apparence de surface différente ont la même structure profonde. C'est exactement là que je situe mon travail.

Jean-Christophe CAMBIER : Bien, parce que tu as parlé de structures qui engendrent l'œuvre. C'était assez ambigu.

François JOST : Si j'ai dit cela, c'est une erreur.

Alain ROBBE-GRILLET : Je voudrais dire un mot sur la notion d'anaphore. J'en reviens à mon propos de tout à l'heure : cette opposition grossière et provisoire entre film et texte romanesque. Il est vrai que j'ai de plus en plus l'impression qu'un roman comme *La Jalousie* ou comme *Projet* peut être lu par quelqu'un qui ne l'a pas encore lu : c'est-à-dire qu'il peut commencer sur la phrase : « Maintenant l'ombre du pilier — le pilier qui soutient l'angle sud-ouest du toit — divise en deux parties· égales l'angle correspondant de la terrasse. » Il n'y a aucune raison d'avoir lu entièrement le livre pour participer au mouvement créateur de cette phrase. On peut donc faire. une lecture qui n'est pas anaphorique, qui se contente d'être ce qu'elle est pas à pas. Au contraire, pour le film, je me demande de plus en plus si ce petit divorce qui existerait entre moi et le public (disons les critiques) ne viendrait pas de là : de la façon même dont je travaille sur le film. Comme je l'ai dit, le film est repris sans cesse et composé sans cesse dans son ensemble, à tel point que le texte inaugural du *Jeu avec le feu* est ce qui a été fait tout à la fin, ce qui dans un roman serait pour moi impensable. « Et maintenant Carolina sans doute déjà ressemble à cette adolescente... » : cela a été écrit quand la bande image définitive était terminée. J'ai seulement rajouté au milieu le plan où l'on voit Christine sans son cercueil, alors que, pendant tout le reste de ce texte, on voit Noiret en banquier à sa table et les domestiques de sa maison. Donc, je me rends bien compte que la participation au mouvement créateur de cette séquence, de cette première séquence, avec ce texte écrit *in extremis* et ce plan rajouté *in extremis,* cette participation au mouvement créateur ne peut procéder que d'une lecture anaphorique. Il faudrait, en somme, avoir vu déjà le film entièrement avant de le *voir* pour la première fois. C'est ce qu'on a dit à propos des textes aussi, mais qui me semble faux justement à ce propos, puisque les textes ont eu ce mouvement de création sans retour d'un bout à l'autre du livre.

François Jost : Oui, mais l'anaphore marche aussi dans le texte...

Alain Robbe-Grillet : Oui, bien entendu.

François Jost : Le résumé de Morrissette était très symptomatique à cet égard : si l'on avance toujours de l'avant, sans revenir jamais en arrière, on a deux anecdotes tout à fait différentes et cela ne pose aucun problème.

Alain ROBBE-GRILLET : Je comprends très bien. Ce que je veux dire c'est que, dans le texte, l'anaphore est rétroactive, on ne s'aperçoit qu'ensuite que c'était une anaphore. Quand apparaît « l'homme » il n'est que « l'homme » même si plus tard le texte constitue plus précisément ce qu'il est. Il ne devient cet homme précis qu'à titre rétroactif. Alors que, au contraire, dans le film, je crains (pour la publicité de mes petits travaux filmiques) qu'il n'en aille pas tout à fait de même.

Jean-Claude RAILLON : Je voudrais intervenir à propos de cette différence entre le travail de fiction textuelle et le travail de fiction filmique. Ce qui se passe en fiction textuelle, c'est que la directive représentative est continuellement agressée par des jeux signifiants, mais de façon ponctuelle. Le danger de ruine de la directive représentative est donc toujours immédiat et imminent, dans le temps même de la matérialité de l'opération. Or cette imminence me paraît davantage contrôlée dans le temps de la production d'un plan. Le geste matériel de la prise, et tous les accidents qui interviennent au cours de cette activité opératoire concrète, me paraît ne pas influencer le film dans l'immédiat. Dès lors, c'est le montage, *a posteriori,* qui acquiert une importance considérable et qui peut transformer l'activité du montage de façon beaucoup plus manipulatoire que l'activité d'écriture. Dès l'instant où, quand on écrit une fiction, l'accident survient, il ne peut pas être différé, il doit être traité dans l'immédiat de la production. Au cinéma, cet accident peut être écarté de façon volontariste : vous pouvez très bien, dans le montage, ne pas insérer cette scène que vous avez tournée sans préméditation, tandis qu'au niveau de l'écriture fictive, cette différence n'est pas possible. Et cela, je crois que c'est fondamental, parce que les conditions mêmes de la pratique d'un objet montrent ici leur spécificité.

Alain ROBBE-GRILLET : Et je dirais même alors, pour aller plus loin dans le sens de ce que dit Raillon, que j'avais imaginé, à un moment, que si je ne trouvais plus de producteur qui veuille assumer le tournage de mes films, puisque en somme c'est le tournage qui coûte cher, je prendrais un de ces films qui sont tournés et jamais programmés. Il y a de très nombreux films, dans l'industrie cinématographique, qui ont été achevés et qui, ensuite, ne sortent jamais. Evidemment, c'est une grosse perte pour les producteurs qui les ont tournés. Alors, on peut racheter, à bas prix, un tournage complet, c'est-à-dire le film tel qu'il a été produit, plus toutes les chutes, les doubles, les scènes ratées, etc. On a évidemment la possibilité de changer complètement la bande sonore, ce qui ne coûte pas cher. Donc, ce qui coûte cher, le tournage, je proposais de le laisser à ce que les mathématiques appellent le hasard, c'est-à-dire ce qui n'est pas contrôlé dans les conditions de l'expérience et, malgré tout, faire avec cela ce qu'on pourrait appeler du Robbe-Grillet, c'est-à-dire que je signerais entièrement. Précisons que le matériel qui sert à monter un film est très large par rapport au film lui-même : un long métrage en 35 mm a 2 600 m de long alors que le tournage représente 20 à 30 000 mètres de pellicule.

Jean-Claude RAILLON : Dans ce cas, il faudrait être encore plus vigilant au montage.

Alain ROBBE-GRILLET : Au montage, on peut l'être, mais moins au tournage...

Jean-Claude RAILLON : Comme il n'est pas possible, en ce dernier cas, de monter des bribes de récit, on fait un montage qui produira alors un récit de type formaliste.

Renato BARILLI : J'interviens à propos de la discussion entre Jost et Ricardou : j'ai l'impression qu'il n'y a pas tellement de différence. Vous pouvez être tout à fait d'accord, Ricardou, sur la notion de téléstructure, vous en avez assez parlé, il me semble, à votre façon : au fond, ce que vous appelez la libération, la capture, c'est de l'ordre des téléstructures. C'est ce que j'appellerais pour ma part les sauts d'orbite : quelque chose qui se place à côté mais qui consiste dans un saut, dans un passage d'un niveau à un niveau différent. D'autre part, Jost, il est bon que vous ayez fait une référence à Faulkner : je crois qu'il faut, de temps en temps, faire référence à d'autres écrivains, à d'autres expériences.

Or, là aussi, je crois que tout le monde est d'accord : les téléstructures, c'est quelque chose qu'on a toujours employé. Homère dans *L'Odyssée*, déjà... La grande différence revient toujours au conflit entre modèle de la présence et modèle de l'absence. La téléstructure d'Homère à Faulkner est toujours axée sur un sujet, sur un courant de conscience, tandis que maintenant, chez Robbe-Grillet, la téléstructure est confiée à un niveau anonyme.

François JOST : Effectivement, le biais téléstructurel, ce n'est pas Robbe-Grillet qui l'a inventé, mais on peut, à son propos, cerner certaines spécificités. D'autre part, je m'oppose surtout à Ricardou quand il emploie les générateurs pour montrer que le matériel thématique de l'œuvre est cohérent et vient d'un signifiant donné mais qu'il ne montre pas l'organisation que cela donne dans le texte. Ricardou lui-même dit souvent qu'il a utilisé les générateurs d'Ollier, par exemple. Alors, quand Ricardou dit cela, il gomme complètement la différence entre le texte d'Ollier et le sien. On ne comprend pas avec une théorie des générateurs simple comment on passe du texte d'Ollier à celui de Ricardou.

Jean RICARDOU : Je réponds sur un seul point pour être rapide. Excusez-moi de le dire, mais j'ai l'impression, Jost, que vous réduisez mes essais théoriques à la page que j'ai écrite dans *La Fiction flamboyante* [7] à propos du travail fait sur le mot *rouge*. On peut certes critiquer cette page, mais on ne peut omettre ceci : c'est que les éléments fictionnels provoqués par un jeu de signifiants peuvent être utilisés, comme matériel, selon des structures travaillant à un autre niveau. Les concepts de variante et de similante tels que je les ai proposés correspondent il me semble à ce que vous appelez téléstructure, et ils permettent de comprendre, par exemple, selon quel type d'organisation le texte travaille un matériel qui a pu lui venir en partie de jeux de signifiants comme ceux que j'ai analysés à partir de tel ou tel mot. Mais j'ajouterai ceci : c'est que l'un des objectifs, désormais, de mon travail est de faire travailler la contradiction entre des structures de ce genre et la consécution littérale. C'est cette contradiction entre les deux qui m'intéresse désormais particulièrement.

François JOST : Ce qui est important aussi dans la téléstructure c'est le fait qu'elle soit sous-jacente et je ne vois pas apparaître cela...

Jean RICARDOU : Puisque le problème est posé : traitons-le. Ce que vous appelez téléstructure fonctionne chez moi dans ce que j'appelle le domaine virtuel. Le domaine virtuel, tel que je l'ai proposé, c'est une action à distance qui n'est pas actualisée, donc, par la consécution littérale immédiate. Je ne dis pas que cette action n'existe pas; je dis qu'elle existe comme activité programmée par le texte telle que l'actualisation de cette relation est faite, non par l'ordre de la consécution littérale, mais par un rapprochement seulement opéré par la lecture, par la critique.

François JOST : Alors, quand on a deux phrases de ce type : « Pierre aime Marie » et « le petit vieillard alerte qui habite en face de chez nous a perdu ses lunettes », vous allez me dire que, s'il y a une même structure sous-jacente, comme l'a montré Chomsky, c'est aussi virtuel : ce n'est pas dans la consécution littérale. Vous réduisez le travail de Chomsky, je pense, aussi à quelque chose de virtuel?

Jean RICARDOU : J'appelle virtuel dans un texte, non pas un rapport qui n'existe pas, mais un rapport qui, pour être actualisé, a besoin d'une opération autre que celle qui redouble la consécution immédiate du texte.

Alain ROBBE-GRILLET : Moi, je trouve, Ricardou, que le mot virtuel...

Jean RICARDOU : Dans mon propos théorique, j'ai défini actuel et virtuel de façon précise. Un texte, c'est la consécution de ses termes, plus tous les rapprochements de ses différents termes selon d'autres ordres qui ne sont pas actualisés dans la matérialité consécutive du texte. Pour que ces rapprochements, pour que cette mise à côté, bord à bord, aient lieu, il faut une opération de raccourci dans l'épaisseur du texte qui est seulement de l'ordre de la lecture et qui peut être pratiquée, certes, par l'écrivain comme par le lecteur.

Alain ROBBE-GRILLET : Mais ils sont tout aussi réels : ils sont seulement un peu plus loin...

Jean RICARDOU : Je n'ai pas dit qu'ils n'étaient pas réels...

Alain ROBBE-GRILLET : En français, virtuel s'oppose non pas à actuel mais à réel.

Jean RICARDOU : Les deux oppositions fonctionnent l'une et l'autre et à partir du moment où, dans le langage que je spécifie, j'oppose virtuel à actuel, on ne peut demander à mon propos que de fonctionner selon les directives qu'il s'est donné. Supposons donc un axe orienté qui désigne la consécution littérale d'un texte et trois segments, x et y qui sont contigus et z qui est éloigné :

Dans l'ordre de sa lecture, le lecteur suit le rapprochement xy établi par l'écriture. Mais il peut aussi quand il est en z dire : « ah mais ce z me fait penser à x ». Il actualise ainsi entre x et z un rapprochement virtuel programmé par le texte lui-même.

Alain ROBBE-GRILLET : J'accepte votre opposition actuel/virtuel avec les définitions que vous en avez données : c'est une terminologie peut-être un peu gauche mais, enfin, acceptons-la. Seulement, je ne vois pas pourquoi une relation à distance serait moins actuelle qu'une relation immédiate. Un lecteur qui est en train de lire un texte actualise en effet non seulement ce qu'il est en train de lire, mais tout ce qu'il a lu avant. Le lecteur, qui n'a pas de passé au moment où il lit la première phrase, a un passé de lecteur du texte en question au moment où reparaît un élément qui établit une relation à distance, même si c'est d'un bout à l'autre d'un roman de trois cents pages. Elle sera parfaitement actuelle au moment où il le lit...

Jean RICARDOU : C'est ce que je dis : il l'actualise. Mais ce rapprochement n'est pas actualisé par le texte puisque le texte, dans sa matérialité, a précisément institué, avec toutes ses pages intermédiaires, leur séparation.

Alain ROBBE-GRILLET : Mais tout le reste existe au moment où apparaît un nouveau mot au lecteur...

Jean RICARDOU : Attention, vous dites là une chose très grave : ce qui est effacé, par cette position-là, c'est le fait qu'un texte n'est jamais présent à lui-même sauf comme objet-livre. Or il ne faut pas confondre un livre et un texte : ce qui est effacé ici c'est la consécution littérale et c'est cela, précisément, que...

François JOST : Vous êtes en train de transformer un problème scientifique en problématique idéologique. En fait, l'opposition n'est pas à faire entre virtuel et actuel : elle est à faire entre structure de surface et structure profonde. Quand vous dites que, dans une phrase, il y a un niveau, la consécution, qui serait plus réel que la structure profonde...

Jean RICARDOU : Je répète que je ne parle pas de réel...

François JOST : Actuel, c'est la même chose...

Jean RICARDOU : Ecoutez, pour ma part, je considère que le problème est réglé. Si je continue, à ce propos, je vais être conduit à me répéter indéfiniment : je m'arrête donc sur ce point précis.

Paul JACOPIN : On pourrait introduire une notion qui clarifierait un peu les choses : c'est l'idée d'horizon d'attente. Dans le texte que vous avez indiqué ici, il y a « c'est une sorte de croix (...), on dirait une fleur (...), ou bien ce serait une figurine (...), ce pourrait être aussi un poignard ». Il y a une possibilité créée par ces énonciations : la résolution. Dans un texte réaliste, on pourrait imaginer qu'à un moment ou à un autre, plus tard, l'auteur va dire : « eh bien, effectivement, c'est ceci ou cela ». Cela permettrait de reprendre ce qui a été dit tout à l'heure sur la liaison de type paradigmatique : Boris saute sur le comptoir/ Jean saute sur le faux-plafond. Si j'ai bien compris, ce type de liaisons est extrêmement utilisé par exemple dans le roman policier : c'est ce qu'on appelle tous les suspects, les fausses pistes. Cela crée une obligation du texte : ou bien d'exclusion (c'est X et non pas Y qui a fait cela), ou bien d'intégration (X et Y se trouvaient au même endroit en même temps, ou faisaient la même chose en même temps), ce qui se traduira par : le suspect n'était pas le coupable, ou bien ils sont complices, etc. Or, le texte de Robbe-Grillet joue sur des opérations de ce type-là mais d'une manière tout à fait différente : il peut y avoir des liaisons paradigmatiques sans qu'elles soient résolues par des opérations d'exclusion ou d'intégration. Il me semble que cela permet peut-être d'utiliser vos télestructures de manière assez efficace pour réintroduire, disons, une espèce d'ordre dans le texte.

François JOST : Je suis assez d'accord : ce qui m'intéresse surtout, c'est que cela permet d'introduire l'ordre quand il y a du désordre et du désordre quand il y a de l'ordre. Ce n'est donc pas une lecture rassurante.

Claudette ORIOL-BOYER : Juste une remarque : tout à l'heure, j'étais d'accord avec Jean Ricardou quand il parlait d'actuel et de virtuel au sens où il les a définis : il me semble, en effet, que l'instance de lecture est nécessaire pour actualiser ce qui existe dans le texte. Mais je ne serais plus d'accord si cela sous-entendait que la consécution, qu'on a opposé à la télestructure, pouvait être actuelle, elle.

Alain ROBBE-GRILLET : Il ne reste rien d'actuel, alors...

Claudette ORIOL-BOYER : Ce que je voudrais dire, c'est que ni la consécution, ni la télestructure ne sont actuelles sans lecture. Très souvent, dans ce qu'on a dit ici, on a oublié un peu l'instance de lecture dans le fonctionnement.

Jean RICARDOU : J'ajoute deux mots là-dessus puisque voilà un point nouveau. Premièrement : dans la consécution immédiate, le rapprochement est actualisé d'une part par l'écriture, d'autre part par la lecture (il s'agit en somme d'un redoublement) tandis que, dans le rapport de termes à distance, le rapprochement est actualisé non pas par l'écriture (par définition), mais bien par la lecture (il s'agit en somme d'une transformation). Deuxièmement, l'intérêt de la distinction purement opératoire entre actuel et virtuel est qu'elle permet de comprendre que certains textes rompus proviennent précisément de l'inscription d'une lecture actualisant des rapprochements virtuels. Ainsi est-il permis de commencer à penser rigoureusement toute une part du travail de la lecture dans le procès d'écriture.

Michael SPENCER : Ma question porte sur deux notions que vous avez utilisées, celle de segment et celle de raccord à distance. Il ne faut pas oublier que, dans les premiers romans de Robbe-Grillet, il y a ce que j'ai envie d'appeler une macro-segmentation, c'est-à-dire la division en chapitres ou en partie, tandis que, dans *Projet*, il n'y en a pas. Quel rôle ce découpage joue-t-il vis-à-vis de votre propre travail?

François JOST : Pour la littérature, je n'aurais vraiment pas de réponse. Pour le cinéma, il est assez remarquable que, dans l'œuvre cinématographique de Robbe-Grillet, on va vers des segments plus larges qui ne prennent leur sens que par un mode de structuration sous-jacent. Par rapport à *L'Eden*, où l'on avait une consécution d'images beaucoup plus serrée, il me semble qu'on va vers de grandes unités narratives qui risquent d'être récupérées si l'on ne passe pas à un niveau sous-jacent...

NOTES

1. *L'Impossible Monsieur Texte,* dans *Pour une Théorie du Nouveau Roman* (Seuil).
2. *Introduction à la grammaire générative* (Plon).
3. François Jost se réfère ici aux schémas de la page 250.
4. Cf. par ex. : *Robbe-Grillet : le plaisir du glissement,* Jost et Chateau, Ça n° 3, Paris, Ed. Albatros, janvier 1974.
5. *Pour une théorie du Nouveau Roman* (Seuil).
6. Jean-Christophe Cambier se réfère ici aux schémas de la page 232.
7. *Pour une théorie du Nouveau Roman* (Seuil).

XV. PROJET DE RIEN :
ESPACE ET STRUCTURE
CHEZ ROBBE-GRILLET

par Dumitru Tsepeneag

Petit récit de production

Il y a quelques mois, c'était même l'automne dernier, Ricardou m'a sommé par lettre de lui communiquer le titre de mon exposé. Je vous l'avoue franchement : je n'en savais rien, je n'avais aucune idée de ce
que j'allais faire. Je voulais simplement écrire *quelque
chose* sur Robbe-Grillet, que j'ai traduit il y a déjà
longtemps.

Je ne suis pas un théoricien. J'ai été en Roumanie
une sorte de « terroriste » ayant mon petit groupe qui
se faisait appeler « le groupe onirique », dénomination
génératrice de plus d'un malentendu. Nous cherchions
dans le fonctionnement du rêve les lois, les structures
de la production littéraire. Ce n'était pas une recherche
systématique, ce qui d'ailleurs n'aurait pas été possible
en Roumanie. C'était plutôt du tâtonnement. De toute
façon, en ce qui me concerne, la théorie a presque
toujours été impliquée dans une pratique de l'écriture.

Lorsque j'ai reçu la lettre de Ricardou, je me pré-
parais à partir pour l'Amérique; j'étais en train de
boucler mes valises, l'avion devait s'envoler le lende-
main. Alors j'ai répondu à la hâte en lui communiquant
le premier titre qui s'est formé sous ma plume. Mais
quel titre?

Le mot espace s'est imposé facilement, je suppose,
à cause de mon voyage. Pour tout dire, j'en avais une

certaine peur — c'était pour la première fois que je faisais cette traversée d'un si grand espace. Une peur gênante, car je m'en sentais humilié. Naturellement, je m'efforçais de cacher cette petite peur, de refouler ce truc gênant, générateur de gêne. Mais celle-ci avait une double nature.

Traverser l'Atlantique, grâce à des moteurs (il faudrait dire turboréacteurs) si puissants que l'on a l'impression qu'ils génèrent l'espace sans bouger; être ainsi projeté dans le pays de General Motors pour participer à un colloque; mais avant tout, produire cet affreux titre de l'exposé pour l'autre colloque (entre les deux, l'espace de mon papier), voilà une obligation qui s'avérait comme une condition de voyage. Et comme une garantie de retour, de survie.

Au bout de quelque temps, toujours assis devant cette lettre impérative de Ricardou, ce producteur d'un espace qui exigeait une structuration, j'ai dû subir une surdétermination suffisante pour que le titre transparaisse, au moins en filigrane hypogrammatique. L'opération suivante fut relativement simple : assembler les vocables à peu près semblables de toutes mes pensées déclenchées par ladite lettre. Comme je suis à peu près bilingue, mes pensées, bien que la plupart en français, se fixaient sur des signifiants assez différents, tantôt roumains, tantôt français. Ce qui, paradoxalement, a beaucoup contribué à ce travail hypogrammatique. C'est cela qui explique la mise en évidence des phonèmes et des initiales qui, elles au moins, étaient les mêmes dans les deux langues.

Une fois arrivé à ce point, le titre sous mes yeux, je remarquai avec inquiétude que la lettre, le R, se trouvait dans tous les mots qui composaient mon titre, sauf dans l'espace. Déconcerté, j'arrêtai cette activité qui risquait de tourner en rond. Je recommençai à faire mes valises. Mon inquiétude augmenta tout en changeant de nature lorsque je me rendis compte que je ne trouvais plus le billet d'avion. Je le cherchai longtemps, partout et finalement je le découvris sur la table, tout bêtement masqué par la lettre de Ricardou. Je le pris dans mes mains et vous devinez ma double joie : le billet retrouvé, c'était un billet Air France. Je pris une enveloppe et j'expédiai la lettre à Ricardou.

Mais dès que mon engagement eut pris cette voie épistolaire, l'inquiétude regagna mon âme. Ce r d'Air France qui me facilitait la traversée de l'espace aérien et la génération de l'autre, scriptural (moi je roule les r, vous m'en excuserez), ce r donc, ce n'était pas une blague? Je me sentais exposé à l'opprobre de tous les théoriciens du Nouveau Roman. Certes, ce n'était pas une vraie base génératrice, puisqu'il ne s'agissait pas d'un vocable. Et alors, au lieu de surdétermination, il y a eu — et tout le monde ne manquera pas de s'en apercevoir — un processus arbitraire. C'était du hasard ou pire : du référentiel. Mais les dés en étaient jetés, je ne pouvais plus reculer. Je pensai justifier mon titre, après coup, par un petit glissement basé sur une synonymie : l'espace = l'air; l'air (de) France = l'air (de) Robbe-Grillet. Non, ça ne marchait pas!

Je voyais déjà le sourire de Robbe-Grillet au moment de mon embarras devant les protestations des théoriciens. Sourire plein de sous-entendus. Voilà, c'est ça votre punition, si vous voulez dépasser le stade pré-théorique!

Eh oui, je le sais fort bien, ce n'est pas facile du tout. Cependant, croyez-moi, il m'était impossible de renoncer à mon espace. Je suffoquais. Heureusement, ce sourire à deux r m'aida à trouver la vraie surdétermination qui avait présidé à la production de mon titre. J'avais donc reçu une lettre de Ricardou dont je fis une lecture très attentive. Cette lettre — vous vous en souvenez — avait occulté le billet Air France. Incité par cette lettre et dans des circonstances assez particulières, liées à mon départ en Amérique, je devais produire un espace scriptural sous la forme d'un exposé sur Robbe-Grillet. Mais c'est parfait : deux fois deux r pour chacun de ses noms propres, dont un majusculé, de chaque côté. Entre ces deux grands R, mon petit espace à produire. A se produire. En tout il y avait 8 r. Beau chiffre! Et pour éviter que le nom de Ricardou apparaisse directement dans le titre, je l'ai remplacé par les mots *projet de rien*.

Pendant tous ces huit mois qui se sont écoulés depuis que la lettre de Ricardou m'est parvenue (en septembre), je n'ai pu écrire une seule ligne de mon exposé. En dépit de cette parfaite bidétermination. Ou justement à cause d'elle. Car les deux initiales identiques, ces deux majestueuses majuscules qui présidaient tout cet à - faire, loin de générer les mêmes lignes de force dans l'espace scriptural à venir, créaient une tension bipolaire insupportable. Leurs puissances étaient égales. Elles tendaient à s'annuler. L'espace dont risquait de conserver sa blancheur initiale. Blancheur funéraire.

Que faire?

Coincé, écrasé entre ces forces antagonistes, j'ai choisi de redevenir lecteur. De me cacher entre les couvertures accueillantes des livres. Dans leurs coquilles, l'acceptation de la nécessité du texte me rendit la liberté.

J'ai beaucoup lu ou relu. Tout ce qui concernait ces majuscules tyranniques. J'ai inventorié toutes les contradictions de Robbe-Grillet théoricien-terroriste, théoricien-victime (de Roland Barthes) et enfin théoricien quasi-démissionnaire devant la montée spectaculaire de Ricardou. Je me suis laissé à la fois séduire et angoisser par lui. Et puis de nouveau j'ai glissé vers Robbe-Grillet qui même dans cette humilité (apparente) ne manquait pas d'arguments. Mon embarras restait le même. Comment me décider à sortir de ma coquille!... J'ai pensé alors qu'il fallait remonter dans le temps pour trouver un point de départ qui soit un point de référence commun à ces deux romanciers — théoriciens, plus ou moins terroristes. Et de surcroît, respecter mon petit système de production. Et j'ai trouvé : c'était Raymond Roussel dont le R majuscule est redoublé. R. R. notre père à tous. Et aussi notre mère. Là, l'huître que j'étais se sentait à son aise. Car la mer garde toujours son dernier secret et permet ce doux balancement de la lecture productive.

Donc Roussel. Robbe-Grillet avait déjà écrit sur

Roussel, en 1963. Vous connaissez l'article, republié dans *Pour un Nouveau Roman*.

La lettre ancêtre

Qu'est-ce qu'il a vu dans les textes rousselliens? Je passe très vite. D'abord que Roussel « ne semble guère avoir quelque chose à dire »; qu'il n'a pas de profondeur, qu'il manie des clichés dans un style neutre; qu'il y a chez lui une « opacité sans mystère », bien que ce mystère soit « un des thèmes formels les plus volontiers utilisés par Roussel. » « Le texte roussellien, selon Robbe-Grillet, serait trop imbu d'énigmes pour qu'elles conservent leur caractère énigmatique. » Enigme et transparence s'y rejoignent. Le mystère est lavé, « l'opacité ne cache plus rien ». L'espace fictionnel devient de plus en plus blanc. Robbe-Grillet passe très vite sur les procédés langagiers de Roussel (le passage qui les concerne n'a pas plus d'une vingtaine de lignes), pour s'arrêter aux vertiges de la description, la *vue* étant selon lui « le sens privilégié chez Roussel ». Je n'insiste plus, je voudrais seulement souligner le caractère projectif de la critique de Robbe-Grillet : il s'y voit partout.

Un petit peu plus tard, venait Ricardou pour s'inscrire en faux contre cette interprétation unilatérale et mettre en évidence l'autre aspect de la fabrique roussellienne : « le fonctionnement d'un langage solitaire », ce « soliloque absolu ». Tout y est sémantiquement motivé, tout est pure activité productrice. La *vue* dont parlait Robbe-Grillet est « un spectacle contenu dans un porte-plume » qui s'oppose nettement au quotidien. Effet d'écriture, « la description n'est pas figée mais explosive », car elle suscite la dispersion de l'image, etc. Le Roussel de Ricardou n'est pas moins subjectif et projectif. Sinon prospectif.

Ainsi donc, ces deux R présents se rejettent réciproquement tout en recherchant appui dans ce R disparu, lettre ancêtre qui, à mon avis, a la vertu de contenir les deux. Ou aucun.

Car, selon Foucault, Roussel semble jouer son rôle de guide seulement dans les premiers détours du labyrinthe. Il n'éclaire ses lecteurs qu'au sujet de ses œuvres de jeunesse. Il les abandonne plus tard, « dès que le cheminement s'approche du point central où il est lui-même ». Bien que Ricardou ne soit pas d'accord — il appelle cela une « hypothèse humaniste » — il est quand même obligé de concéder sur un point : les procédés de Roussel, en dehors de ses explications trop explicatives de « Comment j'ai écrit... », restent en général cachés. Pire : il y a partout un effort obscurantiste, le texte sert à dissimuler les hypogrammes (ou disons les rimes), parce qu'il se veut vraisemblable. On n'a pas jusqu'ici découvert le noyau générateur de Roussel. Le miroir de son *comment* est déroutant. Pourquoi ne pas penser que son vrai point de départ serait toujours le rien.

Mai(s)

Maintenant ça y est. Toute tension a disparu comme par miracle. Puisque j'ai été conduit par cette analyse à la conclusion, d'où Ricardou l'autre jour partait (pour expliciter sa propre production) : au commencement était *rien*. La lettre, ce r mystérieux et productif, tombe dans son propre trou sémantique. L'analyse mène au néant. Et qu'est-ce que c'est que ce néant? Ce glissement sémantique, cette chute?

Dans son intervention au colloque de 1971 sur le Nouveau Roman, Robbe-Grillet avançait un argument assez intéressant contre les générateurs purement langagiers. Il affirme d'abord de ne pas vouloir travailler sur la *langue* (voir la distinction saussurienne) mais sur la *parole* d'une société dont il se servirait « comme d'un matériau ». Il rétrogradait ainsi en position de langue ce qui avant était parole. Cette langue mythologique n'a de profondeur — disait-il — que dans la mesure où l'on la cache, où l'on la tait. On ne peut se débarrasser du mythe ou de ses résidus qui nous entourent et nous agressent que si l'on les parle. Volonté libertaire et préoccupation sociale dans lesquelles on peut déceler un parti pris philosophique.

Qui sécrète le mythe? Réponse de Roland Barthes : « Tant qu'il y aura de la mort, il y aura du mythe. » Et il y a de la mort, il y en aura toujours.

Je vois là une certaine possibilité de réconciliation. Qu'est-ce que le texte, sinon la réconciliation avec l'autre producteur qu'est le lecteur? Coupure.

Non. Il faut remarquer d'abord que le mot *rien* est foncièrement instable, car extrêmement productif. Rien change, se transforme à double niveau, à l'intersection du signifiant et du signifié. Il s'inverse, il se perverse.

Inversion, perversion

Dans sa chute, dans son renversement, le mot *rien* devient *nier* par une métathèse où déjà la perversion de la connotation impose sa loi. Mais on est toujours au niveau du signifiant. Et on y est encore lorsque le mot subit une autre transformation : nicr → n'y est (pas). C'est le point critique, c'est là où commence la perversion, c'est-à-dire le moment où la pression sémantique est suffisamment forte pour que le niveau du signifiant s'estompe de plus en plus en faveur de l'autre. La transformation devient perversion. On entre dans le domaine du signifié. Rien → nier → néant. L'idée de la mort s'y insinue. Coupure.

Donc, les deux niveaux se croisent, déclenchant un courant transformationnel à deux sens. La perversion est question de réciprocité. Et de hors-texte.

Et maintenant voilà ce petit schéma :

Schéma n° 1

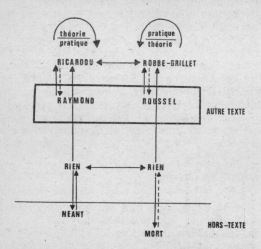

La chambre secrète

Le concept du hors-texte, proposé par Ricardou, m'a beaucoup aidé pour mieux comprendre ce que je voulais dire dans ce schéma. Emanation phantasmatique du texte, chambre secrète ou débarras honteux, le hors-texte participe néanmoins aux transformations du texte, même s'il y brouille les pistes. Il est secret, mais il secrète, d'autant plus qu'on le garde secret. J'y reviendrai.

Depuis toujours, l'Autre Texte agit sur nous, pour nous englober, avec tous ses phantasmes que nous devons subir comme un héritage culturel. A un moment donné on en devient conscient et on essaie de les rejeter pour s'en débarrasser. Ainsi, pourrions-nous être amenés à produire notre propre texte, notre contribution à l'intertexte général. Je pense que tout le monde est d'accord là-dessus. Mais ce que je veux souligner c'est que notre premier contact avec l'Autre (Texte) se produit au niveau du hors-texte, lieu phantasmatique par excellence. C'est un premier moment de séduction. Auquel doit suivre celui du rejet, du refus qui motive (je ne dis pas : détermine) le Texte, le nôtre.

Entendons-nous bien : c'est toujours le mot, ou plutôt l'instance langagière qui produit le texte — ce *rien* qui se transforme sous nos plumes — mais la motivation, la volonté d'écrire vient du hors-texte. Car, comme je l'ai déjà dit, il y a schématiquement trois moments qui représentent l'articulation du texte (le nôtre) dans l'intertexte.

Schéma n° 2

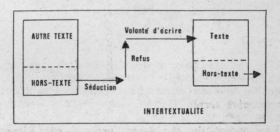

Dans l'écriture traditionnelle, le hors-texte garde toujours ses pouvoirs séducteurs. Le moment du refus est inexistant ou très faible et il ne se manifeste pas dans la production du texte. L'articulation respecte un axe linéaire qui unit les deux hors-textes; le zig-zag y est proscrit.

J'oserais donc dire que c'est le refus du phantasmatique qui produit l'espace du texte moderne, ou mieux : la volonté d'espace. Le blanc, la page. Cette volonté, au fait, c'est une potentialité complexe qui nous rend disponible vis-à-vis des mots. Elle nous permet de considérer les mots comme un matériau à travailler. Mais ce processus a un caractère matérialiste parce qu'il est produit lui-même d'un texte, de l'Autre Texte. Avant de travailler notre texte, on est travaillé par l'Autre Texte. Ce *avant* n'est pas du tout en dehors.

Regardons le schéma n° 3 :

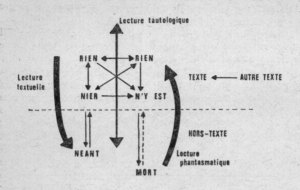

Le miroir fêlé

Pour mieux comprendre, il faudrait revenir au vocable RIEN, moteur de toute production, celui qui engendre tout un réseau de structures génératrices et d'opérateurs (la distinction introduite par Raillon est très pertinente).

Reprise donc.

Pourquoi ce RIEN? D'abord parce qu'il est généré par l'Autre Texte en tant que refus du phantasmatique. Ensuite, parce qu'il est le vocable le plus mobile, le plus transformable, car le moins chargé de signification. Il bascule facilement dès qu'il est soumis à cette volonté d'espace qu'est le désir d'écrire. Je n'ai rien à dire, mais j'ai besoin d'un espace pour présenter mon refus, donc pour écrire. Il se renverse tout de suite par métathèse. Dans sa nouvelle forme (nier) il a déjà lancé le refus idéologique et en même temps l'ordre d'une nouvelle élaboration. Il est devenu verbe, et un verbe qu'on peut lire à l'impératif (niez!), ce qui institue sur le plan langagier le refus du phantasmatique et en même temps la volonté d'espace scriptural. Mais, ce faisant, il devient plus vulnérable, moins innocent. Il est déjà susceptible de se pervertir. Et alors : est-ce que nier le phantasmatique signifie en même temps le postuler, et puis le produire? Pour le lecteur, oui. Mais par pour le scripteur. C'est peut-être là la source de nombreux malentendus.

Pour le scripteur — et donc pour tout lecteur doublé d'un scripteur dans un même processus — les péripéties du RIEN sont emblématiques. Je vais m'expliquer.

Voyez-vous, d'une part, le mot RIEN change son signifiant, ce qui permet un glissement du signifié, opération absolument nécessaire pour la production textuelle; d'autre part, il se laisse traduire, il subit une synonymisation (rien → n'y est) qui est possible grâce à une opération simultanée d'homophonisation (nier → n'y est). Il y a donc une double bidétermination (faut pas oublier les diagonales!) que j'appellerais une *(sur)détermination en miroir*. Ainsi, la production textuelle se désigne dès le début comme une activité auto-représentative et auto-reproductive par une mise en abyme emblématique. Cependant, cette mise en abyme fonctionne aussi pour le lecteur, elle engendre instantanément les premiers phantasmes du texte, c'est-à-dire le hors-texte. Mieux : ce miroir conduirait à un jeu clos et donc stérile, un jeu de réverbérations infinies entre deux glaces, s'il n'existait pas ce glissement du signifié qui, par violence métaphorique, produit ensuite le hors-texte. Cette possibilité salutaire est inscrite dans le fonctionnement imparfait du miroir textuel.

RIEN ↔ RIEN (miroir parfait). Mais le RIEN est instable : le miroir aura des petites fêlures qui détournent, qui font glisser.

NIER → N'Y EST ne forment plus un miroir parfait. Pourquoi? Mais déjà entre RIEN et N'Y EST il n'y a plus de circularité irréprochable. La traduction n'est jamais parfaite. On ne trouve pas de synonymes parfaits. C'est au niveau du signifié que se produisent ces petites fêlures. Le miroir fonctionne, mais il louche imperceptiblement. C'est grâce à cela que l'écriture devient possible, car elle peut s'offrir en lecture.

J'ai essayé de mettre en équations les divers rapports entre le texte et son hors-texte (parfois le hors-texte de l'autre (texte) ce qui complique le problème), rapports qui président aussi bien à la lecture qu'à l'écriture. Dans notre cas, celui du scripteur, elles peuvent se présenter liées dans une même unité.

Sont possibles plusieurs lectures de ces rapports (voir le schéma n° 3) :

1° *La lecture textuelle*

(Partir de) RIEN = NIER (le) NEANT

(Partir de) RIEN = (que la) MORT N'Y EST (pas).

C'est la lecture du scripteur, car elle est suivie en général d'une production textuelle. Elle est précédée et déterminée par un refus idéologique. Elle procède de haut en bas, met en évidence le procès matérialiste du travail textuel en montrant que le hors-texte est produit par le texte.

2° *La lecture tautologique*

(Inutile de) NIER (que le) RIEN = NEANT = MORT

ce qui veut dire :

Il est *trop* évident que RIEN = MORT.

Cette lecture qui prétend une circularité parfaite entre le Texte et le Hors-texte n'incite pas à l'écriture et occulte le caractère matérialiste de la production textuelle; permet l'infiltration de l'idéologie dominante aboutissant astucieusement à la lecture phantasmatique.

3° *La lecture phantasmatique*

C'est la MORT (qu'on veut) NIER (qui engendre le) RIEN → TEXTE.

Par cette lecture du bas en haut on réussit non seulement un escamotage mais aussi un renversement idéaliste parfait. Nul lecteur n'est épargné par la tentation de cette lecture. Pas même le lecteur-scripteur.

Mais là il se passe quelque chose de bizarre.

Je dois faire un aveu. Je pensais réussir à démontrer pertinemment que les positions divergentes de Ricardou et de Robbe-Grillet étaient réconciliables : elles tiennent d'une même volonté de refus du phantasmatique idéologique qui nous domine. Ainsi le néant, envisageable comme le vocable phantasmatique ricardolien, ne serait pas moins produit par l'idéologie dominante que la mort (le phantasme, disons, robbe-grilletien). Nier l'idéologie dominante par un discours théorique, pensais-je, équivaudrait à la tentative de Robbe-Grillet d'échapper à la condition tragique. C'est vrai : les deux volontés sont comparables. Mais au moment où j'ai ambitionné de vérifier cette équivalence dans le mécanisme de mes schémas, j'ai rencontré une résistance d'ordre logique insurmontable.

Revenons au schéma. Le troisième type de lecture ne fonctionne que pour la « colonne » Robbe-Grillet : C'est la MORT (qu'on veut) NIER (qui engendre) le RIEN (= le TEXTE). Si l'on remplace la MORT par le NÉANT, bien que toujours phantasmatique, cette lecture nous réserve la surprise de rejoindre la lecture textuelle : le néant étant pensé dans la même catégorie que le rien, la quantité d'information logique est la même.

Comment donc s'est produit ce dérèglement dans le mécanisme qui avait l'air de fonctionner parfaitement jusqu'ici ? Mais remarquons d'abord que entre NÉANT et MORT il n'y a pas de vraie circulation. La MORT se trouve à un autre niveau sémantique, beaucoup moins innocent. Elle est le résultat d'un saut métaphorique. Première remarque.

La deuxième est la suivante : le Hors-texte est devenu visible et critiquable au moment de la propension théorique. Le refus du phantasmatique est un refus théorique, je veux dire un mouvement polémique qui doit aboutir à la théorie. Et là j'accepte méthodologiquement la distinction que faisait Ricardou entre théorie et terrorisme. Le saut métaphorique du texte dans le hors-texte semble appartenir à cette dernière catégorie, ce qui permet une lecture phantasmatique.

Le refus théorique ne manque pas chez Robbe-Grillet. Mais il a été formulé avec une brutalité métaphorique qui a facilité la récupération. Et Robbe-Grillet en est pleinement conscient. C'est pour cela qu'il a dû changer de stratégie en se retirant à l'abri du texte où il adopte désormais une tactique ludique. La dimension théorique y existe toujours, ce que je vais essayer de prouver.

Reprise

L'espace dans mon titre manquait de r. En apparence. Car, à part le r trouvé dans le billet d'avion (Air France), ce r à l'air blagueur mais nécessaire au moins pour décoller, il y en avait un autre, généré au niveau phantasmatique par le premier et également par tous les autres qui se trouvaient autour : le r contenu dans la mort. C'était bien sûr le fruit d'une perversion au niveau du signifié, mais d'un signifié produit à son tour par des signifiants. Sans ce deuxième r, obscur et mythologique, l'espace scriptural de mon exposé (est-il théorique?) n'aurait pas pu exister. C'est cette mort, fille d'une lettre, ce phantasme que l'on doit tout le temps rejeter, qui a engendré l'espace blanc que je m'évertue à maculer.

Alors pourquoi la taire?

Mais qui parle?

Un espace vide, un temps mort

Toute lecture active est projective. Condition nécessaire pour qu'elle soit productive. Je ne prétends pas à l'objectivité. Pas du tout. Le texte n'est pas pour moi une source de vérité. Je m'en sers dans la mesure où il peut m'aider pour que ma lecture soit cohérente. Lecture — écriture, naturellement.

Prenons la première page du *Projet pour une révolution à New York*. La première scène n'est pas une scène. Ricardou a raison, c'est un commentaire qui prend pour objet une scène à venir qui ne vient pas tout de suite. Tout à fait d'accord : c'est une description de la lecture qui met en place le lisible.

Et le deuxième paragraphe? Ce paragraphe qui agace Ricardou et dont il veut à tout prix se débarrasser, ce blanc?

Lisons d'abord. Premier paragraphe : « La première scène se déroule très vite. On sent qu'elle a déjà été répétée plusieurs fois : chacun connaît son rôle par cœur. Les mots, les gestes se succèdent à présent d'une manière souple, continue, s'enchaînent sans à-coup les uns aux autres, comme les éléments nécessaires d'une machinerie bien huilée. »

Deuxième paragraphe : « Puis il y a un blanc, un espace vide, un temps mort de longueur indéterminée pendant lequel il ne se passe rien, pas même l'attente de ce qui viendrait ensuite. »

Et le troisième : « Et brusquement l'action reprend, sans prévenir, et c'est de nouveau la même scène qui se déroule, une fois de plus... Mais quelle scène? Je suis en train de refermer la porte derrière moi... » Et ainsi de suite.

Si le premier paragraphe met en place le lisible, le second est une mise en place du visible. Il y a tautologie productive, mais il y a aussi coupure, arrêt. On invite à la lecture mais celle-ci devient sur place écriture. Le scripteur s'arrête pour se lire et il voit devant lui la page blanche : cet espace vide qui donne le vertige. Pour le traverser, pour que l'écriture survive, il faut le remplir. Un blanc qu'il faut noircir. C'est l'aspect matériel de l'écriture que le scripteur se met à décrire pour obtenir, par ce fait même, cette juxtaposition des blancs et des noirs qui permet finalement la lecture. Je n'ai jamais vu rendre visible d'une manière si péremptoire ce rapport écriture-lecture. Ce n'est plus l'allégorie du papier et de l'encre dont Ricardou parlait ailleurs, c'est le fait même dans toute sa matérialité. On a l'impression très nette d'assister à une agonie, à un combat avec la mort. Avec le blanc, le vide.

« Et brusquement l'action reprend / ... / et c'est de nouveau la même scène / ... / Mais quelle scène? » Pas d'importance. Ce qui compte c'est de continuer à écrire, fermer la porte et écrire. La porte, « lourde porte de bois », « protégée par une grille de fonte au dessin compliqué (imitant le fer forgé) ». D'ailleurs, « il y a si peu de lumière de l'autre côté... ».

On est en pleine théorie, en plein combat contre le hors-texte. Le refus idéologique se fait écriture, la théorie, là, n'est plus une communication d'une analyse textuelle, elle se produit sous nos yeux. Mais les schémas existent, ils fonctionnent. En voilà un :

Schéma n° 4

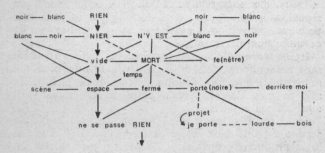

Qu'est-ce qu'il « dit », Robbe-Grillet, théoricien-praticien? Il « dit » ceci :

Il faut nier le rien en l'inversant, arriver jusqu'à l'idée de la mort toujours présente dans le vide qui est le blanc de la page, l'assumer pour se libérer et repartir, reprendre l'écriture. La porte n'est pas seulement l'ambigu par excellence, elle est aussi le lieu où la fiction se produit pour nier la mort qui est incrustée par une certaine homophonie dans la porte (je porte ce projet!...) Et puis, regardez comme elle est funéraire, cette porte noire et lourde, on dirait la porte d'un caveau. Ce n'est pas une naissance, c'est plutôt une résurrection.

Le réel est mort, vive le fictif!

Essayons d'approfondir l'analyse du texte.

Il faut remarquer d'abord que le mot projet du titre renforce, autant que toute la première page, l'idée que l'on est parti du rien, du vide et de l'acceptation de la mort. Une fois assumée cette idée, le jeu de l'écriture peut commencer. Si l'on ferme la porte c'est pour se couper définitivement du réel qui guette dehors.

Le réel meurt : première règle du jeu. Mais il ressuscite, comme un phénix, de cette matière inflammable qu'est le bois de la porte. Il ressuscite dans le fictif. La porte se ferme pour que la vie réelle meure, et puis elle s'ouvre pour offrir le spectacle de la fiction : « l'image peinte en faux-semblant de veines théoriques appartenant à une autre essence, jugée plus décorative... ». Maintenant, la page blanche est déjà couverte de nombreux signes noirs. Le scripteur regarde vers cette porte noire comme vers le premier objet concret de son écriture. Et ce noir lui fournit ensuite les autres éléments de la fiction qui vont couvrir page après page.

Le couple de couleurs parfaitement opposées blanc/noir représente l'une des premières structures génératrices du livre (le principe opérateur : la contradiction). Si l'on a de la patience, on pourra vérifier que tout au long des 4-5 premières pages il n'y a que du blanc et du noir (ou leurs dérivés tout proches : brun, sépia). A la page 11 apparaît une couleur qui s'éloigne un peu des couleurs initiales (et celle-ci après l'expression : « insémination artificielle ») : c'est la couleur de suie, la couleur du masque du troisième personnage qui vient d'être « né » par le couple déjà formé dans les premières pages. A la page 12 apparaissent deux autres couleurs : le « bronze » et l' « acajou ». Les couleurs virent maintenant vers le rouge, qui sera ensuite la couleur prédominante. Il faudrait quand même ajouter qu'à la fin du texte, le blanc reprend sa place primordiale.

Revenons au début.

« La première scène se déroule très vite. » Les mots de cette première phrase préparent déjà, par un certain roulement des r, le mot RIEN qui est le générateur *théorique*. « On sent qu'elle a déjà été répétée plusieurs fois... » Qui? La scène, bien sûr, mais aussi la lettre r, mais aussi le schéma rappelé par la répétition de cette lettre, ce projet (projection) de rien → révolution.

Analysons encore un peu le schéma n° 4.

Le RIEN est d'abord théorique, donc projectif. Par métathèse : RIEN → NIER. Nier quoi? La mort, le temps mort du blanc, l'espace vide. Nier comment?

Mais tout simplement par cette porte noire qui se trouve dans les mots projet et mort. On la ferme. Donc : blanc → noir; espace vide → espace fermé; temps mort → (projet → je porte) → porte. En ligne directe (et verticale) le noyau théorique du *Projet* engendre les mots vide → espace → ne se passe RIEN et rend visible le générateur même.

Plus le texte avance, plus les déterminations se multiplient. Il faudrait introduire le concept d'*infra-texte* (proposé au cours de notre colloque par Jean-Pierre Vidal) pour pouvoir rendre compte de toute la complexité de cette production textuelle dans laquelle la lucidité théorique et la fascination phantasmatique se mélangent dans un jeu subtil (qui suppose des instances langagières provisoires et invisibles) et dont l'analyse complète exigerait le concours d'un ordinateur.

Simultanéité

Je ne me suis proposé que de montrer que chaque texte doit avoir sa propre structure génératrice. Par un processus d'abstraction, on peut réduire cette structure à un vocable primordial qui est toujours RIEN et qui est l'incarnation textuelle du refus idéologique. Ce vocable extrêmement instable et producteur engendre tout un système de plus en plus compliqué de générateurs et d'opérateurs fonctionnant simultanément sur les plans du signifiant et du signifié par toute une série de transformations (phoniques) et de perversions (métaphoriques). Ce qui permet l'émanation (toujours simultanée) du hors-texte qui est produit dans et par le texte du même scripteur qui glisse en permanence en position de lecteur. Ce glissement donne au fictif sa vraisemblance nécessaire, instaure le plaisir traditionnel de la lecture. Le redressement, le retour à la position de scripteur suppose une reprise de conscience théorique qui a comme effet lectural l'humour. Surtout, quand ce redressement est brusque : « Mais quelle scène? »

Ainsi donc, la volonté théorique à l'intérieur du texte se manifeste par :

— la contradiction (qui devient l'un des opérateurs principaux de l'élaboration textuelle) et par :

— le saut métaphorique (qui produit le hors-texte phantasmatique).

Quand Robbe-Grillet manifestait (dans ses textes théoriques purs ou terroristes) une certaine méfiance face aux vocables générateurs, il partait d'une constatation tout à fait juste qu'il a dû faire dans sa pratique scripturale : il y a dans la production textuelle des transformations incontrôlables, des sauts métaphoriques, des jeux pervers au niveau du signifié qui occultent le déterminisme au niveau du signifiant. A quoi l'on peut ajouter, pour compliquer encore le problème, les citations et les auto-citations qui renvoient à l'intertexte.

Mais tout cela prouve seulement que la machinerie du texte est d'une complexité ahurissante. Et que la chambre secrète qu'est le hors-texte ne cesse jamais de secréter. Robbe-Grillet a l'air de ne pas supporter l'inconscient et il a élaboré tout un échafaudage d'arguments pour l'exorciser. Mais l'inconscient, à mon avis, n'est pas autre chose qu'un ordinateur programmé par une idéologie. Si l'inconscient génère le je(u), comment s'en débarrasser sinon en jouant au niveau du langage? En stimulant les transformations sur le plan des signifiants. Et bien sûr, en acceptant le jeu des significations, sans peur de s'y perdre.

Serait-il pour autant moins matérialiste? Moins libérateur?

Coopérative de production

Vous devriez remarquer que j'ai présenté mon exposé (est-il théorique?) d'une manière assez curieuse. J'ai laissé impudiquement apparaître le processus même de son élaboration. De là, pas mal de contradictions, d'arrêts, de coupures, de tautologies et même un certain air humoristique et phantasmatique à la fois.

Pourquoi? J'aurais très bien pu présenter mon exposé à partir des résultats d'une analyse déjà faite, de ses schémas liés entre eux par un commentaire sérieux, inductif, par des assertions clairement formulées. Par exemple. Je reprends :

« Le concept du hors-texte, proposé par Ricardou m'a beaucoup aidé dans mon travail théorique. Emanation phantasmatique du texte ou débarras honteux, le hors-texte participe néanmoins aux transformations du texte, même s'il y brouille les pistes. Il est secret, mais il secrète, d'autant plus qu'on le garde secret. » Etc. Et continuer sur le même ton rassurant. Je ne l'ai pas fait pour essayer de reposer, dans notre colloque, un problème qui m'intéresse davantage que les autres : le rapport entre la théorie et la pratique dans le cadre de la littérature moderne qui se veut production scripturale, qui s'élabore d'elle-même sans aucun sens préétabli. Ainsi, le scripteur est le produit de son propre produit, sa pensée le produit de son propre langage, etc. Le texte est presque toujours surdéterminé par toute une série de structures génératrices qui se trouvent en lui-même. A l'intérieur donc de l'espace scriptural.

Qu'est-ce qu'il se passe alors avec le discours théorique? Dans quelle mesure respecte-t-il les lois de la production textuelle? Où sont ses générateurs? N'est-il pas un texte parallèle, communication d'une analyse déjà faite d'un texte extérieur. D'un sens préexistant? Où est sa mise en abyme?

Je ne prétends pas avoir réussi ce mécanisme en marche d'une élaboration théorique qui s'engendre d'elle-même et ne fait que s'appuyer, dans un jeu intertextuel généralisé, à la fois sur des textes « pratiques » et sur d'autres textes, « théoriques ». Par ailleurs, Ricardou y est parvenu mieux que moi, en parlant de sa propre production romanesque au colloque sur le Nouveau Roman, en 1971. Mais il ne s'est guère donné la peine de répéter cet exploit.

Quant à moi, je ne vous offre pas un modèle, mais une structure contradictoire que je voudrais féconde. Je n'expose pas, je m'expose. Pour en finir, voilà, la question se fait plus précise. Est-il possible de présenter un travail théorique sans en escamoter la partie productive? Question importante, parce que, autrement, je ne vois pas comment arriver à cette avancée de la pratique par la théorie. On ne peut plus concevoir la théorie comme une rhétorique, ni le théoricien comme un rhétoricien, fût-il doublé d'un praticien de l'écriture.

Robbe-Grillet fait lui aussi de la théorie dans ses romans ou dans ses films; pourquoi aurais-je besoin que quelqu'un formalise cette théorie, produise ses schémas réducteurs. Implicite, la théorie a l'avantage d'être manifeste, de se donner à voir dans le processus même de l'écriture. Explicite, le discours théorique est prospectif, transgressif. Cependant, pour être pertinent, il a lui aussi tendance à se donner à voir; à remplir ses schémas jusqu'à créer un texte différent ou identique (ça revient au même dans ce que je veux dire) par rapport au texte référentiel. Cette tendance, si elle aboutit, serait la preuve que la théorie est productive. Mais dans ce cas notre colloque devrait se transformer en coopérative de production et le magnétophone avec toute sa connotation affreusement idéologique disparaître. Que nos voix restent pures et anonymes, les voix d'un texte en élaboration incessante.

Il n'y aurait plus d'œuvre. Il n'y aurait plus de propriétaire. Ou plutôt, il y aurait une propriété de groupe, une coopérative de production auto-gestionnaire à caractère ludique.

Lorsqu'il y a jeu, le je s'y dissout.

Mais ici il n'y a pas de jeu. Non.

D. T.

DISCUSSION

Lise FRENKEL : Dans votre chambre secrète, vous semblez coucher dans un lit de Procuste...

Dumitru TSEPENEAG : Dans deux lits...

Lise FRENKEL : Deux lits? Je ne sais pas... En tout cas, je pose une question dont vous apprécierez vous-même le degré d'innocence. Il m'a semblé que votre propre discours refoule le fantasmatique. Mais en quoi le fantasmatique reflète-t-il l'idéologie dominante et pourquoi ne pourrait-il pas s'intégrer au matérialisme?

Dumitru TSEPENEAG : Le fantasmatique? Pourquoi pas?

Jean RICARDOU : Parce que, il me semble, en général, que l'activité matérialiste est moins de l'ordre de l'intégration que de la transformation.

Michel RYBALKA : Pour ma part, je voulais signaler que si je n'ai pas tellement applaudi c'est que j'étais en train de noter la dernière phrase de Tsepeneag...

Dumitru TSEPENEAG : La dernière? C'est une proposition elliptique. Elle n'a pas de sujet, pas de prédicat. C'est : non. (*Rires* puis assez long *silence*.)

Jean RICARDOU : Permettez-moi de trouver un peu regrettable qu'il n'y ait pas, d'emblée, un certain nombre de questions. Tsepeneag a tout de même risqué des propositions assez importantes, par exemple que, au lieu de ce colloque, on pourrait organiser une coopérative ludique de production de textes. Alors, cette proposition, il me semble qu'elle ne devrait pas trop disparaître sous les rires et les applaudissements. Une fois passées les premières émotions, une fois pris les premiers plaisirs à ce travail, il faut peut-être parler de cela. Souhaitez-vous qu'on en parle, Tsepeneag? Ne seriez-vous pas déçu si l'on n'en parlait pas? Ou bien, au contraire, en seriez-vous comblé? (Rires.)

Dumitru TSEPENEAG : Je voudrais qu'on en parle : c'est pour cela que j'ai fait cette dernière partie à laquelle je pouvais renoncer. Il y a dans mon texte des parties détachables... (Rires.)

François JOST : J'hésite un peu à prendre la parole, mais enfin je le fais pour avoir ma carte dans la coopérative de production... N'aurait-on pas pu intégrer à tout ce schéma : « niais »?

Dumitru TSEPENEAG : C'est là nier : voilà, il réapparaît à la fin. (Rires.)

François JOST : Pas nier : niais...

Dumitru TSEPENEAG : Si vous pouvez l'intégrer, allez-y. (Rires.)

François JOST : Ce serait méta-théorique à ce moment-là.

Dumitru TSEPENEAG : Avant méta-théorique, qu'appelez-vous théorique? C'est ce que je veux qu'on discute ici.

François JOST : Je crois que ce serait m'exclure de la coopérative de production, ce que je ne souhaite pas.

Jean RICARDOU : Pourquoi, Jost? Puisque vous parlez de méta-théorique, il ne doit pas vous être très difficile de répondre à la question de Tsepeneag.

François JOST : Je crois que ce serait instaurer une question déjà largement débattue et que la débattre maintenant de manière théorique, ce serait ne rien comprendre au texte de Tsepeneag.

Georges GODIN : Il y avait une condition, peut-être, pour la coopérative de production : il fallait arrêter le magnétophone. Ou bien on discute sur la coopérative de production avec le magnétophone, ou bien on arrête le magnétophone et on écrit du texte.

Lise FRENKEL : Je voudrais demander en quoi le magnétophone reflète l'idéologie dominante : je ne vois pas pourquoi le matérialisme ne peut pas aussi intégrer les magnétophones. (*Brouhaha.*)

Jean RICARDOU : Lorsqu'on a dit cela, Lise Frenkel, je me demande si l'on ne pensait pas que le magnétophone est l'instrument qui permet une appropriation de certains discours par le nom qui les signe et les assume. Si l'on coupe le magnétophone, c'est-à-dire si l'on enlève la possibilité des noms propres, peut-être va-t-il y avoir la possibilité d'un travail d'une autre nature...

Lise FRENKEL : On peut laisser le magnétophone et supprimer les noms propres...

Jean RICARDOU : Oui, mais les discours resteront, peut-être, en quelque façon, programmés par l'instrument.

Dumitru TSEPENEAG : Je dois faire remarquer que je n'ai pas proposé d'entreprendre cette coopérative ici maintenant. C'est un projet seulement...

Jean-Christophe CAMBIER : A propos de ce que disait Jost à l'instant, je veux dire que je n'ai pas du tout l'impression que l'exposé de Tsepeneag soit seulement une pochade...

Alain ROBBE-GRILLET : Mais personne ne le croit... (*Rires et brouhaha.*)

Jean RICARDOU : Il ne faut donc pas faire comme si ç'en était une...

Jean-Christophe CAMBIER : Exactement. Par exemple, j'ai l'impression, Jost, que tu traites le schéma de Tsepeneag par-dessous la jambe. Ce qui se passe, avec ce schéma qui contient sans doute une part de fiction ou de fantaisie, c'est une espèce d'excès comparable à celui qu'on a pu rencontrer, d'une autre manière, chez Vidal l'autre jour. Et cette espèce d'excès me satisfait d'une certaine façon, parce qu'il rend compte d'une qualité effective du texte étudié et qui donne à la lecture l'impression d'une activité intense.

Dumitru TSEPENEAG : J'ai essayé de croiser deux choses. D'une part, ce qui s'est passé dans ma tête pour arriver au titre et à cet exposé et, d'autre part, l'analyse proprement dite que j'ai faite du texte de Robbe-Grillet. C'est pour cela que j'ai dit qu'il y a des parties détachables. Bien sûr, comme je l'ai proposé vers la fin, j'aurais pu lire ce texte à partir de *La Chambre secrète*, en escamotant mon introduction. Je ne veux pas dire que j'ai raison : je pose un problème, je pose une question. Alors Jost dit : cela dépasse les limites du colloque...

François JOST : Non, j'ai simplement voulu dire que, si je commençais à parler de théorie, j'avais peur d'être en-deçà d'un certain degré de comportement ludique. Donc que je laisse la parole...

Alain ROBBE-GRILLET : Une chose, dans l'exposé de Tsepeneag, m'a fait plaisir. C'est ce que j'avais essayé de dire, mais cela est passé peut-être un peu inaperçu. Quand Ricardou avait fait allusion au théorique à l'intérieur des œuvres, j'avais dit que le mode d'insistance du théorique dans mes livres était l'humour.

Jean RICARDOU : Il y a dans la pratique textuelle un mode d'insertion du théorique voisin de celui, d'allure humoristique évidente, que présente Robbe-Grillet. On peut admettre aussi, dans la fiction, une insertion du théorique selon des surfaces textuelles assez grandes. Ce qu'il faut éviter, alors, bien sûr, c'est le didactisme : un discours théorique qui ne serait plus pris par les fonctionnements du texte et qui bénéficierait, en somme, d'un statut d'immunité, d'extra-territorialité. Il importe donc que les fragments théoriques ainsi disposés obéissent en retour aux mêmes mécanismes que le reste du texte. Cette distorsion du théorique peut produire des effets humoristiques d'une sournoiserie telle qu'elle est parfois, subversivement, à la limite du perceptible.

Alain ROBBE-GRILLET : Mais oui, bien sûr. Pour en revenir à ma réponse à Cambier, je souligne que cet exposé a été jugé extrêmement intéressant par tout le monde. On a beaucoup ri, mais on ne l'a pas pris du tout pour une pochade. Cet exposé fonctionne comme une machine infernale, qui propose des modes de réflexion et, en même temps, les a minés d'avance. Il n'y a que deux positions ensuite : soit continuer le jeu, soit l'aplatir de nouveau dans une théorie « sérieuse ». Je ne vois pas très bien comment on pourrait s'en sortir autrement.

Dumitru Tsepeneag : Cela pose donc la contradiction...

Jean Ricardou : L'intérêt de ce texte, en effet, c'est qu'il commence par des jeux explosifs sur les signifiants, selon des rythmes très efficaces. Et, peu à peu, par une série de métamorphoses, ces jeux s'espacent et l'on voit sourdre une théorisation de plus en plus active. Cette transformation a été sensible dans les réactions de l'auditoire : l'hilarité initiale, cascadante, a fait place à une attention plus soutenue. En continuant dans cette direction, on en arriverait à une théorie faite selon les règles. Si bien qu'il y aurait une sorte de passage du ludique au sérieux. C'est alors qu'on peut se demander, pour éviter ce phénomène, si l'on ne pourrait pas, selon ce que j'ai dit plus haut, plier ce discours théorique, qui s'assure, aux règles ludiques sur les signifiants dont on a vu l'activité au début. A la venue du théorique dans le jeu des signifiants correspondrait la venue du jeu des signifiants dans le théorique.

Dumitru Tsepeneag : Je voudrais remarquer, quant à moi, que l'humour apparaît par cette intention de souligner excessivement la surdétermination du texte. Par exemple, *Glissements* est à mon avis un film théorique. Il y a tout le passage de la reconstitution : la théorie s'y trouve moins dans les propos échangés entre les deux personnages que dans les images filmiques. L'idée de reconstitution apparaît dans l'esprit des spectateurs, mais quelques plans, plus loin, il y a les œufs brouillés. Alors, comment reconstituer les œufs? *(Rires.)* Chez Robbe-Grillet, l'humour est le signe même du théorique.

Alain Robbe-Grillet : Je n'y ai pas pensé, hélas, et j'aurais peut-être dû : le cinéma est le seul matériau avec lequel on puisse reconstituer un œuf cassé. Il suffit de mettre la pellicule à l'envers.

Jean-Christophe Cambier : Dans les fictions de Robbe-Grillet, le théorique n'intervient jamais directement : il est toujours sous forme emblématique ou sous forme totalement parodique. Je pense à la phrase du *Jeu avec le feu :* « Tu prends une métalepse pour une hypotypose. » Effectivement, c'était une métalepse et non pas

298

une hypotypose. Mais ce moment théorique n'a strictement rien à voir avec le texte qui nous est proposé.

Alain ROBBE-GRILLET : Il y a aussi peut-être un troisième mode d'apparition. Dans la description de la porte de *Projet*, on a peint sur une porte en vrai bois, les veines *théoriques* d'une autre essence...

Dumitru TSEPENEAG : Je me demande si l'on ne pourrait pas ici recourir au mécanisme du rire chez Bergson : du mécanique plaqué sur du vivant. C'est le réel ici qui subit le plaquage de ce mécanique que constitue la théorie. La phrase prépare d'abord une petite vraisemblance (toute phrase engendre une vraisemblance, même si elle est fausse) : « la surface du bois, tout autour, est recouverte d'un vernis brunâtre où des petites lignes plus claires ». C'est une description, on est très attentif, un objet est sur le point de se reconstituer. Et, maintenant, on glisse dans le théorique et dans l'humour, parce que le théorique est plaqué mécaniquement.

Jean RICARDOU : Pour prolonger un peu la question du rapport de la théorie et de la fiction, je soulignerai que s'il y a, au plan de la fiction, une insertion conflictuelle du théorique dans le jeu des signifiants, il y a aussi, au plan de la théorie, une insertion conflictuelle des jeux du signifiant dans le discours conceptuel. Ce qui conduit à trois ordres de remarques. *Premièrement :* de même qu'il y a des gens qui font de la fiction plate, sans faire jouer l'organisation signifiante, de même il y a des gens qui font de la théorie plate, écrite sans tenir compte des signifiants mis en jeu. *Deuxièmement :* de même qu'il y a des gens qui font de la fiction effervescente par la relance que permet l'organisation signifiante, de même il y a des gens qui présentent des textes théoriques dynamiques en ce que l'organisation signifiante, travaillée leur donne une prégnance, un rythme, une irrécusable fermeté. *Troisièmement :* mais de même qu'une insertion théorique immunisée dans la fiction en détériore, par didactisme, la saveur déconcertante, de même une organisation signifiante non contrôlée dans le discours théorique est en mesure d'en détruire, par esthétisme, la rigueur nécessaire : par l'effet de satisfactions rythmiques ou euphoniques formant adjuvant, bien des propositions théoriques insuffisamment solides bénéficient souvent d'une solidité illusoire...

Lucien DALLENBACH : Ce qui m'a frappé dans la réception de ton texte, c'est que le sérieux s'est instauré tout à coup quand on est arrivé à ton schéma central. Je crois que tout le monde a été sensible, alors, au côté mallarméen de tes développements. Il me semble donc que Mallarmé devrait figurer au-dessous de Roussel...

Dumitru TSEPENEAG : Mallarmé, oui, il est engendré par le texte. Quand je dis : « mais les dés en étaient jetés » et qu'avant il y avait l'idée du hasard, Mallarmé est là.

Lucien DALLENBACH : Pourquoi Mallarmé m'importe-t-il ici? C'est à cause des flèches, de ce mouvement de facettes, d'une certaine conception de la réflexivité qui n'est pas forcément celle qu'on vient de discuter avec ces décalages. Si l'on se reporte, par exemple, au sonnet en X, on s'aperçoit que tout le texte se réfléchit presque sans décalage. Alors, il me semble que le problème de l'humour n'apparaît qu'au moment où il y a retard de la théorie sur le fictif. D'autres textes où le retard est moindre peut-être, je pense à un livre comme *Fugue* [1] de Laporte, se théorisent tout autrement, mais au prix du renoncement à quelque chose à quoi Robbe-Grillet, je pense, n'est pas disposé à renoncer, à savoir les histoires, la fiction. Il y a donc différentes conceptions de la réflexivité : les problèmes qu'on discute en ce moment ne se posent que pour un certain type de récits. L'humour est tout à fait absent de *Fugue*...

Alain ROBBE-GRILLET : Trop...

Dumitru TSEPENEAG : Je ne l'ai pas lu...

Lucien DALLENBACH : Son entreprise est très intéressante, mais on aboutit à une espèce de manque d'air total. Il renonce précisément à parler le monde pour ne réfléchir constamment que lui-même au travail.

Alain ROBBE-GRILLET : C'est-à-dire que Laporte s'est logé dans son huître pendant un mois sans R, un moi sans air... *(Rires.)*

Jean RICARDOU : Je me demande, Dällenbach, si cette question ne pourrait pas se déplacer un peu. L'humour textuel ne peut être permanent sauf à *s'installer* c'est-à-dire instituer son *contraire*. L'humour textuel est seulement un *moment* du texte. A tel endroit, il provoque une rupture, un saut, qui donnent une mobilité à l'ensemble. A tel endroit, sa sournoiserie le rend presque insensible. A tel autre, ce qui était apparemment humoristique cesse de l'être. A tel autre, ce qui ne paraissait pas humoristique le devient. Alors, je me demande si un texte, en tant que texte, peut jamais être considéré comme tout à fait exempt de cet humour instable.

Marceau VASSEUR : Est-ce que la théorie n'est pas quelquefois le masque, chez un théoricien pur, d'une activité pratique qui n'aboutit pas ou qui n'a pas abouti ? Si l'institution universitaire demandait à un professeur d'avoir écrit un roman, plutôt qu'une thèse, ne trouverait-on pas alors beaucoup plus de praticiens que de théoriciens ? N'est-on pas conditionné ?

Jean RICARDOU : Quant à moi, résolument, je réponds : oui.

Dumitru TSEPENEAG : Oui, on est conditionné...

Marceau VASSEUR : Ne faudrait-il pas s'interroger aussi ? Demander ici, par exemple, quels sont ceux qui n'ont pas eu envie au départ de produire vraiment du texte, de faire de la fiction ? *(Rires.)*

Jean RICARDOU : On pourrait plutôt demander qui n'a pas eu envie. Vous, Rybalka ? Alors, cela ne fait pas beaucoup pour une assitance aussi fournie.

Michel RYBALKA : Pas tellement envie...

Jean RICARDOU : Vous voulez dire que, depuis le temps, vous l'avez un peu oubliée, votre envie...

Michel RYBALKA : Non.

Marceau VASSEUR : Si le désir d'écrire n'aboutit pas, n'est-ce pas en partie parce que l'activité critique ou théorique est évidemment favorisée par le système ?

Dumitru TSEPENEAG : Oui, mais le désir d'écrire, c'est aussi, justement, le refus du système. Même dans la littérature traditionnelle, le désir c'est le refus du système, mais il y est sans doute moins lucide, moins conscient.

Marceau VASSEUR : Cela revient à Claude Simon qui,

l'an dernier, demandait si tout le monde pouvait écrire de la fiction.

Jean RICARDOU : Non. Claude Simon a là-dessus une position très ferme. Il dit qu'à partir d'un certain niveau culturel comme le bachot, quiconque travaille aussi dur que lui fera quelque chose d'intéressant [2]. Ce qui est important, c'est que Claude Simon faisait intervenir ainsi la notion de travail. Il ne faut pas oublier les nombreuses années de travail avant lesquelles beaucoup d'écrivains ont publié le moindre livre. Il n'est donc pas possible de connaître d'avance ses aptitudes ni de prétendre anticiper des résultats d'une pratique avant l'exercice de cette pratique...

Marceau VASSEUR : Alors, dans ce cas, il pourrait y avoir une production énorme...

Jean RICARDOU : Enorme, oui. Et pourquoi pas?

Georges GODIN : Non, mais il ne faut pas généraliser non plus et dire qu'il n'y a qu'en écrivant qu'on peut refuser le système. On ne traduit pas nécessairement ce refus dans le désir d'écrire...

Jean RICARDOU : Je me demande, Godin, si vous ne posez pas le problème à l'envers : le désir d'écrire, dans un premier temps, peut-être qu'il ne s'occupe pas du système : il est là, actif, il travaille... Mais, Vasseur, puisque la question vous intéresse, on pourrait se demander ceci : qu'est-ce qui fait qu'un certain nombre de gens (nombreux et majoritaires, même, peut-être dans une certaine classe sociale) sont à la fois investis par le désir d'écriture et mis, par une programmation idéologique, dans l'impossibilité de satisfaire ce désir. S'ils sont investis par le désir d'écrire, c'est que le niveau de leur instruction les a mis en contact avec les résultats de l'activité d'écriture : les textes. S'ils sont privés de la possibilité d'écriture, c'est que l'idéologie dominante ne cesse de répéter que, pour écrire, il faut être *propriétaire* d'une richesse antécédente (d'une expérience vécue exceptionnelle, par exemple) pour pouvoir ensuite l'exprimer. L'intérêt de ce que disait Claude Simon vient de son insistance à mettre l'accent, non sur la propriété antécédente, mais sur le travail.

Marceau VASSEUR : Alain Robbe-Grillet, pourriez-vous déterminer d'où vient votre impulsion d'écrire au départ?

Alain ROBBE-GRILLET : Je voudrais répondre d'abord, non pas en tant qu'écrivain, mais en tant qu'éditeur. En effet, Ricardou a posé le problème de tous les gens qui n'avaient pas les moyens matériels d'écrire...

Jean RICARDOU : Non, ce n'est pas exactement cela. J'ai parlé des gens qui, poussés par le désir d'écrire n'y parviennent pas, car l'exercice de l'écriture est associé par l'idéologie dominante à une propriété qu'ils ne ressentent pas : celle d'une richesse antécédente. J'insiste ici plus sur le détournement idéologique que sur l'impossibilité matérielle qui, elle aussi, est un problème, mais différent.

Alain ROBBE-GRILLET : Bon. Mais il y a un autre problème. Il nous arrive entre les mains, aux Editions de Minuit, à peu près tous les essais de production textuelle correspondant de près ou de loin à ce que nous attendons de l'écriture. Et ces manuscrits très souvent nous semblent intéressants, travaillés. Ils sont le résultat d'une pratique assez longue, viennent de gens qui nous ont proposé des livres plusieurs fois, d'année en année. Or nous éditons très peu de ces livres. Il n'y a pas là un jugement de valeur : il y a des manuscrits qu'on a envie d'éditer et d'autres qu'on n'a pas envie d'éditer, c'est tout. Et, dans les discussions entre Jérôme Lindon et moi, nous sommes à peu près incapables de dire pourquoi : il y a quelque chose dans le texte qui nous échappe, parce que nous sommes, peut-être, à un stade...

Dumitru TSEPENEAG : La raison, ce n'est pas l'important. L'important, c'est qu'on se trouve dans un système où l'on doit choisir. Et c'est l'effet du choix qui provoque une valorisation.

Alain ROBBE-GRILLET : Oui, c'est cela : et alors?

Dumitru TSEPENEAG : Et alors? Il faudrait tout publier...

Alain ROBBE-GRILLET : Oui. Nous nous faisions nous-mêmes cette objection : pourquoi ce choix à partir du moment où nous ne pouvons pratiquement pas le justifier? Et, en supposant que nous ayons assez d'argent pour le faire, ne faudrait-il pas publier tout? Or, nous interrogeons souvent ces producteurs de texte et nous leur demandons si ils lisent. Et, de plus en plus, nous avons affaire à des gens ayant admis que la pratique du texte ne pouvait se faire que par la production et qui par conséquent ne lisent plus. A partir de quoi, nous nous retrouvons, non pas avec le désir de publier tout, mais dans l'obligation de ne publier rien. Le rôle de l'éditeur disparaîtrait devant une population dont la fonction aurait tout à fait changé, qui serait passée de celle de lecteur à celle de scripteur...

Jean RICARDOU : Ce ne serait un drame, reconnaissons-le, que pour les éditeurs... (Rires.)

Alain ROBBE-GRILLET : Ah non, justement non, Ricardou, et vous savez comme moi qu'il y a un problème réel. La question se pose différemment : qu'est-ce que c'est que cette activité d'écriture nouvelle (je ne dis pas cela pour la condamner) qui n'aurait plus besoin de lecteurs?

Jean RICARDOU : Ou d'un grand nombre de lecteurs, disons...

Alain ROBBE-GRILLET : Mais admettriez-vous alors une littérature qu'on pourrait appeler de Samizdat...

Jean RICARDOU : Sans éditeurs officiels? Tout à fait.

Alain ROBBE-GRILLET : C'est-à-dire qui n'aurait plus aucune extension, mais quelques lecteurs de hasard, etc. Je ne fais là que poser des questions en tant qu'éditeur. Nous recevons, aux Editions de Minuit, une énorme quantité de manuscrits intéressants qui, en fin de compte, ne sont jamais édités par personne. Et il y en aura de plus en plus, car on édite de moins en moins cette littérature de recherche et on en écrit de plus en plus. Dans quelques années, on va voir ce que cela aura donné.

Renato BARILLI : J'ai l'impression qu'on risque de passer d'un impérialisme du théorique à un impérialisme de la pratique. Et je trouve que, d'une certaine façon, Jean Ricardou, vous êtes en train de démentir les schémas de la grecque que vous avez faits [3].

Jean RICARDOU : Non, Barilli : quand je parle de

pratique, elle est toujours articulée à l'activité théorique...

Renato BARILLI : Pour répondre à la question, je dois avouer que, à un certain moment, j'ai eu envie de faire de la pratique, de la fiction. Mais j'ai reconnu que je n'avais pas de qualités spécifiques. Je suis tout à fait d'accord qu'il faut abandonner la notion de génie, mais il y a tout de même des spécificités différentes. Moi, par exemple, je ne suis pas tellement fait pour travailler au niveau des signifiants...

Jean RICARDOU : Si, si. Vous aviez fait un très beau jeu de mots, il y a quelques années [4], sur les *topoi* et les *tropoi*, vous vous souvenez? *(Rires.)* Vous aviez même dit : « Je me suis permis un jeu de mots, moi aussi » et vous aviez eu un beau succès...

Renato BARILLI : Bien sûr, je peux travailler un peu sur les signifiants mais, quand même, je trouve que j'ai plus de possibilités pour faire un autre genre de travail. On peut certes envisager la possibilité ultérieure d'une sorte de paradis terrestre, où il n'y aurait que de la jouissance, de la pratique à l'état pur, mais, pour essayer de nous approcher de ce moment-là, il faut aussi travailler au niveau de la théorie, de la recherche scientifique, etc. : ce sont des pratiques qui peuvent très bien marcher en accord avec la pratique pratique, c'est-à-dire la pratique textuelle. En somme, je veux dire que si, d'un côté, on doit éviter l'impérialisme de la théorie philosophique, de la théorie scientifique, de l'autre côté on doit éviter aussi l'impérialisme de la pratique textuelle.

Jean RICARDOU : C'est mon avis.

Alain ROBBE-GRILLET : Je réponds maintenant à Vasseur qui me demandait de préciser, en tant qu'écrivain, d'où vient au départ mon impulsion d'écrire. La question est, une fois de plus, celle sur laquelle je bute à chaque fois que je veux expliquer quelque chose : c'est ce qu'on peut appeler la question de l'origine. Tsepeneag, dans son exposé, est obligé de partir de RIEN, précise-t-il, mais, dans ce rien, il choisit déjà la lettre R, comme Robbe-Grillet, Ricardou, Air France. Tout cela, c'était amusant, mais vous le désigniez comme hasard objectif, ainsi qu'aurait dit André Breton. Or, je peux dire que non seulement au moment où j'écris, mais maintenant quand je relis un texte (et il me semble que ce que je peux dire là a aussi son importance), je ne vois absolument pas la pertinence du privilège ainsi donné à cette lettre. Et pourtant, quand j'ai reçu l'édition italienne de *Projet* et que j'ai vu, sur la couverture, un tableau de Georges Segal, tableau que j'aimais d'un peintre du pop art américain que j'aimais, et qui représente un homme en train de peindre en rouge une lettre R, c'est quelque chose qui m'a plu tout de suite : en quelque sorte vous m'expliquez pourquoi. Mais cette explication en même temps me semble vaine : ce qui est intéressant, pour moi, dans votre exposé, c'est le fonctionnement de l'exposé même. Mais je ne crois pas qu'il faut en conclure que la lettre R ait pu jamais fonctionner comme une origine du texte.

Dumitru TSEPENEAG : Voilà, ce hasard, je n'ai pas nié qu'il a été un moment subjectif...

Alain ROBBE-GRILLET : Oui, mais du hasard de votre production, sur votre texte...

Dumitru TSEPENEAG : C'est pour cela que j'ai choisi *Projet,* j'aurais pu prendre *La Jalousie...*

Jean RICARDOU : Ce choix vient du R alors?

Dumitru TSEPENEAG : A cause du R, à cause du...

Alain ROBBE-GRILLET : Mais pourquoi pas *Le Voyeur*? Il y a un R aussi.

Dumitru TSEPENEAG : Il y avait : Projet de Rien. Il y avait révolution. Il y avait...

Alain ROBBE-GRILLET : Alors, personnellement, une fois de plus, je reviens à cette affirmation : le mot RIEN, pour moi, est organisateur dans cette page, la lettre R non. C'est une position que j'affirme pour répondre à ce que demandait Vasseur.

Dumitru TSEPENEAG : Ah oui, d'accord. La lettre R non : la lettre R a été organisatrice *pour moi,* parce que...

Alain ROBBE-GRILLET : C'est cela que je veux préciser, parce que, justement, dans cette notion d'origine, il y a un problème : vous avez tenu un discours sur l'élaboration de votre discours. Mais je ne crois pas que je pourrais jamais prendre la parole pour expliquer comment *cela* s'est produit : au départ il y a une espèce de matière uniforme qui tourne, il y a des choses qui bougent, etc. Il n'y a pas du tout un crayon que je prends et un papier où je dessine : « Robbe-Grillet, R, tiens, je commence là-dessus. » Je ne peux pas dire comment parce que je ne peux pas savoir comment. Comme si tout le texte lui-même était d'une part la démonstration de sa production et, en même temps, peut-être, la démonstration inverse : celle de la méconnaissance où je suis de sa production ou, au contraire, de la fuite devant quelque chose qui serait ce processus producteur. A chaque fois qu'un écrivain, Ricardou par exemple, dans le colloque du *Nouveau Roman* [5], explique avec trop de précision comment un de ses textes a été composé et qu'il le fait avec une pertinence démonstrative, sur tout le texte dans son ensemble et non pas seulement sur quelques points de détails, dont je me hasarde moi-même à parler avec un certain sourire...

Jean RICARDOU : Comme vous savez, dans cet exposé, je n'ai pratiquement expliqué qu'un mot, celui qu'on considère en général comme le premier d'un texte. Et qui en l'occurrence est... RIEN.

Alain ROBBE-GRILLET : Dans l'un de vos exposés, vous avez retrouvé toutes les formes cruciverbistes des *Lieux-dits* [6]...

Jean RICARDOU : Cela, c'est plutôt l'intéressant exposé d'Hélène Prigogine qui l'avait fait.

Alain ROBBE-GRILLET : Enfin, devant ce type d'exposés, je me sens profondément déçu : ou bien l'on ne me convainc pas, ou bien l'on me convainc et alors je me dis : tant pis, ce n'était pas grand-chose. C'est une situation que j'assume : cette brume initiale de l'œuvre.

Marceau VASSEUR : Cette attitude, vous l'assumez pour le premier de vos textes de fiction? Dès que vous avez commencé à écrire?

Alain ROBBE-GRILLET : A fortiori, me semble-t-il, parce que, à l'heure actuelle, peut-être que, par moments... Mais je ne peux jamais savoir moi-même avec quel degré d'humour je peux me livrer à ces jeux...

Dumitru Tsepeneag : Moi aussi, j'accepte cette brume initiale, et j'ai essayé de la mettre dans mon schéma en parlant de ce hors-texte qui nous séduit. Mais il y a toujours un moment de refus qui est le moment théorique de l'élaboration textuelle (Refus disons que cela commence par R : mais c'est sans importance). Et alors, là, je deviens conscient de la surdétermination qui s'est déjà produite au niveau de l'inconscient, mais par des faits matériels qui sont des mots ou des gestes. J'accepte les gestes, aussi parce que, bien que je ne sois pas entré dans ce domaine, je crois qu'il est possible de faire une théorie qui englobérait les films et les romans, et qu'il doit être possible de les articuler sémiologiquement.

Paul Jacopin : Je me demande si, en posant la question de l'origine, on n'est pas en train de perdre de vue ce à quoi arrive Tsepeneag et qui me semble très important : laisser de côté, justement, la question de l'origine, pour nous mettre, et d'une manière passionnante, devant la réalité du texte tel qu'il nous questionne. Au bout d'un certain temps, vous dites : le texte prolifère et maintenant je m'arrête, je ne peux plus parler. C'est là, je crois, une invitation faite à la théorie de mesurer un peu son incapacité à bien apprécier l'importance de ce qui se produit dans le texte.

Alain Robbe-Grillet : Je suis tout à fait d'accord avec vous, Jacopin. Si l'on me pose la question des origines, je suis bien obligé de dire que c'est une question qui m'a effectivement tracassé, mais à laquelle, en fin de compte, j'attache peu d'importance. J'ai admis de faire des textes en partant de photographies d'Hamilton ou de dessins de Delvaux, et je ne vois pas du tout pourquoi cela m'engagerait en quoi que ce soit : en somme l'origine n'est rien, et, au contraire, c'est le travail qui fait le livre...

Jean Ricardou : Oui, c'est cela.

Alain Robbe-Grillet : Mais oui, Ricardou, mais il n'en reste pas moins que je me trouve gêné quand quelqu'un nomme une origine, ainsi que vous l'avez fait

vous-même, dans votre exposé, à partir du mot RIEN
de *La Prise de Constantinople* [7].

Jean RICARDOU : Alors, revenons sur ce qui a été
écrit. Mon exposé *Naissance d'une fiction* [8] avait pour
objectif de démontrer l'illusion de l'origine. Le mot
de départ, RIEN, en effet, convoqué de manière qu'il
soit le premier mot écrit du texte, j'explique que ce
n'est pas le premier mot du texte, ni comme début, ni
comme origine. Comme début parce que ce qu'on
appelle communément le texte est précédé par d'autres
mots : les exergues, le titre, le nom du signataire.
Comme origine, parce que ce mot prétendûment inital
RIEN renvoie explicitement à tout un inter-texte antécédent. L'illusion de l'origine est donc posée pour être
critiquée, pour que sa caducité apparaisse. Je suis donc
d'accord avec vous sur le fait que ce qui se pense plus
ou moins fantasmatiquement comme origine n'a guère
d'importance. Ce qui est intéressant dans le texte,
c'est le travail du texte qui, lui, est irréductible à toute
origine.

Alain ROBBE-GRILLET : Bien sûr, Ricardou. Mais ce
que j'ai signalé c'est que, étant d'accord avec vous
sur ce point, néanmoins l'origine reste une question.

Dumitru TSEPENEAG : Il y a une origine fantasmatique dont vous ne devez pas tenir compte et il y a une
origine théorique. Or RIEN c'est l'origine théorique,
c'est le Refus incarné. Il y a des moments où les deux
sont confondus, comme l'a prouvé Ricardou, et comme
je me suis évertué à le prouver pour votre propre
texte. Mais cela, c'est autre chose...

Alain ROBBE-GRILLET : Si cette question me tracasse
c'est que, justement quand on lit certains ouvrages sur
le *Nouveau Roman,* on a l'impression d'une équivalence entre tous les livres, entre tous les auteurs. Et,
à chaque instant, on a buté ici sur le problème de
la spécificité : puisqu'il s'agit d'un colloque sur moi,
il faudrait peut-être sortir du « Robbe-Grillet-par-
exemple », pour arriver à autre chose que ce qui peut
se répéter d'année en année : Claude-Simon-par-exem-
ple, Pinget-par-exemple, etc. Il me semble qu'il est plus
facile de théoriser la ressemblance que la différence.

Jean RICARDOU : Oui, le problème de la spécificité est revenu sans arrêt. Mais, ce qui importe, c'est de savoir la spécificité *de quoi*. S'agit-il de la spécificité d'un fonctionnement textuel par rapport à un autre, ou s'agit-il de la spécificité d'un texte de Robbe-Grillet?

Alain ROBBE-GRILLET : Quelle différence?

Jean RICARDOU : La différence c'est que, quand on cherche la spécificité de Robbe-Grillet, on se pose en fait les problèmes de l'ancienne critique universitaire : l'homme-et-l'œuvre. Tandis que, quand on cherche la spécificité du fonctionnement d'une certaine sorte de texte, pris dans un intertexte qu'on a réduit, on se trouve en position de déterminer des fonctionnements qui sont extrêmement actifs chez Robbe-Grillet-par-exemple. C'est-à-dire qu'on va étudier à la fois quelque chose qui concerne Robbe-Grillet, mais quelque chose qui concerne aussi X ou Y dans la mesure où il veut écrire. C'est-à-dire qu'on considère toujours au moins deux choses. Le grand risque, à tout moment, c'est de se laisser prendre dans une seule chose, fût-elle aussi intéressante que certaines signées Robbe-Grillet.

Alain ROBBE-GRILLET : Mais bien entendu, Ricardou, je ne critique pas votre projet. Il a été avoué de façon évidente depuis le début et, si je me suis présenté ici, c'est en connaissance de cause. D'ailleurs, je ne tiens pas tellement à apprendre quelque chose sur moi : mon propre travail est là pour ça. J'ai plus à apprendre, en somme, sur l'état actuel de la critique et sur la façon dont la critique pense à l'heure actuelle, sur moi par exemple. Néanmoins, je me demande si ce travail-là (ah, ah, je vous régionalise!) n'est pas un aspect qu'il va falloir bientôt dépasser pour essayer de voir précisément à partir de quel moment Claude Simon et Robbe-Grillet ne sont pas identiques. C'est peut-être à ce moment-là que quelque chose de moins désolant pourra être dit. *(Rires.)*

Jean RICARDOU : La spécificité de Robbe-Grillet par rapport à X ou Y, qui intéresse-t-elle en dehors des gens ayant avec Robbe-Grillet un contact subjectif dans la vie? *(Protestations dans la salle.)*

Alain ROBBE-GRILLET : Mais pas du tout, justement!

Parce que c'est quelque chose que nous ne connaissons pas. Nous ne pouvons même pas dire si ça nous intéresse ou pas. Nous pouvons dire seulement que, si nous arrivions à voir à quel moment apparaît quelque chose qui peut-être est radicalement opposé, et abolirait toute ressemblance de pratique entre les deux, c'est à ce moment-là que, peut-être, quelque chose, tout d'un coup, ferait passer un AIR frais dans cette salle. *(Rires.)*

Jean RICARDOU : Mais cela ne peut se penser que dans la comparaison des textes...

Alain ROBBE-GRILLET : Ah, ce n'est pas évident.

Jean RICARDOU : Elle ne peut se penser que dans l'intertexte. Et, du coup, la critique qu'on pourrait faire au présent colloque, c'est qu'on n'y ait pas assez parlé des textes signés Claude Simon et des textes signés par quelques autres...

Alain ROBBE-GRILLET : Je propose un prochain colloque : Robbe-Grillet versus Simon.

Dumitru TSEPENEAG : Quant à moi, vous voyez, j'ai déjà fait une petite distinction : j'ai dit que le fantasme de Robbe-Grillet, c'est la mort, et que le fantasme de Ricardou, c'est le néant...

Alain ROBBE-GRILLET : Oui, comme cela, tout en bas de votre tableau. Je me demande, au contraire si, pour un prochain colloque, il ne faudrait pas justement se mettre à travailler d'abord là-dessus. Et je pense que c'est beaucoup plus difficile. On pourrait, par exemple, faire un colloque Pinget. Pinget est un écrivain pour lequel la résistance du public a été beaucoup plus curieuse que pour tous les autres. Bien qu'il ait eu le prix Médicis et le prix Fémina, Pinget est un écrivain qu'on ne lit pas. On a lu, par hasard, un livre en passant, à cause d'un prix littéraire qui avait été donné par des dames qui ne l'avaient pas lu. *(Rires.)* Mais il n'en reste pas moins que chez Pinget quelque chose résiste. Et que, peut-être, justement, ce colloque sur Pinget pourrait faire découvrir ce que je cherche.

Jean-Christophe CAMBIER : Ce que je voudrais démontrer à Robbe-Grillet c'est que, en s'accrochant à cette unité, il minimise son propre travail...

Alain ROBBE-GRILLET : Vous savez, cela je m'en moque... Ce n'est pas mon problème.

Jean-Christophe CAMBIER : Quand vous vous lancez dans ce système de la différence entre Simon et Robbe-Grillet, Robbe-Grillet et Pinget, ce que vous occultez, en fait, et qui me semble beaucoup plus intéressant, c'est la différence entre *La Jalousie* et *Projet*. Là, effectivement, il y a un travail de transformation qui s'est fait : il y a une grande distance entre *Projet* et *Les Gommes,* et c'est cette distance-là qui nous intéresse, dans la mesure où votre travail ne ressasse pas perpétuellement les mêmes schémas et les mêmes modes de fonctionnement.

Alain ROBBE-GRILLET : Oui, je peux très bien admettre cela. Il n'en reste pas moins que, quand je lis de Pinget et de Simon, *Passacaille* [9] et *Les Corps conducteurs* [10], écrits la même année par des écrivains du même âge, dont l'évolution théorique et pratique a été relativement comparable, je me demande comment ils ont abouti à deux livres aussi différents.

Jean RICARDOU : Oui, mais c'est seulement en comparant cette intertextualité qu'il est possible de poser le problème.

Alain ROBBE-GRILLET : Je ne dis pas le contraire. Je dis seulement qu'il me semble plus facile de parler des ressemblances. Toute théorisation est forcément une théorisation de la ressemblance : une théorisation de la différence est probablement impossible, sauf comme envers de la ressemblance. Alors, si vous voulez, c'est cet impossible-là qui m'intéresse.

Jean-Christophe CAMBIER : Mais, Robbe-Grillet, supposons qu'un lecteur qui n'a jamais lu aucun de vos livres lise *Les Gommes* et *Projet,* sans aucun nom d'auteur sur la couverture, qu'est-ce qui lui permettrait de décider que c'est Robbe-Grillet qui a écrit ces deux livres?

Alain ROBBE-GRILLET : L'intéressant, ce serait justement de savoir ce qui permettrait de décider cela.

Jean-Christophe CAMBIER : Est-ce que c'est *la* question essentielle?

Alain ROBBE-GRILLET : Ce n'est pas *la* question essentielle, mais c'est *une* question essentielle.

Jean RICARDOU : C'est la question contraire à celle qui compare le texte de Simon et le texte de Pinget, par exemple.

Alain ROBBE-GRILLET : Tant mieux.

Jean RICARDOU : Elle est contraire pour la raison suivante : dans un cas on risque de valoriser l'opposition d'un auteur et d'un autre, c'est-à-dire valoriser la notion d'auteur, tandis que, dans l'autre cas, c'est la notion d'auteur qui est subvertie : on ne peut plus parler d'auteur. Il a tellement changé qu'il n'a plus d'identité.

Alain ROBBE-GRILLET : Ah, mais non, il n'a pas tellement changé. Je prétends alors qu'il serait également intéressant d'une part de montrer en quoi Pinget diffère de Simon et, d'autre part, en quoi *Triptyque* [11] ressemble à *L'Herbe* [12].

Jean RICARDOU : Ce que vous privilégiez dans les deux cas, c'est une entité qui ne bougerait pas, une identité qui serait indemne et qui serait l'auteur : tantôt dans la comparaison différentielle d'un auteur avec un autre, tantôt dans la comparaison identificatoire de deux textes portant la même signature. Je me demande si l'on ne se trouve pas ici dans ces bonnes et mauvaises ressemblances dont j'ai fait l'analyse idéologique dans un article [13] consacré par ailleurs à *Trois Visions réfléchies* [7].

Alain ROBBE-GRILLET : Pour moi, l'évacuation de l'auteur a été un moment extrêmement intéressant de la pensée critique et qui a été à l'origine d'un travail tout à fait producteur. Je me demande simplement si le moment n'est pas venu de réintroduire l'auteur dans le texte.

Dumitru TSEPENEAG : L'évacuation de l'auteur s'est produite exactement au moment où le scripteur évacuait le sujet.

François JOST : D'un côté, on est en train de parler d'auteur, de l'autre, de Simon-par-exemple, Robbe-Grillet-par-exemple. Au milieu, on a oublié quelqu'un : le théoricien. Et, finalement, si l'on trouve des ressemblances entre deux auteurs, n'est-ce pas simplement parce qu'il y a un obstacle épistémologique qu'on oublie de résoudre : le théoricien?

Françoise ROUET : Pour fonder des différences, il faut partir de déterminations communes. On ne fonde pas des différences sur n'importe quoi : qu'est-ce qui est différent par rapport à quoi? Il me semble donc qu'il y a d'abord une terminologie théorique à fixer qui permettrait, dans un second temps, de fonder les différences.

Alain ROBBE-GRILLET : A ce moment-là, on s'apercevrait, peut-être, que la disparition de l'auteur avait seulement quelque chose de plaisant mais d'illusoire.

Georges GODIN : La terminologie théorique, elle ne sera jamais fixée...

Jean-Christophe CAMBIER : Robbe-Grillet, ne croyez-vous pas qu'un des enjeux du texte moderne, c'est précisément d'échapper au fait que quand on lit Balzac, on lit *du* Balzac? Je veux dire que la transformation entre les divers textes balzaciens est une transformation minime...

Françoise JOST : Alors, je vais ajouter une autre question : l'enjeu de l'écriture moderne est-il que nous écrivions tous le même texte?

Jean-Christophe CAMBIER : Mais justement non. C'est bien ce que je marque en disant qu'un lecteur ne pourrait pas pressentir une identité qui subsumerait à la fois *Les Gommes* et *Projet*. C'est précisément de cette façon-là que ce n'est pas le même texte, que le texte se transforme perpétuellement. J'irais jusqu'à avancer, ainsi que *Projet* est plus proche de *Triptyque* que des *Gommes*.

Alain ROBBE-GRILLET : En un sens, oui. Et c'est le sens qui a organisé tout notre travail jusqu'à présent. Mais il faut bien voir que d'autres systèmes seraient possibles ou apparaîtrait exactement le contraire. C'est cela que je voulais signaler : que tout ce travail théorique sur le texte, qui a été fait depuis plusieurs années, a davantage montré les ressemblances entre *Triptyque* et *Projet* que les ressemblances entre *Triptyque* et *L'Herbe*. Et cela parce que, au départ, quand les critiques humanistes ont commencé à travailler sur les livres de Claude Simon et sur les miens, en partant, eux, de cette notion d'auteur, ils ont produit quelque chose qui ne nous intéressait pas : cette parole sur l'auteur que je condamnais comme vous. Mais, ayant fait cet effort de théoriser cette ressemblance entre *Triptyque* et *Projet,* le temps n'est-il pas venu, au lieu de tourner en rond, d'aller plus loin?

Jean-Christophe CAMBIER : Est-ce qu'on tourne en rond? Vous allez publier un autre texte qui n'aura pas grand-chose à voir avec *Projet,* et donc...

François JOST : De toute manière, je crois que le problème est faux. Le problème, c'est de savoir ce qui fait la spécificité respective de deux textes, et non pas de savoir si tel texte est de Simon et si tel texte est de Robbe-Grillet.

Jean RICARDOU : Sur ce point, Jost, je peux être d'accord avec vous : il s'agit là en effet d'une spécificité intéressante.

François JOST : Je pense qu'il est vrai de dire que, effectivement, on a surtout insisté sur les ressemblances. Quand on sépare les livres de Robbe-Grillet en deux parties, avant *Le Labyrinthe* et après *Le Labyrinthe,* que fait-on? Rassemblant d'un côté par exemple tout ce qui est après *Le Labyrinthe,* on gomme la différence entre *Dans le Labyrinthe, La Maison de rendez-vous* et *Projet.*

Alain ROBBE-GRILLET : Oui, à chaque instant, on ramène une pratique à une idéologie : on remplace un texte par des groupes de textes parce que c'est plus facile pour déterminer un fonctionnement qui, peut-être, n'a aucun intérêt, car ce fonctionnement ne se trouve parlé par le texte qu'en tant que le texte parle constamment l'idéologie. C'est au-delà que l'on découvrirait tout d'un coup les infractions majeures dont on n'a encore rien dit.

Raymond ELAHO : Je me demande si le moment n'est pas venu, au lieu d'orienter la critique vers une comparaison d'un auteur du Nouveau Roman avec un autre auteur du Nouveau Roman, de porter explicitement l'attention sur cet auteur particulier. L'intérêt portera alors davantage sur la comparaison du *Voyeur* avec *Projet* que sur la comparaison de *Projet* avec *Triptyque*. Cela dit, ma question principale s'adresse au conférencier. On a l'impression que, désormais, il n'est plus fait une lecture fantasmatique : c'est un mot qu'on ne veut pas entendre. Cependant, quand vous analysez le texte, il me paraît que vous avez un peu surchargé le mot PORTE. Vous avez investi le mot PORTE avec quelque chose que, personnellement, je n'ai pas vu dans le texte : pour vous, la porte, c'est quelque chose qui exclut ce que vous appelez la réalité. Alors je vous demande si ce n'est pas une façon de donner un statut néo-symbolique au mot PORTE.

Dumitru Tsepeneag : Le mot PORTE, bien sûr, c'est un mot-clé. *(Rires.)* C'est le jeu de mots qui m'a fait penser cela, puis j'ai vérifié dans le texte l'importance du mot porte, importance soulignée d'ailleurs par Ricardou dans son étude [14]. J'ai projeté mes fantasmes, peut-être, et je n'exclus pas la possibilité d'avoir fantasmé dans ce texte que j'ai fait. J'ai prétendu que je suis conscient de cette fantasmatique et que mon refus du fantasmatique fait partie du texte, fait partie de la production textuelle.

Lise Frenkel : Ma question s'adresse à Jean Ricardou. Il me semble qu'à la suite de mon intervention au début de cette discussion vous avez laissé entendre qu'il fallait exclure du texte le fantasmatique...

Jean Ricardou : Non, il ne s'agit pas de l'exclure. Ce qu'il me semble, c'est que, lorsque le fantasme est mis en action dans une procédure textuelle matérialiste, cette procédure a pour fonction de l'empêcher de fonctionner comme fantasme.

Lise Frenkel : Expliquez-moi cela : comment est-ce que le fantasme fonctionne dans une position matérialiste? Expliquez-moi cela précisément, en détails, et avec des exemples, si possible. *(Rires.)*

Jean Ricardou : Vous noterez ma réponse sur vingt, n'est-ce pas?

Lise Frenkel : Comment pouvez-vous différencier un fantasme qui fonctionne dans une production matérialiste et un fantasme qui fonctionne selon l'idéologie dominante?

Jean RICARDOU : Le problème est de l'insertion de ce fantasme. Si le fantasme est en position de dominer l'écriture, on subordonne l'écriture à un effet de représentation tel que, lorsque le texte est lu, il y a un effet de représentation qui donne l'illusion de retrouver ce fantasme. Si ce fantasme est pris dans une procédure d'écriture matérialiste, il se passe un changement complet de trajectoire, tel qu'au lieu de rencontrer une continuation de l'illusion représentative, on trouve sa déception. Ce qui se montre alors, dans la rupture du fantasme, c'est la matérialité de l'écriture. Il ne s'agit donc pas d'évacuer le fantasme dans le texte, mais de l'inscrire dans une position subordonnée par rapport à la matérialité textuelle.

Lise FRENKEL : Et quand le fantasme devient la matérialité du texte? C'est cela que je me propose de montrer demain...

Jean RICARDOU : Nous verrons donc quand vous aurez fait ce travail.

Lise FRENKEL : Tout à l'heure, vous avez dit aussi : « Ce qui compte, c'est le travail sur le texte. » Alors, moi, je propose comme simple hypothèse de travail, si l'on ne pourrait pas faire un travail sur le fantasme. J'ai entendu Alain Robbe-Grillet, qui plaisante souvent *(Rires)*, employer le terme de grande fantasmatique *(Rires)*...

Alain ROBBE-GRILLET : C'est vrai : elle l'a entendu parce que je l'ai dit. *(Rires.)*

Lise FRENKEL : Et j'ai pensé que cette grande fantasmatique pouvait peut-être donner lieu à certaines élaborations théoriques.

Alain ROBBE-GRILLET : En tout cas, sur ce point, j'aurais pu répondre exactement ce que Ricardou a répondu : en prenant justement des exemples concrets, comme celui de la porte dans *Projet*. Cette porte n'est pas du tout n'importe quelle porte. Vous pouvez l'écrire sur votre papier : c'est la porte de la maison où je suis né, et où ma mère est née. *(Rires.)* Ce n'est pas un fantasme : c'est une matière que j'ai décrite avec une très grande précision. J'ai peut-être truqué quelques détails mais, enfin, pour un lecteur un peu rapide, il n'y aurait pas tellement de différences. *(Rires.)* Cet objet aurait pu être un support de fantasmes assez redoutable. Or j'ai préféré faire sur lui un travail qui, sans prétendre du tout évacuer le fantasme, était quand même un travail textuel. Maintenant, ce qui serait intéressant, c'est que vous démontriez que ce travail textuel, dans sa structure et pas seulement dans la thématique, a été emprunté directement à ce qui en moi aurait pu être fantasmatique.

Lise FRENKEL : J'aimerais dire que, en fait, le fantasme ne fonctionne pas comme cela. Ce que vous venez de donner comme exemple, c'est un souvenir précis de votre vie. Le fantasme, ce n'est pas un souvenir.

Alain ROBBE-GRILLET . Pas n'importe quel souvenir, hein ? Même pas la petite madeleine hallucinogène... *(Rires.)*

Lise FRENKEL : La petite madeleine introduit un rapport entre le sujet et l'objet *a*. Je ne sais pas si la porte dont vous parlez...

Alain ROBBE-GRILLET : Quand même, la porte de la maison natale : la sortie du vagin maternel... *(Rires.)*

Lise FRENKEL : Il faudrait qu'on sépare le fantasmatique et la biographie. A la limite, je dirais que votre biographie ne m'intéresse pas. *(Rires.)* Si l'on veut faire quelque chose de sérieux du point de vue théorique, il faut que la fantasmatique fonctionne toute seule sur le texte et non pas en allant demander à Monsieur lui-même...

Alain ROBBE-GRILLET : Remarquez que la petite madeleine est justement un très bon exemple. J'ai vu récemment une bande dessinée de Taffin sur le texte de Proust, où la petite madeleine est devenue le sexe de sa tante. *(Rires.)*

NOTES

1. Editions Gallimard.
2. *Claude Simon : analyse, théorie,* Colloque de Cerisy, p. 28, 10/18.
3. Renato Barilli se réfère au schéma de la grecque, proposé par Jean Ricardou, dans le premier volume, dans la discussion qui a suivi l'exposé de Lucien Dällenbach.
4 *Nouveau Roman : hier, aujourd'hui,* Tome I, p. 278, 10/18.
5. *Nouveau Roman : hier, aujourd'hui,* Tome II, 10/18.
6. Editions Gallimard.
7. Editions de Minuit.
8. *Nouveau Roman : hier, aujourd'hui,* Tome II, 10/18.
9. Editions de Minuit.
10. Editions de Minuit.
11. Editions de Minuit.
12. Editions de Minuit.
13. *La Population des miroirs, Poétique,* n° 22, Seuil.
14. « La Fiction flamboyante », dans *Pour une théorie du Nouveau Roman* (Seuil).

XVI. LA QUESTION DU SENS
DANS L'ŒUVRE D'ALAIN ROBBE-GRILLET

par Dominique CHATEAU

Les problèmes, pareils au feu qui ne prend pas tout seul, ne se posent pas d'eux-mêmes. Cela est si vrai, que certains nous sont étrangers parce que nous avons pris l'habitude de les ignorer; alors, leur survenue inopinée dans un discours nous déconcerte bêtement. Nul doute qu'apparaisse sous ce jour, aux yeux de beaucoup, la question du sens dans l'œuvre d'Alain Robbe-Grillet, dont nous distrait fâcheusement la thèse fort répandue selon laquelle ses romans et ses films sont de purs jeux structurels vides de toute signification. Je m'emploierai ici à montrer que cette vulgate, due à la critique et adoptée tacitement par la théorie, peut perdre beaucoup de sa créance; elle repose d'ailleurs sur de maigres certitudes à la merci d'objections triviales. Mais l'urgence du propos, puisqu'il est de bon ton d'en invoquer une, réside avant tout dans son opportunité : on dispose désormais des moyens que veut cette fin, la méthodologie contemporaine nous offrant des instruments conceptuels nombreux et variés, sur lesquels on peut fonder l'espoir de déchiffrer pas mal d'énigmes. En allant puiser à cette source vive, par choix autant que par nécessité, je tenterai d'induire du ciné-roman *Glissements progressifs du plaisir* [1] un assez vaste pan de théorie sémantique du récit robbe-grilletien.

Le ciné-roman, pris isolément, vaut déjà la peine qu'on le regarde un peu, surtout sous l'angle sémiologique. Tandis que le langage naturel inclut son propre métalangage — soit, « l'ensemble des phrases qui permettent de parler de la langue, y compris la totalité de la grammaire [2] » — le langage cinématographique ne le contient que pour la portion de ses signifiants qui, traditionnellement, étaient réputés n'être point spécifiques au film et qui, discours parlé ou mentions écrites, ressortissent aux deux substances alternatives de l'expression linguistique. Pour avoir mésestimé cette propriété, les théoriciens du cinéma s'engagèrent jadis dans deux impasses adverses : les uns enrichissaient arbitrairement le langage visuel de traits linguistiques, les autres privilégiaient la série verbale au détriment de l'image. Et Christian Metz lui-même, lorsqu'il démontra l'invalidité de la notion de langue cinématographique, ne put éviter de s'appuyer sur l'idéologie du théâtre filmé [3]. Aujourd'hui où le sémiologue a acquis une réelle maîtrise du cinéma en tant que système de signification, le problème du métalangage, s'il a perdu de sa malignité parce qu'il s'étale au grand jour, ne s'est pas évanoui pour autant : contraints tout à la fois d'épurer le cinéma de toute contamination linguistique et de mener notre recherche sur lui à travers le médium linguistique, nous sommes dans la situation de ce barbier qui, selon Bertrand Russell, se vante de raser tous ceux qui ne se rasent pas eux-mêmes.

Mais rien ne servirait de remuer davantage le fer dans cette plaie congénitale dont souffre la théorie du cinéma, d'autant qu'on peut lui porter remède à peu de frais. Au début du *Tractatus politicus*, Spinoza oppose le philosophe indigent au politicien efficace — l'un rêve à ce que devraient être les hommes, l'autre les voit tels qu'ils sont. De même, au contraire des théoriciens qui inventèrent un cinéma utopique pour échapper au problème du métalangage, les cinéastes lui ont trouvé, il y a belle lurette, une solution dont les avantages pour l'analyste seraient considérables à condition qu'il définisse l'usage théorique de cet instrument technique. Il s'agit, bien entendu, du scénario ou du découpage — on peut les confondre à ce point du débat. Pour le cinéaste cette pratique apporte au problème du métalangage une solution approximative (la confection du film impose naturellement des modifications contingentes) et subsidiaire (on peut très bien s'en passer). Pour l'analyste, c'est une solution non-approximative au sens précédent, approchée quand même, par défaut ou par excès, puisque le travail d'interprétation linguistique du film reste tributaire de nombreux flous lexicaux, mais, en tout état de cause, une solution non-subsidiaire. En actualisant empiriquement» ce phénomène peu banal qu'est la tension d'une structure (linguistique) vers une autre structure (cinématographique), ainsi que Pasolini l'a fort bien montré [4], le scénario offre une médiation entre le film et sa théorie : il neutralise leur dualité sans l'abolir.

Romancier et cinéaste, Robbe-Grillet n'était peut-être pas bien placé *a priori* pour comprendre de quoi il retourne. Il eût pu tomber dans le piège que lui tendirent un moment ces critiques selon lesquels le romancier écrivait comme un cinéaste. Au contraire, il a toujours tenu sa pratique cinématographique à distance de sa pratique littéraire, et vice versa, découvrant de surcroît, pour *Marienbad* puis *L'Immortelle*, un tiers genre, le ciné-roman, qui, mi-film, mi-roman, n'est en dernière analyse ni l'un ni l'autre, mais plutôt le lieu de « passage du stade littéraire au stade cinématographique », pour citer de nouveau Pasolini [5]. Or, avec le texte *Glissements progressifs du plaisir*, Robbe-Grillet, non seulement nous confie cette sorte de prêt-à-analyser fait sur mesure qu'est le ciné-roman, mais encore nous donne à voir là la genèse de son film. Comme il l'écrit lui-même, son livre tripartite présente un « double intérêt » : « d'une part la possibilité de se reporter à un découpage exhaustif reproduisant l'architecture du film (son squelette et non sa chair), (...); d'autre part la faculté de suivre avec un œil critique l'évolution génératrice d'un film, c'est-à-dire son histoire, en prenant conscience des étapes successives et contradictoires de son élaboration [6]. » Nous disposons maintenant non plus d'une seule, mais de trois structures — synopsis, continuité dialoguée, relevé du montage — prêtes à se mouvoir dans l'espace théorique, pourvu qu'on les articule entre elles et sur le film.

A l'instar des films de consommation courante, les manuels du parfait petit cinéaste se suivent et se ressemblent. Leur conception du travail préparatoire à la réalisation du film offre un exemple typique de ce radotage : il en est peu, en effet, qui omettent de prescrire trois exercices d'écriture, le synopsis, le scénario et le découpage technique. Inscrits dans cette séquence obligatoire, chacun d'eux obéit à des consignes strictes : condensé de l'intrigue, le premier ne doit pas excéder cinq pages; on tolère que le second, qui développe les méandres du récit, atteigne la quarantaine; quant au dernier, de plus grande taille encore, il énumère et détaille la liste des plans devant être tournés puis montés. A travers ce lent cheminement de la ligne générale du synopsis au pointillé du découpage, le cinéaste est invité à se mettre sans partage au service de la narration traditionnelle; de fait, nos manuels qui, généralement usurpent le titre de « grammaire cinématographique », limitent leurs velléités formalisantes au maigre processus qui va de l'image (plan) au récit (film), en passant par quelques unités narratives (séquences). Le ciné-roman *Glissements progressifs du plaisir* se conformant *grosso modo* à l'itinéraire que je viens de décrire, cette question apparemment saugrenue me vient à l'esprit : et si Robbe-Grillet y célébrait le même culte? Pour étonnant que cela paraisse au premier abord, je ne pense pas qu'il faille négliger d'y répondre. Ce que l'auteur affirme du synopsis me renforce dans cette opinion : il « fournit avant tout « du sens »; c'est son but avoué [7] ». Voilà, en effet, sous la plume de Robbe-Grillet, une déclaration pas tellement fréquente qu'on puisse n'en pas tenir compte.

Elle m'incite, en outre, à ramener directement la question sur mon sujet initial. Due à la critique et entérinée par la théorie, je l'écrivais au début, la vulgate relative au sens dans l'œuvre d'Alain Robbe-Grillet ne procède pas d'une analyse sérieuse, loin s'en faut, mais plutôt du lieu commun qui veut que ses romans ou ses films soient, sinon inintelligibles, du moins difficilement compréhensibles. De là à décréter qu'ils sont dépourvus de signification, il n'y a qu'un pas que la mauvaise foi ou la négligence aident parfois à franchir. Selon l'opinion de certains profanes, c'est pourtant là une thèse à l'égard de laquelle Robbe-Grillet lui-même semble montrer de bonne dispositions. Greimas, d'ailleurs, en a pris ombrage : « Combien naïves », écrit-il, « paraissent les prétentions de certains mouvements littéraires désirant fonder une esthétique de non-signification : si la présence, dans une pièce, de deux chaises, placées l'une à côté de l'autre, semble dangereuse à Alain Robbe-Grillet, parce que mythifiante du fait de son pouvoir d'évocation, on oublie que la présence d'une seule chaise fonctionne comme un paradigme linguistique et, présupposant l'absence, peut être tout aussi signifiante [8] ». Défenseur opiniâtre de l'omniprésence du sens, le sémanticien n'a pas tort dans les limites du domaine où il officie, celui de la communication ordinaire. En revanche, la transposition directe à la communication littéraire ou cinématographique de ce pansémantisme est une manœuvre bien légère et qui pêche par confusion d'idées. De nombreux auteurs l'affirment continûment aujourd'hui; néanmoins, que je sache, la théorie qui rendrait compte de cette opinion unanime nous fait encore défaut.

Le moment est donc venu pour moi de mobiliser les instruments conceptuels annoncés en commençant. Pour l'intelligence de ce qui va suivre, il est utile de noter qu'ils procèdent de deux influences, à l'origine disparates et maintenant à la limite du fusionnement, la logique modale et la linguistique générative. Rappelons, tout d'abord, des vérités en sommeil, sans doute parce qu'elles frisent l'évidence. Une narration quelconque relate ou bien des faits qui se sont passés réellement ou bien des événements fictifs. Cette distinction du récit historique et du récit de fiction ne ressortit, ni au niveau de représentation strictement linguistique (des points de vue phonologique, grammatical, rhétorique, etc., les narrations des deux types sont parfaitement assimilables), ni au niveau de la syntaxe narrative (les relations entre agents, ainsi que les structures qui résultent de leurs consécutions ou implications, sont identiques dans les deux cas). Par conséquent, il n'y a aucun risque de se perdre en conjectures : c'est au niveau sémantique que s'établit le distinguo.

Alice, Nora, l'inspecteur, le magistrat, des sœurs, quelques jeunes détenues, une chambre, une cellule, la mer, un lit, une chaussure, un prie-dieu, deux ou trois œufs, etc., et, pour résumer, le comportement étrange et le discours baroque d'Alice qui trouble et détraque tous ceux qui l'approchent : le synopsis de *Glissements progressifs du plaisir,* comme toute narration bien nommée, combine d'une certaine manière des individus, des objets, des lieux, des mœurs et des actions. S'il est naturel, comme le prétendent les logiciens Hugues et Creswell, d'entendre par « monde », « un ensemble d'objets possédant diverses propriétés et entretenant des relations variées les uns avec les autres [9] », on peut dire qu'une narration construit un monde déterminé. On admet généralement qu'un récit du type historique projette le monde réel, ses objets, ses individus, ses lieux, etc. dans le discours. Qu'en est-il alors d'une narration de fiction? D'où provient le monde qu'elle élabore?

Cette question rejoint par la bande un problème classique en logique principalement depuis *Sinn und Bedeutung* de Frege. Soit la phrase « X a été assassiné » et les récits suivants :

— narration de la politique américaine jusqu'à ce jour;
— le synopsis de *Glissements progressifs du plaisir.*

Nous pouvons affirmer, tout de go, que l'énoncé « Nixon a été assassiné » est faux dans le premier récit, puisqu'il n'est pas vrai dans la réalité. En revanche, il est clair que nous manquons du même critère pour apprécier, dans le synopsis, la validité d'une phrase telle que « Nora a été assassinée ». Pour mémoire, deux conceptions s'affrontent à ce propos dans la littérature logique : Russell, décomposant la phrase considérée en une suite de propositions reliées par des conjonctions, induirait de la présence dans cette forme conjonctive de l'énoncé faux « Il existe une Nora », la fausseté de la phrase [10]; Frege [11] et Strawson [12], pour leurs parts, refuseraient tout simplement de lui assigner une quelconque valeur de vérité. Autrement dit, l'absence de référent conduit, dans le premier cas, à affirmer la fausseté de la phrase et, dans le second, à récuser tout jugement de validité. Si l'on excepte les solutions extravagantes proposées par Meinong et MacColl qui recommanderaient, l'un de supposer l'existence d'une Nora, l'autre de la compter au nombre des objets irréels, on constate que se trouve bloquée, jusqu'ici, toute tentative de rendre compte d'une phrase comme la nôtre dans une narration de fiction. Et si Nixon avait assassiné Nora ? La situation, en effet, devient véritablement abstruse, dès lors que l'on considère un récit mixte combinant par amalgame des objets, des propriétés et des relations du monde réel et/ou de fiction.

Voici maintenant l'hypothèse qui va nous permettre de tourner l'obstacle (il ne faut surtout pas le culbuter). La ménagère qui, bien enfoncée dans son fauteuil d'orchestre, contemple la fameuse scène des « œufs qui saignent », ne se précipite pas soudain au-dehors pour aller chercher une serpillière. Par cette mauvaise boutade, je veux demander pourquoi, dans la mesure où les objets réels ne jouent, en nature, aucun rôle dans le discours, on s'obstine encore à lui chercher un référent objectif. Il faut, selon le linguiste MacCawley, lui substituer un « référent intentionnel » car, écrit-il, « les indices correspondent à des items qui appartiennent à l'image mentale que le locuteur a de l'univers plutôt qu'à des objets réels de l'univers [13] ». Il s'agit là d'une réorganisation fondamentale de la hiérarchie entre monde physique, monde mental et discours, soutenue récemment par ces chercheurs qui se rangent sous l'étiquette « sémantique générative » (outre MacCawley, Lakoff, Bach, etc.). Selon eux, le problème n'est pas de considérer le discours du point de vue de ses relations avec le monde physique, mais plutôt avec un univers spécifique du discours, c'est-à-dire ressortissant à la représentation mentale que nous pouvons nous former de la réalité. Et Michel Galmiche de conclure : « la tâche de la linguistique n'est pas de savoir si un locuteur a ou non correctement perçu les objets dont il parle (d'ailleurs il peut fort bien parler d'objets imaginaires), il suffit seulement qu'il dispose de *référents intentonnels* pour identifier, selon ses croyances, les entités individuelles du monde [14] ». Evidemment, il serait plus convenable d'expliquer comment cette conception destinée primitivement au langage naturel peut s'étendre au langage cinématographique; mais la parenthèse serait trop longue et l'on se contentera, ici, de remarquer que cette façon de poser le problème de la sémantique du film s'oppose diamétralement au discours traditionnel en théorie du cinéma : au lieu de discuter sur le degré de réalisme des scènes filmées, on est invité à considérer comme une propriété fondamentale de la compétence du spectateur/auditeur que de concevoir des objets plus ou moins connus, des relations entre eux plus ou moins accessibles à notre bagage culturel, en d'autres termes, des mondes visuels possibles.

Arrivant à la conclusion de la seconde partie, je me dois toutefois d'insister sur la généralité, en quelque sorte intersémiotique, des propositions que j'avance, invoquant si besoin était, l'ambivalence du ciné-roman. Le monde mental auquel se rapporte un récit historique se caractérise comme une interprétation du monde réel; celui qui correspond à une narration de fiction peut être regardé pour une transformation de l'« univers du discours ». En effet, si les objets créés d'un tel récit ne viennent pas augmenter le stock des objets du monde physique, ils grossissent le nombre des items lexicaux, donc des objets du monde mental. Confirmée, semble-t-il, par l'analyse de la bonne vieille notion de vraisemblance (est vraisemblable, on le sait bien, un monde narratif compatible non pas avec le monde réel mais avec l'idée que nous nous faisons de lui), voilà donc la base minimum pertinente d'une sémantique du récit.

Dire cela, c'est finalement poser qu'au commencement, il y a toujours un synopsis. L'idée a déjà été avancée par Abraham Moles qui écrit : « toute œuvre littéraire appréhendée dans son ensemble, si elle n'est pas un magma, comporte un squelette, structure douée d'une plus ou moins grande complexité. C'est l'*aspect sémantique*, l'histoire racontée, le schéma. Butor et Robbe-Grillet combinent d'abord les grands traits d'une histoire, les situations, avant de les décrire dans le détail. Ils proposent explicitement la combinatoire comme mode de construction de la forme littéraire, comme méthode de composition. L'analyste du *contenu* commencera par réduire le roman à un synopsis squelettique (...) [15]. » Or, cette proposition méthodologique s'oppose, de manière apparemment radicale à l'avertissement énoncé par Genette, dans *Figure I*, à propos des tentations de reconstitution « d'une " histoire " virtuelle considérée comme préexistante (ou sous-jacente) au récit » robbe-grilletien : « remonter du texte impossible au prétexte banal, c'est ôter toute sa valeur au récit. C'est aussi lui ôter tout son sens en cherchant à lui en donner un [16] ». Mais dans l'optique que je m'efforce ici de défendre, la perspective est inversée : avant toute reconstitution il s'agit de formuler le postulat selon lequel une narration, qu'elle soit d'un Balzac ou d'un Robbe-Grillet, qu'elle soit droite ou retorse, présuppose une « histoire virtuelle » qui est bien loin de n'être qu'un « prétexte banal ». En construisant ce paradigme artificiel, l'auteur manifeste « sa distance à l'égard de l'univers », comme préconisait de le faire Mallarmé, à seule fin de se rendre maître du sens par-delà le circuit de la communication courante. Bien entendu, on ne confondra pas l'ouvrage lui-même avec le sujet — ce « à quoi se réduit un mauvais ouvrage », disait Valéry. Aussitôt après avoir affirmé que « le synopsis fournit avant tout " du sens " », Robbe-Grillet écrit : « mais c'est lui qui rend le moins compte de l'organisation structurelle du film [17] ».

Dans la succession du synopsis, à travers la continuité dialoguée, Robbe-Grillet manifeste cette fois sa distance à l'égard de son propre univers mental : le ciné-roman c'est la chronique scandaleuse des glissements progressifs du sens tout juste instauré. Revenons à la conception de Russell évoquée plus haut : de même qu'en décomposant en une forme conjonctive la phrase « Nora a été assassinée » on démontre sa fausseté, de même la négation de cette phrase, soit « Nora n'a pas été assassinée », encourt le même jugement d'invalidité. Comme François Jost l'a souligné, en rappelant le début de *L'Homme qui ment* (mort et résurrection de Jean Robin), souvent les romans et les films de Robbe-Grillet violent effrontément le principe de non-contradiction; mais, ajoute-t-il en substance, penser qu'il n'y a pas de vérité (tout est faux) ou qu'il y en a deux (le réel et l'imaginaire), c'est penser à côté du texte lui-même, de sa vérité qui est, dirait Genette, dans sa « texture interne [18] ». « Dénué de signification » : le terme est venu plus haut sous notre plume. « Malheureusement, écrit Greimas, l'expression « dépourvu de sens » n'est pas dépourvue de sens : elle est même à l'origine des philosophies de l'absurde [19] ». Cette citation, dont le contexte, d'ailleurs, est étranger à notre propos, pourrait servir à maintenir la thèse de la vacuité sémantique, par le biais d'une interprétation pseudo-beckettienne de l'univers robbe-grilletien. On évitera ce piège grossier, non sans remarquer que ne l'est pas moins la tentative de départ entre des degrés de réalité : dans les deux cas, on renvoie le récit du monde physique; on le prend littéralement à contre sens. Pour rendre compte des « anomalies » syntaxiques, par exemple de *Glissements progressifs du plaisir,* il convient d'évaluer la valeur de vérité, disons plutôt la fonction, des propositions narratives, par rapport au monde factice créé par l'auteur pour l'occasion : cette « parole d'une société qui a été découpée en morceaux afin de la faire rétrograder à l'état de langue », écrit Robbe-Grillet. C'est, de notre propos, la citation topique par excellence.

Mais Russell emploie l'expression « dénué de sens » dans un tout autre sens. Il désigne par là non pas les énoncés faux mais de faux énoncés, ceux qui présentent un vice de forme syntaxique; on se servira avec profit de cette distinction pour traiter la structuration de *Glissements progressifs du plaisir.* Prenons un exemple bien caractéristique, en pratiquant une ponction tout à fait arbitraire : le segment considéré est fortement imbriqué dans une séquence plus vaste — en même temps que tout à fait motivée — toutes les propositions narratives que l'on considérera sont parfaitement bien formées du point de vue syntaxique, *prises isolément*. Segment 31 : le pasteur pénètre dans la cellule, s'adresse d'abord à maître David le prenant pour sa « cliente », semble troublé par l'attitude des deux jeunes femmes — l'avocate vient de commencer à glisser vers Nora — puis attire l'attention de celle-ci sur les marques rouges qu'elle porte à la base du cou (« Vous êtes blessée? — Non, pourquoi? » répond maître David. « Ce n'est pas du sang, c'est de la peinture rouge. Une éclaboussure a dû sauter pendant le travail de notre jeune artiste »). On quitte la cellule (segment 32) en même temps que l'avocate, qui s'engage dans une série d'escaliers et de corridors de la prison, y rencontrant bientôt Claudia qui, remarquant les taches rouges, lui demande : « Vous êtes blessée? Non », répond maître David, « ce n'est rien, j'ai dû m'écorcher un bouton... ou une piqûre de moustique... sans m'en apercevoir [20] ». Ces deux scènes, dont on a éliminé certains détails, ont une allure bien paisible, malgré leurs ambiguïtés, celle des traditionnelles séquences narratives. On pourrait résumer tout aussi facilement les segments 35 à 37 : Sœur Julia surprend Alice en train de peindre sur les murs à l'aide de son corps nu puis l'emmène à la salle de musique, où elles prennent en « flagrant délit » maître David et Claudia [21].

Le terme de « détails » que nous venons d'employer manque justement de pertinence en ce qui concerne le travail de Robbe-Grillet sur les objets filmés. Ceux-ci ont un rôle au moins aussi important que dans le fameux *Service des affaires classées* de Roy Vickers, un rôle, en fait, tout à fait différent. Il n'y a pas de trompette en caoutchouc dans *Glissements progressifs du plaisir*, mais surtout l'enquête policière n'aboutit pas (je pourrais m'arrêter là!), à la faveur de circonstances fortuites où tel objet jouerait le coup du hasard. Chaque proposition narrative fait intervenir divers éléments de l'univers diégétique esquissé par le synopsis, outre les individus, un petit arsenal d'objets, dont l'importance est d'ailleurs soulignée quasi-pédagogiquement par les nombreuses suites de ponctuations qui jalonnent le film [22]. Considérons par exemple les « marques rouges » :

avant le segment 31, on a vu, au milieu d'images tournées dans les caves secrètes, quelques gros plans de Claudia : elle a deux trous rouges sur la gorge. Ensuite, ces marques « vampyre » échoient à maître David; elles lui ont peut-être été transmises par Alice, lorsqu'elle a blotti sa tête dans le creux de l'épaule de l'avocate; en présence de la fillette et du pasteur, maître David leur donne l'interprétation « peinture rouge » scandée par un gros plan d'un tableau d'Alice; en présence de Claudia, elles deviennent « morsure » ou blessure. Ensuite, dans la première partie du segment 35-37 on retrouve l'association Alice-peinture rouge et dans la partie consécutive (même du point de vue de la logique narrative) l'association David-Claudia.

Cet examen rapide montre clairement que, dans *Glissements progressifs du plaisir,* toutes les propositions narratives ont un sens, mais que leur composition n'a pas de sens narratif : elles découlent, limpides, du monde diégétique donné par le synopsis, mais elles dérivent au fil impétueux de la structuration. En effet, l'ambiguïté des scènes 31-32 et 35-37 est la manifestation superficielle d'un processus sous-jacent qui connecte et/ou disjoint un certain nombre d'items diégétiques dans diverses propositions narratives bien formées, jusqu'à épuiser quasiment toutes les combinaisons possibles. Maintenant je peux conclure.

Il y a un dessin humoristique composé de deux images dont la première représente un peintre s'appliquant, un crayon au bout de son bras tendu, à prendre les mesures d'un panorama montagneux et dont la seconde montre sa toile où figure le crayon, rien que le crayon. C'est un sentiment voisin que l'on éprouve à la lecture de certains travaux, où les œuvres, écrites ou filmées, sont tout entières jugées et interprétées au moyen d'un modèle d'explication préétabli : en dernière analyse, nous en apprenons davantage sur les choix théoriques de l'essayiste que sur l'objet supposé de son étude. S'agissant du cinéma ou de la littérature dits classiques on ne sait trop s'il convient de s'en formaliser; les productions relevant de cette étiquette et les articles au service de sa publicité, sont, semble-t-il, liés, garottés, par un processus d'involution nonchalante. En revanche, il y aurait assurément quelque chose de paradoxal à devoir constater la même attitude à l'égard de l'œuvre d'Alain Robbe-Grillet. Voilà, des *Gommes* à *Projet pour une révolution à New York,* de *l'Immortelle* au *Jeu avec le feu,* des romans ou des films dont on dit, avec plus ou moins de bonne grâce, qu'ils s'éloignent des sentiers battus (locution commode), qu'ils transgressent toutes sortes de normes et de codes, voire même qu'ils révolutionnent la littérature ou le cinéma — comment, dès lors, concevoir qu'on puisse leur appliquer un quelconque modèle, sans que les postulats, les convictions et les arguments sur lesquels il se fonde, soient ébranlés d'un pouce.

Certes l'immobilisme est rassurant, en théorie plus que nulle part ailleurs, et tenace la hantise de ce que Bachelard appelait le « repentir intellectuel ». A moins de voleter d'œuvre en œuvre, au petit bonheur, dans le brouillard idéologique, il semble préférable d'attacher sa ceinture à quelques déductions solides et durables; on vient là de décrire cavalièrement la critique traditionnelle puis la théorie générale : entre le fossé où la première n'en finit pas de croupir et le mur contre lequel s'appuie, bien d'aplomb, la seconde, il n'y aurait place, aujourd'hui encore, que pour une périlleuse contrescarpe, n'étaient les efforts consentis naguère par certains chercheurs pour inscrire, sans cesse et dialectiquement, les approches critiques et théoriques dans la démarche appelée désormais à gouverner la théorie de la structuration du texte — une théorie moderne, donc liée à la modernité, comme dit à peu près Genette [23]. Les pages définitives du poéticien sur le sujet me dispensent de le développer plus amplement, sinon pour souligner que le renversement méthodologique dont il s'agit, hormis les perspectives nouvelles qu'il ouvre, peut produire également de remarquables effets rétroactifs.

Cette péroraison pour mettre en valeur l'esprit épistémologique dans lequel je situe mon intervention : faire jouer le va-et-vient théorie-critique pour réveiller une vieille interrogation enfouie injustement dans le silence. Elle me fait irrésistiblement penser à ce personnage de *Drôle de drame,* savant obscur (il étudie les mimosas), qui se met à écrire des romans policiers sous un pseudonyme; en fait l'idée ne vient pas de lui, mais de sa gouvernante, qui la tient d'ailleurs du laitier, etc. L'histoire de la question du sens dans l'œuvre d'Alain Robbe-Grillet n'est sans doute pas moins compliquée : partie du préjugé d'inintelligibilité des travaux de l'auteur, digéré par la critique sous le vocable de « littérature formaliste », elle aboutit, dans le meilleur des cas, à une sorte d'*analysis situ* qui, avec talent, épluche la position de la structure, au détriment de l'action de la structure, c'est-à-dire de la structuration au sens propre. C'est précisément en évacuant *a priori* toute interrogation sémantique sur l'œuvre d'Alain Robbe-Grillet que l'on est amené à représenter sa dynamique structurante sous la forme d'un schéma topologique paralysé (en fixant le vertige, on sépare la forme du contenu), quitte à réintroduire ensuite, subrepticement, du sens au moyen d'une interprétation de ce structuré en repos. Où l'on retrouve notre anglais de *Drôle de drame* : entraîné dans un engrenage cocasse, il se trouve contraint de se faire passer pour assassin sous son nom de savant en même temps qu'à enquêter sur son crime sous son pseudonyme de romancier!

Certes, la conception que je propose en remplacement tient présentement dans le plus simple appareil théorique et je ne doute pas qu'elle soit malmenée à très brève échéance. S'il m'est permis toutefois d'insister sur un seul de ses avantages, je crois qu'elle permet de rendre compte de l'idée de « rétrogradation du sens », sur laquelle Alain Robbe-Grillet insiste tout particulièrement. Si le sens rétrograde, c'est qu'il y a du sens au départ : le synopsis est bien là pour le fournir. Quant à ce qui se passe après, la différence essentielle entre un roman traditionnel et *Glissements progressifs du plaisir* tient dans la mise en syntagmatique de ce paradigme, c'est-à-dire dans la façon dont on passe de l'implicite diégétique à l'explicite narratif. Dans le premier cas, le monde déterminé par l'auteur est gonflé de justifications psychologiques et prétendûment réalistes; cette diégèse qui jalouse la vie, sa complexité, son ambiguïté, c'est la grenouille qui veut se faire aussi grosse que le bœuf; j'apprécie personnellement les coups d'épingle que lui donne Stendhal lorsqu'il se prend à ironiser sur ses héros. Mais Robbe-Grillet va beaucoup plus loin : par son travail d'analyse, au sens chimique du terme, des propositions narratives, qui produit de multiples catalyses entre les divers éléments de son univers diégétique primitif, il transforme le récit de l'intérieur, le transportant hors de lui-même. En le faisant ainsi sortir de sa réserve traditionnelle, il lui confère progressivement, par des glissements maîtrisés, la forme d'un discours : « cette parole nouvelle, une structure non réconciliée, ma parole », conclut Robbe-Grillet [24].

D. C.

NOTES

1. Alain Robbe-Grillet, Paris, Ed. de Minuit, 1974.
2. Z. S. Harris, *Structures mathématiques du langage*, Paris, Dunod, 1971, p. 19.
3. « Le cinéma : Langue ou langage », *Communications*, Paris, Ed. du Seuil, n° 4, 1964, pp. 52-90.
4. « Le scénario comme structure tendant vers une autre structure », *Cahiers du cinéma*, n° 185, 1966, pp. 76 sq.
5. *Ibid.*, p. 82.
6. *Op. cit.*, p. 9.
7. *Op. cit.*, p. 12.
8. *Sémantique générative*, Paris, Larousse, 1966, p. 8.
9. *An Introduction to modal Logic*, London, Methuen and Co Ltd., 1972, p. 177.
10. « On denoting », *Mind*, n. s. 14 (1905), 479-93.
11. « On Sense and Reference », in Beach and Black, eds., *Translations from the Philosophical Writings of Gottlob Frege* (Oxford, Blackwell, 1952), 56-78.
12. « On Referring », *Mind* (1950), 320-44.
13. « Where do now phrases come from? », in Jakobovits & Steinberg, *Semantics*, An Interdisciplinary Reader; Cambridge University Press, pp. 223-224.
14. *Sémantique générative*, Paris, Larousse, 1975, p. 169.
15. *Art et ordinateur*, Tournai, Casterman, 1971, p. 156.
16. Paris, Ed. du Seuil, 1966, pp. 78-79.
17. *Op. cit.*, p. 9.
18. *Op. cit.*, p. 79.
19. *Du sens*, Paris, Ed. du Seuil, 1970, p. 7.

20. P. 110-115.
21. P. 123-129.
22. *Cf.* Chateau-Jost : « Le Plaisir du glissement », *Ça*, 1974, n° 3, pp. 10-19; Jost, « A propos de glissements » de Robbe-Grillet (ponctuations et parataxes), *Critique*, 1974, n° 323, pp. 326-334.
23. *Figure III*, Paris, Ed. du Seuil, 1972, p. 11.
24. P. 14.

DISCUSSION

Jean-Marie BENOIST : Votre exposé est bifide, car il témoigne d'une double allégeance : la philosophie analytique d'Oxford d'un côté, de l'autre côté la sémantique greimasienne et, disons, l'approche critique de Genette. Du premier côté, je ne dirais pas grand chose dans la mesure où vous avez tenté de plaquer tous les mécanismes d'une logique de la vérité sur les items culturels produits par Robbe-Grillet et, malgré le tour de force que cela représente, on peut conclure en paraphrasant la première partie de votre exposé : « au fond la philosophie d'Oxford existe et je l'ai rencontrée ». Mais l'autre partie m'intéresse beaucoup plus, par l'absence d'un certain nombre de concepts qui eussent pu être opératoires. Par exemple, vous avez été conduit dans l'analyse des traces de sang ou des trous de vampire et des marques de l'écriture du sang sur le corps, à tout ramener à une chaîne causaliste interne au film, sans poser le problème de la contrainte paradigmatique, du fonctionnement paragrammatique, ou de l'intertextualité par rapport à d'autres films que Robbe-Grillet aurait pu avoir vus et qu'il eût pu s'amuser ironiquement à citer. Alors je me demande : dans quelle mesure faites-vous entrer le fonctionnement de ces paragrammes? Dans quelle mesure, faites-vous entrer, dans le territoire que vous avez soigneusement clôturé, la possibilité méthodologique d'une référence extrinsèque (l'intertextualité, le paragramme) aux items que vous analysez?

Dans quelle mesure arrivez-vous à échapper, dans cette sémantique que vous proposez, à un redoublement pléonastique du récit que vous étudiez?

Dominique CHATEAU : Voilà beaucoup de questions?

Jean-Marie BENOIST : Oh non! C'est la même.

Dominique CHATEAU : Si c'est la même, je vais répondre sur un point particulier : ma réponse vaudra pour l'ensemble. Ce point, c'est le rapport entre paradigmatique et syntagmatique. Vous semblez supposer que le paradigmatique préexiste à la sémantique...

Jean-Marie BENOIST : Non, les contraintes paradigmatiques s'explicitent dans la syntagmatique.

Dominique CHATEAU : Alors je suis d'accord et je ne vois pas ce qui nous sépare...

Jean-Marie BENOIST : Le fait que vous n'étendiez pas ce fonctionnement...

Dominique CHATEAU : A l'intertextualité?

Jean-Marie BENOIST : Par exemple, ou au paragramme, qui sont très opératoires dans le travail de Robbe-Grillet. D'autre part, j'ai relevé, dans l'usage du terme structure, au moins cinq définitions différentes, depuis le spectre d'Abraham Moles jusqu'à la structure cinématographique tirée de Christian Metz. Si vous voulez faire œuvre de rigueur, faites-le de façon interne...

Dominique CHATEAU : Oui, mais enfin on ne peut pas rectifier les citations qu'on emploie. J'ai cité Abraham Moles par honnêteté intellectuelle simplement, parce qu'il a eu l'idée avant moi. Alors, évidemment, il a employé le terme structure dans un sens que je n'aurais pas utilisé. Encore que, si on prend la définition mathématique de la structure (un système de relations qui se reproduisent, etc., indépendamment des éléments), on peut appliquer le terme à n'importe quoi. Ce n'est donc pas tellement gênant qu'on ait plusieurs niveaux de structures. Ce que je voulais dire aussi, en ce qui concerne semble-t-il l'opposition Genette/Oxford, c'est d'abord que je ne suis pas du tout un disciple de l'Ecole d'Oxford...

Jean-Marie BENOIST : Non, mais vous montrez à votre niveau une logique de la vérité.

Dominique CHATEAU : Oui, justement, en citant un certain nombre d'auteurs comme Frege ou Russell, mais il y en a bien d'autres. Je crois avoir montré — et d'ailleurs tout le monde le sait maintenant — que toute cette logique de la vérité n'a pas pu se sortir du problème de la référence. Il semblerait, mais c'est une hypothèse qui a été avancée tout à fait récemment, qu'on puisse s'en sortir avec cette hypothèse des mondes possibles, élaborée en logique modale et réutilisée à l'intérieur de la sémantique générative. Evidemment, il y a peut-être des objections à faire et l'on s'apercevra, peut-être, que cela est totalement inintéressant. En ce moment, cela paraît assez bien fonctionner, d'autant mieux que cela correspond à certaines choses, quand même assez sûres, que l'on sait concernant la science. Hier, Fedida disait que la géométrie non-euclidienne a régionalisé la géométrie euclidienne, c'est-à-dire que, avec la géométrie de Lobachevsky-Riemann, Euclide est devenu une région, qui correspond à quelque chose, mais une région simplement. Alors, on peut prendre par exemple le problème des catégories de l'espace et du temps. Il est évident qu'elles sont séparées dans notre monde physique immédiat et c'est ce à quoi correspond la géométrie et ce à quoi correspond la physique disons newtonnienne. D'un autre côté, on sait très bien que les catégories de l'espace et du temps ne sont absolument pas séparées dans l'espace. Autrement dit, il ne s'agit pas de choisir entre ces deux hypothèses scientifiques et entre cette traduction philosophique de ces deux hypothèses, mais de dire qu'il y a au moins deux mondes concevables, un monde où les catégories de l'espace et du temps sont séparées, un monde où au contraire elles ne le sont pas. Alors c'est cette conception, disons des mondes possibles, qui rend assez bien compte d'un certain nombre de phénomènes de ce genre-là. Mon idée a été simplement de dire dans *Glissements progressifs du plaisir* : que devient ce monde diégétique qui existait plus ou moins? Je crois que, au moins pour les films, l'hypothèse est intéressante parce qu'elle permet finalement d'éviter le problème du réalisme, de la référence objective.

Alain ROBBE-GRILLET : Je voudrais demander à Benoist pourquoi le fait de ne pas avoir parlé des références plus ou moins contenues dans les signes utilisés affaiblit en quoi que ce soit le propos de Chateau? Chateau a pris l'exemple du glissement d'un signe, qui est la morsure du vampire dans la séquence en question. Il y a au moins trois autres signes qui sont mis en jeu dans la même séquence : la bêche du fossoyeur, la décapitation et la crucifixion. Il est évident que certains de ces signes sont fortement connotés par des références culturelles, la marque du vampire en particulier comporte de ce point de vue un certain humour, mais cela ne change absolument rien au propos...

Jean-Marie BENOIST : Je n'ai pas regretté...

Alain ROBBE-GRILLET : Il me semble bien que vous avez regretté qu'il n'y fasse pas allusion, ce qui aurait pu faire déboucher son propos sur quelque chose de plus.

Jean-Marie BENOIST : Je ne parlais pas au nom d'un référentialisme, bien au contraire, car je déplorais que ce soit l'espace d'une logique de la vérité et de la fausseté (qui manque le problème de la co-référence, etc.) qui ait été utilisé d'abord. Je demandais simplement à Dominique Chateau si, dans son programme, disons à un niveau d'intertextualité (je ne pense pas référence au sens de référent, mais au sens de référence culturelle) pouvait entrer le fonctionnement des contraintes. C'est en ce sens que je lui ai demandé si l'on peut échapper à un certain pléonasme du récit par l'extension du cadre qu'il avait assigné.

Dominique CHATEAU : Je pense qu'on le peut. Mais ce sur quoi je voudrais insister, aussi, en parlant de ces marques rouges, c'est sur le rôle spécifique des objets dans les films de Robbe-Grillet. Je prendrai un exemple dans un article récent, intitulé *La Sémiologie du parapluie* [1], tentative d'appliquer au parapluie toute la machinerie sémiologique, en particulier metzienne, cela débouche sur une grande syntagmatique du pépin. *(Rires.)* C'est un texte très drôle...

Lise FRENKEL : Le grand pépin de la syntagmatique... *(Rires.)*

Dominique CHATEAU : Dans cet article, on cite un auteur, un ministre des Finances qui, dans sa petite *Histoire de France*, décrit Louis-Philippe de la façon suivante :

Bon père de famille, travailleur, économe, Louis-Philippe ne dédaignait pas de se mêler au peuple. C'était un véritable roi bourgeois et son règne fut en effet le triomphe de la bourgeoisie. Il aimait sortir entouré de ses fils, son parapluie à la main, précaution qui symbolisait la prudence.

Ici le rapport du parapluie à l'ensemble de la scène est tout à fait caractéristique du rôle que jouent les objets dans le cinéma traditionnel : celui que peut jouer, par exemple, un tableau dans un intérieur bourgeois, celui que joue dans certains films récents le mobilier design, c'est-à-dire un rôle symbolique. Et c'est-à-dire, aussi, un rôle du point de vue des codes extra-cinématographiques. En revanche, je pense que l'objet dans les films de Robbe-Grillet joue un rôle interne. A ce propos, j'aimerais revenir sur la séquence de *L'Eden* dont Bishop a parlé. Premier plan : plan rapide d'une maison tunisienne à dôme; deuxième plan : plan rapproché d'une carte postale que Violette maintient contre un mur de sa chambre, elle représente une maison tunisienne; troisième plan : image d'un petit tableau bleu et blanc, qui est une composition abstraite, non sans anologie avec la maison vue précédemment. Ensuite, on a cinq plans qui montrent diverses maisons tunisiennes. Puis le plan neuf : encore une maison tunisienne dont un homme, vêtu d'un costume local, franchit le seuil. Plan dix : Violette dans une salle de projection assise au premier plan. Puis on a vingt-deux plans qui montrent en alternance des paysages tunisiens et les spectateurs dans la salle de projection, Boris, Violette, Sonia. Au plan trente-trois, on voit Violette courant sur une grande étendue de sable en Tunisie. Ensuite, on a six plans qui montrent en alternance Violette dans un village tunisien et la salle de projection. Et enfin, au plan quarante, un travelling sur les spectateurs qui, à son terme, cadre Robbe-Grillet lui-même. Alors je pense que cette séquence qui, pour moi, est une des plus belles séquences des films de Robbe-Grillet, on peut l'analyser d'abord, remarquer que c'est un syntagme parallèle, pour employer les termes metziens, ternaire. C'est essentiellement trois lieux : la chambre, la salle de projection et la Tunisie. En gros, le schéma de la séquence c'est que, au départ, on a une abstraction progressive du paysage tunisien. On passe du paysage à la carte postale, puis au tableau, ensuite on a un petit syntagme en accolade documentaire qui, à un moment, va s'animer quand apparaîtra l'indigène au plan neuf; enfin, ensuite, quand on arrive à la salle de projection, va s'instaurer un entrelacement entre le documentaire et la salle, et Violette se trouve, à ce moment-là, projetée en Tunisie, d'où un nouvel entrelacement, cette fois entre la salle et Violette en Tunisie. Je voulais parler de cette séquence parce qu'elle me semble caractéristique du travail sur les objets, y compris les personnages : Violette passe du premier lieu au second lieu, et du second au troisième non pas par des liens causaux, des liens narratifs habituels, mais par un processus séquentiel de contamination spatiale. C'est en quelque sorte par le rapport des plans que les objets passent de l'un à l'autre. Et je crois que cela est un des aspects les plus importants du travail de Robbe-Grillet sur les objets et sur le cinéma.

Jean-Claude RAILLON : Je voudrais intervenir sur ce point. Tu travailles en termes de syntagmatique et de paradigmatique, et je voudrais faire ce constat que, s'agissant du texte de fiction, une telle pensée tombe inévitablement dans le sémantisme : les listes paradigmatiques sont généralement traitées en termes de communauté de signifiés. Or, ce que l'on constate, dans le travail de fiction, c'est qu'il y a toujours des agressions de l'hétérogène signifiant dans ces listes paradigmatiques. Il y a un rapport conflictuel entre les listes, au niveau du signifié et cette instance signifiante qui est toujours une menace de ruine. Alors, je voudrais te poser une question naïve, parce que mon incompétence s'agissant du cinéma est excessive : quels sont les traits pertinents de l'objet filmique qui peuvent jouer ce rôle du signifiant textuel? Lorsqu'il y a un objet qui rentre dans une liste paradigmatique, quel est le trait typiquement et matériellement filmique qui peut venir contrarier ce type de relations? Est-ce que justement ces relations ne sont pas pensées dans les termes du sémantisme? Est-ce qu'on n'évacue pas ainsi ce qui au niveau de l'objet filmique pourrait faire difficulté?

Dominique CHATEAU : Qu'est-ce que tu appelles sémantisme?

Jean-Claude RAILLON : Le sémantisme? C'est rester au niveau de l'idéel et évacuer ainsi la spécificité du mode de production. Est-ce que l'objet filmique n'est pas pensé dans les catégories de la langue? Et, dès lors, est-ce que tel objet, au niveau de la séquence, n'est pas lié avec tel autre objet dans un rapport qui pourrait être pensé indépendamment du matériau que l'on travaille? Comment, d'une séquence à l'autre, tel objet influence-t-il tel autre objet autrement que par une communauté de signifiés? Quelle est l'hétérogénéité de l'image filmique qui peut jouer le même rôle que le signifiant au niveau de la fiction? Qui peut le contrarier, au niveau de la fiction? Il y a notamment le paragramme, qui est une sorte de ruine hétérogène de l'objet idéatif produit. Alors qu'est-ce qui peut jouer le même rôle au niveau de l'objet filmique que le rôle que joue le paragramme au niveau de la fiction?

Dominique CHATEAU : C'est-à-dire que tu reposes là tout le problème des unités pertinentes au cinéma...

François JOST : Il me semble, d'une part, que l'utilisation des paragrammes pour l'analyse de la littérature n'est pas forcément pertinente, c'est un premier point.

Jean RICARDOU : Pourquoi? Vous pouvez peut-être le développer, ce serait intéressant.

François JOST : Parce que je n'ai toujours pas saisi l'utilisation pertinente des paragrammes. *(Quelques rires.)*

Alain ROBBE-GRILLET : Moi, non plus...

Jean RICARDOU : Par exemple, est-ce qu'on peut...

François JOST : Je n'aimerais pas qu'on dévie encore sur la littérature...

Jean RICARDOU : Il est important cependant, peut-être, de montrer l'éventuelle non-pertinence d'une analyse des paragrammes...

François JOST : On ne va pas revenir en arrière...

Alain ROBBE-GRILLET : On ne l'a pas senti, quoi...

François JOST : Oui, on ne l'a pas senti.

Jean RICARDOU : Si le fait de ne pas sentir vous semble suffisant... *(Brouhaha.)*

Dominique CHÂTEAU : Elle ne s'est pas imposée à moi : elle est peut-être pertinente, mais en tout cas elle n'est pas obligatoire.

François JOST : Deuxièmement, il me semble qu'il y a une illusion dans le fait de recourir sans arrêt à cette idée de code spécifique au cinéma. Château a très bien montré, par exemple, que l'utilisation de la couleur bleue était quelque chose qui était l'équivalent du travail que vous pouvez faire sur les paragrammes dans la littérature. Simplement, cela ne pose pas du tout le même problème, car l'utilisation de la couleur n'est pas un code spécifique du cinéma; c'est aussi un code de peinture. Je crois donc que c'est un faux problème de reposer toujours la question des codes spécifiques. Les codes spécifiques du cinéma sont très peu nombreux, finalement, c'est le montage...

Dominique CHÂTEAU : Ce sont des codes techniques, comme l'a dit Metz. Le cinéma, ce n'est pas une combinaison de matières de l'expression spécifiques, mais c'est une combinaison spécifique de matières de l'expression non spécifiques. Ce qui est bien spécifique, finalement, c'est la combinaison et c'est pour cela, d'ailleurs, qu'au cinéma peut s'appliquer très facilement un certain nombre de théories comme la théorie chomskyenne. Une chose essentielle, en effet, c'est qu'au lieu de présupposer, avant son travail, la distribution, comme dans la linguistique américaine dite distributionnaliste, Chomsky au contraire la recompose. Et, pour le cinéma, je crois que c'est tout à fait pertinent, dans la mesure où il n'y a finalement pas de codes spécifiques en dehors des codes techniques : les codes du cinéma, à la limite, se font en faisant du cinéma.

Alain ROBBE-GRILLET : Pour les deux exemples cités

par Chateau, d'une part, dans *L'Eden,* le passage de la chambre à la Tunisie sous la forme d'une série de contaminations et glissements et, d'autre part, dans *Glissements,* le déplacement d'au moins deux signes, la morsure et la bêche, par l'intermédiaire des caves, on a là quelque chose qui est quand même cinématographique : le passage d'un espace blanc à un espace blanc par l'intermédiaire d'un espace sombre, c'est quelque chose qui me frappe beaucoup...

François JOST : Cela c'est le montage...

Alain ROBBE-GRILLET : C'est un montage qui fait intervenir, comme élément primordial de disjonction, la luminosité de l'écran. C'est quelque chose qui me semble, sinon spécifique, du moins fortement cinématographique.

Jean-Claude RAILLON : Et qui vient contrarier la consécution signifiée? C'est cela que je demande : quelle est la contrariété de la consécution signifiée au cinéma?

André GARDIES : Sur l'exemple que rappelait Robbe-Grillet, il me semble que la problématique soulevée par Raillon est extrêmement importante. Vous avez parlé de cette luminosité de l'écran, d'un effet de lumière, qu'il faudrait encore définir dans des termes plus précis. Mais, justement, est-ce qu'on ne peut pas, oubliant provisoirement certains modèles linguistiques, essayer de déterminer des traits pertinents directement liés à la substance, l'un de ceux que vous venez de nommer, précisément, cette opposition noir/blanc. En termes de modèles linguistiques, elle ne me semble pas entrer dans un modèle plus général. Et je crois que l'urgence méthodologique nous place dans la position inconfortable qui consiste à aller repérer dans les films de Robbe-Grillet, par exemple, ces traits pertinents tout en sachant qu'ils risquent, dans un état ultérieur du travail, de se révéler très vite caducs. Et c'est cela qui me paraît important si l'on veut essayer de tenir compte de cette spécificité, non pas pour idéaliser la spécificité mais, comme l'a dit Raillon, pour essayer de déceler, dans ce fonctionnement des traits pertinents, le travail même du texte.

Dominique CHATEAU : L'opposition noir/blanc, peut-être que la linguistique ne peut pas en parler, mais la sémiotique qui s'étend actuellement à tous les domaines pourrait sans doute la régler.

Alain ROBBE-GRILLET : J'ai bien pris soin de signaler que je ne considérais pas cette catégorie obscure/claire comme spécifique, mais comme fortement cinématographique.

Lise FRENKEL : J'interviens sur le point important soulevé par Raillon. Dans *Glissements,* je pense à un plan de ponctuation où Alice est sur le prie-Dieu et fait un geste avec son pied. Ensuite, il y a une séquence dans la cellule où il y a le pied rouge. Et vous avez indiqué qu'il y a un passage des différents plans (des plans de ponctuation avec le prie-Dieu au plan, mettons, de réalité de la cellule) par un mouvement de pied. Il y a d'une part le pied comme signe, d'autre part le rouge. Ou encore le plan de ponctuation de l'agenouillement d'Alice sur son prie-Dieu et le même geste d'agenouillement dans les caves sur le billot. Je pense que si on fait ce rapprochement au niveau du montage, on peut trouver un rapport qui n'est peut-être pas contradictoire entre le signifiant et le signifié.

Dominique CHATEAU : Ce raccord entre deux mouvements, c'est justement le code du montage. Et c'est vieux comme le cinématographe.

Alain ROBBE-GRILLET : A partir de ce que Lise Frenkel dit là et qui se rapporte non pas uniquement à mes films, mais en effet au cinéma en général, je voudrais dire qu'il y a quelque chose dans le film, dans le matériau image en particulier, que je n'arrive pas à préciser moi-même, mais qui serait un lien entre le signifiant et le signifié différent des liens qui existent dans la langue...

Lise FRENKEL : J'appelle cela surdétermination.

Alain ROBBE-GRILLET : Vous pouvez l'appeler surdétermination, mais vous n'entrez pas particulièrement dans le cinématographique, puisque le textuel peut, aussi, être surdéterminé.

Lise FRENKEL : Si l'on prend comme unité minimale un plan et un mot, je pense qu'un plan se prête à plus de surdétermination qu'un mot.

Dominique CHATEAU : C'est évident. Metz a bien remarqué qu'on décrit un plan non pas avec un mot, mais avec un énoncé plus ou moins long.

Jean-Marie BENOIST : Lise Frenkel a raison de faire valoir la problématique de la surdétermination que vous avez mise entre parenthèses et de la connotation que vous avez aussi mise entre parenthèses. Vous régnez sur un empyrée cinématographique complètement auto-référentiel, complètement purifié, aseptisé de toute corruption sémantique dans le sens où la surdétermination et les problématiques de l'engendrement du fantasme et de l'imaginaire par le symbolique n'y ont pas leur part. Je veux bien que tout fonctionne dans l'espace autoréférentiel comme vous le faites, mais je crois que vous l'avez beaucoup « déconnoté »... (si j'ose dire).

François JOST : Je suis un peu agacé par cette discussion : on parle de signifiant et de signifié sans avoir défini ce qu'on entendait par signifiant et signifié. Ou bien on en reste à un niveau très strict, ou bien, comme Lise Frenkel, on passe à un niveau de signifié global qu'on ne voit jamais dans le film. Alors, j'aimerais qu'on définisse exactement ce qu'on entend par signifiant et par signifié dans le film...

Lise FRENKEL : Je pense à Metz qui, dans *Communications* [2], vient d'inventer un concept : le signifiant imaginaire, auquel est référé le mot d'objet-cinéma.

Dominique CHATEAU : De deux choses l'une : ou l'on parle de signifiant ou l'on parle de signifié. Raillon, c'est sur le terrain du signifiant qu'il intervenait...

Jean-Claude RAILLON : Ma question était simple : je demandais quel était dans l'effet idéatif, l'effet de représentation produit le signifiant pertinent de l'objet filmique qui jouait le rôle de l'hétérogène, du signifiant littéral? Quel était l'équivalent du paragramme signifiant, par exemple? Peut-on repérer, dans l'effet de séquence, de semblables interventions de l'hétérogène, c'est-à-dire l'intervention d'éléments qui sont impensables dans les termes de la sémantique, dans les termes du signifié? La courbure de la tête ne me paraît pas un exemple intéressant, parce que cette courbure on peut lui attribuer un signifié qui serait la soumission. Par contre, ce qui me paraît intéressant, c'est le jeu de la lumière : ce jeu de la lumière, du blanc et du noir, il serait quand même difficile de l'interpréter dans des cadres moraux du bien et du mal. Il y a ici un phénomène irrécupérable dans le domaine du sens. Et c'est là que je demande si l'on peut pousser l'analyse plus loin.

Dominique CHATEAU : En ce qui concerne précisément le blanc et le noir, tout le monde sait qu'il y a une grande majorité de westerns qui ont fonctionné sur cette opposition blanc/noir, où le noir était le mal, le blanc le bien. Il y a même eu une grande révolution, selon les manuels du parfait petit cinéaste, quand le blanc est devenu le mal et le noir le bien. Donc, cette opposition de couleurs, elle peut très bien...

Alain ROBBE-GRILLET : Raillon signalait que, justement, ici, il ne voyait pas comment elle pouvait être récupérable dans le domaine du sens.

Dominique CHATEAU : Mais c'est là, justement, que mon petit modèle est intéressant. Il permet de rendre compte, non pas de l'univers tel qu'il est, même de l'univers cinématographique tel qu'il est, mais tel qu'on le conçoit. Le blanc et le noir, a priori, il n'y a aucune raison que l'un soit le mal ou le bien, seulement il se trouve que cela fait partie de l'idéologie.

Jean-Christophe CAMBIER : Même en ce qui concerne l'agenouillement, puisque le fléchissement des genoux...

Alain ROBBE-GRILLET : Ce n'est pas l'agenouillement, c'est la tête de la jeune fille qui se courbe...

Jean-Christophe CAMBIER : On pourrait signaler l'agenouillement qui fonctionne de la même façon dans *Glissements*. Il y a ici un fonctionnement puisque deux images sont montées, sont rapprochées à partir d'un geste : à partir du moment où cela devient systématique...

Alain ROBBE-GRILLET : Cambier a tout à fait raison d'opposer quelque chose qui peut se trouver à titre isolé dans un film et un emploi systématique...

Jean-Christophe CAMBIER : Si un fonctionnement est isolé, il trouve tout de suite une valeur expressive, mais s'il constitue une série de gestes qui traversent le film...

Dominique CHATEAU : Il faudrait peut-être faire appel ici, en ce qui concerne le public « moyen », à l'intertextualité. Le public « moyen » qui regarde un film de Robbe-Grillet parmi d'autres verra, comme dans l'ensemble de sa culture cinématographique, un raccord sur le mouvement...

Alain ROBBE-GRILLET : Je ne sais pas, Chateau, quand même, si une telle densité de raccords de ce type...

Dominique CHATEAU : Moi, je crois que ce qui le choquera beaucoup plus, ce n'est pas de retrouver un raccord sur le mouvement, c'est plutôt le contraire : de trouver un certain nombre de choses qu'il n'a jamais vu dans des films traditionnels.

Lise FRENKEL : Mais non ce n'est pas forcément un raccord, les séquences peuvent être séparées par des séquences intermédiaires parfois...

François JOST : C'est une téléstructure.

Jean-Christophe CAMBIER : C'est une série, aussi, d'une certaine façon.

Raymond ELAHO : Ma question de spectateur naïf s'adresse à Robbe-Grillet. Le ciné-roman de *Glissements* n'empêche-t-il pas le spectateur de jouir pleinement du film ?

Alain ROBBE-GRILLET : Je réponds oui et non. J'ai précisé, dans l'introduction au ciné-roman, que publier le ciné-roman d'un film n'est pas le remplacer ni l'introduire. C'est une réflexion sur. Le ciné-roman ne s'adresse pas à des gens qui n'ont pas la possibilité matérielle de voir le film, ni à des gens qui vont voir le film, afin qu'ils le voient mieux. Il s'adresse à des gens qui ont vu déjà le film, pour lesquels le plaisir dont vous parlez ne peut donc pas être gâché. Cette réflexion se fait dans les trois phases dont a parlé Chateau et même, à l'intérieur de la phase deux, la continuité dialoguée, il y a deux sortes de réflexions : les passages en romain qui ont préexistés au tournage et les passages en italiques qui ont été écrits pendant ou après.

Olivier VEILLON : Chateau y a fait allusion : il y a chez Robbe-Grillet deux sortes de ciné-romans. Il y a les deux ciné-romans de *Marienbad* et de *L'Immortelle,* qui sont le travail de départ, le cadre narratif qui a permis de passer au plan filmique, et le ciné-roman de *Glissements,* qui est beaucoup plus la génération du film qui se raconte à ses différents niveaux. Il s'agit là de tout autre chose qu'il faudrait même appeler autrement.

Alain ROBBE-GRILLET : C'est-à-dire que je ne voudrais pas créer un troisième genre, mais vous avez tout à fait raison.

Olivier VEILLON : Chateau a fait remarquer qu'évacuer la question du sens ne permet pas de rendre compte de la rétrogradation produite par l'œuvre de Robbe-Grillet, que l'analyse d'une narration de départ ne rend pas compte de la catalyse entre les différents éléments de l'univers diégétique produite par le travail de l'œuvre. Je me demande si l'on ne peut pas envisager de passer par l'analyse des effets de lecture, par l'analyse des tentatives de réorganisation du sens, pour mieux indiquer les marques de ruptures...

Dominique CHATEAU : Des effets de lecture d'un lecteur supposé...

Olivier VEILLON : ... un lecteur supposé, situé, qui serait comme le reçu idéologique d'un film et permettrait de rendre compte comment ce traitement de l'univers diégétique par le travail de l'œuvre donne un mode de structuration nouveau.

Dominique CHATEAU : Vois-tu un instrument méthodologique qui permette d'étudier ces effets de lecture? La conception sémantique que j'ai adoptée (non pas parce que j'y crois particulièrement, mais parce que c'est un travail linguistique qui s'est fait récemment et qui m'a semblé tout simplement correspondre vraiment au ciné-roman) suppose un certain nombre de choses, notamment la critique de la théorie chomskyenne et dans un certain sens la critique du travail de Jost, dans la mesure où il a été dit que le syntaxique détermine en quelque sorte la structuration du film, ce qui est au fond la position de Chomsky. Chomsky a commencé son travail en disant : la question du sens en linguistique a été posée jusqu'à présent dans des termes obscurs. On va donc évacuer le sens. Il a élaboré un système syntaxique. Ensuite, quand ce système a été suffisamment élaboré, on s'est aperçu qu'il manquait évidemment un certain nombre de choses. Pour construire une sémantique qui corresponde à cette syntaxe, on a fait ce qu'on appelle une sémantique interprétative. Je l'ai un peu suggéré dans ma conclusion : on donne un schéma syntaxique de phrases et ensuite, par des règles de projection, on interprète le schéma. La sémantique générative a critiqué cette position en refusant de séparer syntaxe et sémantique et en réintroduisant la sémantique avant la syntaxe. L'une des raisons qui a conduit à cette révolution, c'est qu'un certain nombre de phrases dans la langue ne sont pas acceptables par un auditeur, non pas parce qu'elles sont syntaxiquement mal formées, mais parce qu'elles font appel, par exemple, à ce que les sémanticiens générativistes appellent l'encyclopédie. Ce composant de l'encyclopédie est intervenu dans une discussion ici, quand on s'est posé le problème de Boris Vian ou de Boris Godounov. Ce qui peut manquer dans une théorie linguistique, c'est cette dimension encyclopédique : l'ensemble des connaissances qu'on peut avoir, l'ensemble de ses références. Finalement, c'est le problème de l'intertextualité. Leenhardt, tu as vu Boris Vian, parce que ça correspond à ton univers mental, et beaucoup de gens ont vu Boris Godounov parce que, peut-être, ça correspond à leur univers mental, ou alors, simplement, parce qu'ils connaissent bien Robbe-Grillet. Cette dimension encyclopédique me paraîtrait correspondre un peu à ce que tu veux dire, Veillon : pour lire les textes de Robbe-Grillet, comme n'importe quel texte, on investit tout un bagage culturel et il est certain que l'accès à la signification de ses films, quel que soit le sort que le sens y trouve, est évidemment bloqué si on ne dispose pas d'un certain nombre de références culturelles diverses.

Olivier VEILLON : Je pense qu'on peut arriver à situer, dans l'encyclopédie, des cadres particuliers qui peuvent réorganiser d'une certaine manière le travail du sens de Robbe-Grillet et, à partir de cette réorganisation produite, bien marquer les points de rupture entre ces deux points de vue : celui de la production de l'œuvre et celui de la façon dont elle est reçue.

Alain ROBBE-GRILLET : Un mot qui se rapporte à l'opposition que vous faisiez entre les deux types de ciné-romans et qui me semble justement mettre en cause les effets de lecture. Si je compare la liste des plans numérotés et décrits dans *L'Immortelle* et dans *Glissements,* je vois aussitôt que dans *L'Immortelle* il n'y a jamais de segment isolé, les numéros se succèdent sans que jamais aucun titre n'ait été donné à des fragments séquentiels ou non-séquentiels, tandis que, au contraire, dans le relevé des plans de *Glissements,* les numéros des plans existent mais on retrouve aussi l'organisation en unités plus larges qu'on peut appeler séquences (bien que beaucoup ne soient pas des séquences au sens traditionnel du mot) qui renvoient à cette autre numérotation qui figurait dans la continuité dialogué, mais qui, très curieusement, portent ici des titres. Ces titres sont bien évidemment des effets de lecture qui, au moment où j'ai relevé les plans, m'ont parus intéressants. Ces effets de lecture sont théoriquement neutres : tout ce qui se passe au cimetière s'appelle : *38 le cimetière.* Mais si, dans une autre séquence, je trouve comme titre : *peinture rouge et gants noirs,* je vois aussitôt que deux signes appartenant à la séquence ont été choisis et isolés sous forme de titre, ce qui est déjà une entorse à la neutralité de cette présentation des plans l'un après l'autre. Et encore plus grave : quand je vois que la séquence *36* s'appelle : *Lady Macbeth ou Jésus,* voilà que tout d'un coup quelque chose comme un excès de sens se trouve fortement indiqué par l'auteur lui-même, signalant sa propre lecture, une fois que le film a été terminé. Pire encore, quand une séquence s'appelle : *12 le goût du viol,* où alors cette globalisation de la séquence, ce ramassage sous la forme d'un titre, me paraît presque scandaleuse... à mes yeux du moins.

Paul JACOPIN : Je me demande s'il n'y a pas un problème quand on passe de la langue de la communication au roman. Il y a, dans le texte littéraire, le rôle d'organisateur et de ruine dont parlait Raillon tout à l'heure : c'est le niveau de l'énonciation. Dans *La Jalousie,* le narrateur n'est jamais présent au niveau de l'énoncé, il est toujours présent au niveau de l'énonciation, ainsi que Leenhardt l'a montré[3]. Je me demande si le montage ne joue pas un peu le même rôle au cinéma que ce travail de l'énonciation dans le texte littéraire.

François JOST : J'ai beaucoup apprécié l'allusion critique que tu as faite à mon travail : tu as rendu le couple binaire Chateau/Jost dialectique, ce que tous les couples binaires ne sont pas. Je ne voudrais donc pas régionaliser ton travail, mais il me semble, malgré tout, qu'il présuppose le mien. Le mérite que j'y vois, c'est qu'il n'évacue pas cette question du sens. Il pose très bien un problème : celui de la structure narrative. Tu corrobores l'idée que, chez Robbe-Grillet, il y a des structures narratives et qu'on ne peut les évacuer par métaphores (du type : brouillage, perversion, piétinement). Par ce biais, ton travail finit par rejoindre celui que j'avais présenté à la fin de mon exposé : parti de la position inverse (de la question du sens), tu reviens exactement à la question de la syntaxe puisque, comme tu l'as montré, ce qui fait la différence entre deux structures narratives banales dans *Glissements* et deux structures narratives banales dans un autre film, c'est justement qu'il s'instaure des rapports syntaxiques entre les deux.

Jean RICARDOU : Je ne vais pas parler de Chomsky, et pourtant c'est cela qui va être notamment en cause; je ne vais pas parler de cinéma non plus, mais c'est, aussi, cela qui va être en jeu. En effet, je vais partir dans une direction un peu oblique à partir de deux formules : référent objectif, référent intentionnel. Et je vais essayer de produire un dispositif qui retrouvera certains problèmes sous une optique différente avec, en particulier, dans ma conclusion, la question de Raillon, à laquelle je ne suis pas sûr qu'on ait tout à fait répondu.

Ce qui m'a intéressé dans ces formules, c'est l'idée d'une distinction de référents : d'une part référent objec-

tif, d'autre part référent intentionnel. Ce qui me gêne-
rait, un peu, dans ces formules c'est le risque d'une
substantialisation du référent. Dans l'idée de référent,
l'important est peut-être moins ce à quoi on refère et
que l'on risque de substantialiser, que la forme même
du rapport au référent. Ce rapport, pour éviter les
malentendus, je vais le nommer référence. Ce qui me
gêne un peu, aussi, dans la formule référent intentionnel, c'est intentionnel, qui se rattache à un secteur de
pensée que je voudrais éviter. Je proposerai donc une
première découpe de l'idée de référence : d'une part
un rapport référentiel synthétique ou de type unitaire,
d'autre part un rapport référentiel analytique ou de type
fragmentaire. Le rapport synthétique se diviserait à son
tour en un rapport synthétique que j'appellerai « objec-

Référence
$\left\{\begin{array}{l}\text{synthétique}\ \left\{\begin{array}{l}\text{« objective »}\\ \text{représentative}\end{array}\right.\\ \text{analytique} \quad : \text{littérale}\end{array}\right.$

tif » pour reprendre entre guillemets le terme que j'ai
entendu, et en un rapport synthétique que j'appellerai
représentatif. Enfin, je spécifierai le rapport référentiel analytique comme littéral.

Ce qu'on peut concevoir, à présent, ce sont les effets
spécifiques de chaque type de relations référentielles.
Je les résume par un tableau dont les colonnes indi-
quent les types de relations référentielles et dont les
niveaux marquent les domaines d'action. On distingue
aussitôt que les effets des différents types de rapports
référentiels obtenus par des pratiques diverses (la
parole, le texte, le film peut-être) sont décalés.

effet sur \ Types	"objectif"	représentatif	littéral	
"réel"	① direct	indirect	indirect	mise en cause progressive du naturel
"objet"		② direct	indirect	
représentation			③ direct	

Dominique CHATEAU : Et les cases vides ?

Jean RICARDOU : Elles montrent que ce décalage
s'accompagne, à mesure, d'une complexité plus grande,

et que le rapport, de gauche à droite, est pris dans un dispositif toujours plus stratifié. En même temps, cette croissance de la complexité construit un effet global que j'appellerai *la mise en cause progressive du naturel*. Je distinguerai donc trois phases. Première phase : c'est, disons, l'utilisation pragmatique du langage. Dans l'acte de parole « passe-moi le pain », il y a un effet direct sur le réel, un effet de découpage et, partant, d'intelligibilité. Cet effet de connaissance pratique du réel s'accompagne d'un effet de méconnaissance pratique du langage. L'efficacité pratique du langage sur le réel est telle que le langage lui-même disparaît dans sa propre efficacité : en quelque sorte, on oublie qu'on articule du langage. Deuxième phase : c'est celle qui se marque par la précision que vous avez judicieusement donnée, à savoir « la ménagère ne se précipite pas sur la serpillière ». Avec cette phase, il y a bien un rapport direct à l'objet, puisqu'on constate sa désignation, mais cet objet est de l'ordre d'une fiction, de telle sorte que le rapport au réel est indirect : il se fait par l'intermédiaire de cette fiction. Par cette constatation de la fiction, s'accomplit l'abandon du rapport pragmatique direct au profit du rapport représentatif qui peut susciter un rapport pragmatique indirect. Il y a un effet de connaissance de l'aptitude représentative du langage. Mais, inversement, le caractère spécifique de la fiction, c'est qu'elle joue aussi, en même temps, sur l'illusion réaliste qui fait que, souvent, la fiction donne l'impression qu'elle est la réalité même, ce qui suscite un effet de méconnaissance de ce qui la constitue comme fiction, c'est-à-dire une matérialité littérale ou filmique organisée de manière précise. Troisième phase : c'est, cette fois, l'action directe sur la représentation. L'effet direct concerne non plus l'objet en tant que fiction mais la représentation elle-même. Cette fois, on ne passe pas le pain; cette fois on n'en est pas à ne pas se précipiter sur la serpillière tout en restant fasciné par cette fiction; cette fois, ce qui est tout autre chose, on se dit qu'on regarde un film, qu'on est en train de lire un texte. Il y a, d'une part, connaissance de l'aptitude représentative du langage et, en outre, connaissance de ce qui rend possible cette représentation, c'est-à-dire une matérialité littérale ou filmique organisée de manière précise. Il y a, d'autre part, effet indirect de connaissance du réel. Non plus par le découpage, soit pragmatique, soit représentatif, du réel qui assure l'unité synthétique de l'objet découpé par sa nomination langagière, mais par le découpage et la transformation littérale indirecte de l'objet réel lui-même selon la mise en jeu des éléments discrets correspondants, des éléments discrets hétérogènes et de leur ordre par le texte en tant que tel.

Il est clair que c'est cette troisième phase qui nous intéresse avant tout, Raillon et moi : celle où se marque l'activité de la matérialité signifiante (littérale ou filmique). Cette activité perturbe la représentation qu'en même temps elle institue. Raillon a soulevé le problème sous l'angle paragrammatique. Je le soulèverai sous l'angle de la consécution des termes dans un texte. Dans la description d'un objet immobile, il y a hétérogénéité entre, d'une part, la simultanéité des parties de l'objet posée par l'effet représentatif, une synchronie, et, d'autre part, la successivité nécessaire ordonnée des termes de la description, une diachronie. C'est cette contradiction qui met en cause l'effet représentatif et fait apparaître la matérialité signifiante du texte. Le problème serait alors de penser ce type de contradiction au cinéma.

J'ajouterai un mot, cependant, à propos de Chomsky. Il n'est pas question de mettre en cause le travail qu'il a accompli et qu'il a permis. Ce qui me gêne, cependant, c'est ce que j'appellerai le problème de la phrase infinie. Rien n'empêche, il me semble, du point de vue de la syntaxe, qu'une phrase soit agrandie indéfiniment : cependant, sauf exceptions à analyser de près dans leur structure et leurs effets, il n'y a pas de phrases complexes immenses. Pourquoi? Parce que, du fait de la successivité des termes, d'une part la projection, sur elle, de la complexité arborescente de la syntaxe sépare excessivement les termes reliés, d'autre part la longueur même de la suite fait qu'on ne peut garder en mémoire, à la fin, les termes du début. Si bien que toute phrase est la contradiction de deux activités : l'activité syntaxique et l'activité consécutionnelle avec son corollaire l'activité d'ordonnancement. Ce qui me semble sous-estimé, en général, c'est, d'une part, cette activité de consécution et d'ordonnancement, c'est, d'autre part, ainsi que l'a souligné Raillon, l'activité paragrammatique, et en conséquence de tout cela : la phrase comme contradiction.

Dominique CHATEAU : Il y a beaucoup de choses dans ce que vous avez dit. Et je suis partagé entre l'envie de reparler un peu de Chomsky et de Jost aussi, puisque c'est le même débat qui rejaillit. Il faudrait donc préciser un certain nombre de notions que Jost a employées...

Jean RICARDOU : Je précise bien que Jost n'est pas directement impliqué dans mon intervention. Ou alors de manière générale, avec bien d'autres et moi-même aussi bien parfois. Pour la raison suivante : des structures ne peuvent pas rendre entièrement compte d'un fonctionnement signifiant. Elles forment une étape utile, en ce qu'elles donnent une certaine connaissance des termes de la contradiction. Elles forment un effet de méconnaissance de cette contradiction si l'on s'en tient à considérer unilatéralement l'un des termes. Donc, d'une part, je salue l'effet de connaissance et, d'autre part, je souligne l'effet de méconnaissance.

Dominique CHATEAU : Alors, je dirais que cet effet de consécution est peut-être très important. Vous l'affirmez, mais je dois dire que vous n'en imposez pas pour le moins la pertinence par une construction théorique qui en rende compte. Je reviendrai donc sur le travail de Jost pour dire la chose suivante : vous avez effectivement trouvé vous-même un certain nombre de choses que Jost a dites. C'est contenu dans votre texte, c'est contenu plus ou moins dans le tableau qui est là. Mais vous travaillez, je dirais, de manière empirique : vous découvrez un certain nombre de structures à distance, vous les nommez et vous les décrivez. C'est du travail empirique descriptif. Raillon, dans son exposé, a dit une chose importante qui est un peu passée inaperçue, à savoir que, pour justifier le rapprochement entre deux structures, il faut montrer qu'elles sont dépendantes l'une de l'autre. Je crois que c'est justement ce que Jost a montré. Il a montré que ces rapprochements entre des structures se basaient sur quelque chose d'extrêmement solide. En d'autres termes, la notion de téléstructure, qu'est-ce que c'est? C'est le rapport entre deux structures. Il faut donc faire une distinction entre image d'une structure et structure...

Jean RICARDOU : Ecoutez, ce n'est pas du tout de cela que je parle dans mon intervention.

Dominique CHATEAU : Mais si vous en avez parlé. Je fais donc la distinction entre image d'une structure et structure. On peut considérer, par exemple, une structure XYZ et puis, dans cette structure XYZ, on peut remplacer le X, le Y, le Z, par toutes sortes de constantes prises soit dans l'alphabet, soit dans l'ensemble des nombres réels, etc. On pourrait dire la même chose pour des structures qu'on trouve dans les romans ou les films. Ce qui fait la différence entre votre travail et celui de Jost, c'est que vous montrez qu'entre deux images de structure, il y a un rapport, et ce qui est intéressant dans le travail de Jost, c'est qu'il a montré qu'il y avait un rapport nécessaire entre deux structures. Non plus seulement les images, mais les structures sous-jacentes.

François JOST : Ou des images différentes...

Dominique CHATEAU : Ou des images différentes.

Jean RICARDOU : Ecoutez, Chateau, vous vouliez dire cela et vous l'avez dit. Maintenant, je répète qu'il s'agit de tout autre chose dans mon intervention.

Alain ROBBE-GRILLET : Chateau est quand même le conférencier du jour : même si ce qu'il dit n' a pas tout à fait de rapport avec ce que vous avez dit, il a le droit de parler.

Jean RICARDOU : Bien sûr, mais il vaudrait mieux que ce qu'il précise soit en rapport avec ce qu'on lui demande.

Dominique CHATEAU : Cela est tout à fait en rapport : en somme, je serais assez d'accord avec vous sur l'effet de consécution. Seulement, j'attends que vous montriez cette thèse sur un certain nombre de contraintes structurales comme Jost l'a fait pour son problème...

Jean RICARDOU : Justement, il ne s'agit plus là forcément du même genre de contraintes...

Dominique CHATEAU : Mais si...

Jean RICARDOU : Je n'ai pas encore parlé que vous me répondez déjà...

Dominique CHATEAU : Vous vous en tenez à l'effet. Qu'est-ce que c'est que l'effet de consécution? C'est tout simplement...

Jean RICARDOU : Ecoutez, vous n'en avez jamais parlé, et moi j'en ai parlé. Alors, laissez-moi, s'il vous plaît, développer ce que je ne suis pas sûr d'être arrivé à vous faire comprendre. De même que Raillon insiste sur l'effet de ce qu'il nomme le paragrammatique, comme intervention de l'hétérogène dans le représentatif (que Raillon appelle l'idéatif), ce qui conduit le texte à ne pas fonctionner selon ses propres développements idéatifs ou représentatifs; de même, et c'est en ce sens que je complète l'intervention de Raillon, l'effet de consécution ordonnée des termes inflige une hétérogénéité signifiante à l'idéatif ou au représentatif. Cela ne met nullement en cause le travail de Jost dans le domaine où il s'est accompli. Le problème général, tout de même, c'est que ce secteur qu'il a construit doit être mis en rapport avec un secteur qu'à ma connaissance il n'a pas construit et qui est celui des effets immédiats de consécution ordonnée des termes. Cet effet immédiat de consécution, j'en ai parlé au colloque *Flaubert*, l'année dernière, dont les actes paraîtront dans quelques mois [4]; j'en ai parlé aussi dans mon petit livre *Le Nouveau Roman* [5]. Je vais en donner un exemple rapide. Un texte bref fonctionne principalement comme la mise en scène de ce fonctionnement, c'est *Le Dormeur du Val* de Rimbaud. *Le Dormeur du Val* consiste à faire qu'un effet de consécution ordonnée des termes entre en contradiction avec les effets représentatifs obtenus. L'effet représentif, c'est que le soldat est déjà mort; l'effet de consécution ordonnée, c'est qu'il est mort seulement au quatorzième et dernier vers. Il est à la fois celui qui, représentativement, est déjà mort et celui qui, littéralement, est en train de mourir. C'est ce phénomène que j'ai essayé de faire paraître l'autre jour, très simplement, avec l'inversion de l'adjectif. Donc, il faut distinguer la structure représentative d'une cellule fictive et sa disposition littérale puisqu'elles sont toujours, plus ou moins, en contradiction. Je ne prétends pas à davantage. La question est de savoir si et comment ce phénomène de perturbation, comme dit Raillon, par des effets hétérogènes de matérialité signifiante, se rencontre au cinéma. Mais je n'exige pas du tout que vous y répondiez séance tenante. Je dispose simplement cette question pour qu'on y réfléchisse.

Alain ROBBE-GRILLET : Je n'interviens pas du tout pour prendre parti dans un camp ou dans l'autre...

Jean RICARDOU : Il ne s'agit pas du tout de camps : il s'agit seulement d'une discussion théorique un peu vive...

Alain ROBBE-GRILLET : Alors, cette discussion produit un *effet* de camps. *(Rires.)*

Jean RICARDOU : Peut-être, mais seulement, pour une subjectivité qui se refuse à la théorie...

Alain ROBBE-GRILLET : Mettons alors que l'ensemble de ce colloque n'est pas très théorique, car l'effet de camps est évident pour tout le monde...

Jean RICARDOU : Je ne vois pas trop ce qui vous place, soudain, en posture d'être le porte parole de tout le monde.

Alain ROBBE-GRILLET : Je pose la question : a-t-on ressenti un effet de camps ou pas? [*Pas de réponse dans la salle.*] Bon, je dis que, moi, j'ai ressenti un effet de camps.

Jean RICARDOU : D'accord. Voilà la juste formulation.

Alain ROBBE-GRILLET : J'ai ressenti un effet de camps et, je dois le dire, beaucoup plus dans le ton des positions que dans leur contenu. Il ne s'agit donc pas pour moi d'essayer de me ranger d'un côté ou de l'autre. Je voudrais plutôt en revenir au travail matériel du film, puisque c'est de cela qu'on parle. Et je vais prendre un exemple : l'eau et le feu dans *L'Eden.* Au moment où Violette est perdue dans le désert, qu'elle a soif et qu'elle se traîne sur le sable brûlant, elle rencontre par le montage de l'eau et du feu. Or ce n'est pas n'importe quel feu. Le travail même du montage conduit, quand on veut un plan de feu, à le prendre dans le film lui-même. Si bien qu'on a moins affaire à un certain mot *feu* (vague et d'allure symbolique) qu'à un renvoi précis à d'autres plans du film. Le feu qu'elle rencontre en cherchant l'eau, c'est celui qui figurait, quelques séquences plus haut, dans son enlèvement : c'est le feu de l'enlèvement qui se retrouve lors de sa libération. Ce qui me semble déterminant au niveau du travail, c'est que je ne rencontre pas du tout ce problème de la même façon au cinéma et en littérature. Quand on a tourné un film, en effet, l'opération du montage se fait obligatoirement sur le matériel déjà mis en boîtes, et je dirais même que, pour moi, c'est une règle. A tel point que je refuse de tourner ensuite ce qu'on appelle des raccords, c'est-à-dire les plans « manquants » que les cinéastes traditionnels tournent après le montage. Je possédais des plans d'eau, qui se rapportaient à ce mirage du désert, tout simplement parce que j'avais rencontré, un jour de tournage, le phénomène curieux d'un ruisseau qui coule à la surface du sable dans une région désertique, que j'avais trouvé cela joli et que j'avais eu envie de le filmer. Il n'en allait pas de même pour les plans du feu : c'est le fait qu'on les ait tournés en vue d'une autre séquence qui m'a permis de les placer là, ce qui introduit du même coup une téléstructure. Sur ce même point, mais sans rapport avec cette discussion elle-même, je reviendrai à ce que Raillon disait de la spécificité et à ce que Lise Frenkel disait de la particularité du référent filmique : son côté réel. Si je veux introduire un effet de mirage (l'eau dans le désert) dans un roman, ça ne posera pas les mêmes problèmes et ça n'aura pas du tout le même fonctionnement qu'au cinéma. Au cinéma, il faudra bien que ce soit de la vraie eau, c'est-à-dire que je filme une réalité. De même un souvenir, un fantasme, seront toujours des objets réels. Et là, je rencontre un phénomène d'autant plus paradoxal que, comme l'a signalé Chateau, l'écran, lui, n'offre jamais d'objets réels : on ne peut pas se désaltérer avec l'eau qui se trouve sur l'écran, qu'elle soit ou non un mirage. Il y a là, peut-être, un élément de spécificité.

Dominique CHATEAU : Cet exemple du feu et de l'eau est important. Jost et moi-même pensons que, les consécutions qu'on peut rencontrer, à un moment ou à un autre, sont déterminées finalement ailleurs dans le texte : il y a un système entrecroisé de renvois entre divers moments...

Alain ROBBE-GRILLET : Je tiens à préciser, en un mot, que je sens plus fortement cette nécessité au cinéma : elle y est *matérielle*.

Jean RICARDOU : Là, je crois qu'on va pouvoir préciser mieux la différence qui a séparé Jost et Chateau d'une part et moi-même d'autre part. J'accepte tout à fait (et pour la raison bien simple que c'est l'une des mille opérations que j'accomplis moi-même dans ma propre écriture) qu'une structure corresponde à une structure située ailleurs. J'accepte non moins (et pour la même raison) qu'une consécution ordonnée corresponde à une consécution ordonnée située ailleurs. Bref, j'accepte tout à fait cette action à distance. Ce que je veux souligner, c'est, quels que soient les rapports d'une consécution ordonnée de termes avec telle autre située ailleurs, la contradiction immédiate entre l'effet de cette consécution ordonnée des termes et l'effet représentatif simultanément obtenu. Je répète que cette contradiction ne peut pas se penser exclusivement en termes de structures parce qu'il s'agit, en somme, d'une contradiction de structures.

François JOST : Oui, mais le fait que le signifiant de la phrase soit linéaire n'empêche pas que le scripteur opère un travail récurrent sur cette linéarité. Et, donc, cette consécution n'influe pas dans le travail...

Jean RICARDOU : Dans la mesure où elle reste consécution, elle en aura toujours les effets.

Alain ROBBE-GRILLET : Je dis un dernier mot qui concerne encore le travail concret. Dans le cinéma, des effets de consécution vont être produits par une combinatoire à distance, puisque je vais prendre un plan dans une autre séquence pour le placer ailleurs, ce que je ne fais jamais en littérature.

361

Dominique CHATEAU : Je dirai simplement que Jost a posé, dans son intervention, le problème suivant : quelle est de ces deux représentations celle qui correspond à la spécificité robbe-grilletienne? Et il répond à juste titre : ce qui est le plus spécifique dans le travail de Robbe-Grillet, ce sont ces relations à distance. Voilà le point important.

Lise FRENKEL : Vous avez fait un admirable discours sémiologique, mais je ne vois pas où se développe ce que vous annoncez dans votre introduction : retrouver du sens. Si l'on adoptait une méthode différente de la vôtre, une méthode pragmatique, on pourrait se référer à des déclarations de Robbe-Grillet à propos de *Glissements*. D'une part, la référence écrite de Robbe-Grillet à *La Sorcière* de Michelet et, d'autre part, l'interview signée Wallas, je crois, dans *L'Art vivant*, où Robbe-Grillet parle de l'interdit de l'inceste. Je voudrais prendre le signifié dans mon premier exemple, parce que, à mon avis, le thème de la sorcière a un rapport structurant avec les effets de consécution et même les effets à distance dans *Glissements*. Mon intervention concerne le rapport entre le signifiant et le signifié. Le signifié, c'est le thème de la sorcière, c'est-à-dire de la magie. Or les structures du film sont des structures par sauts. Il y a rupture de la continuité logique du discours, et ces effets de rupture, de discontinuité du discours sont en rapport avec ce thème. D'autre part, je ne vois pas où le thème de l'inceste, qui a été déclaré par Robbe-Grillet, apparaît dans votre discours...

Alain ROBBE-GRILLET : Dans *Glissements,* j'ai parlé de l'inceste?

Lise FRENKEL : Dans l'interview que vous avez accordée à *L'Art vivant*.

Alain ROBBE-GRILLET : J'ai parlé de l'inceste? (*Rires.*) Allons, bon.

Lise FRENKEL : Vous parlez aussi de la viscosité du sperme qui correspond au signifiant œuf blanc et jaune. Il y a donc un rapport entre le signifié et le signifiant.

Dominique CHATEAU : Je voudrais seulement ajouter une petite chose sur les références : *La Sorcière,* etc.

De toute façon, cela s'intègre forcément au monde mental qui préside à l'écriture du film...

Lise FRENKEL : Je parle non pas de monde mental mais de structures du montage et de structures génératives du film.

Dominique CHATEAU : Mais enfin, tous ces films, ce n'est quand même pas une machine...

Lise FRENKEL : Non, mais ce que je veux montrer, c'est qu'il y a une certaine cohérence entre les structures et le signifié.

François JOST : Juste un mot : encore une fois on n'a pas posé le problème du signifiant et du signifié au cinéma. On n'est pas en train de parler de signifiant : on est en train de parler de connotations d'un signifié.

Lise FRENKEL : Mais les connotations sont dans le signifiant, c'est-à-dire dans les images.

François JOST : Tout est dans tout, alors, et vice versa.

André GARDIES : Ma question est très simple : pourquoi as-tu choisi, Chateau, le ciné-roman comme corpus à l'appui de ton exposé?

Dominique CHATEAU : Je répondrais par une phrase de Gardies. Tu as dit que le rapport du film au roman, en ce qui concerne le récit, se situe au niveau de la fiction. Je dirais pour ma part : le rapport du film au roman, en ce qui concerne le récit, se situe au niveau du monde diégétique que suppose la fiction.

André GARDIES : Il m'a semblé que ton exposé était parfaitement pertinent par rapport aux objectifs que tu t'étais proposé. Et malheureusement (par rapport au travail qui me préoccupe), j'ai l'impression que tu as trouvé, avec le ciné-roman, ce type de textes qui permet de faire l'économie d'un problème majeur quand il s'agit d'étudier le cinéma : celui de la verbalisation. Ce qui t'a permis d'éviter d'avoir à verbaliser, c'est que le film était déjà verbalisé. Il y a là un problème extrêmement important lié à la spécificité des matières de l'expression : en particulier, la simultanéité. Penses-tu donc, ou non, que ce que tu as proposé procède d'une urgence méthodologique et critique et qu'à un certain niveau on pourra faire réintervenir ces notions de spécificité que j'ai proposées?

Dominique CHATEAU : C'est exactement ce que je pense. Pourquoi ai-je pris le ciné-roman? Ayant étudié d'une part un certain secteur de la linguistique et de la logique, ayant d'autre part lu le ciné-roman et ce qu'en disait Robbe-Grillet, je me suis dit : cela va bien ensemble. Par ailleurs, il y a un problème qui m'intéresse depuis un certain temps, celui du méta-langage cinématographique. C'est un problème que doit se poser tout théoricien du cinéma : la pratique théorique du théoricien du cinéma, elle se fait essentiellement dans la matière linguistique, dans la forme linguistique. On pourrait le résumer en disant que le cinéma n'est pas tout à fait capable de parler de lui-même. Ce qui m'intéresse, alors, dans le ciné-roman, c'est, comme le dit Pasolini, qu'il se caractérise comme une structure morphologiquement en mouvement : à l'intérieur du scénario, on a ce passage du stade littéraire au stade cinématographique. Pour le théoricien d'un médium, il s'agit donc d'un instrument de travail extrêmement important qui lui permet d'éviter toutes les erreurs faites dans le passé et que j'ai signalées dans mon exposé, qui lui permet, en même temps, de parler du film dans son mode d'expression qui est le mode linguistique. En ce qui concerne précisément le ciné-roman *Glissements,* c'est encore plus intéressant parce que non seulement, comme on l'a souligné, il comporte ce même caractère de passage du stade littéraire au stade cinématographique, mais il le comporte en trois étapes. Il montre, d'une part, l'architecture du film, d'autre part, sa genèse et, enfin, comment l'architecture du film dépend de sa genèse. C'est cela surtout qui m'a intéressé. A la limite, on pourrait dire qu'il y aurait un autre parcours du ciné-roman : il consisterait à partir du relevé du montage, à voir comment on passe ensuite à la continuité dialoguée, c'est-à-dire à une sorte de synthèse des grands segments du film dans la matière d'expression linguistique, puis comment on arrive au synopsis, c'est-à-dire à une synthèse du monde diégétique supposé par le film. Dans ce parcours, qu'on pourrait faire dans les deux sens, il serait intéressant de voir comment s'établissent des correspondances entre un plan, une phrase, puis un groupe de plans, une partie de textes, etc.

André GARDIES : Tu es parti de la définition de Pasolini avec laquelle je suis sur bien des points d'accord : elle permet de saisir ce qui caractérise très précisément ce travail écrit en mouvement. Il n'en reste pas moins vrai, pour en revenir à la spécificité du ciné-roman *Glissements,* qu'il y a un autre problème qui surgit, c'est que c'est déjà une lecture. Robbe-Grillet l'a signalé tout à l'heure lorsque, précisément, il a montré que, par des titres, il faisait intervenir des lectures.

Alain ROBBE-GRILLET : J'ai dit cela pour la dernière partie seulement : le relevé du montage.

André GARDIES : Bien sûr. Mais ne doit-on pas, méthodologiquement, interroger cette lecture? Se demander quels sont les a priori qui ont permis d'aller chercher, dans le film, un certain nombre d'éléments plutôt que d'autres? Il y a là un problème important.

Alain ROBBE-GRILLET : Oui, c'est évident. J'ai rencontré ce problème de façon très précise quand *L'Avant-scène* m'a demandé pour *L'Homme qui ment* et pour *Trans-Europ-Express,* à partir desquels je n'avais pas publié de ciné-roman, l'autorisation d'en faire le relevé, ainsi qu'ils le font pour des tas de films, le travail étant confié à un spécialiste. J'ai dit tout de suite que cela me semblait un travail périlleux mais que, néanmoins, si on voulait me montrer un fragment, ça m'intéresserait. On m'a montré des relevés de plans, faits exactement sur la copie, et qui comportaient tout à fait autre chose que ce que j'aurais signalé moi-même à propos des mêmes plans. Il y a évidemment là un effet de lecture, d'autant plus accentué que le film travaille moins sur l'économie. Dans un film comme *Glissements,* le petit nombre de signes qui apparaissent à chaque instant dans le cadre fait que je pourrais presque me fier à un autre releveur que moi-même. Tandis que, pour des films comme *L'Homme qui ment* ou *Le Jeu avec le feu,* le nombre de signes est si grand que, vous avez tout à fait raison, je vais être conduit à en privilégier quelques-uns si je publie un jour le découpage. Et pourquoi ceux-là, sinon par des effets de sens?

André GARDIES : C'est un aveu...

Alain ROBBE-GRILLET : Mais non, ce n'est pas un aveu, que racontez-vous là?

André GARDIES : Ce qui me paraît intéressant, ici, c'est que revient la spécificité des textes qui pourraient constituer des ciné-romans, c'est-à-dire que la lecture qui nous est proposée est précisément celle de Robbe-Grillet par lui-même.

Alain ROBBE-GRILLET : Effectivement, mais qui essaye par moments d'être neutre, par moments fait semblant d'être neutre, ce qui est déjà différent, et à d'autres moments encore, jetant allègrement par-dessus bord la neutralité, prend parti ouvertement pour imposer un effet de sens.

Jean RICARDOU : A quoi spécifiez-vous la neutralité?

Alain ROBBE-GRILLET : J'ai signalé que, quand on appelait une séquence *le cimetière* et qu'elle se passait entièrement dans un cimetière...

Jean RICARDOU : Cela, c'est la localisation...

Alain ROBBE-GRILLET : Cela peut être en effet une localisation, mais aussi bien autre chose : il y a une certaine neutralité dans la nomination du fragment qui s'appelle *Laura injuriée*. A d'autres moments, au contraire, j'ai montré que cela n'en a plus du tout. Un dernier point intéressant à propos du ciné-roman, c'est ce qu'on peut appeler l'effet de texte. Alors que j'ai signalé, à de très nombreuses reprises, que pour moi ce n'était pas un texte, Morrissette, qui étudie les ciné-romans dans *Les Romans de Robbe-Grillet* [6], prétend qu'il a le droit de les lire comme des textes, c'est-à-dire comme si c'était de la littérature.

Lise FRENKEL : Je voudrais poser une question à Jost et à Chateau. Si mes souvenirs sont exacts, Dominique Chateau, dans sa dernière intervention, a terminé sur la diégèse. Il est parti du montage, il est remonté à la continuité dialoguée et, ensuite, il est parvenu au synopsis. Or, bien que je ne sois pas sémiologue, j'ai lu l'article fort intéressant de Jost *Ponctuation et parataxe* [7] qui analyse les éléments a-diégétiques de *Glissements*. Alors pourriez-vous, sur ce point, essayer d'expliquer vos divergences?

Alain ROBBE-GRILLET : Vous plaisantez, cette fois,

Lise Frenkel. Il est évident que, lorsque Chateau a proposé de remonter du relevé des plans vers le synopsis, il n'a pas du tout prétendu que c'était pour condenser une espèce de réalité du film, puisque, bien au contraire, tout le travail qui a produit l'objet-film s'est fait contre la diégèse et, donc, contre le synopsis.

Lise FRENKEL : Ce que je voulais dire, c'est que le discours de Dominique Chateau ne fait pas tellement paraître que c'est un travail contre la diégèse. Je serais alors plutôt du côté de François Jost...

Alain ROBBE-GRILLET : Oh, alors, là...

François JOST : Les ressemblances et différences de nos deux travaux, c'est qu'on est parti tous les deux en sens contraire. Chateau est parti de la diégèse et moi je suis parti d'un ordre a-diégétique. Finalement, on est arrivé l'un et l'autre à un point nodal, la scène que Chateau a expliquée.

Alain ROBBE-GRILLET : D'ailleurs, cette destruction diégétique n'est jamais complète. Je me rappelle qu'un producteur qui avait eu entre les mains les quelques pages originales d'un de mes synopsis, puisque c'est là-dessus que se signent les contrats, et qui me voyait tourner quelque chose qui lui semblait tout à fait différent, m'a dit un jour avec inquiétude : je me demande pourquoi vous avez proposé un synopsis, si vous tournez des choses qui n'ont aucun rapport. Une fois le film fini, il s'est trouvé effectivement devant un objet qui l'étonnait et qui lui rappelait néanmoins curieusement certains éléments du synopsis. Il m'a raconté ensuite qu'il avait alors relu le synopsis et qu'il avait été stupéfait de constater que celui-ci était exactement contenu, malgré tout, dans le film terminé. Les rapports diégèse/structure ne sont donc pas des rapports simples d'opposition : il y a constamment une construction/destruction qui fait que mes films, curieusement, peuvent aussi être exploités dans le circuit commercial.

Jean-Christophe CAMBIER : Robbe-Grillet, j'espère que le producteur avait une vue intermittente du film.

Alain ROBBE-GRILLET : Non. Ayant été assez étonné par le film, il a relu le synopsis. A ce moment-là, il n'avait plus le film sous les yeux, et sa relecture du synopsis faisait que, tout d'un coup, il recomposait une vue idéologique du film telle qu'il pouvait dire : tiens, c'est vrai, le film et le synopsis concordent.

Jean-Christophe CAMBIER : Oui, mais quand vous dites que le synopsis est contenu dans le film, c'est une formulation ambiguë.

Alain ROBBE-GRILLET : C'est une des choses qui est contenue...

Jean-Christophe CAMBIER : Elle est travaillée plutôt par le film...

Alain ROBBE-GRILLET : Du point de vue de la loi qui permet au producteur d'intenter un procès à un réalisateur ayant fait autre chose que ce qui figurait sur le contrat...

Jean RICARDOU : Ce synopsis est légal.

Alain ROBBE-GRILLET : De toute façon, ce producteur ne cherchait pas du tout la bagarre : il a produit tous mes films jusqu'à ce qu'il se retire des affaires. Et d'ailleurs, à chaque fois, il rencontrait le même étonnement...

Jean RICARDOU : Cela veut-il dire que le film programme les conditions de sa propre occultation sous certaines conditions?

Alain ROBBE-GRILLET : La première chose que cela veut dire, c'est seulement que le film contient de l'anecdote. Il s'oppose radicalement, par exemple, à l'ensemble des films présenté par Annette Michelson au festival de Montreux l'an dernier, et qu'on appelle en général *l'Underground*. Les segments diégétiques sont assez longs, dans mes films, pour qu'on puisse y reconnaître de l'anecdote. Au-delà de cette constatation simple, il faudrait voir tous les processus de démonstration et d'effacement qui sont à chaque instant mis en jeu.

Lise FRENKEL : Je voudrais demander une précision à Jost. Il me semble que vous avez dit que certains plans de ponctuation étaient neutres...

François JOST : Ce n'est pas exactement ce que je disais. Je disais qu'il y avait, dans *Glissements,* trois ou quatre plans de ponctuation, et que ces plans de ponctuation n'étaient pas agencés en syntagme, au sens strict de relation de dépendance entre deux éléments. Ces ponctuations ne prennent une relation syntagmatique que si on les rapporte à la séquence suivante, donc si on établit un syntagme oblique...

Lise FRENKEL : A la séquence suivante par rapport aux séquences de diégèse ou à l'intérieur même des quatre plans de ponctuation?

Françõis JOST : Non, par rapport à la séquence de diégèse.

Lise FRENKEL : Pour ma part, je considère que, si l'on prend en eux-mêmes les plans de ponctuation : la chaussure bleue, la bouteille cassée et le prie-dieu...

Alain ROBBE-GRILLET : Il y en a d'autres...

Lise FRENKEL : Oui : « élémentaire, mon cher Watson. » *(Rires.)* Ce que je peux essayer, c'est une tentative de lecture qui lierait entre eux ces trois plans de ponctuation. La chaussure bleue serait un thème féminin, la bouteille cassée c'est l'agressivité. Dans la consécution chaussure bleue/verre cassé/prie-dieu, le prie-dieu serait l'élément qui relie les deux, la chaussure (la putain) et le verre cassé (l'agressivité) et serait réprimé par ce que tout de même Robbe-Grillet a nommé la religion.

Alain ROBBE-GRILLET : Je peux très bien, pourquoi pas, accepter ce schéma de significations. Seulement, c'est malgré tout un peu plus complexe que ça. La chaussure, cet élément simple que vous avez choisi, apparaît toujours dans une image où il y a autre chose : quand la chaussure tombe, c'est l'image du péché, c'est le soulier de satin, c'est tout ce que vous voudrez. Vous avez dit il y en a un qui est femelle, l'autre qui est mâle. Or, la chaussure qui tombe au pied du lit, c'est quand même la cruche cassée; la bouteille cassée fonctionne donc, dès lors, exactement comme la chaussure et ne s'y oppose pas. Les relations symboliques entre ces objets, je n'aimerais pas qu'on les simplifie à ce point. Effectivement, il y a du symbole dans ces objets : ce n'est pas par hasard qu'on prend un prie-dieu et non pas une chaise de cuisine. Mais ce symbolisme n'est jamais réduit à son sens codifié. Le sens glisse continuellement : le prie-dieu sert à un moment pour la cérémonie de mariage ou de communion (la pureté) et, un peu plus loin, il sert à des jeux érotiques (pas très « propres »), qui lui confèrent la fonction inverse.

NOTES

1. *Mélanges* de Michael Dufrenne, 10/18, U.G.E.
2. N° 23, Seuil.
3. *Lecture politique du roman*, Ed. de Minuit.
4. *Belligérance du texte* dans *La Production du sens chez Flaubert*, Colloque de Cerisy, U.G.E., 10/18.
5. Seuil.
6. Editions de Minuit.
7. Critique n° 323, avril 74, Editions de Minuit.

pour la cérémonie du mariage ou de communion (i...
porté) et un peu plus loin, il sert « des jeux érotiques...
faux, les « propres »... qui lui conférent la fonction...

XVII. MULTIPLE

A. L'intérêt porté à l'œuvre romanesque de Robbe-Grillet au Nigéria

par Raymond O. ELAHO

> « Je vais vous raconter mon histoire. »
> Alain Robbe-Grillet
> (L'Homme qui ment).

Evaluer l'intérêt porté à l'œuvre de tel ou tel écrivain dans tel ou tel pays présente toujours quantité de problèmes. Cela va de soi. Pour ce qui concerne la fortune d'Alain Robbe-Grillet au Nigéria, ces problèmes deviennent encore plus compliqués du fait même qu'il s'agit ici d'un écrivain français dans un pays africain d'expression anglaise. Pour bien faire, il faudrait évidemment avoir à sa disposition des statistiques, faire un sondage d'opinion, etc. Je tiens à souligner que je ne me suis pas livré à une enquête de ce genre. Ce que je vous offre, Messieurs, Mesdames, ce sont tout simplement quelques observations qui résultent de mon expérience personnelle et qui ne revêtent nullement un caractère documentaire.

Pour bien saisir le problème, il convient de le situer dans son contexte géographique, historique, et sociologique. Comme on sait, l'Afrique se divise en deux grandes zones linguistiques : la partie francophone et la partie anglophone. Le Nigéria se situe dans la zone anglophone, mais il est entièrement entouré de pays d'expression française — le Cameroun, le Dahomey, le Tchad et le Niger. Bien entendu, il faut communiquer avec ces pays, d'où le besoin d'apprendre le français.

Le français s'apprend, bien sûr, à l'école. Or les écoles au Nigéria conservent les traditions pédagogiques du système colonial anglais. On y prépare les examens anglais. Certes, il y a, encore aujourd'hui, un grand nombre de Nigérians qui ne vont pas à l'école, qui ne savent ni lire ni écrire. D'après le dernier recensement de la population, le Nigéria compte 80 millions d'habitants. Mais la proportion des gens lettrés est extrêmement faible. Elle ne dépasse guère vingt pour cent de la population entière. (Notons en passant que ce chiffre est assez élevé par rapport à beaucoup d'autres pays africains). Parmi ceux qui savent un peu le français, nombreux sont ceux qui cherchent tout simplement à en faire du commerce, par exemple, avec les pays voisins francophones. Les élèves qui se sentent attirés par la littérature tendent tout naturellement à lire des ouvrages soit en anglais, soit dans leur langue maternelle, par exemple, le haussa, l'ibo, le yoruba ou l'edo. Du reste, ils n'ont guère l'occasion de découvrir la littérature contemporaine à l'école. Même ceux qui préparent l'équivalent du baccalauréat, le O level à seize ans et le A level à dix-huit ans, tendent à ignorer à peu près totalement l'existence d'une littérature française d'avantgarde. Bref, ce n'est guère qu'au niveau de l'enseignement supérieur que l'on est susceptible de découvrir Robbe-Grillet.

Nous avons, au Nigéria, six universités — l'université d'Ibadan fondée en 1948, l'université d'Nsukka fondée en 1960, l'université d'Ife fondée en 1961, l'université de Lagos fondée en 1962, l'université d'Ahmadu Bello également fondée en 1962, et finalement l'université de Benin fondée en 1971. Dans toutes ces universités, on enseigne l'œuvre de Robbe-Grillet, sauf dans l'université de Benin où on n'introduira le Département des Langues Modernes qu'à partir d'octobre prochain (et où d'ailleurs on espère introduire Robbe-Grillet!). Mais ce n'est qu'à une date relativement récente que le Nouveau Roman a pénétré dans ces institutions. Moi-même, j'ai commencé mes études à l'université d'Ibadan en 1968. A cette date on venait à peine de découvrir l'existence de Robbe-Grillet, avec *La Jalousie*. On étudiait aussi *La*

Modification, de Michel Butor. Durant une année en France (de 1969-1970), à l'université de Nice, j'ai poursuivi la lecture de ces auteurs, et lorsque j'ai terminé mes études en 1971, j'ai décidé de faire une thèse sur le Nouveau Roman. Pour préparer le doctorat, nous autres Nigérians nous sommes obligés de venir en Europe. Moi-même j'ai eu la chance d'obtenir une bourse qui m'a permis de préparer une thèse de doctorat de l'université de Londres, sous la direction de Dr. Le Breton (mieux connue sous le nom d'Eileen Souffrin).

On peut s'étonner que l'œuvre de Robbe-Grillet ait pénétré si lentement au Nigéria. Déjà dans les années 1950-1960 on a beaucoup discuté en France ce phénomène du Nouveau Roman, et cela aussi bien dans les journaux et revues, qu'à la radio et à la télévision. En Angleterre, des conférences sur le Nouveau Roman ont été faites dans les universités et dans les centres de l'Alliance Française par Georges Le Breton; il y a eu un colloque à Oxford en 1957; et par la suite les articles de John Weightman ont attiré l'attention là-dessus. Bientôt en Amérique le Nouveau Roman a trouvé un champion en Bruce Morrissette vers 1958. Au Nigéria, c'est seulement dix ans plus tard qu'on a pris conscience de l'existence du Nouveau Roman.

Pourquoi ce retard? Il y a, bien sûr, un délai inévitable entre le moment où perce un écrivain dans son pays d'origine et la découverte qu'on en fait à l'étranger — c'est là un phénomène bien connu des comparatistes. En ce qui concerne le Nouveau Roman, et Robbe-Grillet en particulier, il faut évidemment songer à un facteur supplémentaire — un facteur tragique — à savoir la guerre civile qui a éclaté au Nigéria en 1966 et qui pendant des années a bouleversé le pays. Il est évident, également, qu'un programme universitaire est de par sa nature même traditionnaliste, conservateur, et en retard sur le mouvement littéraire. A l'époque où le nom de Robbe-Grillet traversait l'Atlantique comme il traversait la Manche, l'université d'Ibadan préparait encore les examens de l'université de Londres : tant que Londres ne mettait pas au programme le Nouveau Roman, il s'ensuivait forcément qu'Ibadan ne l'étudiait pas non plus; et comme seule l'université était susceptible de révéler l'existence de la littérature d'avant-garde au Nigéria, on continuait à ignorer son existence jusqu'aux environs de 1968. Il y a eu aussi, dans les universités nigérianes, un élément de parti pris qui a joué en faveur d'auteurs africains d'expression française comme Camara Layé, Ferdinand Oyono et Sembène Ousmane — phéno-mène fort naturel puisque ces institutions ont affaire pour la plupart aux étudiants africains. Après tout, comme dit le proverbe français : « Charité bien ordon-née commence par soi-même. »

Est-ce à dire qu'il faut pour cela écarter la littérature étrangère? Je ne le crois pas. La connaissance des auteurs français contemporains nous aide aussi à mieux compren-dre nos propres auteurs africains. Non seulement parce que leurs livres sont écrits en français — donc dans une langue étrangère —, mais surtout parce que je crois à l'universalité de la culture. La littérature n'est pas seule-ment un bien national : elle est aussi un bien interna-tional et universel. Voilà à peine quatre ans qu'un Japonais, M. Tsutomu Iwasaki, dans sa communication au colloque sur le Nouveau Roman ici même, déclare : « C'est à la lumière du Nouveau Roman que nous pre-nons conscience de tout un champ de possibilités de pro-duction littéraire.. qui est resté caché jusqu'ici à nos yeux [1]. »

On peut se demander aussi ce qui explique l'intérêt que portent les étudiants nigérians à l'œuvre de Robbe-Grillet. Ce qui frappe, effectivement, ce n'est pas tant le délai mis à découvrir Robbe-Grillet que la passion apportée à l'étudier, une fois qu'on l'avait découvert. Pour ces étudiants, La Jalousie, par exemple, constitue une lecture extrêmement ardue — on sait les difficultés que les Français eux-mêmes ont éprouvées au début. Un tel ouvrage, apparemment sans intrigue et sans person-nage bien défini désarçonnait. Il semblait surtout peu fait pour plaire à un peuple qui est trempé dans le folklore, qui adore raconter des histoires, adore entendre raconter des histoires. Mais on sait aujourd'hui, grâce aux travaux faits par Bruce Morrissette et autres, et contrairement à ce que beaucoup ont fait croire, que les romans de Robbe-Grillet de la première période contiennent, eux aussi, des « histoires » et des « personnages » reconnaissables. Voilà justement l'une des raisons principales pour laquelle les étudiants nigérians aiment l'œuvre de Robbe-Grillet. Bien sûr, ce n'est pas seulement ces éléments familiers qui attirent leur attention dans son œuvre. Comme leurs frères en Europe, ils sont sensibles aux autres aspects d'une œuvre d'art. Par exemple, ils se posent aussi des questions relatives au traitement du point de vue narratif, du temps romanesque, de la description, etc. Mais d'abord ils éprouvent la nécessité de découvrir le personnage, de suivre l'histoire qui se déroule malgré les difficultés évidentes que présente une telle démarche.

Bref, en dépit des hésitations initiales, on se passionne, aujourd'hui, pour les romans d'avant-garde dans les universités nigérianes. Robbe-Grillet et Michel Butor sont devenus des « maîtres », comme l'avaient déjà été Sartre et Camus. Bien sûr, on continue à étudier ces derniers, on continue à lire Balzac ou Stendhal, on continue à éprouver surtout beaucoup de sympathie pour les auteurs africains d'expression française. Mais le Nigéria a pris conscience également du Nouveau Roman. Certes son influence se borne encore à un petit groupe, mais ce petit groupe est très important puisqu'il s'agit là d'une élite, qui prépare le Nigéria de demain. D'autre part, vu le développement extrêmement rapide du pays, vu la très grande importance qu'attache le Gouvernement à l'éducation, il est évident qu'il se crée sous nos yeux un nouveau public extrêmement nombreux sachant lire et écrire, avide d'apprendre, un public qui, en dépit d'un passé douloureux qui aurait pu le détourner de l'Europe, est désireux de se familiariser avec la littérature européenne. Le Nigéria est une nation très jeune, qui se cherche encore. Il est donc tout à fait concevable que dans un avenir proche on voit les ouvrages de Robbe-Grillet à la vitrine des librairies, comme sur les rayons des bibliothèques municipales. La projection de ses films contribuera aussi sans doute à éveiller l'intérêt du grand public pour son œuvre. Il n'est pas impossible non plus que le contact avec cette œuvre contribue (à côté d'autres facteurs) à l'éclosion de la littérature autochtone au Nigéria.

R.O.E.

NOTE

1. T. Iwasaki, « Réflexions d'un Japonais sur le Nouveau Roman », in *Nouveau Roman : hier, aujourd'hui I*, Ed. 10/18, 1972, p. 395.

B. *Dans le Labyrinthe* ET LE DISCOURS SOCIAL
PROPOSITIONS POUR UNE LECTURE

par Claudette ORIOL-BOYER

Texte du roman et discours social

Mon intention est de poser quelques problèmes concernant les rapports entre le texte du roman et le discours social, signalant ainsi quelques directions d'un travail en cours. *Dans le Labyrinthe* me servira à mettre en évidence quelques-uns des rapports, oserai-je dire spécifiques, que ce texte de Robbe-Grillet entretient avec le « social ».

Comme cela a été dit à plusieurs reprises au cours de ce colloque, tout travail de production d'un texte littéraire se fait en relation avec un intertexte qui est toujours présupposé *dans* le texte car « le romancier entend et retient du réel le discours tenu sur lui par les différentes pratiques humaines, y compris la sienne[1] ». Le rapport au monde, au réel, est médiatisé par le discours social. Ainsi, ce que nous nommons le discours social est une manière de désigner l'idéologie en tant qu'intertexte puisque le rôle de celle-ci est « de créer ce qu'on appelle des structures mentales, des systèmes, à travers lesquels l'interprétation du monde est possible[2]. » Ajoutons qu'une des principales caractéristiques du discours social est de gommer le manque de recouvrement entre les mots et le monde, se présentant ainsi comme un discours plein, non plus lecture culturelle du monde mais évidence naturelle du réel.

Le texte du roman se constitue comme un « idiolecte » qui articule et transforme les « sociolectes » dont il fait et fera partie désormais. Chacun de ses éléments peut donc s'analyser comme instance de l'intertexte, donc comme objet social réécrit dans le texte. Ainsi en est-il des actants, des objets, des lieux, des situations, des gestes et de toute forme de relation.

La tentation est grande de considérer alors le discours social comme une « banque des idées reçues », « un vague répertoire plus ou moins ordonné d'archétypes et de stéréotypes [3] », « une mémoire commune au texte et au lecteur [4] », dont on pourrait isoler les occurrences dans le texte du roman. Il suffirait, pour ce faire, d'appliquer un code de lecture culturel qui aurait pour fonction de relever ce qui serait discours social, ou idéologie, et dont le caractère de répétition du « toujours-déjà-dit » constituerait le critère de sélection.

Un tel repérage, s'il n'est pas inutile, se révèle tout à fait insuffisant pour rendre compte de la présence du discours social dans le texte. Il suppose que toute une partie de ce dernier échappe à l'intertexte et masque le rapport de production qui existe entre eux. L'idéologie n'est pas pure immanence dans le texte, elle en est aussi principe organisateur, présent dans ses réseaux, surcodant les autres codes dont elle sert à expliquer la fonctionnalité [4].

On le voit, si le texte veut opérer un travail de contestation de l'idéologie, il peut le faire à condition de ne pas en rester à des rapports de contenant à contenu ou d'homologie qui seraient la négation même de ce travail dont on peut être en droit d'attendre qu'il sécrète, à partir de l'idéologie dominante, une autre idéologie.

On comprend combien est réductrice, dans le cas des romans de Robbe-Grillet, une lecture qui croit leur donner du sens en se contentant d'y trouver l'immanence des contenus stéréotypés du discours social. Elle méconnaît l'essentiel de la démarche de l'écrivain qui est de faire rétrograder cette parole sociale stéréotypée à l'état de matériau, de langue, servant à l'élaboration de la parole du texte.

Dans le Labyrinthe a souvent été signalé par Robbe-Grillet comme un des romans « récupérés » par des lectures qui ignoraient sa valeur de contestation. Voici quelques propositions pour une approche du travail du discours social dans ce texte.

Propositions pour une lecture

Dans le Labyrinthe est indexé par son titre sur les discours sociaux de la spatialité et de la culture. Le labyrinthe est un espace d'origine mythique qui présuppose chez le lecteur une culture et à qui l'article défini confère le statut de discours du déjà-dit. La préposition « dans » est une invitation à considérer la matérialité et l'actualité de ce qui, sans elle, aurait pu rester lettre morte.

Le texte se poursuit : « Je suis seul ici, maintenant, bien à l'abri. Dehors il pleut... » Le social est déjà présupposé par l'adjectif seul. Il est constitué comme occupant de l'ailleurs menaçant, par opposition à l'ici de l'intimité et de la protection. Le « dehors » qui intervient ensuite était donc à la fois présent et absent du dedans initial. Cela constitue le premier indice de cette communication qui va s'établir entre le dedans et le dehors à un point tel qu'il deviendra impossible de les considérer comme des catégories dont l'opposition serait pertinente dans le texte.

« Dehors on marche sous la pluie... »

« Dehors », c'est l'espace de l'autre, de ce « on » singulier toujours susceptible d'être aussi pluriel, de ce « on » au référent flottant qui rend également impertinente l'opposition singulier/pluriel habituellement admise pour l'analyse d'un texte et qui prépare la transgression fondamentale du texte où l'autre sera la déclinaison du même.

Le corps de « l'autre » apparaît par l'intermédiaire de la main qui est ce qui protège les yeux et permet d'avancer. C'est l'instrument de l'écriture mais aussi l'instance de communication qui sont ainsi introduits dans le texte. Le corps humain n'est pas utilisé au service de l'érotisme dans ce roman, et c'est une exception remarquable. Le corps devient tout entier instrument de parcours et lieu parcouru, comme un corps morcelé en régions. (C'est probablement à ce niveau que se situerait une érotique du corps dans *Le Labyrinthe*.)

Le texte se révèle ainsi, peu à peu, comme un opérateur de transgression des catégories et comme un opérateur de spatialisation. Il se parle en termes d'espace et désigne déjà, à cette occasion, le social comme une instance menaçante de son « ici ».

Une étude de la partition de l'espace et de la circulation qui s'y établit peut donc nous amener à percevoir comment le texte et le discours social sont mis en travail l'un par rapport à l'autre dans ce roman.

Abraham Moles [5] définit le labyrinthe comme une partition de l'espace selon des règles de connexion ou d'interdiction dont l'ensemble constitue ce que la mathématique appelle « topologie ». On circule entre des parois pour arriver au centre qui en est souvent aussi la sortie. Le propre du labyrinthe est d'être un espace où l'on ne fait que passer, où l'on ne s'installe pas, c'est l'espace de l'errance, de l'erreur, donc aussi l'espace de l'apprentissage.

Comment cet espace culturel va-t-il jouer dans le texte, mais aussi comment le texte va-t-il jouer cet espace? Le labyrinthe, par son côté ludique, est en effet particulièrement apte à se prêter au jeu du texte sur lui.

De même que certaines danses primitives mimaient un labyrinthe, de même le texte peut mimer un parcours de cet espace : ainsi, il peut être lu comme une progression canalisée par des parois et comme une avancée qui n'est qu'une succession de points Ici (le point Ici étant ce que mon regard peut parcourir de l'espace qui m'entoure dans une apparente clôture). Mais ce rapport de représentation, on l'a vu, ne traduit pas le travail du texte. Nous allons le chercher au niveau de trois éléments appartenant au discours du labyrinthe et dont nous allons étudier le traitement dans le texte. (Ce sera rapide, mais les limites de cette communication ne nous permettent pas d'approfondir.) Il s'agit du traitement de la paroi, de l'errance, du savoir.

La paroi qui crée l'opposition entre le dedans et le dehors, entre le Moi et les autres est un des éléments essentiels de la partition de l'espace du roman. Ce dernier va la pervertir de plusieurs manières :

— il l'interrompt par un tableau, espace en trompe-l'œil, indiqué comme faux, puisque représenté. Il est l'espace de l'illusion réaliste mais il dénonce en même temps, déjà, l'illusion qui consisterait à croire que la paroi du texte serait autre chose, elle aussi que des mots;

— la fenêtre, elle, peut remplacer la paroi. Sa transparence qui montre tout en interdisant, est le risque toujours présent de l'irruption du dehors dans la chambre close, c'est-à-dire le risque d'envahissement du discours du texte par le discours social;

— l'ultime travail du texte sur la paroi consiste à la supprimer, car cette paroi de mots constitue une protection et une rupture totalement illusoires. Bien plus, c'est au moment où le texte va désigner son absence (p. 51) que celle-ci va jouer son rôle de scandaleuse interruption de la continuité romanesque. C'est donc alors l'absence de paroi qui joue le rôle de la paroi. Le texte dénonce ainsi sa différence avec le monde et avec le discours social qui prétend le recouvrir, mettant ainsi en évidence l'absence fondamentalement inscrite en lui de cela même que ses mots tentent de rendre présent. La négation fonctionne comme négativité et : « Il n'a pas les yeux levés afin d'apercevoir quelque figure blême collée contre la vitre. » (p. 52) peut signifier aussi bien et en même temps le contraire. Il se crée ainsi une perversion du système d'équivalence univoque habituellement admis, les catégories de la logique ne fonctionnent plus, le système produit un surplus qui cherche vainement à s'investir quelque part. Le texte peut lui-même se prêter à cette opération mais ce sera pour mieux en faire voir le caractère vain : la répétition qui aurait pu combler ce manque du texte par rapport au réel se révèle une conduite magique qui se dévoile elle-même comme impossible texte.

Une autre solution consiste à assumer le manque comme structure mais aussi comme suture : par exemple le soldat manquera son rendez-vous et s'instituera facteur de non-cohérence. Paradoxalement, ce représentant de l'ordre dans le discours social se charge des valeurs du non-ordre, en quoi il devient ce qui ordonne le texte.

Son *errance* qui le désolidarise de la guerre l'inscrit pourtant à nouveau dans une lutte pour l'occupation de l'espace du roman, espace qui ne peut se conquérir que par la possession du savoir qui s'acquiert, lui, dans le mouvement même de l'errance; la première chose étant de savoir qu'on ne sait pas. Le texte est ponctué par la conjugaison de ce verbe. C'est d'abord (p. 32), un démenti ironique infligé au « je sais » du soldat par l'enfant : « Non... Oui... Je sais » dit le soldat. « Ton père... », « C'est pas mon père. » dit l'enfant. Ce dernier répétera ensuite : « Tu sais pas rouler tes molletières. » et le soldat lui répondra : « Tu sais, ça n'a plus d'importance. » (p. 46-47), avant de passer à la forme interrogative : « Tu ne sais pas l'heure ? » (p. 49) et enfin au « Tu m'apprendras. » (p. 173). Le gamin a joué son rôle et peut à nouveau être celui qui ne sait pas (p. 177). Il faudrait beaucoup plus de place pour analyser en détail le rapport au savoir inscrit dans le texte.

Disons rapidement que les sédentaires qui possèdent la connaissance de la ville, c'est-à-dire la connaissance d'un labyrinthe spatio-temporel, dans lequel les espaces ouverts varient d'un moment à un autre, selon certaines règles connues de l'habitant, possèdent les biens d'une société à dominante sédentaire où le partage des biens est aussi un partage de l'espace-temps. L'errant, ce résidu statistique, vivant dans la déviance, aux marges des sédentaires, sans s'approprier aucun point de l'espace, sera chez lui partout ou nulle part. On peut dire qu'il participera de « la relation » dans la mesure où pour lui le trajet prime sur les points de départ et d'arrivée, toujours provisoires, toujours remis en question.

A ce point de mon parcours, je résiste à la tentation de faire du roman *Dans le Labyrinthe* une mise en abyme de son procès d'écriture. Ce serait lui chercher une nouvelle instance transcendantale (l'écriture) pour absorber le surplus du sens flottant, non encore fixé que le texte crée. Tant que ce surplus reste flottant, il est instance de la gratuité, et inquiétant, car il ne rentre plus dans le système d'équivalence générale.

*

Ces quelques propositions pour une lecture sont tout à fait insuffisantes pour rendre compte du fonctionnement du discours social dans le roman de Robbe-Grillet.

Il faudrait étudier le fonctionnement des éléments du mythe grec dans le texte ; par exemple, on sait que les Minos de Cnossos avaient comme attributs de leur souveraineté la fleur de lys et la double hâche ou « labrys ». Comment ces éléments entrent-ils en rapport avec la structure du texte?

Il faudrait s'intéresser au système des objets et des « personnages », étudier par exemple les déplacements à travers les lieux du labyrinthe et trouver en utilisant les probabilités, l'état de répartition figée auquel il pourrait tendre. Une utilisation de la « topologie » mathématique permettrait d'approfondir la compréhension du parcours qui s'effectue dans ce texte où « l'hypothétique » est une catégorie qui occupe une grande place. On retrouverait ainsi, dans cette même ligne, le rapport au jeu, si important chez Robbe-Grillet.

Il faudrait étudier comment cette figure du labyrinthe était déjà en fonctionnement dans les textes précédents : disons seulement que le nœud en 8 du *Voyeur* appartiendrait au paradigme ainsi que les cheveux d'A. dans *La Jalousie* expressément qualifiés de « labyrinthes ».

Il faudrait essayer de dégager comment cette figure est présente dans l'intertexte restreint du Nouveau Roman, dans l'intertexte de la littérature (on pense à Borgès, à Roussel, etc.), dans l'intertexte des sciences (théorie de l'apprentissage, recherches sur le sens de l'orientation, sur les nœuds, jeux mathématiques, etc.).

Tout ce travail, s'il peut permettre éventuellement l'approche d'une spécificité, permettra surtout d'ouvrir les catégories des lectures possibles du roman. Ce qui sera actualisé au moment de chacune d'elles sera fonction de l'interaction de l'ensemble texte et de l'ensemble intertexte que chaque lecture et chaque lecteur mettra effectivement en jeu. Il est évident que cet intertexte mis en jeu par l'opération de lecture comportera toujours un écart avec celui que le scripteur aura, lui, fait jouer.

Reste à se demander, alors, si et comment un texte peut programmer en lui certaines lectures et en interdire d'autres. Y a-t-il certains mécanismes qui jouent dans tel texte les gardiens de la loi en ce qui concerne les lectures qui pourront en être faites? Si l'on en découvre certains, il me paraît indispensable, alors, de vérifier leur efficacité en étudiant par exemple les « effets de lecture » produits par ce texte dans diverses populations réelles, populations tests en quelque sorte. Cela amènerait à clarifier sans doute le problème de l'inscription et du fonctionnement de l'intertexte dans le texte, sans oublier que tous les discours et toutes les méthodes d'analyses sont travaillés eux-mêmes par leur relation à l'intertexte.

C.O.B.

NOTES

1. Claude Duchet, dans : *Réflexions sur les rapports du roman et de la société. Revue d'histoire littéraire de la France. Colloque Roman et société.* 1973.

2. Jacques Leenhardt, dans : *Nouveau roman : hier, aujourd'hui.* T. I, 10/18, p. 177.

3. Jacques Dubois, Code, texte, métatexte. Littérature, n° 12, p. 3.

4. Françoise Gaillard, Code(s) littéraire(s) et idéologie. Littérature, n° 12, p. 31.

5. Moles, Rohmer, Psychologie de l'espace, Casterman 1972 S. p. 94.

C. LE RÉCIT DÉJOUÉ

par Françoise ROUET-NAUDIN

Les remarques que je vais faire, sont extraites d'un travail d'analyse descriptive (immanente) de *La Maison de rendez-vous* et de *Projet pour une Révolution à New York*.

1. *Le but de l'analyse* consiste à décrire la matérialité scripturale hétérogène du texte, à ses différents niveaux et d'en montrer la spécificité.

D'autre part, d'un point de vue purement méthodologique, il s'agit de mettre en place des dispositifs descriptifs de fonctionnement, à partir du texte même, en faisant table rase de concepts déterminés dans des secteurs sémiologiques différents. Etant bien entendu que la matière scripturale d'un texte est linguistique, j'utiliserai des notions linguistiques rudimentaires mais l'objet de notre analyse n'étant pas la langue mais un texte littéraire, il s'agit de dégager du divers linguistique auquel nous avons affaire, des éléments pertinents du point de vue poétique en une mise en perspective poétique du texte.

Autrement dit, il s'agit de déterminer une terminologie opératoire spécifique à la littérarité, qui ne saurait pour le moment prétendre à l'universalité mais à la pratique spécifique des textes d'A. Robbe-Grillet. Ce n'est qu'au terme d'une multiplicité d'analyses sur des auteurs différents que l'on pourrait dépasser ce premier niveau descriptif de constat et élaborer une théorie.

J'ai donc choisi les textes d'A. Robbe-Grillet, non pas à titre d'exemple pour soutenir une thèse théorique a priori, mais parce qu'il me semblait que le travail scriptural de l'écrivain, (et c'est là déjà une partie de sa spécificité) se donne lui-même à saisir en tant que tel, révèle ses propres fonctionnements, rendant vaine toute lecture naïve et facilitant de ce fait l'élaboration d'une terminologie descriptive opératoire.

2. *La méthode* proprement dite, consiste à partir de l'hétérogénéité compacte du texte dans son ensemble.

Une première question méthodologique se pose alors : quels vont être les critères de choix des éléments poétiques pertinents? Aucun point de repère ne laisse prévoir un dispositif quelconque d'organisation de ce grand désordre narratif qu'offrent ces deux livres.

Avant de commencer la recherche, il est important de souligner le caractère linéaire de la présentation du livre : disposition linéaire des mots dans la phrase, des paragraphes dans la page et qui impose un sens unique de lecture. Je cite Jean Ricardou dans *Problèmes du Nouveau Roman* : « Ainsi, l'attention du lecteur, posée sur un bref segment du texte, se trouve toujours orientée vers la suite, un inexorable aval, son futur. » Cette linéarité traditionnelle de l'écriture resterait sans doute insignifiante si l'auteur précisément n'en usait pas pour imposer un déroulement linéaire à des discours différents qu'aucune relation logique au niveau sémantique ne relie. Des séquences descriptives, par exemple, suivant des séquences narratives, sans entretenir apparemment aucun rapport. Une suite de contradictions s'impose au lecteur, sans que la linéarité matérielle n'ait été rompue apparemment en quoi que ce soit dans son déroulement.

La méthode consiste alors, en suivant l'ordre d'apparition des phrases et des paragraphes à souligner les décrochements de la narration. Premier travail de découpage en séquences; premier découpage élémentaire qui ne vise qu'à marquer les ruptures du texte en surface, chaque fois qu'il y a rupture dans la linéarité narrative.

Il s'agit ensuite au niveau grammatical de relever

les traits marquants qui constituent les rouages (morphologiques, syntaxiques) permettant le glissement d'une séquence à l'autre. Apparaissent comme traits marquants les éléments qui s'opposent directement les uns aux autres : par exemple, le passage d'une première personne à une troisième personne. Le critère de choix est la similitude et le contraste. On remarque à la longue que l'opposition brutale de certaines catégories grammaticales entraîne d'autres transformations dans l'organisation syntaxique générale des phrases; parallèlement des modifications d'ordre lexical accompagnent ces modifications d'ordre syntaxique. Des types de discours se différencient, déterminant une deuxième modalité de découpage. C'est la répétition des phénomènes qui les détermine comme pertinents.

Un troisième type de découpage peut être opéré à un autre niveau dont les modalités seront définies plus précisément et qui sont les thèmes : étude des retours et variations des mêmes motifs sémantiques (à définir).

Enfin on peut tenter une étude de perspectives narratives à un niveau narratif cette fois, sur les petites cellules narratives du texte.

Les instruments descriptifs qui vont être posés sont donc :

— les discours (aux niveaux grammatical et lexical);
— les thèmes (au niveau sémantique);
— les perspectives (au niveau narratif).

Ces définitions relevant de trois types d'analyses différentes à différents niveaux ouvrent sur la possibilité de superposer trois types différents de découpage du texte auxquels il faudrait ajouter un quatrième qui est le découpage en paragraphes. La mise en rapport, l'imbrication de tous ces niveaux assurent au texte une infinie possibilité de structurations, de significations. En un tout fini de règles se constituent d'infinies possibilités de structurations, déterminant un ensemble structurant ouvert et non pas structuré clos.

Je voudrais maintenant rapidement à l'intérieur de chacun de ces domaines différencier les phénomènes et préciser les définitions.

3. *Les définitions.*
I. *Les discours.*

Le relevé et le classement des traits marquants grammaticaux et lexicaux permettent de différencier des types de discours. Le discours constitue un ensemble de mécanismes grammaticaux homogènes, en étroite relation avec un système lexical spécifique.

Trois types de discours se différencient. Un extrait de *La Maison de rendez-vous* permet d'illustrer le phénomène :

« Souvent je m'attarde à contempler quelque jeune femme qui danse, dans un bal. Je préfère qu'elle ait les épaules nues, et aussi quand elle se retourne, la naissance de la gorge. Sa chair polie luit d'un éclat doux, sous la lumière des lustres. Elle exécute avec une application gracieuse, un de ces pas compliqués où la cavalière se tient éloignée de son danseur, haute silhouette noire, comme en retrait, qui se contente d'indiquer à peine les mouvements devant elle, attentive, dont les yeux baissés semblent guetter le moindre signe que fait la main de l'homme, pour lui obéir aussitôt tout en continuant d'observer les lois minutieuses du cérémonial, puis, sur un ordre presque imperceptible, se retourne de nouveau en une souple volte-face, offrant de nouveau ses épaules et sa nuque. Elle s'est maintenant retirée un peu à l'écart, pour rattacher la boucle de sa fine chaussure à bride.. »

a) *Un premier type de discours* se caractérise par la prédominance de certains traits marquants :
— l'emploi de pronoms de la première personne, ou de déictiques de la première personne;
— le présent et le participe présent;
— les adverbes de lieu;
— les prépositions de lieu;
— les phrases énumératives;
— les imbrications de relatives.

Au niveau lexical la prédominance d'un vocabulaire visuel et d'un vocabulaire du corps féminin caractérise ce discours.

b) Dans *un deuxième type de discours,* l'emploi de la première personne disparaît. Un récit à la troisième personne commence : L'emploi des temps des verbes se différencie davantage et les phrases deviennent circonstanciées (« pour rattacher »).

Au niveau lexical, on remarque l'émergence progressive d'un vocabulaire policier (« pour lui obéir »... « ordre »...) ou érotique, il y a articulation logique, chronologique d'actions. Le passage (le glissement) d'un type de discours à l'autre n'est évidemment pas brutal mais progressif.

c) Reste *un troisième type de discours* un peu flou : discours subjectif d'ordre général ou métalangage critique.

II. *Les thèmes.*

Le thème peut se définir comme un champ sémantique relativement homogène et redondant (on peut lui donner facilement un titre), mais ouvert à multiples variations qui sans altérer son identité (on reconnaît le thème, on le raccroche à toute une série précédente) lui confèrent des aspects nouveaux. D'autre part, plusieurs éléments peuvent entrer dans la composition du thème : ce peut être un mot (la fleur d'hibiscus), un groupe de mots (la phrase inachevée), cc peut être une bribe d'histoire (la police interrompt la réception mondaine), un personnage du récit (le gros homme au teint rouge). On le voit, un même élément participe à plusieurs niveaux à la fois, remplit multiples fonctions, entre dans la composition de multiples possibilités de structurations.

Les thèmes sont en nombre limité et se rattachent à trois branches sémantiques principales : chair des femmes, violence, exotisme. Le choix des thèmes est en étroite relation avec la mythologie du monde moderne.

Enfin il existe une évolution métonymique à l'intérieur même du retour paradigmatique : Lady Ava tient toujours le même rôle dans la même pièce, mais elle vieillit, de même que le canapé rouge sur lequel Laura est assise change de couleur, devient jaune, puis se décolore, délavé par le temps, introduisant une nouvelle dimension narrative secondaire.

389

III. *Les points de vue.*

Le point de vue a trait aux rapports que le narrateur entretient avec la narration.

Il existe trois positions différentes du narrateur :

— l'écrivain (le narrateur) raconte que... il... Le narrateur est en rapport direct avec l'histoire. C'est la perspective traditionnelle du récit.

— le narrateur se raconte à la première personne, le narrateur est aussi le personnage.

— le narrateur intervient en tant que tel dans la matérialité du récit qu'il transforme.

Quel est donc à présent sur l'ensemble du livre le rythme d'occurrence de ces mécanismes?

4. *Résultats.*

Il ne s'agit pas de décrire la structure du livre, son fonctionnement, mais l'organisation des mécanismes à partir desquels une infinité de mise en rapports est rendue possible.

I. *Un premier mouvement* est marqué par :

— l'alternance des deux premiers types de discours;

— la très forte cohérence du réseau thématique au détriment de la linéarité narrative. Il s'agit en quelque sorte d'un mouvement de recherche d'histoires sur un cadre thématique donné : les belles eurasiennes de Hong-Kong, le métro newyorkais;

— enfin, ce mouvement, outre l'alternance des discours et la prédominance des lignes métaphoriques et du réseau thématique est marqué par l'alternance des points de vue de l'histoire et du narrateur. Tantôt le narrateur s'efface complètement (vision derrière : ce point de vue correspond au discours du récit à la troisième personne), tantôt l'écrivain s'identifie au narrateur qui parle à la première personne et qui vit ce qu'il raconte (vision avec), c'est le point de vue du premier type de discours.

II. *Deuxième mouvement.* Le rythme d'occurrence de tous ces traits marquants se transforme, déterminant un mouvement différent.

— le discours descriptif (premier type) disparaît. La composition n'est plus cyclique mais linéaire brisée. Des récits se développent puis se court-circuitent.

— d'autre part, il y a prédominance des lignes métonymiques sur les lignes métaphoriques. Le réseau thématique se desserre.

— enfin, on ne trouve ici qu'un seul point de vue : celui de l'histoire. Dans ce mouvement des histoires différentes alternent, se chevauchent, sans jamais être développées complètement, comme si toutes ces histoires dépendaient d'un récit plus vaste qui déborderait les cadres mêmes du livre.

III. *Troisième mouvement*. C'est la fin du récit proprement dit.

— ici le métalangage critique est très important (troisième type de discours).

— d'autre part, le réseau thématique se resserre de nouveau.

— en même temps, le point de vue de l'écrivain (vision devant) prédomine. La distanciation est faite par rapport au livre qui a été écrit.

Ainsi, le premier mouvement est constitué d'une révolution de thèmes autour d'un axe narratif central dont la cohérence est brisée par l'alternance de deux types de discours différenciés : la réception mondaine dans *La Maison de rendez-vous*, les allées et venues du narrateur dans *Projet pour une révolution à New York*. Le deuxième mouvement est une révolution d'intrigues autour d'un axe thématique déterminé cette fois, à l'intérieur d'un même type de discours; multiples histoires sont développées à partir de la thématique de Hong-Kong et de New York. Le troisième mouvement consiste à déconstruire les lignes, à brouiller toutes les voies.

A l'intérieur du livre, se dessinent trois mouvements circulaires complémentaires, avec modification de l'axe central fixe et des parties mouvantes.

Par son décentrement, son absence fondamentale de direction, le discours ne fonctionne ici que comme le débordement de ses structures.

F.R.N.

D. Lecture psychanalytique du *Jeu avec le feu*

par Lise Frenkel

Conrad Stein me dit un jour que la psychanalyse était comme un conte de fées, alors je vous parlerai du film : *Le Jeu avec le feu* [1].

Dans une série d'entretiens avec Jean Thibaudeau sur France-Culture, Alain Robbe-Grillet décrivait son œuvre comme « l'organisation d'un récit autour d'un vide, d'un manque », et concluait que le lecteur est « déçu, dépris, vidé lui-même de ce bien ». Mais depuis le succès de *L'Année dernière à Marienbad*, Alain Robbe-Grillet semble entretenir des rapports de séduction avec le public, et le désir de séduire semble s'exacerber, dans une vue diachronique de ses films. Si le narrateur s'appelait X. dans *L'Année dernière à Marienbad*, ou N. dans *L'Immortelle*, il s'identifie, dans *Le Jeu avec le feu*, au « vieux prince pensif, abandonnant alors comme à regret sa plume d'or ».

« La plume d'or », métaphore de la séduction et de la dépense, de la puissance et du discours, c'est « la prime de séduction » définie par Freud dans *Le Mot d'esprit et ses rapports avec l'inconscient*. Si l'œuvre d'art fonctionne grâce à une certaine économie libidinale, pour le public qui la reçoit, c'est par la prime de séduction, et la séduction de l'œuvre d'art ne peut se produire que si le lecteur reçoit une certaine gratification au niveau de ses désirs, de ses fantasmes ou de sa curiosité intellectuelle.

Dans son introduction au texte de *Glissements pro-*

gressifs du plaisir [2], Alain Robbe-Grillet évoque ses structures non-réconciliées, la parole de la société rétrogradée au niveau de la langue. Cette architecture bien construite autour d'un prétendu vide renferme peut-être du plein, et l'étude des structures du *Jeu avec le feu* sera ma modeste tentative de réconcilier Saussure avec Freud ou Lacan.

J'analyserai successivement dans ce film le processus primaire (avec déplacements, condensations et surdétermination), le fantasme de l'enfant qui brûle, un trou dans la diégèse et le déni, la métalepse et sa relation structurale avec l'inceste, l'hypotypose et le reflux de l'imaginaire, et enfin la relation d'objet.

1. Le processus primaire

Le générique décrit des « figures » (selon la terminologie de J.F. Lyotard [3]), qui feront l'objet de déplacements et déliaisons ultérieurs : ainsi la figure mariage/ chasse/ festin/ meurtre, va se déployer dans les différentes séquences du film. La première figure du générique est celle de la chasse :

« de belles jouvencelles au corps de biches, souples et sveltes et dorées, poursuivies par les chiens, tombaient à bout de force dans les rets des chasseurs »...

Cette figure engendrera la séquence fantasmatique d'une victime capturée dans un filet, et, par une déliaison, la figure de la chasse suscitera la présence des chiens dans l'Opéra-bordel, poursuivant Carolina, ou bien suggérera une scène de bestialité, ou la comparaison entre une jeune fille enlevée et « une jeune chienne encore mal dressée »; enfin la condensation de l'inceste et du saphisme sous-tend une scène sado-masochiste où une pensionnaire se prosterne devant sa maîtresse.

Carolina se dédoublera, par une série de déplacements, en de nombreuses images féminines, comme si l'inceste ne pouvait être transgressé que par un éclatement de l'objet en plusieurs personnages. Carolina deviendra la « fausse Carolina », enlevée le jour de ses noces, Christa, dont la mise en croix est annoncée par l'adjectif « crucifiée » du générique, Virginia, pensionnaire du bordel, ou Lisa. La scène d'*Othello* est un déplacement de la jalousie paternelle; et c'est une condensation de l'inceste et de l'infanticide : Desdémone, la démone, dit : « Renvoyez-moi, Monseigneur, mais ne me faites pas mourir. » Le rappel de l'opéra de Verdi *(Othello)* renvoie au *Trouvère*, c'est-à-dire à la mort. La figure du festin de noces se déploie en plusieurs séquences dont une scène d'orgie de style oral. La victime, allongée nue près d'un gibier, doit être « flambée au cognac ». Ici, la condensation est triple, par l'association des images du feu, du festin et de la chasse, évoquée sur le tableau mural.

L'autre figure du festin est au cœur même du fantasme de l'enfant qui brûle, c'est la scène de la veillée mortuaire (« elle est encore toute fraîche »). Ainsi, la fin du générique est une condensation des thèmes du mariage, du festin et de la mort :

> « *Cérémonie cruelle du mariage où il la condamne à mourir, empalée, crucifiée, dévorée vivante au festin de ses noces, la dernière image la représente ainsi, lèvres entr'ouvertes, servie sur un lit de roses.* »

Dernier exemple de surdétermination, le célèbre plan où Carolina défile, déguisée en soldat allemand. Ici, on peut, avec Jean Thibaudeau, voir des tendances homosexuelles, par une identification à l'image paternelle. Ce serait une défense contre l'inceste. Mais c'est aussi le dévoilement d'un surmoi sadique; ou fixé au stade sadique-anal.

2. Le fantasme de l'enfant qui brûle

On peut se demander comment les figures du générique peuvent se rapprocher des images récurrentes du feu, feu de la poupée qui brûle, des victimes flambées au cognac, du taxi qui s'embrase. Cette articulation est le lien entre Eros et Thanatos, qui semble surgir d'un fantasme générateur : le texte freudien du « rêve de l'enfant qui brûle ». En voici le récit :

Un père a veillé jour et nuit, pendant longtemps auprès de son enfant malade. Après la mort de l'enfant, il va se reposer dans une chambre à côté, mais laisse la porte ouverte, afin de pouvoir, de sa chambre, regarder celle où le cadavre de son enfant gît dans le cercueil, entouré de grands cierges. Un vieillard a été chargé de la veillée mortuaire, il est assis auprès du cadavre, et marmonne des prières. Au bout de quelques heures de sommeil, le père rêve que l'enfant est près de son lit, lui prend le bras, et murmure d'un ton plein de reproches : « Ne vois-tu pas que je brûle [4] ? »

D'ailleurs, Freud et Robbe-Grillet eurent tous deux une connaissance fantasmatique de ce rêve, par ouï-dire. Mais Robbe-Grillet condense les deux thèmes de l'inceste et de l'infanticide. Le désir incestueux se manifesterait à un stade régressif sadique. On découvre ceci dans la séquence de la veillée mortuaire, connotée par la nécrophilie. Elle est précédée musicalement par le Miserere du *Trouvère*, opéra où un enfant est brûlé « par erreur ». Ce plan peut être considéré comme une émanation du processus primaire, par ses condensations, son « inquiétante étrangeté » traduite plastiquement par la surcharge baroque du cercueil. Ce désir inconscient d'infanticide s'exprime aussi dans la structure diégétique.

3. Un trou dans la diégèse ou le déni

Alain Robbe-Grillet a déclaré que le film représentait la mort du père et l'éclosion de la fille; l'auteur a fait remarquer que les femmes restent jeunes et intactes, alors que le père vieillissant se désagrège.

« *Ta puissance n'a pas fait le poids, ton empire et la chair de ta chair seront partagés par le feu.* »

Le déclin du père serait peut-être une défense contre ses désirs, et l'incendie du taxi, auquel Carolina échappe, est ce que Metz appelle une « séquence potentielle ». Carolina pourrait mourir, mais il y a annulation du crime. Cet infanticide imaginaire est si culpabilisant que la séquence suivante est un suicide simulé (?) du père. Ce désir refoulé pourrait expliquer les trous dans la diégèse, l'enlèvement manquant, la rançon payée préventivement et volée, la destruction de l'ordre. Les ratés, lapsus, mots d'esprit, révèlent la transgression du tabou de l'inceste, comme « serrure de sûreté est fille soumise de prudence ». C'est la transgression de l'ordre des générations, la fille qui remplace « la jeune mère d'autrefois ». Mais l'humour, les plaisanteries, se rattachent au processus secondaire et inscrivent le film dans l'ordre du symbolique.

4. La métalepse et l'inceste

D'autres structures génératrices contenues dans les jeux de mots des gangsters, sur l'hypotypose et la métalepse, sont à relier à l'inceste et à sa double inscription dans l'ordre du symbolique et de l'imaginaire. Le jeu sur la métalepse se découvre surtout sur la bande-son. Dans la séquence de l'embouteillage, Trintignant extorque un mot de Carolina (« pour l'amour de moi »), sur une carte postale représentant l'Arc de Triomphe; parmi la cacophonie des klaxons on repère la sonnerie « Aux Morts », liée métonymiquement à l'Arc de Triomphe, et convoquant Thanatos. Autre métalepse, la scène du bain est accompagnée par la musique d'un défilé militaire sur une marche allemande. Le défilé, qui vient de disparaître à l'image, reste présent sur la bande-son, et renforce l'image sadique du père.

5. L'hypotypose et le reflux de l'imaginaire

La confusion entre l' « érotique » et les thèmes œdipiens fait que l'on ne sait plus où l'on est. Dans le numéro de *L'Arc*, consacré à Lacan, Shoshana Felman écrit [5] :

« *La réalité du désir qui nous régit et qui nous écrit, est elle de l'ordre du feu, du sommeil, ou de celui du réveil.* »

Pour reprendre la terminologie de Metz [6], on pourrait dire que ce film est un arrachement du symbolique à l'imaginaire. Imaginaire du père et de la fille, générateur de fantasmes. En effet, le thème de l'inceste n'est pas univoque, ce n'est pas seulement un contre-œdipe paternel, mais une « double-rencontre » avec les désirs incestueux de Carolina et sa lutte contre ceux-ci.

Evoquant *India Song,* une analyste disait récemment que dans notre société, la mort (fantasmée) de la femme est nécessaire à l'homme. L'imaginaire érotique de celui-ci se placerait sous le signe de l'agressivité et de la domination. Ici, la figure du père est associée aux dieux de la mythologie, c'est-à-dire à la toute-puissance : « de jolies mortelles enlevées par des chevaux, violées par des cygnes, séduites par des serpents ». Shoshana Felman suggère que Dieu est inconscient, ou bien Dieu, c'est l'inconscient de l'homme. Ceci nous mènerait au bord du gouffre du processus primaire qui, comme le dit Metz, risque de nous engloutir. Mais Robbe-Grillet éteint son feu, et les conflits internes du signifié nous engagent dans la reprise du processus secondaire. Cet opéra pornographique ne serait que la promenade initiatique d'une Belle au bois dormant, ouvrant les portes du château de Barbe-Bleue. Le diable, ou Dieu, n'est qu'un homme, transformé par des fantasmes de peur. Comme l'indique justement Christian Metz [6] :

« *Toute réflexion psychanalytique sur le cinéma pourrait se définir en termes lacaniens comme un effort pour dégager l'objet-cinéma de l'imaginaire et pour le conquérir au symbolique.* »

On peut cependant constater que l'érotisme est appréhendé sur un mode régressif. A ce niveau de régression, on peut suggérer que tous les personnages du film représentent le narrateur et sa relation objectale.

6. *La relation d'objet*

Si l'on reprend la terminologie kleinienne, on repère chez Robbe-Grillet un clivage entre le « bon » et le « mauvais objet », le bon objet est projeté sur Carolina et Trintignant; le père, Georges de Saxe, étant lui-même clivé, et le « mauvais objet » se décèle dans tous les personnages sadiques et persécuteurs du film, comme la directrice lesbienne du bordel, les gangsters qui profèrent des menaces :

« *Car l'organisation exerce jour après jour un droit d'escompte. Escompte, intérêt de retard, droit d'usage en quelque sorte...* »

Ce film présente une oscillation entre le stade paranoïde (persécuteur) et le stade dépressif, qui comporte une réparation de l'objet. La « réparation » fonctionnerait surtout au niveau du décor, riche, somptueux, orné de tapisseries et de statues restaurant l'image de la femme dans son intégrité. Il s'agit de réparer l'objet, constamment agressé par des pulsions sadiques (fouet, drogue, sévices, tortures, humiliations). Ce phénomène de « réparation » participe au travail cathartique du film. Nous avons vu que le processus primaire risque à tout moment de l'emporter, et le travail du film est un travail sur la secondarité et le symbolique, il représente l'accès à la LOI.

En conclusion, je suggérerai que *Le Jeu avec le feu* possède un caractère expérimental. Loin d'être un film de diégèse classique, où l'on peut étudier les structures du récit, « la grande syntagmatique », ce film pourrait être l'expérimentation d'une « grande fantasmatique ». Christian Metz affirme que le film se prête mal à exprimer l'absurdité ou l'étrangeté du rêve, mais Metz étudie le film de diégèse classique, et conclut qu'il est malaisé d'y repérer le processus primaire. Un film de recherche, comme *Le Jeu avec le feu*, permet de voir affleurer la poésie du processus primaire se combinant avec le travail du film, qui s'inscrit dans la secondarité. Une lecture psychanalytique devrait transgresser le verrouillage du processus secondaire, sorte de transparence sur le processus primaire, l'imaginaire lacanien, ce qu'Alain Robbe-Grillet évoque parfois comme une « grande mémoire perdue ».

L. F.

NOTES

1. Ce film a, parmi ses sources indirectes, le séminaire de Conrad Stein publié dans le n° 7/8 d'*Etudes Freudiennes,* sur *L'Interprétation des rêves,* chap. VI et VII.
2. Editions de Minuit.
3. J.F. Lyotard, *Discours, figure,* Klincksieck, 1971; *Des dispositifs pulsionnels* (article « L'A-cinéma »), 10/18, 1973.
4. *L'Interprétation des rêves,* chap. VII, p. 432, Club Français du Livre, trad. Meyerson.
5. *L'enfant qui brûle et la philosophie,* par Shoshana Felman, dans *L'Arc,* n° 58, p. 47.
6. *Le signifiant imaginaire,* Christian Metz, dans *Communications* n° 23, Seuil.

DISCUSSION

Lucien DALLENBACH : Claudette Oriol-Boyer a évoqué une programmation intratextuelle de la lecture, et elle parlait de la possibilité de préciser cela avec le test..

Claudette ORIOL-BOYER : Oui, c'est un travail que j'aimerais faire après mon parcours à l'intérieur de l'œuvre de Robbe-Grillet. J'aimerais avoir une espèce de feed-back par rapport à ma propre lecture sur diverses populations à déterminer. J'ai parlé ici même avec Jacques Leenhardt, qui va publier un livre sur une lecture des *Choses* de Perec, faite en France et en Hongrie, depuis plusieurs années. Je pense trouver là des points de départ car, pour l'instant, je n'y ai pas encore sérieusement travaillé.

Lucien DALLENBACH : Le corps de questions me paraît déterminant...

Claudette ORIOL-BOYER : Oui. Je pense que la grille d'analyse qu'on propose peut être déterminante. En tout cas, il ne faut pas se contenter d'une population et d'une grille. Pour la composition de la grille, il faudrait au moins deux temps, un questionnaire ouvert suivi d'un questionnaire fermé.

Ginette KRYSSING-BERG : Une question de détail, Françoise Rouet, à propos de votre premier niveau, le niveau lexical. Il m'a semblé que vous sépariez les passages se rapportant au corps féminin et les passages se rapportant au roman policier. Or, je crois que c'est justement dans les passages du roman policier que se trouvent les descriptions les plus suggestives du corps féminin. C'est dans ces passages-là que l'on trouve des adjectifs que Robbe-Grillet récuse : une chair savoureuse, une petite fesse charmante...

Françoise ROUET : Trois types de discours ont été définis et, sur chaque type, deux niveaux : le niveau lexical et le niveau thématique. C'est peut-être d'une confusion entre les deux niveaux qu'il s'agit. A partir du moment où le deuxième type de discours émerge dans l'écriture, c'est-à-dire un discours à la troisième personne, etc., à ce moment-là émerge une thématique policière et, en même temps, disparaît le discours subjectif d'ordre général, c'est-à-dire que la première personne et le déictique de la première personne disparaissent.

Jean-Christophe CAMBIER : Quand Lise Frenkel a parlé de la scène du taxi qui brûle, elle a utilisé la formulation metzienne de la séquence potentielle. Or celle-ci ne semble pas convenir à cette scène. C'est à partir d'un film de Godard que Metz la propose...

Lise FRENKEL : Moi, c'est dans le *Signifiant imaginaire* [1] que je l'ai trouvée...

Dominique CHATEAU : Metz a parlé d'abord de séquence potentielle à propos de la fameuse séquence, dans *Pierrot le fou*, de la fuite de la maison. Si la séquence était normale, on verrait les deux personnages qui descendent et s'enfuient dans une voiture rouge. Or Godard a mélangé les plans. Alors Metz a dit que c'était à la fois une séquence disloquée et une séquence potentielle. Mais peut-être que, dans le nouvel article, il emploie le terme dans un autre sens.

Paul JACOPIN : Une question à Françoise Rouet. Je me demande si ce qu'elle a dit ne pourrait pas convenir un peu à un travail de typologie des scènes.

Françoise ROUET : Je ne dégage pas une structure-type du livre. Je ne dis pas : c'est le fonctionnement du livre. Je dégage, à différents niveaux, des mécanismes opératoires dont la superposition provoque une multiplicité de structuration.

Paul JACOPIN : Cela permet de mettre en place les fonctionnements narratifs spécifiques...

Françoise ROUET : Pas seulement les fonctionnements narratifs spécifiques. Il y a aussi les fonctionements linguistiques.

Annie ARNAUDIES : M. Elaho, vous avez parlé du goût pour les histoires, et signalé le fait que au moins les premiers romans de Robbe-Grillet semblaient récupérés parce que d'une certaine façon ils racontent des histoires. Pourriez-vous faire le rapprochement entre les histoires africaines qui, je le suppose, renvoient à une sorte de tradition et les histoires de Robbe-Grillet?

Raymond ELAHO : Je prends ici le mot histoire dans son acception la plus banale. C'est pour cela que j'ai mis, en tête de mon exposé, l'inscription de Boris : « Je vais vous raconter mon histoire. » J'ai choisi cette citation pour son ambiguïté et son côté humoristique. Je pense donc à la première réaction de celui qui se dit : « c'est un roman, il va y avoir une histoire », et puis il prend le roman. Bien sûr le Nouveau Roman, ce n'est pas le moyen exemplaire pour chercher des histoires. Mais le fait même qu'on a dit qu'il n'y a pas d'histoire, qu'il n'y a rien du tout, pique leur curiosité. Si les lecteurs cherchent l'histoire, ce n'est pas comme but, c'est comme moyen : une fois retenus, alors, ils vont découvrir autre chose.

Jean RICARDOU : Je pose ma question, Raymond Elaho, à la suite de votre formule « la culture que l'on propage ». Dans cette culture, il y a des contradictions. Apparaissent-elles dans l'accueil qui est fait aux divers livres que vous proposez? Quelle est la différence d'accueil d'un livre de Robbe-Grillet et d'un livre de Balzac par les lecteurs des universités nigériannes? Lorsque ces lecteurs lisent les livres des écrivains africains contemporains, ont-ils tendance à les rapprocher plus de Balzac que de Robbe-Grillet?

Raymond ELAHO : La réaction des étudiants nigérians à l'œuvre de Balzac, c'est une réaction de proximité : il y a des histoires, là, beaucoup. Mais avec Robbe-Grillet, ils commencent à lire et ils disent : « Mais qu'est-ce qu'il fabrique là » *(Rires)*...

Alain ROBBE-GRILLET : Ça ne caractérise pas les Nigérians : en France c'est pareil... *(Rires.)*

Raymond ELAHO : Ils ont, dans l'ensemble, une réaction plus spontanée envers l'œuvre de Balzac qu'envers l'œuvre de Robbe-Grillet. Mais celle-ci les fait réfléchir et se poser des problèmes.

Jean RICARDOU : Mais alors, après avoir lu un texte de Robbe-Grillet, comment conçoivent-ils la lecture d'un texte d'un des écrivains africains contemporains qu'ils connaissent? Est-ce que le fait d'avoir lu Robbe-Grillet et de s'être posé certaines questions change un peu leur position vis-à-vis de ces textes d'écrivains africains dont vous avez cités...

Raymond ELAHO : Il n'est pas question, pour moi, de parler ici pour tous les Nigérians. Je donne une opinion à partir de mon expérience personnelle et de ce que j'ai vu parmi mes camarades. Quand ils lisent *L'Enfant noir* de Camara Layé, par exemple, la première chose qui les frappe, c'est l'histoire. Ils n'ont pas vraiment envie de chercher autre chose : cela ne pose pas de problèmes, c'est facile à lire. En somme, avec un auteur africain, ils se sentent très proches, avec Balzac moins proches, avec Robbe-Grillet assez éloignés.

Frédéric GROVER : Vous avez mentionné Raymond Elaho, que, de tous les romans de Robbe-Grillet, c'était *La Jalousie* qui avait été introduit le premier ou qui était en tout cas l'œuvre la plus étudiée. C'est un peu partout la même chose. Ce que j'aurais donc aimé savoir, c'est comment un Africain lit *La Jalousie*. Après tout, bien qu'il soit fait allusion à un roman africain conventionnel, avec révolte des noirs, etc., les rapports des blancs et des noirs sont assez importants : en particulier l'épisode où il est dit que la femme se fait toujours comprendre par les noirs, et celui où elle dit : « coucher avec des noirs, pourquoi pas? » Alors, comment un Africain réagit-il? A-t-il une lecture, disons, plus politique de *La Jalousie* que quelqu'un d'autre?

Raymond ELAHO : Nous avons de la chance, nous Nigérians, parce que nous ne sommes pas prisonniers des systèmes. Chaque fois que l'un d'entre nous prend un roman, il ne va pas chercher Marx ou je ne sais pas qui derrière le roman. Il prend le roman pour ce qu'il est. Bien sûr, s'il y a des événements avec des indigènes, cela pique sa curiosité, mais pour lui ce sont des « histoires » et rien de plus. Il trouve du plaisir à lire des textes, le plaisir justement qui échappe à beaucoup de Français, qui ont déjà tellement argumenté.

Michel RYBALKA : Ce que j'ai apprécié, dans l'exposé de Claudette Oriol-Boyer, c'est qu'elle a mis l'accent sur un problème peu évoqué jusqu'à présent : celui de la lecture. C'est pourtant à Robbe-Grillet que ma question s'adresse. Il a dit l'autre jour que la perception du spectateur est subjective. Je voudrais savoir s'il s'en tient à cette formulation ou si ce n'était pas une sorte de provocation? Ne pose-t-il pas un peu une objectivité du texte, par rapport à une réception qui serait subjective?

Alain ROBBE-GRILLET : Sur ce point-là non plus je ne sépare pas tellement l'auteur du lecteur. Mes contacts avec ce que j'écris sont déjà des contacts de lecture, et ce sont des contacts déjà subjectifs. Je ne vois donc pas pourquoi je m'opposerais au lecteur. C'est même dans la mesure où j'ai cette expérience de scripteur et de la subjectivité qu'elle met en cause, que je prends conscience de la subjectivité du lecteur.

Michel RYBALKA : Je peux demander son opinion à Mme Oriol-Boyer là-dessus? Vous avez proposé d'interroger des populations d'après une méthode à définir, cela suppose quand même, derrière cette interrogation, une certaine rationalité.

Alain ROBBE-GRILLET : Cela, c'est autre chose. La difficulté c'est : comment cerner une population? On en reviendrait là un peu à la question qui a été posée à Elaho : est-ce que le Nigéria, dans son ensemble, opposé à la France, dans son ensemble, a des réactions différentes, vis-à-vis, par exemple, de *La Jalousie*? Je crois que, déjà, dans ce colloque, il y aurait deux populations distinctes. Si on établissait les courbes de Gauss sur certaines questions précises posées à l'ensemble des personnes présentes, on obtiendrait une courbe à deux sommets. Vous savez que la courbe de répartition des fréquences permet de juger l'homogénéité d'un groupe par rapport à un phénomène donné. On n'aurait pas ici une courbe en cloche, avec une médiane et des écarts-types, mais une courbe à deux sommets, en bosses de chameau, révélant très nettement deux populations qui s'orienteraient, l'une plutôt vers la littérature, l'autre plutôt vers le cinéma.

Claudette ORIOL-BOYER : Le problème qui personnellement me tracasse, c'est que si la lecture de l'œuvre varie en fonction de l'intertexte présent chez les différents lecteurs, alors va-t-on pouvoir continuer à dire que le texte produit quelque chose d'unique et, en somme, programme, au moment de sa production, les conditions minimales de sa lecture? Quand on analyse un texte et qu'on dit : le texte désormais ne peut plus se lire de telle façon parce que, à l'intérieur de lui, il a construit ce qui détruisait une telle lecture, je me demande toujours si ce n'est pas une construction de celui qui est en train d'analyser le texte et si, en fait, l'expérience de lecture ne va pas apporter un démenti à « cela ne peut plus se lire comme ça »...

Jean RICARDOU : Dans certains cas, la constitution du texte est telle que certains types de lecture rencontrent des difficultés insurmontables. Ce qu'on appelle alors l'illisible, c'est ce désaccord entre le texte et cette lecture. Et, cela, ce n'est pas un quelconque analyste qui le décrète. Par ailleurs, il me semble que Robbe-Grillet permet de préciser un point intéressant. S'il est possible, par un travail statistique, de déterminer diverses populations dans un ensemble, peut-être faut-il restreindre le champ que recouvre la subjectivité. Je me demande si ce qu'on appelle subjectivité ne contient pas souvent des éléments qui relèvent d'autre chose que de l'individualité et qu'étudie soit la statistique, soit l'analyse idéologique, etc.

Michel RYBALKA : J'ajoute, Robbe-Grillet, que vous avez dit : « dans toutes ces questions, la perception du spectateur est *entièrement* subjective »...

Alain ROBBE-GRILLET : Je veux dire par là qu'elle passe par son corps et, si son corps est idéologique, il n'est sans doute pas seulement cela. Il y a peut-être aussi son hérédité, sa famille; son histoire personnelle de corps comporte des affects, comme dirait Lise

405

Frenkel, et c'est cela, globalement, que j'appelle la subjectivité. Mettons, si vous voulez, dans une population considérée comme homogène du point de vue de la culture, du milieu social, de la géographie, de l'âge etc., il y a quand même des gens qui ont des pulsions sadiques, d'autres qui ont des pulsions masochistes. Même si opposer ce couple est très grossier comme il a été dit ici malgré tout, dans la pratique sexuelle de leurs corps, ils auront des désirs et une expérience vécue différente. Quelquefois c'est encore plus bizarre : pourquoi Edgar Poe est-il un grand écrivain en France et qu'il n'en est pas un en Amérique? Il y a tout de même là un phénomène assez curieux...

Jean RICARDOU : Ce phénomène s'appelle Baudelaire...

Alain ROBBE-GRILLET : Est-ce uniquement à cause de Baudelaire? Faudrait-il renoncer à parler vraiment d'Edgar Poe en France quand on parle d'Edgar Poe?

Jean RICARDOU : On pourrait en parler comme d'un texte écrit par deux écrivains : ainsi la notion d'auteur se trouverait savoureusement subvertie...

Alain ROBBE-GRILLET : Et, quand il s'agit de cinéma, c'est encore pire. Dans L'Eden, il y a des gens pour qui la présence physique de Catherine Jourdan aide à participer à cette expérience créatrice du film, et il y en a d'autres, au contraire, chez qui la même présence de Catherine Jourdan procure des mouvements de replis du corps, qui les empêchent de rien voir. Et je sais bien que, pour moi-même, le « sujet » d'un livre, eh bien, cela peut prendre de l'importance, même s'il s'agit d'un livre de recherche structurelle qui me passionne; oui, il y aura, tout d'un coup, l'importance de ce qu'on peut bêtement appeler le sujet. C'est quelque chose qui, je pense, est d'ordre subjectif : peut-être une théorisation plus poussée va permettre de le penser un jour, mais, dans l'état actuel, cela reste des pulsions difficilement analysables. Ce n'est pas du tout en tant qu'auteur que je parle en ce moment, c'est en simple lecteur ou spectateur de cinéma.

Michel RYBALKA : Mais pourquoi n'en parle-t-on pas davantage?

Alain ROBBE-GRILLET : Vous voyez bien que je n'ai

aucune réticence à en parler. Je trouve, d'une part, que c'est un problème qui existe et, d'autre part, que provisoirement ça ne me concerne pas. Je dis provisoirement parce que, peut-être, je pourrais me mettre à m'intéresser à ce problème si une solution théorique devenait envisageable.

Michel Rybalka : Ne pourrait-on pas poser comme postulat qu'une œuvre, c'est le texte plus l'ensemble des réactions qu'elle suscite?

Alain Robbe-Grillet : Alors, l'œuvre change de mois en mois, d'année en année : l'ensemble des réactions que *La Jalousie* a suscitées en 57 n'est pas du tout l'ensemble des réactions qu'elle suscite en 67 ni en 75...

Jean Ricardou : Vous voulez dire que c'est un processus de production perpétuel?

Michel Rybalka : Oui, je crois que c'est un processus de production.

Alain Robbe-Grillet : Cette part du texte, rejetée dans la subjectivité, c'est un peu comparable à ce qui, dans l'expérience scientifique, est rejeté sous le nom de hasard. On appelle hasard, en mathématique, ce qui n'est pas contrôlé dans les conditions de l'expérience. On n'a pas dit que c'était plus hasardeux qu'autre chose, simplement c'est le hasard parce que ce n'est pas ce qui est étudié dans l'expérience présente. On pourrait dire aussi que le subjectif c'est ce qui n'est pas contrôlé dans l'ensemble de la tentative de théorisation présente. Quand on réussit déjà à isoler l'idéologique à l'intérieur du subjectif, on a déjà fait un pas qui fait reculer l'auteur. Ce qui serait intéressant, pour moi, ce serait de le faire reculer de plus en plus et... de voir ce qui reste.

Michel Rybalka : C'est ce que je propose, mais que vous occultez par des phrases comme celle que j'ai citée...

Alain Robbe-Grillet : Que j'occulte?

Michel Rybalka : Enfin, que vous ne favorisez pas. Vous n'allez pas dans cette direction.

Alain Robbe-Grillet : Vous voyez bien, en tout cas, que j'en parle volontiers. Et quant à la direction, vous savez bien que ce n'est pas moi qui ai dirigé le colloque...

Michel RYBALKA : Ce n'est pas un reproche.

Alain ROBBE-GRILLET : Le tour qu'il a pris m'a intéressé beaucoup. Mais je me serais peut-être intéressé, aussi, à d'autres directions. Etudier directement l'auteur, ce serait rencontrer tout de suite, à l'heure actuelle, la psychanalyse. Or, à ce propos, et c'est une des choses émouvantes dans le discours de Fedida, il y a une espèce de déflation, de déconnaissance de la psychanalyse. (Rires.) Fedida a dit très justement que l'analyse traditionnelle renonce pour l'instant à rendre compte de ce que c'est qu'un auteur. Par ailleurs, le travail de Vidal a eu le grand intérêt de vider de son contenu tout un champ opératoire qui semblait passionnant il y a encore seulement deux ans. C'est peut-être une impression subjective là aussi... De toute manière, plus que la formulation d'une hypothèse critique particulière, qui rendrait mieux compte de tels ou tels phénomènes, ce sont les mouvements à l'intérieur du champ critique qui ont un rapport intéressant avec les mouvements à l'intérieur du texte. Et, personnellement, si je me trouve à l'aise dans ce champ critique, c'est dans la mesure où j'ai moins que les critiques eux-mêmes le souci de privilégier telle ou telle formalisation par rapport à telle ou telle autre. Ainsi quand nous avons publié le livre de Morrissette [2], on l'a fait précéder d'une préface : non pas une préface pour dire que c'était très intéressant mais, au contraire, une préface de Roland Barthes pour dire exactement le contraire...

Jean RICARDOU : ... tout en disant, si je me souviens bien, que c'était intéressant tout de même...

Alain ROBBE-GRILLET : Sans doute, mais de la part de Barthes, c'était un coup de chapeau de politesse... De même, l'étude de Leenhardt, nous l'avons publiée certes parce que je la trouvais bien faite mais, en même temps, je n'étais absolument pas convaincu par sa méthode. A la limite, je m'intéresse à un critique qui propose de mon œuvre une vue très opposée à la mienne, plutôt qu'à celui qui propose une vue ressemblant trop à la mienne, car pour cela je n'ai pas besoin de lui. Ce qui est bien aujourd'hui, c'est qu'aucune méthode critique ne reste longtemps au pouvoir. Il y a quelque temps, on avait une pesanteur de la critique au pouvoir très exaspérante, très stérilisante. Ce qui m'est apparu avec beaucoup de force, dans ce colloque, c'est un mouvement violent des intelligences et des passions à l'intérieur du champ critique. Même si ça déconne par moments, cela n'a aucune importance : il y a là quelque chose à la fois de très efficace et de très beau. (*Rires*.)

NOTES

1. Dans *Communications* n° 23, Seuil.
2. *Les Romans de Robbe-Grillet* (Éditions de Minuit).

XVIII. ROBBE-GRILLET A LA QUESTION

Jean RICARDOU : Au début de cette dernière séance, je voudrais faire une remarque. Bien sûr, la parole est avant tout à Robbe-Grillet. Mais je souhaite aussi que le plus grand nombre des participants qui n'ont pas eu l'occasion de parler encore n'hésitent plus à intervenir maintenant.

Frédéric GROVER : Ma question porte sur les facteurs de changement. Ricardou nous a dit, au début du colloque, que le scripteur est le produit de son produit. Cependant il y a d'autres facteurs de changement : vous-même, vous nous avez dit, en ce qui concerne le cinéma, que la résistance de vos collaborateurs vous avertissait, parce qu'ils sont ce que vous appelez les chiens de garde de l'idéologie. Mais, dans le roman, puisque vous êtes seul devant votre feuille de papier (encore que, à voir vos films, on pourrait vous imaginer un peu comme Valmont utilisant pour écritoire le corps d'une femme...), comment vous rendez-vous compte de cette résistance de l'idéologie? Pendant longtemps il y avait les critiques et les lecteurs : vous pouviez imaginer comment ils allaient réagir. Mais, à présent, la partie est gagnée : vous avez appris à lire à pas mal de gens et, par conséquent, le danger de récupération grandit. Comment donc aller plus loin? Comment rompre avec les nouvelles ornières qui risquent de se former? Comment éviter le danger de vous imiter? Comment évoluer et continuer à créer des formes révolutionnaires?

Alain ROBBE-GRILLET : Si la récupération a lieu, dans une large mesure, comme vous le signalez, elle a toujours du retard. A presque chacun de mes romans, j'ai retrouvé, de la part de la critique au pouvoir, la même condamnation : au lieu de rejeter l'ensemble de mes travaux, elle se contentait de rejeter le dernier, en prenant prétexte du travail ancien qui, lui, avait été récupéré. *La Maison de rendez-vous* a été largement condamnée au nom du *Labyrinthe*. *La Jalousie* l'avait été au nom du *Voyeur*, *Projet pour une Révolution* l'est encore aujourd'hui au nom de *La Jalousie*. Pour les films, c'est presque pire. A chacun de mes films, la presse parisienne quasi-unanime déclare que les précédents étaient bons jusqu'à celui-là, ou pas tout à fait jusqu'à celui-là, suivant la résistance idéologique du critique. Ce mouvement de récupération n'est pas gênant pour moi, au contraire il me pousse en avant. C'est dans la mesure où l'on a pu enfin lire quelque chose dans tel livre, considéré au départ comme illisible, que je peux moi-même écrire autre chose. Il s'agirait en somme d'une coopération fructueuse entre celui qui avance et les chiens de garde qui le rattrapent progressivement.

Jean-Jacques LE DEUF : C'est une question naïve que je vous pose : quelles influences ont exercé, ou exercent encore sur vous, les travaux des Nouveaux Romanciers et, en particulier, quelle est l'influence exercée par *La Prise de Constantinople* sur votre production?

Alain ROBBE-GRILLET : Cela rejoint un peu la question de Grover. *La Prise de Constantinople* fait partie de ce qui m'a intéressé comme se rapprochant plus ou moins de mes propres préoccupations. Mais, quant à l'influence, là aussi elle pourrait être plutôt négative. Dans la mesure où je peux trouver, mettons chez Claude Simon ou chez Ricardou, des processus formateurs comparables à ceux que j'aurais mis en jeu moi-même, mon premier désir serait d'en retirer mes propres troupes...

Jean-Jacques LE DEUF : Ça ne vous fait pas repartir?

Alain ROBBE-GRILLET : Chaque roman a été une impasse pour son auteur lui-même : il est allé jusqu'au bout de quelque chose. Je ne peux pas aller plus loin que *La Jalousie* pour les processus mis en jeu dans *La Jalousie*. Au moment où un roman est terminé, l'auteur ressent non pas une satisfaction mais, au contraire, une espèce de vide, et presque une période de dépression. Mais oui, pourquoi pas, comme tout le monde... (*Rires*.) Il n'y a plus rien devant : je suis allé au bout. Puis, quelque chose commence peu à peu à naître, en-deça, qui va explorer une nouvelle voie dans une direction plus ou moins divergente. Les œuvres des petits camarades, de ce point de vue-là, ne jouent pas un rôle fondamentalement différent de mes propres œuvres, sauf que je les connais moins bien. Contrairement à ce qui a été dit souvent ici, j'estime qu'un auteur conscient et organisé connaît assez bien son œuvre : il l'a fait fonctionner lui-même. Je ne veux pas dire qu'il la connaîtra toujours mieux que tout le monde sur tous les points, mais globalement il a sur l'œuvre une somme d'informations considérable, surtout s'il écrit lentement, ce qui est mon cas.

Jean-Jacques LE DEUF : Jean Ricardou reconnaîtrait sans doute que ce que vous avez écrit n'a pas été inutile à l'élaboration de ses théories et de ses fictions. Voulez-vous dire que tout vient strictement de vous?

Alain ROBBE-GRILLET : Je précise bien : les autres sont utiles à titre négatif. Cela a été fait donc ce n'est plus intéressant de le faire. A titre humoristique aussi quelquefois : cela a été fait, donc je vais en montrer l'envers. Ce ne sont pas les œuvres qui m'intéressent le plus qui peuvent entrer le plus dans mes propres processus créateurs. Au grand scandale de certains lecteurs, j'avais signalé à l'époque des *Gommes,* l'importance que pouvait avoir eu, pour moi, la lecture de Graham Greene, que je ne considère pas comme un des écrivains majeurs de notre époque. Contrairement à Malraux, selon lequel c'est la fréquentation des grandes œuvres qui produit les grandes œuvres, je penserais que c'est souvent la fréquentation d'œuvres mineures qui peut déclencher des processus créateurs personnels.

Lise FRENKEL : J'ai échangé quelques propos avec Michel Rybalka sur le statut de la biographie à l'heure actuelle en tant que genre littéraire. Il m'a fait remarquer (et je pense que dans une certaine mesure il a raison) que mon travail est trop propre. Le travail psychanalytique que je fais, d'après les directives de Janine Chasseguet-Smirgel, essaye d'évacuer tout contenu biographique. Elle-même, dans *Marienbad*, a voulu travailler sur les structures du film, et non pas sur vous. Alors Michel Rybalka me suggérait que c'était peut-être à la psychanalyse d'établir les statuts de la biographie. Je vous pose donc la question : quel intérêt a pour vous un travail biographique sur vous? Etes-vous tout à fait indifférent à ce genre de travail? Est-ce une confirmation narcissique pour vous ou bien est-ce de l'impertinence?

Alain ROBBE-GRILLET : Dans la mesure où rien de ce qui est inhumain ne m'est étranger (*Rires*), la biographie en tant qu'activité typiquement inhumaine, je l'accepte tout à fait. Et même, puisque la biographie est si largement exclue par une espèce de consensus général actuel, je l'accueillerais volontiers, selon ce que j'ai signalé à l'instant à Grover. Je proposerai même de généraliser l'insertion dans la critique, de ce que Barthes a sournoisement réintroduit sous le nom de biographème. Grâce à ce mot, peut-être, va-t-on pouvoir s'en donner à cœur joie dans une direction un peu négligée? Pour répondre donc à votre question d'une façon directe : allez-y. (*Rires*.)

Lise FRENKEL : A propos de biographèmes pertinents, je trouve que tout élément de biographie n'est pas pertinent. Vous avez évoqué hors séance une histoire très jolie et pleine d'inquiétante étrangeté, de présupposés et de pressentiments (*Rires*) que j'aimerais peut-être... C'est l'histoire du vespertilion de votre mère. Je raconte ce que vous m'avez raconté ou je vous laisse...

Alain ROBBE-GRILLET : Puisqu'il s'agit d'un biographème, il vaudrait peut-être mieux que je le retrace moi-même : Lise Frenkel me signalait l'horreur maladive qu'elle avait pour les chauves souris, ordre assez large parmi lequel elle ne semblait pas faire grandes différences. Et, tout d'un coup, j'ai pensé au scandale qui s'était produit chez mes parents, à un thé, quand un vespertilion était sorti de la robe de ma mère. C'était un petit animal malade. Les poïkylothermes n'ont pas de difficulté à hiverner, puisqu'ils n'ont pas à maintenir une température constante; au contraire, les homéothermes ont besoin de certaines réserves pour passer l'hiver. Il fallait donc qu'elle reste au chaud, cette pauvre bête fragile, et ma mère, qui l'avait recueillie et qui lui donnait de l'hémostyle (du sérum de cheval) pour la fortifier, la conservait en général dans son sein, à l'intérieur de son corsage. Notez que c'est minuscule : ça pèse environ trois grammes. Malheureusement, par moment, le vespertilion sortait. (*Rires.*) Je me rappelle donc qu'une fois il est sorti sur le cou de ma mère tandis que tout le monde était à table, en train de prendre le thé. Or cette bête minuscule déploie ses ailes pour ramper et, alors, elle devient énorme : un animal de cauchemars comme il en apparaît d'ailleurs à titre de fantasmes dans certains films, dans *Lost Week end* par exemple. Voilà, c'est tout. Ah oui, je me souviens aussi qu'une dame s'était évanouie. (*Rires.*)

Lise FRENKEL : Est-ce que je peux continuer là où vous vous êtes arrêté?

Alain ROBBE-GRILLET : Alors, là, maintenant, ce seront des Lise-Frenkelèmes. (*Rires.*)

Lise FRENKEL : Non, pas du tout : je vais me référer à Freud. Je n'ai pu m'empêcher de rapprocher votre histoire du texte de Freud sur Léonard de Vinci et, bien entendu, de l'histoire du vautour. Dans l'analyse du tableau, il s'agit de Sainte Anne si je ne me trompe. Freud a développé son analyse autour du fantasme du vautour, assimilé pour Léonard de Vinci à l'image de la mère.

Alain ROBBE-GRILLET : Si vous voulez, mais enfin il y a toujours eu un grand nombre de bêtes à la maison, à cause de l'amour que ma mère avait pour à peu près tous les animaux : il y a eu des hirondelles, une corneille dans l'appartement parisien pendant près d'une année... Alors, ce qui est ennuyeux, dans un biographème, c'est qu'à partir du moment où on l'isole, il prend une importance énorme. Cette histoire de la chauve-souris n'est pas du tout une histoire qui m'est restée présente à l'esprit. Elle doit avoir une trentaine d'années et elle est ressortie dans la situation que j'ai dite. Elle prend soudain une importance dont il faut probablement se méfier. La biographie pourrait permettre un travail intéressant si on réussissait, pour commencer à établir comme base un immense corpus qui pourrait être, alors, un texte tout simplement.

Jean RICARDOU : Oui, mais avec l'écriture référée à la vie même nous savons qu'il y a un fonctionnement paradoxal. Ce n'est pas tant le notable qui est noté que le noté qui devient notable par opposition à ce qui n'a pas été choisi. Un fait quelconque, parce qu'il est noté, prend soudain, par une sorte de coup d'écriture, une importance qu'il n'avait pas forcément dans la vie même. Il faut toujours tenir compte de cette valorisation scripturale ou même, s'il s'agit de paroles, verbales. Alors, bien sûr, on peut la restreindre en multipliant le plus possible les événements notés, mais un texte, même très vaste, opère cependant un choix très sélectif par rapport aux innombrables événements d'une vie et le problème demeure.

Alain ROBBE-GRILLET : Et on a tendance, évidemment, surtout en public, à raconter avec le vague désir, je ne sais pas, d'amuser. On isole ainsi des éléments déjà favorables à l'investissement idéologique. En fait j'ai des souvenirs tout autres qui me reviennent beaucoup plus souvent en mémoire, des souvenirs d'enfance ou d'adolescence, je ne sais même plus de quelle période. Mais ils sont si vagues et si vides que je ne pourrais même pas les raconter. Ce n'est plus du tout la cotelette de Barthes ou le vespertilion de ma mère. C'est, je ne sais pas : une rue... J'ai une image, comme ça, qui revient souvent : c'est à Paris, probablement, dans mon enfance, à une époque où il y avait encore très peu de voitures. Il a plu, la chaussée est mouillée, il y a une espèce de calme, de calme avec des bruits, des petits bruits clairs çà et là qui se distinguent. C'est une impression : je ne pourrais même pas dire si c'est une impression musicale ou visuelle. Tout d'un coup, là, en essayant de la raconter, elle s'est vidée une fois de plus. Il y avait quelque chose, mais je ne sais pas quoi. C'est probablement pour moi plus important que ces animaux qui peuvent apparaître... le vautour de Léonard de Vinci : tout de suite les grands mots. (*Rires.*)

Jean-Christophe CAMBIER : Ce que vient de raconter Robbe-Grillet, c'est justement un biographème... Le biographème, c'est ce segment de souvenir insignifiant...

Alain ROBBE-GRILLET : Mais racontable, parce que ce qu'a dit Ricardou est très important. Celui-là je ne peux pas le raconter et pourtant je le sens présent dans ma vie-même. Et ça se passe tout le temps comme ça...

Jean-Christophe CAMBIER : Cela me rappelait l'un des biographèmes que cite Barthes sur les tramways dans une rue. A la limite, c'est n'importe quoi un biographème, c'est surtout un événement insignifiant.

Alain ROBBE-GRILLET : Il est peut-être d'autant plus intéressant qu'il est moins racontable. Mais, à la limite, s'il n'est plus racontable du tout, il n'est plus un biographème...

Jean-Christophe CAMBIER : Le problème, c'est de l'écrire...

Alain ROBBE-GRILLET : Oui, précisément.

Jean RICARDOU : Cela n'est-il pas pensé, chez Barthes, à partir du haïku?

Jean-Christophe CAMBIER : Exactement. Le haïku est ce poème japonais que Barthes rapproche du biographème : un événement totalement insignifiant, mais qui provoque une espèce d'effet de sens très rapide, une sorte de mémorisation.

Frédéric GROVER : Puisqu'on parle des rapports de la biographie avec l'œuvre, ma question porte moins sur ces petits détails de l'enfance parce que, évidemment, ils n'ont pas la même importance chez vous que dans Proust (*Rires*), que sur ce que vous dites, aussi, de votre formation scientifique. Dans quelle mesure a-t-elle pu influencer votre pratique littéraire? D'autre part aussi votre participation à l'Histoire? Il y a évidemment bien des façons de lire *La Jalousie*, mais c'est tout de même un des romans les plus intéressants sur le colonialisme, même si on n'adopte pas le point de vue de Leenhardt.

Alors, puisque vous êtes né en 1922, qu'est-ce qui vous a le plus marqué dans les événements historiques que vous avez traversés?

Alain ROBBE-GRILLET : Tout évidemment. Entre 1922 et maintenant, il s'est passé un nombre de choses considérables : le front populaire, la guerre d'Espagne, la guerre de 39, l'occupation, etc. Cependant, il ne me vient jamais à l'idée d'isoler tel ou tel élément. Peut-être même que si j'arrivais à isoler un élément comme remarquable, ce serait dans la mesure où il est déjà réinvesti par les significations et où, par conséquent, il serait moins important. Une chose peut-être tout de même : la notion d'ordre et de désordre en Allemagne nazie : j'ai toujours été intéressé par le fait que ce régime, qui se présentait comme un régime d'ordre (et qui, apparaissant dans une période de désordre socio-économique, a eu d'ailleurs le succès que vous savez pour cette raison-là), relevait en même temps de la plus grande folie criminelle. Phénomène que je retrouve dans le stalinisme, par exemple : l'ordre socialiste heureux qui devenait ce cauchemar. Mais il y a bien d'autres choses sûrement.

Jean RICARDOU : Grover a soulevé aussi le problème de votre propre activité scientifique...

Alain ROBBE-GRILLET : Oui, j'ai ce qu'on appelle un esprit scientifique. Mes études supérieures m'ont conduit vers les sciences. J'ai énormément aimé les systèmes mathématiques : peut-être, même, que je voyais quelque chose de concret dans ce qui semblait pure abstraction aux littéraires. On a affaire, à chaque instant, en mathématiques, à des choses qu'on ne peut pas voir : les nombres imaginaires, par exemple. J'ajouterai ceci, que j'ai souvent dit ailleurs : le scientifique, à l'heure actuelle, n'a pas l'impression que le monde est une totalité entièrement constituée qu'il s'agit seulement d'explorer, en mettant sur pieds des théories qui lui seraient identiques. Si maladroite qu'elle fut il y a un siècle, la science prétendait représenter le monde avec des équations exactes. Le scientifique moderne, et le mouvement s'est de plus en plus accentué dans ces dernières années, sait que l'équation ne peut représenter, de toute façon, que le fonctionnement du cerveau qui l'a conçue et qu'un autre animal, avec une autre organisation cérébrale, pourrait construire un autre système qui se rapporterait tout aussi bien aux mêmes phénomènes. La science a donc pour but non pas d'épuiser la réalité du monde, mais de construire des systèmes conceptuels qui permettront peut-être, le peut-être prend quelquefois de l'importance, d'agir sur le monde. Au fur et à mesure que la science renonçait à son identité humaniste avec les phénomènes naturels, au fur et à mesure l'action de l'homme devenait davantage possible. Il est curieux qu'aller sur la lune semblait l'utopie même, à une époque où la science croyait encore qu'elle allait découvrir ce que le monde est réellement, alors qu'au contraire, maintenant qu'elle y a renoncé, la science permet, par des systèmes conceptuels qui ne représentent que l'homme, le fonctionnement de son cerveau et de son corps, d'y aller effectivement. Cette situation m'intéresse parce qu'elle est pour moi celle de l'écrivain : quelqu'un qui, en fin de compte, ne parle jamais que de lui-même, mais c'est ce discours sur lui-même qui peut, malgré tout, avoir une action qui transformera la société.

Jean RICARDOU : En parlant de votre intérêt pour les sciences, vous avez employé le passé. Cela laisse-t-il entendre que vous ayez coupé avec un certain type d'activités ?

Alain ROBBE-GRILLET : Ah oui, bien sûr. Quand on fait de la recherche scientifique, on ne peut pas écrire de romans. C'est une activité très prenante et à laquelle il faut se consacrer entièrement. Je n'ai pas cessé d'un seul coup. Là aussi, il y a eu un processus de contamination : avec des périodes où j'écrivais un roman et des périodes où je reprenais mon activité scientifique. Et puis, très rapidement, j'ai dû abandonner. A l'heure actuelle, je ne pourrais plus faire de travaux scientifiques, même dans ma spécialité : je suis complètement dépassé par ce qui a été accompli depuis.

Jean RICARDOU : Mais en auriez-vous envie le cas échéant ?

Alain ROBBE-GRILLET : Non, parce que, quand on

est un chercheur scientifique, on sait que, si on s'en va, un autre chercheur va pouvoir continuer. Au contraire, quand j'ai commencé à écrire, j'ai eu cette impression bizarre qu'aucune autre bête ne pouvait le faire à ma place. (*Rires.*)

Lucien DALLENBACH : Cette activité scientifique ne persiste-t-elle pas, tout de même, par exemple quand vous élaborez vos structures? Comment est-ce que vous écrivez?

Alain ROBBE-GRILLET : Non, les rapports à la science, à la mathématique, des constructions que je peux faire en littérature ou dans le cinéma sont plutôt de l'ordre de l'humour : comme le parallélépipède du *Voyeur*. Malgré ces ressemblances que j'ai précisées entre la science moderne et l'activité d'écrivain, je crois que la discipline n'est pas la même. J'ai signalé souvent à quel point un esprit scientifique pouvait être choqué par le fait que, parlant des anagrammes, on ne commence pas par faire des statistiques.

Lucien DALLENBACH : Une chose m'a frappé : vous avez dit une fois que chaque système peut être poussé de telle manière que l'aporie apparaisse. Alors, en relation avec ce que Chateau a dit de la logique des propositions, je me demande si vous travaillez parfois dans ce sens-là. Si une formation disons logique venait...

Alain ROBBE-GRILLET : Non, très nettement non : la liberté, nécessaire pour moi à la pratique de l'écriture, empêche que tout système puisse apparaître comme une directive. C'est très net. Pourquoi, en particulier, est-ce que le système sériel de *L'Eden* n'est pas décelable par le spectateur? C'est parce qu'il est bousillé entièrement par le film.

Michel RYBALKA : En parlant de la science, vous avez suggéré une sorte de télédirective aller dans la lune. Je poserais la question sur un autre plan : quels sont vos rapports avec la science-fiction? Dans quelle mesure peut-on lire vos textes comme des science-fictions?

Alain ROBBE-GRILLET : Je n'arrive pas à lire les ouvrages de science-fiction. Cela m'intéresse théoriquement, mais je n'arrive pas à m'y intéresser pratiquement. Pendant la première période de ce genre littéraire, il y avait une raison très nette à mon refus : la science-fiction ne fonctionnait jamais comme une structure du texte. C'était un récit traditionnel sur des propositions scientifiques plus ou moins imaginaires. Alors, seul m'apparaissait le côté traditionnel. Mais il y a aujourd'hui, de plus en plus, des ouvrages où certaines choses se passent dans le langage, dans l'écriture, et cela m'intéresse davantage. Je signalerais à ce propos que *Dans Le Labyrinthe* était le titre d'une courte nouvelle assez célèbre de Robinson, je crois, parue dans *Les Temps Modernes* et présentée par Queneau...

Michel RYBALKA : Et traduite par Vian.

Alain ROBBE-GRILLET : Quelle constellation ! (*Rires*.) Cette nouvelle était étonnante : elle démarrait comme un récit policier avec une sorte de superman à gadgets qui devait échapper à des dangers. Tout le début du texte, c'était une série de pièges dont il venait à bout et qui le menaient chaque fois à un autre piège, etc. Il y avait quelque chose de très bizarre dans le fonctionnement du récit, c'est que, à chaque fois qu'il échouait, au lieu de disparaître, tué par son erreur, il repartait au point de départ et recommençait un autre parcours. Le dernier parcours le menait à capturer des êtres provenant d'une autre planète et à les tester par des méthodes scientifiques, la méthode du labyrinthe. Il construisait un de ces lieux programmés où, pour tester l'intelligence de la bête, on dispose des embûches et des attractions comme, par exemple, une nourriture. Sans que cela soit jamais dit dans le texte, on finissait par comprendre que c'était lui, le narrateur, qui était depuis le début dans le labyrinthe. Il avait été capturé par des êtres d'une autre planète qui avaient envahi la terre et qui cherchaient à comprendre le fonctionnement du cerveau humain. C'est une nouvelle étonnante. J'ai rarement retrouvé quelque chose d'aussi exaltant dans un ouvrage de science-fiction, sinon les textes de Borgès, bien sûr.

Jacqueline ELLIOTT : Ce qui m'intéresse dans ce qu'on vient de dire, c'est la relation entre le fonctionnement du cerveau humain et l'utilisation par exemple de la parole, relation entre le fonctionnement du cerveau humain et l'utilisation de l'image, de l'écran, fonctionnement du cerveau humain et utilisation de la couleur. Alors, pourriez-vous expliquer, peut-être prévoir, l'orientation de votre travail? Est-ce que vous cherchez d'autres moyens que ceux des experts pour voir comment *ça* fonctionne : j'entends le ça dans le sens de Beckett.

Alain ROBBE-GRILLET : Je ne crois pas. Chez Beckett, il y a une interrogation qu'on peut appeler grossièrement métaphysique : ce *ça* devient un autre monde, ou une malédiction, ou je ne sais pas quoi. Au contraire, à mon niveau de conscience, ce serait chez moi plus proche d'une interrogation matérielle : l'homme est-il assez armé pour investir le champ opératoire qu'on lui a confié? Souvent, on m'a interrogé sur la signification, dans *Les Gommes,* des mensurations du crâne de Wallas, qui sont d'ailleurs celles de mon propre front. C'était ça. Naturellement, je n'attache pas à la phrénologie une importance considérable. Cela nous renvoie aussi au titre *Les Gommes.* Je crois que cela n'a jamais été dit et pourtant cela figurait, pour moi, à titre de référent : les gommes sont un accident syphilitique tertiaire qui obscurcit le jugement; ce sont des gommes dans le cerveau. Ce Wallas, et peut-être tous les voyageurs qui se déplacent dans mes textes, est quelqu'un qui a l'impression de n'être pas tout à fait assez intelligent pour venir à bout de sa tâche.

Marco VALLORA : Une question peut-être trop blanchotienne, à propos de la métaphysique : quel est pour vous le rapport entre la mort et l'écriture?

Alain ROBBE-GRILLET : Je citerai à ce propos la phrase de Barthes : tant qu'il y aura de la mort, il y aura du mythe. C'est-à-dire que l'aliénation de l'homme par le système de production, en régime capitaliste ou autre, n'explique probablement pas tout, et en particulier pourquoi l'homme a constamment bâti des histoires. D'autant plus, et là je quitte sans doute le propos de Barthes, que même l'Histoire avec un grand H, et même si elle est construite par Marx, cela relève aussi de ce besoin multiforme d'organiser des histoires. L'activité théorique ne serait que la même chose encore : l'ordonnance d'un récit, désir lié peut-être à la mort, aliénation dont on ne viendra pas à bout, même si on arrive à la penser autrement. Alors, raconter quelque chose, qu'est-ce que c'est? Elaho a parlé de cette soif d'histoires : je crois qu'elle a existé dans toutes les sociétés, de tout temps. Et, pour ma part, je ne recherche pas du tout la disparition, par atomisation générale, des segments diégétiques qui demeurent dans mes livres ou films. Au contraire, de plus en plus, j'imagine la possibilité, pour moi ou pour quelqu'un d'autre qui viendrait après moi, d'écrire un roman populaire, c'est-à-dire qui, à la limite, pourrait être reçu par un lecteur ayant échappé à toute appréhension théorique, un lecteur resté entièrement enfoncé dans l'idéologie. Personne ne l'a fait vraiment, mais je trouve des expériences de ce genre chez Nabokov, Cortazar, d'autres encore. Je pense à une sorte de réinvestissement brutal du sujet dans les structures mouvantes du récit... Ce serait une chose importante, sans que j'estime avoir besoin de préciser davantage pourquoi.

Jean-Christophe CAMBIER : Vous considérez Nabokov et Cortazar comme des romanciers populaires?

Alain ROBBE-GRILLET : Oui. Je pense au succès de Nabokov avec *Lolita*. Et Cortazar a un grand public populaire dans les pays de langue espagnole, en particulier l'Argentine. Il faut les considérer comme des romanciers qui n'ont pas été mis dans le ghetto culturel.

Raymond ELAHO : Premièrement, vous êtes, dans une certaine mesure, votre propre éditeur. J'aimerais savoir si vous trouvez cette expérience intéressante, favorable pour votre propre travail de production littéraire. Deuxièmement, j'aimerais savoir ce que vous admirez dans l'œuvre de Pinget.

Alain ROBBE-GRILLET : Mon travail d'éditeur et mon travail d'écrivain sont assez séparés. Néanmoins, ce qui est important, pour moi, dans mon rôle de conseiller littéraire, c'est ce qu'on peut appeler la vocation des *Editions de Minuit. Les Editions de Minuit* ont été fondées sous l'occupation pour éditer ce qui ne pouvait pas être édité. Quand je me suis occupé de la collection romanesque, c'était aussi dans cet esprit-là. J'avais été frappé par la lettre de refus d'*Un Régicide* par Gaston Gallimard. On me disait qu'aucune espèce de public n'existait pour ce genre de textes et que, par conséquent, je n'avais qu'à le taper à la machine et le donner à mes amis. J'ai pensé alors que le rôle d'un éditeur pouvait être, non pas de chercher des textes qui correspondent à un public existant mais, au contraire, d'inventer un public qui correspondrait à des textes existants. Ce rôle de l'éditeur est primordial : il pousse les écrivains vers leur accomplissement, au lieu de les ramener dans la norme. Par exemple, on peut affirmer que l'œuvre de Claude Simon n'aurait pas du tout évolué de la manière que nous connaissons s'il était resté chez Calmann-Lévy, puisque, dans ses premiers romans, il s'esquintait à mettre des chapitres explicatifs pour que les lecteurs de chez Calmann-Lévy *comprennent*. Quant à la seconde question, je dirai que je n'ai jamais caché la très grande admiration que j'avais pour Robert Pinget; c'est l'écrivain dont je me sens le plus sensuellement proche.

Josef STEINER : Jusqu'à présent, vous avez écrit ce qu'on appelle des romans d'avant-garde. Mais vous avez aussi le désir d'écrire un roman populaire. Vous avez dit, une fois, que vous avez eu une influence assez marquée sur l'écrivain allemand Handke. Maintenant Handke produit des romans un peu populaires : il est rentré, disons, dans un champ plus conventionnel.

Alain ROBBE-GRILLET : Il est évident qu'une pièce comme *La Chevauchée sur le lac de Constance*, que nous avons vue à Paris, n'est pas une pièce populaire. C'est vraiment de la recherche; le texte en est d'ailleurs splendide. Est-ce que le succès des derniers romans dont vous parlez n'est pas dû alors à un gommage qui évacuerait le travail d'Handke?

Josef STEINER : Personnellement, je dirais que oui...

Alain ROBBE-GRILLET : C'est donc moins intéressant...

Josef STEINER : J'ai orienté ma lecture à partir du Nouveau Roman, si bien que lorsque Handke écrit des livres un peu dans le même genre, cela m'intéresse beaucoup, mais quand il recommence à écrire des romans que j'ai appelés populaires, j'ai tendance à m'y intéresser moins : je ne vois pas, dans l'œuvre actuelle de Handke, le travail de création, de recherche de structures nouvelles qui caractérisait ses premiers livres.

Alain ROBBE-GRILLET : Le désir de retrouver les récits chers à l'imagination populaire peut aussi conduire à de curieux résultats. Quand Raymond Roussel a écrit *Poussières de soleil* pour le théâtre du Châtelet, il avait l'idée qu'en mettant en scène le thème très populaire de la chasse au trésor, qui d'ailleurs l'intéressait lui-même, il allait attirer toute la foule habituelle de ce théâtre. Comme vous savez, cela n'a pas été une expérience concluante.

Jean RICARDOU : Parvenir à un roman qui serait à la fois communément lisible et articulé selon des organisations nouvelles ne condamne-t-il pas à un dispositif étagé. Le premier étage serait celui de la lecture immédiate, le second, celui de la lecture clandestine. N'est-on pas condamné alors à mettre au secret, précisément, ce qui, à découvert, empêcherait un certain type de lecture immédiatement facile ?

Alain ROBBE-GRILLET : Non, parce que, si cela était réussi, il n'y aurait pas une opposition de ces deux plans. Si j'avais à en donner une image, ce serait celle du retournement complet : prendre l'idéologie dans son fonctionnement le plus pur et la retourner comme un gant. Montrer un objet qui lui ressemble, mais qui en est le contraire.

Benoit PEETERS : Vos films ont touché à leur sortie plus de monde que vos romans. Est-ce que la radio ou la télévision ne pourraient pas constituer aussi une façon d'atteindre un plus large public et, éventuellement, de faire un travail à partir de matériaux populaires ?

Alain ROBBE-GRILLET : Oui, il y a plus de gens qui vont au cinéma que de gens qui lisent, il y a plus de gens qui regardent la télévision que de gens qui vont au cinéma. Donc vous avez raison de poser le problème. Hélas, j'ai essayé. *(Rires.)* L'expérience prouve que les marges de l'idéologie sont assez larges concernant les textes écrits, beaucoup moins larges dans la production cinématographique et quasi-nulles pour la télévision. Si bien que les auteurs de télévision sont automatiquement amenés à faire le produit que la télévision demande. Et cela atteint maintenant le cinéma lui-même, dans la mesure où il est pauvre et a besoin de l'argent de la télévision. Je vois à chaque instant des réalisateurs de cinéma qui disent : « Ah, je voudrais bien tourner en cinémascope, mais ce n'est pas intéressant pour la télé », ou bien : « Moi, je m'intéresse à l'érotisme mais, à cause de la télé, c'est difficile. » Cette castration généralisée conduit déjà des réalisateurs qui ont quand même quelque chose dans la tête à tourner des films tout à fait débiles, avec l'idée qu'autrement ça ne passera pas à la télévision. Quant à moi, ma première expérience est celle de *N a pris les dés*. Je vous dis deux mots de l'aspect anecdotique : une jeune fille vit des aventures extraordinaires et s'aperçoit brusquement, à la fin, qu'elle est seulement en train de participer à un jeu télévisé; donc le fonctionnement de la télévision dans la société est déjà en cause au sein du film. Il est depuis cinq ans dans les placards. J'avais eu un projet autrefois, à l'époque où Albert Ollivier, qui était un homme intelligent, était directeur de la Télévision Française. A cette époque reculée, la débilité n'entrait pas dans le projet fondamental de la télévision : on pensait encore qu'on pourrait en faire autre chose. Je m'étais mis d'accord avec Ollivier pour introduire aux heures de grande écoute certaines émissions piégées. La première qui a été mise vraiment en chantier devait figurer dans la séric *Les Cinq dernières minutes*. Avec le même acteur et la même présentation, on aurait bâti une enquête vidée de son sens, ce sens qui doit apparaître au moment où le commissaire dit : « Bon sang, mais c'est, bien sûr... » Toutes les pièces à conviction permettant censément de trouver la solution auraient été des éléments aléatoires, et aucune solution n'aurait été prévue à l'avance. Le commissaire aurait dit : « Bon sang, mais c'est, bien sûr. » Et, à ce moment-là, le téléspectateur aurait téléphoné comme il doit le faire pour montrer sa perspicacité... (*Rires.*) On avait même prévu le nombre de lettres de protestation : c'était, je crois,

150 000. Elles auraient été étudiées par un ordinateur et on aurait fait une deuxième émission, didactique, sur le fonctionnement normalisé que les spectateurs attendaient et que l'émission piégée pervertissait. Albert Ollivier est mort et son successeur a immédiatement mis le projet au panier.

Hélène HERVIEU : J'interviens dans un tout autre domaine, celui des rapports que vous avez avec la peinture. Si vous aviez envie de peindre, comment appliqueriez-vous vos méthodes?

Alain ROBBE-GRILLET : C'est le matériau, la peinture, les pinceaux, le papier, la toile ou autre chose qui commandent. Il se trouve qu'avant d'écrire j'ai fait de la peinture, comme d'autres adolescents font des poèmes. Ce n'était pas une peinture très révolutionnaire, c'était mettons cézannien : des natures mortes peintes à plat, en touches obliques ou non... Cela n'avait pas d'intérêt. J'ai cessé complètement, mais je me suis toujours beaucoup intéressé à la peinture des autres et j'ai suivi le mouvement des formes picturales, en particulier en France, en Amérique et en Italie. Il y a deux ans, j'ai entrepris d'autres essais, qui ne sont encore pour moi que des brouillons : je n'ai donc pas tellement envie d'en parler. Peut-être que, plus tard, cela donnera quelque chose que j'aurai envie de montrer mais, à l'heure actuelle, cela reste une activité privée...

Jean-Christophe CAMBIER : Et quel est le type de peintres dont le travail vous intéresse actuellement?

Alain ROBBE-GRILLET : Je me suis intéressé vivement, et j'ai été l'un des premiers en France, au Pop Art américain : Lichtenstein, Rauschenberg, Rosenquist... Il faut se rappeler le scandale, dans le monde de la peinture européenne, quand Rauschenberg a obtenu le grand prix de la biennale de Venise, en 1963 ou quelque chose comme ça. Douze ans après, les choses ont bien changé. J'ai continué à fréquenter cette peinture-là et celle qui lui a succédé, Spoerri, Christo, tous ces gens qu'on a groupés sous l'étiquette de nouveau réalisme jusqu'à la grande exposition de Milan, quand Christo a emballé les statues de la place du dôme et que Spoerri a simplement signé les tables où l'on avait servi à bouffer aux visiteurs. Après, il y a eu ce mouvement en France avec Legac, Bolkanski, Ben, en Italie avec Gina Pane, etc. C'est quelque chose qui m'intéresse aussi, mais dont je me sens moins proche, en tout cas à titre de peintre. La peinture dont j'ai envie, enfin qui tourne dans ma tête, est une peinture où il y aura encore de la couleur, des pinceaux, un support...

Jean-Christophe CAMBIER : Le travail du groupe Support-Surface ne vous intéresse pas?

Alain ROBBE-GRILLET : Ce qui m'a gêné surtout, dans ce travail, c'est les textes. On avait l'impression, à la limite, que cela ne visait qu'à produire des textes. C'était l'époque où Marcelin Pleynet était devenu le plus grand peintre français contemporain. (Rires.)

Hélène HERVIEU : Vous auriez pu utiliser la peinture dans vos films de la même façon que la musique pour Fano. J'ai senti cela au début de L'Eden.

Alain ROBBE-GRILLET : Depuis que mes films sont en couleur, il y entre beaucoup de préoccupations picturales : l'écran est un support où je mets des couleurs. Les références à la peinture sont nombreuses dans L'Eden : Mondrian, Marcel Duchamp, d'autres encore. Les références à Yves Klein sont nettes aussi dans Glissements : la fille qui se peint le corps et qui se colle contre un mur blanc. Quant à mes expériences personnelles, elles dérivent de ces applications sur des surfaces planes. Seulement, ce ne sont pas des corps que j'applique. Mais cela nous entraînerait trop loin...

Serge LAMOUREUX : Pourquoi n'avez-vous jamais écrit pour le théâtre?

Alain ROBBE-GRILLET : Vous connaissez l'anecdote où de Gaulle répond à sa femme qui, au musée du Louvre, lui dit qu'elle aimerait avoir des tableaux comme ça : je ne peux quand même pas tout faire. (Rires.) Je m'intéresse au théâtre, mais je travaille très lentement, aussi bien pour écrire que pour réaliser un film. Il viendra peut-être un moment où, ayant achevé ce que j'ai envie de faire au cinéma ou dans la littérature, il me restera assez de temps pour essayer de mener à bien les expériences théâtrales dont j'ai quelque vague idée.

Serge Lamoureux : Au point de départ, y avait-il un choix avec le cinéma?

Alain Robbe-Grillet : Un choix de public plutôt : le public des théâtres m'agaçait, tout simplement.

Georges Godin : Avez-vous l'impression que ce que vous avez fait pour le roman et le cinéma a été fait ou est en train de se faire au théâtre?

Alain Robbe-Grillet : *La Chevauchée sur le lac de Constance* me semble aller dans cette direction, par exemple.

Bertie Premer-Kayser : Vous regardez le ciné-roman comme une réflexion sur le film : ne voyez-vous pas la possibilité de travailler pour le théâtre comme vous travaillez pour le cinéma, de manière qu'on puisse regarder le texte écrit des mots parlés comme une réflexion de ce qu'on pourrait faire sur scène?

Alain Robbe-Grillet : Oui, vous avez raison : il pourrait y avoir une interaction très enrichissante entre les deux.

Marianne Adler : Vous avez dit que l'écart vis-à-vis de la norme vous intéresse beaucoup. Est-ce à cause de cela que vous mettez beaucoup de temps à écrire?

Alain Robbe-Grillet : Cela fait partie des préoccupations qui me prennent du temps. Même pour l'emploi d'un mot, je vérifie souvent dans le dictionnaire son sens normal, afin d'établir avec précision l'emploi déviant dans lequel je l'utiliserai. C'est une grande part du travail. Une autre n'appartient pas spécifiquement à la modernité : c'est ce qu'on peut appeler grossièrement la musique du texte. Je lis et je relis pendant plusieurs jours à haute voix les pages que je viens d'écrire, comme faisait Flaubert, pour mesurer les écarts par rapport à la norme concernant les répétitions de sonorités. Etant donnée une sonorité apparue en position forte, par exemple en fin de phrase, mettons la syllabe *oire* du mot répertoire, le problème est de savoir à quel moment cette sonorité *oire* doit reparaître dans le texte pour que le meilleur effet soit atteint. A la limite, certaines répétitions se trouvent exclues : la syllabe identique doit être si lointaine que le rapprochement ne sera pas fait. Les pages sont lues en général par groupes de trois sur le manuscrit définitif : pendant une période où j'écris à peu près une page par jour, ce qui pour moi est énorme, je relirai le jour x les pages x-2, x-1, x, le jour x + 1, je relirai x-1, x, x + 1, si bien que chaque page sera relue pendant trois jours consécutifs. J'admets qu'au-delà de trois pages, les répétitions de mots ou de sons ne peuvent pas être mémorisées par l'auditeur. C'est un problème qui me prend énormément de temps.

Peter M. WETHERILL : Pourrais-je vous demander quelle a été l'utilité pour vous de ce colloque?

Alain ROBBE-GRILLET : C'est un grand problème : la première impression, c'est que j'ai assisté à une vaste partie de Go dont j'ai été seulement l'échiquier. (Rires.) Mes œuvres littéraires ou cinématographiques ont été le champ de bataille où se sont affrontées des stratégies. Cette comparaison me semble d'autant plus pertinente que le Go est une stratégie d'encerclement. Il a été souvent prononcé ici le mot de régionalisation, comme si chaque stratège avait pour but d'occuper lui-même l'ensemble du territoire, y compris les régions que l'autre croyait avoir occupées. Vous savez que c'est toute la base du jeu de Go. La défense, dans le Go, et ici aussi, consiste à laisser à l'intérieur des territoires occupés ce qu'on appelle des libertés, ou des yeux. Ce sont des espaces vides qui permettent que le territoire soit dit vivant : quand un territoire est entièrement saturé, du point de vue du jeu de Go, il est mort et l'ennemi peut l'encercler; je dis encercler, mais c'est encore une image car on peut aussi le conquérir sans l'encercler vraiment. Il suffit, en somme, de le régionaliser : le premier joueur a mis tous ses soldats sur un territoire qu'il croyait ferme, mais il a omis d'y laisser de la liberté et le territoire est mort; brusquement, il s'aperçoit, par un seul pion que l'autre vient poser, qu'il est devenu une région du territoire de son adversaire. J'ai vraiment eu l'impression que c'était cela, que chaque joueur apportait ici un bagage théorique qui était une stratégie possible. L'un apportait les chaînes de Markov, l'autre le schéma actanciel de Greimas, l'autre les anagrammes de Saussure, et bien d'autres méthodes encore; et chacun essayait d'occuper des positions sûres grâce à son matériel stratégique personnel. Si le jeu a été passionnant, c'est que l'on y voyait l'affrontement des théories-stratégies. Il a été d'autant plus intéressant pour moi que cela se passait quelquefois à propos de mes livres. (*Rires.*) J'étais vraiment, alors, à même de juger comment se déroulait la partie.

La seconde question qui peut se poser, c'est : Qu'est-ce que cela m'a apporté? Et, là, il est probablement un peu trop tôt pour y répondre. J'ai assisté au colloque sur *Le Nouveau Roman : hier, aujourd'hui,* puis il y a eu les colloques Butor, Simon, Robbe-Grillet. On s'est écarté de plus en plus de l'auteur, et c'est tant mieux. Si cette réunion a été à mon sens passionnante, c'est parce que nous sommes à un moment où la prolifération des stratégies possibles fait que l'objet du colloque, moins qu'un auteur et qu'une œuvre en particulier, devient l'approche de la littérature aujourd'hui. Quelque satisfaction d'amour-propre que j'eusse pu éprouver à être plus souvent au cœur du débat, cela m'aurait moins intéressé dans la mesure où je n'ai besoin de personne pour me lire moi-même : j'y arrive très bien... La lecture des textes théoriques m'apprend beaucoup sur le fonctionnement de la critique aujourd'hui.

Ginette KRYSSING-BERG : Une question au pédagogue qui est en vous, et que nous avons tous remarqué ici. Quand nous sommes seuls avec votre texte, nous pouvons le sentir. Mais, quand nous sommes devant des étudiants, que nous voulons aider à participer à la lecture, que faire? Vous avez dit l'autre jour, à propos de Pinget, dans vos cours aux Etats-Unis que vous aviez envie d'apprendre le texte par cœur...

Alain ROBBE-GRILLET : Je me suis trouvé confronté à ce problème en tant que professeur à la New York University. La méthode que j'avais indiquée était de partir d'une lecture à haute voix du texte, puis d'investir progressivement ce texte par des systèmes théoriques, et de terminer à nouveau par la lecture du texte, mais qui aura alors changé dans l'esprit de l'étudiant. A supposer un étudiant qui aurait aimé cette musique au début, la même musique reparaissant après ces multiples investissements théoriques deviendra beaucoup plus intéressante encore et, même, plus sensuellement intéressante. Je veux dire que, dans cette sensualité du texte, il n'y a pas seulement, pour moi, la musique au sens des sonorités dont je parlais tout à l'heure, mais l'impact théorique des structures qui joue aussi son rôle dans le plaisir.

Frédéric GROVER : Dans la discussion, l'autre jour, vous avez comparé la chute de la fameuse sandale bleue au soulier de satin. Cela m'a rappelé les longues conversations que j'avais eues à votre sujet avec Mgr Pézeril. *(Rires.)* Il a été aumônier quelque part et il vous avait bien connu à cette époque-là. *(Rires.)* Rassurez-vous : je ne vais pas dévoiler les secrets de la confession. *(Rires.)* C'est donc une question générale : les symbolismes chrétiens abondent dans votre œuvre...

Alain ROBBE-GRILLET : ... judéo-chrétien, d'une façon plus large. Je n'ai pas connu la religion catholique : j'ai été baptisé parce que, à l'époque, même les parents athées faisaient baptiser leurs enfants, mais ensuite je n'ai plus mis les pieds dans une église, je n'ai pas reçu d'instruction religieuse, je n'ai jamais eu de confesseur. En revanche, au moment où je me suis mis à lire des textes, il y avait Lewis Carroll, Raymond Roussel, mais aussi l'Ancien et le Nouveau Testament, textes qui m'ont toujours beaucoup intéressé. Peut-être même que le premier Nouveau Roman que j'ai lu c'est l'Evangile qui est quatre fois la même histoire, racontée par des personnages différents *(Rires)* avec des passages qui se recoupent et des passages qui se contredisent. Je ne sais pas si vous avez remarqué que les quatre évangélistes se retrouvent dans plusieurs de mes petits travaux. Dans *Trans-Europ-Express,* en particulier, les trois narrateurs qui sont à l'intérieur du wagon s'appellent moi-même Jean, le producteur Marc, et la script Lucette, qui est Luc bien sûr. Le quatrième, qui se trouve à l'extérieur et qui apparaît vers la fin du film, est le petit garçon qui s'appelle Mathieu. Ce serait un hasard bien grand que cela se soit trouvé ainsi par pure contingence fortuite...

Jean-Christophe CAMBIER : Dans *l'Homme qui ment,* Trintignant dit : on m'appelait Luc. On lui coupe la parole...

Alain ROBBE-GRILLET : Cela, c'est un hasard objectif. Je lui avais demandé de commencer à dire l'ukrainien et de s'arrêter au milieu. Il aurait pu dire l'ukrai, il a dit l'uk, ce qui est très bien, mais qui n'est pas du tout calculé comme dans *Trans-Europ-Express.*

Lise FRENKEL : Il y avait Judas, Véronique...

Alain ROBBE-GRILLET : Oui, bien sûr : à chaque instant. L'autre partie de la question concerne l'Ancien et le Nouveau Testament comme réservoir à histoires, comme banque de matériel anecdotique, comparable à ce réservoir à histoires que constitue toute mythologie. Il y a, aussi, des résurgences de nombreux fragments de *La Genèse* ou du *Livre des rois* dans maints passages de mes romans ou de mes films. Je n'y attache pas un importance fondamentale, mais il est certain que la bible est un texte que j'ai fréquenté avec une très grande passion.

Hélène HERVIEU : Une dernière question, qu'on a posée après l'exposé de Tsepeneag. Envisageriez-vous un travail collectif? Quel serait votre statut là-dedans?

Alain ROBBE-GRILLET : Eh bien, non seulement je l'envisagerais, mais je vais commencer à le pratiquer au mois de septembre. J'avais signalé que la création collective d'un texte m'avait été refusée à mon premier séjour à New York University, et Bishop au contraire, cette fois-ci, vient de l'accepter. C'est-à-dire que, le 20 septembre, je commencerai avec vingt élèves de New York University la production d'un texte. Je ne peux pas savoir encore l'intérêt que j'y prendrai.

Serge LAMOUREUX : Je voudrais faire deux remarques. La première s'adresse à Jean Ricardou, qui a dit tout à l'heure qu'il sollicitait la parole des gens qui n'avaient pas parlé pendant le colloque. Alors, je voudrais dire une chose : le colloque ne se limite pas à la bande magnétique. Il y a eu de nombreuses discussions ailleurs et hors de la bibliothèque. La deuxième remarque, c'est qu'on lit, aussi, pendant le séjour à Cerisy. Ainsi, j'ai trouvé par hasard, dans la bibliothèque, un petit texte dont je voudrais vous lire quelques brefs extraits. L'auteur a un nom en huit lettres. Je donnerai le titre de l'ouvrage après, pour la chute. Le texte commence par : « L'année dernière, à la campagne, je reçus par le courrier de 11 heures deux enveloppes. Elles portaient le timbre de Paris et me venaient de deux de mes amis que j'avais retrouvés l'hiver dans les circonstances les plus lamentables. Je ne les avais pas vus depuis mon enfance à Constantinople. *(Rires.)* Ce que je lus me toucha vivement. Ils n'étaient grands psychologues ni l'un ni l'autre et n'avaient surtout aucune prétention à la psychologie, mais je fus ému par le récit de ces deux souffrances si différentes et qui, pourtant, je le compris plus tard, se ramenaient à un même principe. *(Rires.)* Le premier manuscrit était une sorte de confession, des notes qui paraissaient jetées au hasard, une pensée qui suivait son développement d'une façon à la fois tumultueuse et logique. » Puis le texte continue : « Je n'arrive toujours pas à comprendre où je me trouve. C'est une maison vraiment étrange, elles est faite avec du brouillard, et cela est plus solide que si c'était du bois. » Un peu plus loin, il est question d'encre rouge. Et cela se termine sur : « J'appelle, on ne vient pas, personne n'a parlé. » L'ouvrage s'appelle *Jalousie* et l'auteur est Jean Psichari. *(Rires et applaudissements.)*

LIVRES D'ALAIN ROBBE-GRILLET

Aux Editions de Minuit

Les Gommes, *roman*, 1953.
Le Voyeur, *roman*, 1955.
La Jalousie, *roman*, 1957.
Dans le Labyrinthe, *roman*, 1959.
L'Année dernière à Marienbad, *ciné-roman*, 1961.
Instantanés, *nouvelles*, 1962.
L'Immortelle, *ciné-roman*, 1963.
Pour un Nouveau Roman, *essai*, 1963.
La Maison de rendez-vous, *roman*, 1965.
Projet pour une révolution à New York, *roman*, 1970.
Glissements progressifs du plaisir, *ciné-roman*, 1974.
Topologie d'une cité fantôme, *roman*, 1976.

Aux Editions La Bibliothèque des Arts

La Belle Captive, *roman*, 1976.

TABLE DES MATIÈRES

Imprimé en France par FIRMIN-DIDOT S.A.
Dépôt légal : 3e trimestre 1976
No d'édition : 913 — No d'impression : 9103

Collection 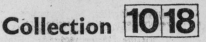 10|18

dirigée par
Christian Bourgois

PRINTEMPS 1976

**LISTE ALPHABÉTIQUE
DES OUVRAGES DISPONIBLES
AU 31 JUILLET 1976**